W9-BVW-983

I NOVELLIERI ITALIANI

Collana diretta
da
Enrico Malato

Volume 29 · Tomo I

GIOVAN FRANCESCO STRAPAROLA

LE PIACEVOLI NOTTI

GIOVAN FRANCESCO STRAPAROLA

LE PIACEVOLI NOTTI

A cura di
Donato Pirovano

TOMO I

SALERNO EDITRICE
ROMA

ISBN 88-8402-310-6

SOMMARIO

INTRODUZIONE

1. Sebbene i giudizi di valore non siano mai stati particolarmente generosi, la critica ha però sempre considerato *Le piacevoli notti* un *unicum* nel panorama novellistico rinascimentale, perché in esse si attua diffusamente la volontà e si esercita concretamente lo sforzo di dare forma letteraria alla fiaba popolare, trasfigurandola artisticamente secondo gli schemi e i moduli tradizionali della novella decameroniana. La pubblicazione della raccolta – 1550 il primo volume e 1553 il secondo – avviene nel periodo di maggior fulgore, per numero di prodotti e per fortuna editoriale, della novellistica settentrionale del XVI secolo, prima che la Controriforma muti radicalmente il genere, condizionando piú o meno perentoriamente le scelte degli scrittori e orientando diversamente i gusti e le attese del pubblico. A distanza molto ravvicinata si collocano, accanto a Straparola, *I diporti* di Girolamo Parabosco (1550), *Le dodici giornate* di Silvan Cattaneo, finite nel 1553 ma rimaste manoscritte fino al 1745, i *Vari componimenti* di Ortensio Lando (1552), le prime tre parti delle *Novelle* di Matteo Bandello (Lucca 1554), raccolte che testimoniano la vitalità del genere e i tentativi, diversissimi, di rinnovare la tradizione boccacciana con una tendenza però, almeno sul piano macrostrutturale, a privilegiare lo scarto piuttosto che la fedeltà alla norma.

Se si esclude il caso del Bandello, è Venezia che, con le sue potenzialità editoriali e con la sua vivacità culturale, funge da polo magnetico. E infatti proprio a Venezia, verso la metà del secolo, brulica una folla di dilettanti o di mestieranti, i quali affrontano l'impresa della novella isolata o si cimentano in due o tre prove, inserendole o intrecciandole con altre tipologie testuali. Per esempio, contengono alcune novelle le *Lettere* (1548) del friulano, ma attivo a Venezia,

Orazio Brunetto, e le *Immagini degli Dei* (1556) di Vincenzo Cartari, modenese riparato a Venezia; tre novelle sono composte, e appaiono poco prima del 1550, dal padovano Marco Mantova Benavides; quattro novelle sciolte lasciò inedite anche Giovanni Bressani, poligrafo bergamasco. Una *Lacrimosa novella di due amanti genovesi* [...] appare nel 1551 a Venezia ad opera di un tale Giambattista da Udine, mentre anonima è la salace *Novella di Dioneo e Lisetta*. Sono tutti testi che si possono ricondurre alla tradizione quattrocentesca della novella spicciolata, famiglia alla quale appartiene anche la piú felice e artisticamente meglio riuscita *Giulietta e Romeo* di Luigi Da Porto (scritta circa trent'anni prima, nel 1524, e poi piú volte pubblicata). La fortuna della novella nell'ambiente veneziano intorno alla metà del secolo è poi confermata da quelle contenute piú o meno episodicamente nei trattati d'amore, come nel *Raverta* e nel *Dialogo amoroso* del Betussi, e soprattutto da quelle che costellano le opere dei poligrafi, del Doni (*Moral filosofia*, *Lettere*, *Librarie*, *Zucca*, *Mondi*, ecc.) e dello stesso Aretino (*Dialogo del giuoco*, Venezia 1543).

A determinare tanto successo contribuisce indubbiamente l'industria tipografica veneziana, mentre in altre parti d'Italia, come in Toscana, restano manoscritte importanti raccolte quali quelle del Grazzini e del Fortini, segno inequivocabile di scarso interesse o di conveniente prudenza verso certi prodotti narrativi; comunque è evidente che i cospicui e continui investimenti degli editori e dei tipografi veneziani presuppongano un mercato ricettivo e vivace, e una sensibile domanda da parte dei lettori. Nell'ambito di una generale propensione del pubblico per la novellistica, bisogna però riconoscere che molti di questi libri conobbero solo un breve ed effimero favore e non oltrepassarono la soglia della prima edizione, altri ebbero una piú duratura fortuna, come il già ricordato Da Porto (*Giulietta e Romeo*) e il Parabosco, ma nessuno incontrò un successo ampio e prolungato come lo Straparola, la cui raccolta fu un vero e proprio *best seller*, se si considera che nell'arco di un sessantennio, dal 1550 al 1608, si susseguirono piú di venti edizioni, tutte stampate a Venezia, per conto di diversi editori committenti e per i tipi di diversi stampatori; successo confermato dal fatto che il libro, nonostante i rimaneggiamenti e gli aggiustamenti imposti dalle prescrizioni censorie e dai controlli sempre piú rigorosi, continuò comunque ad essere pubblicato, tanto da far pensare a un evidente vantaggio da parte degli editori ad assecondare gli interessi e la domanda del pubblico e quindi a far stampare a ogni costo l'opera, in alcuni casi con un buon margine di rischio, in altri con una calcolata acquiescenza alle imposizioni. *Le piacevoli notti*, nonostante le notevoli intromissioni, continuarono dunque ad essere comprate e lette, proprio anche quando erano cambiati i moduli e i prodotti della narrativa, a dimostrazione di una vitalità editoriale in grado di sopravvivere agli orientamenti dominanti, evidentemente perché richiesta da un pubblico poco sensibile a certe tendenze e, invece, fortemente motivato a privilegiare testi magari antiquati e superati, ma comunque consoni alle sue esigenze e alle sue aspettative. Un'ulteriore riprova di questo successo è attestata anche da pubblicazioni singole (come la prima novella edita due volte), dall'inserimento di alcune novelle nella fortunata antologia di Francesco Sansovino, la cui prima edizione (1561) contiene ben ventidue « favole » dello Straparola su cento totali, dalla rapida diffusione all'estero, in primo luogo in Francia (la traduzione francese del primo volume è del 1560, mentre il secondo verrà tradotto nel 1572) dove *Le piacevoli notti* conobbero altrettanta fortuna se si considera l'alto numero di edizioni (almeno 12 prima del secondo decennio del XVII secolo), ma poi anche in Spagna, dove la raccolta fu tradotta entro la fine del XVI secolo.

Un altro dato che sembra confermare il successo di pubblico è ricavabile inoltre dal fatto che nell'intervallo di tempo tra la *princeps* del primo volume (1550) e quella del secondo (1553), quando evidentemente lo scrittore stava lavorando alacremente e affrettatamente per ultimare la sua opera, uscí un'altra edizione del primo volume (1551), stampata dallo stesso tipografo (Comin da Trino) e finanziata dal primo editore (Orfeo dalla carta) in collaborazione con il libraio « all'insegna del diamante », ossia Vilio Bonfadini, a dimostrazione dunque che il mercato aveva già esaurito il primo volume e che la richiesta era ancora tanto alta da giustificare una nuova pubblicazione senza attendere la conclusione del libro da parte dell'autore.

A questo punto non è ozioso chiedersi quale pubblico garantí questo indiscutibile successo. La diversificazione sociale e culturale del pubblico nel pieno Cinquecento sembra essere molto piú complessa di quello che può apparire a un primo e rapido esame. A parte i ceti culturalmente piú elitari, a parte le accademie, le università e i circoli letterari piú esclusivi, che privilegiavano generi e forme dell'alta letteratura, e senza voler ammettere una richiesta, improbabile quanto anacronistica, di lettori di estrazione popolare, esisteva una fascia di pubblico intermedia alquanto diversificata per origine sociale, per preparazione culturale e per interessi letterari, e dunque in questo ampio orizzonte è lecito presupporre frange di larga tolleranza e strati di lettori interessati a consumi letterari vari ed eterodossi rispetto agli orientamenti culturali dominanti, e anche a prodotti di letteratura di consumo o comunque che rispondevano a richieste e istanze che, con le dovute precisazioni che si sono poste, si potrebbero definire popolari. Le piccole e medie industrie tipografiche veneziane, sollecitate dalla domanda di editori e piú frequentemente di semplici librai, come attesta la scrizione "all'insegna di" che compare su molti frontespizi, pubblicavano una vasta gamma di testi eterogenei, una letteratura di consumo la cui presenza e il cui peso di mercato fu certamente notevole: un fenomeno di portata difficilmente quantificabile e valutabile perché molti di questi testi sono oggi scarsamente sopravvissuti o sono semplicemente registrati in qualche vecchio catalogo bibliografico.

Le coordinate tipografiche delle prime edizioni delle *Piacevoli notti* vanno probabilmente ricercate in questo contesto se è vera l'identificazione, formulata da Steno Zanandrea (in *Dizionario dei tipografi e degli editori italiani, Il Cinquecento*, diretto da M. Menato, E. Sandal, G. Zappella, vol. I. A-F, Milano, Editrice Bibliografica, 1997, s.v. *Danza, Paolo e Prospero*), del primo editore Orfeo dalla carta, che firmò anche la lettera dedicatoria, con la famiglia Danza, oriunda della Riviera di Salò: l'attributo, e non cognome, « dalla carta » è infatti utilizzato in alcuni documenti che riguardano Battista Danza (*a chartis*). In famiglia era tradizionale l'arte cartaria, e alcuni di questi, in particolare Paolo e suo figlio Prospero, trapiantati a Venezia, si dedicarono all'attività editoriale nel corso del XVI secolo. Un altro elemento a sostegno di questa identificazione è fornito dalla circostanza che nel 1537 un tale Giovanni Antonio gestiva con il fratello Sebastiano Danza una libreria in San Bortolamio, informazione questa che comparirà poi, sotto la marca tipografica, nel frontespizio del secondo volume delle *Piacevoli notti*. Se questa ricostruzione è corretta, è interessante allora osservare che il libro di Straparola si inserisce perfettamente nel catalogo dei Danza, attivi soprattutto nell'ambito dell'editoria popolare. Il catalogo annovera infatti titoli che rispecchiano la variegata dimensione della letteratura popolare: da testi novellistici (*Barzeletta noua qual tratta del gioco*, s.d.; *El costume delle donne*, s.d.; *Essempio d'un giouine ricchissimo, qual consumata la ricchezza, disperato a una traue si sospese*, 1531; *Una historia bellissima de un signore duno castello* [...] di F. Lancilotti, s.d.; ecc.); alla letteratura vernacolare (interessante in proposito una *Frottola noua tu nandare col bocalon* in bergamasco, dialetto tra l'altro utilizzato dallo Straparola nella v 3); al genere cavalleresco (*Ciriffo Caluaneo et il Pouero Adueduto* di Luca e Luigi Pulci, 1534; *Innamoramento di Ruggeretto* di Panfilo Renaldini, 1554 e 1555; *Opereta* [...] *qual tratta de un cauallero detto Tebaldo*, 1522, nome tra l'altro utilizzato dallo Straparola per il protagonista della I 4); alla cronaca contemporanea in cui canzonette di sapore popolare s'integrano con veri e propri resoconti giornalistici (es. *La gloriosa e solenne intrata della S.N.S. papa Paulo III in Roma dopo il santo viaggio di Nizza*, 1538); e non manca la letteratura religiosa e devozionale in volgare (*La passione de Christo* di G. Dati, 1526), la letteratura profetica (*Pronosticatione o vero iudicio vulgare* del Lichtenberger, 1511) e alcuni testi didattici (*Abacho nouo*, 1539).

Un'altra interessante, e diretta, testimonianza sul favore del pubblico per il tipo di narrativa che caratterizza maggiormente la raccolta di Straparola si trova in una lettera di Andrea Calmo « a la signora Frondosa », scritta pressappoco negli anni della pubblicazione delle *Piacevoli notti*. Infatti, parlando di alcuni intrattenimenti serali del suo tempo, il Calmo scrive:

> [...] e torna tutti a sentar digando le pi stupende panzane, stampie e imaginative, del mondo, de comare oca, de fraibolan, de osel bel verde, de statua de legno, del bossolo da le fade, d'i porceleti, de l'aseno che andete remito, del sorze che andete in pelegrinazo, del lovo che se fese miedego, e tante fanfalughe, che no besogna dir. Quei che ha pi sal in zuca recita la historia de Otinelo e Giulia, e quella de Maria per Ravena, el contrasto de la Quaresema e de Carneval, Guiscardo e Ghismonda, de Piramo e Tisbe, l'è fatto el beco a l'oca, e de ponzé el mato cugnà.

Il passo contiene un'enumerazione di fiabe, di poemetti popolari, di una nota novella decameroniana (Guiscardo e

Ghismonda), ma è curioso notare che delle fiabe ricordate, due si trovano anche nell'opera dello Straparola: « osel bel verde » è la fiaba IV 3, « l'aseno che andete remito » è la X 2. Non è possibile stabilire se il Calmo alluda direttamente alle *Piacevoli notti* o a una consolidata tradizione orale, alla quale anche lo Straparola attinse, ma è comunque una testimonianza significativa su certi gusti del pubblico, un pubblico, soprattutto di area veneta, ormai sazio degli sclerotizzati schemi narrativi della tradizione realistica di derivazione toscana e in ricerca di qualcosa di nuovo, anche se ciò coincide con la prepotente intrusione nell'aura della letteratura di moduli fiabeschi, di temi e soprattutto di forme e strutture narrative che avevano sempre corso in modo sotterraneo e parallelo alla cultura dominante e ufficiale e che avevano sempre trovato nel Veneto, e in genere nell'Italia settentrionale, un'accoglienza e un favore assai piú caldi e marcati rispetto ad altre regioni: un fenomeno carsico, dunque, che ora riemerge in modo prorompente a intaccare i modelli nobili della tradizione decameroniana, proprio negli anni in cui stavano irrigidendosi i canoni del classicismo cinquecentesco e si smorzavano gli sperimentalismi formali di marca cortigiana tardo-quattrocentesca.

Lo Straparola, come si vedrà meglio successivamente, non ebbe la volontà, la capacità né il coraggio di percorrere fino in fondo questa via innovativa e mescolò, in modo compromissorio e prudente, vari modelli e schemi narrativi, ma probabilmente proprio questo suo eclettismo, che garantiva all'opera pluralità di letture e selezioni della materia, fu la causa dell'imprevisto e sorprendente successo. Di questa lettura selettiva è testimonianza diretta l'opera di Francesco Sansovino, che, quando scorporò dalle *Piacevoli notti* le novelle da inserire poi nella sua antologia, escluse totalmente i moduli fiabeschi e si appropriò solo dei racconti piú vicini e in sintonia con la tradizione della novella decameroniana.

2. L'intuizione delle potenzialità narrative del materiale fiabesco non consentí allo Straparola di portare fino in fondo il suo progetto innovativo imponendo la fiaba come espressione letteraria alternativa, e dunque l'eruzione di questa materia, fluida e magmatica, viene subito canalizzata all'interno della tradizione decameroniana attraverso la presenza di una cornice in cui si innestano le singole "favole". Lo scrittore avverte immediatamente l'urgenza di definire le coordinate spazio-temporali dell'operazione narrativa: rimanda alla tradizione del realismo borghese l'incipit della cornice con la presenza di personaggi storici come Ottaviano Maria Sforza, vescovo di Lodi, costretto a riparare a Venezia, e di sua figlia Lucrezia Sforza Gonzaga, moglie di Giovan Francesco Gonzaga, cugino di Federico marchese di Mantova; e inoltre, sembra storicamente plausibile l'accoglienza benevola riservata ai due illustri esuli dal mercante trevigiano Ferrier Beltramo (anche l'Aretino gli riconobbe il dono dell'ospitalità); e soprattutto la scelta di un palazzo di Murano come residenza, non certamente casuale se si pensa che l'isola era il luogo preferito dalla nobiltà veneta che vi faceva dimora alcuni mesi all'anno (vi avevano casa i Navagero, i Priuli, Trifon Gabriele, il Trissino, vi approdavano patrizi stanchi dalle fatiche pubbliche, studiosi in cerca di pace, dame che si compiacevano di trascorrere la giornata in amabile brigata). Ma basta leggere il seguito per smascherare facilmente il presunto realismo. La descrizione del palazzo riproduce perfettamente la descrizione di un palazzo del *Decameron* (cfr. III intr. 4-5), ma al di là del *topos* del *locus amoenus* caro alla tradizione e comunque plausibile, quello che piú colpisce è lo scarto rispetto alla logica spazio-temporale, visto che una descrizione indiscutibilmente primaverile senza gli opportuni aggiustamenti viene piegata a un ambiente invernale: poco oltre, infatti, Straparola dirà che la vicenda è ambientata negli « ultimi giorni di

carnesale». Emerge subito il contrasto con la cornice del Grazzini, il quale, scegliendo similmente di ambientare la vicenda durante il carnevale, rispetta coerentemente le dimensioni logico-narrative di spazio e di tempo. Comincia a rivelarsi dunque l'operazione compiuta da Straparola che, secondo le modalità care alla narrativa fiabesca popolare, svuota di significazione logico-realistica i materiali libreschi e li trasforma in schemi preconfezionati, in formule vuote, adattabili alla descrizione di ambienti anche non propriamente congruenti con l'azione narrativa che segue.

Una stessa logica presiede alla scelta dei membri della brigata che si raduna attorno a Lucrezia Sforza: alle dieci damigelle, descritte tanto convenzionalmente da risultare generiche e difficilmente individuabili, si affiancano nomi piú o meno altisonanti della politica e della cultura veneziana del pieno Cinquecento, da Pietro Bembo a Bernardo Cappello, da Antonio Molino a Benedetto Trivigiano, da Giambattista Casali a Evangelista Cittadini, ma nessuno di loro viene, anche minimamente, caratterizzato: ombre vane fuorché nel nome, tanto che, avvolti in questa dimensione fiabesca, i loro profili non si distinguono per nulla da quelli delle damigelle alle quali spetta in larghissima misura l'atto narrativo. Anche i gesti, i riti, le azioni monotone e ripetute della brigata, costruiti con materiali libreschi tradizionali (da Boccaccio, da intendersi non solo come autore del *Decameron*, a Sannazaro), sembrano schemi vuoti e posticci che non lasciano mai intravedere neppure una coerente vita di gruppo, con interessi, esperienze e gusti definiti. Si potrebbe pensare, come è già stato fatto, a una dimensione fiabesca che aleggia già sulla cornice: riconducono ad essa l'ambientazione improbabile, la monotonia e l'iterazione degli elementi narrativi, il mancato spessore individuale dei personaggi, le forme astratte, la scelta di raccontarsi le "favole" di notte quando i comuni mortali dormono.

Appartengono anche a un tipo di letteratura che si potrebbe definire genericamente popolare il tentativo di elevare lo stile ricorrendo a ricordi dell'alta letteratura: e cosí nelle pagine della cornice, per la verità di dimensioni alquanto ridotte rispetto a contemporanei esperimenti di dilatazione come quelli del Cattaneo e del Parabosco, predominano una lingua e uno stile ridondanti di formule libresche altisonanti, frutto di un manierismo istintivo piú che di un consapevole riuso e di un meditato processo di riscrittura.

Nonostante il notevole e vistoso sforzo, dunque, anche in queste pagine lo Straparola non è riuscito a evadere dalla logica narrativa che presiede a tutta l'opera e che comunque risulta ben piú armonizzata nelle singole novelle. Forse incantarono qualche sprovveduto lettore del suo tempo, ma alla memoria del lettore attento e piú esigente queste pagine lasciano solo una scia di maniera e di artificio, smascherando facilmente un dovuto atto di omaggio, come è stato definito, o un inchino forzato e non sentito, che lascia indifferente lo scrittore e che, per di piú, lasciò indifferente il pubblico, se, nel corso della storia editoriale del volume, già pochi anni dopo le due *principes*, gli editori potevano permettersi di eliminare o cambiare novelle, lasciando inalterate le pagine della cornice, creando cosí incongruenze e fratture insanabili: probabilmente la domanda dei lettori che continuavano a comprare l'opera non richiedeva nessuna coerenza e nessun rispetto della logica strutturale, se il libro continuava ad essere pubblicato senza che nessuno si desse la briga di intervenire parzialmente o anche drasticamente a salvare un meccanismo alterato nelle sue fondamenta. Va detto, per di piú, che questo scrupolo non fu mai nemmeno dello Straparola, il quale molto probabilmente appiccicò la cornice all'ultimo momento e non ebbe mai la voglia, o forse piú probabilmente il tempo, di intervenire a sanare le molte contraddizioni interne: motivi monchi, come quello della ghirlandetta di verde alloro (di boccacciana memoria, visto che è il segno della regalità nel *Filocolo* e nel *Decameron*), introdotto nel proemio e poi abbandonato completamente; confusione di nomi, come nel finale della novella IV 4; introduzione di personaggi nuovi senza giustificazione e senza una storia narrativa, come una tale Diana, che appare improvvisamente nella notte nona; confusione strutturale, o comunque cambio di progetto ingiustificato, visto che al termine dell'undicesima notte la Signora invita ciascun membro della brigata nella notte successiva (XII) a partecipare in prima persona all'atto narrativo (situazione che invece avverrà nella tredicesima notte, dove comunque non tutti sono poi di fatto coinvolti); incongruenze temporali come la notazione introdotta in V 2 43 che non coincide con il lineare susseguirsi delle notti.

La debolezza dell'impianto strutturale della cornice, tanto che consentí come si è già detto facili cambiamenti da parte degli editori, è poi dovuta al fatto che manca qualsiasi indicazione sulla distribuzione delle singole narrazioni nell'ambito delle notti. Ogni notte si raccontano cinque novelle, tranne l'ultima (la XIII), in cui sono narrate tredici novelle. In questa debole impalcatura non esiste nessun criterio, tematico o strutturale (si pensi al Grazzini), che accorpi le varie favole, e ciò fa chiaramente emergere la differenza di questa cornice rispetto alla tradizione e di fatto ne rivela l'inconsistenza. Lo scrittore sembra dunque inserire a caso la sua materia, senza avere in mente un preciso progetto strutturale, anche se in alcuni momenti allude a deboli legami ricorrendo al solito espediente del novellatore che si rifà al testo precedente, e anche se in altri momenti è possibile vagamente intuire una linearità, come nella notte terza, dove si susseguono testi riconducibili allo schema delle fiabe di magia o comunque dove predominano motivi fiabeschi, oppure come nelle ultime due notti, dove su diciotto testi complessivi sono inserite ben diciassette traduzioni da Morlini, pesante intromissione che sembrerebbe confermare la fretta, non si sa fino a che punto voluta, di ultimare il lavoro.

3. In questo impianto strutturale aperto, che può facilmente sopportare, come si è visto, forze di dilatazione o di contrazione, si inseriscono forme narrative diverse, difficilmente riconducibili a un unico comune denominatore. La convergenza di materiali vari e disparati è sempre stata una peculiarità della novellistica italiana fin dalle prime raccolte (si pensi al *Novellino*), ma qui le spinte non sono sapientemente raccolte e organizzate in una forma armonica e omogenea. Si intravedono certo linee dominanti, ma prevale la contaminazione di motivi e strutture narrative differenti, cosicché da un lato si ha l'impressione di trovarsi di fronte a forme ibride e ambigue, dall'altro di muoversi in una prospettiva orizzontale, dove predomina un vago e generico eclettismo e una sostanziale uniformità stilistica che caratterizza argomenti diversi tanto da sacrificare la prospettiva verticale da cui discende il riconoscimento della varietà dei toni e delle sfumature propri di ciascuna forma narrativa. Ogni genere narrativo sembra perdere la sua specificità, e il risultato è un amalgama di materiali diversi in cui nello stesso prodotto convivono, non sempre convenientemente armonizzate, spinte diverse: le strutture fiabesche si mescolano a elementi e modelli della novella realistica tradizionale, la novella di beffa assume connotati e aspetti propri delle fiabe di magia, le vicende esemplari e tragiche sono mischiate a ingredienti fiabeschi. La dimensione fiabesca è decisamente prevalente, soprattutto nel piú compatto e uniforme primo volume, e di ciò pare essere consapevole lo stesso scrittore che, rifacendosi alla nota distinzione terminologica del "Proemio" decameroniano, utilizza diffusamente per le sue narrazioni il termine "favola",

riservando “novella” a pochi racconti del secondo libro, e “istoria” alla IX 4 (che infatti è un riadattamento di una vicenda storica) (sull’uso dei tre termini in Boccaccio vd. ora *Favole parabole istorie. Le forme della scrittura novellistica dal Medioevo al Rinascimento.* Atti del Convegno di Pisa, 26-28 ottobre 1998, a cura di G. Albanese, L. Battaglia Ricci, R. Bessi, Roma, Salerno Editrice, 2000, in partic. le relazioni di E. Malato, S. Sarteschi, G. Albanese). È anche vero comunque che il termine prevalente “favola” non necessariamente è impiegato a connotare la fiaba di magia, perché, in una raccolta dove predominano testi ibridi, esso viene utilizzato anche per indicare racconti dove gli elementi fiabeschi sono scarsamente presenti o del tutto assenti. Tuttavia esso sembra rivelare la consapevolezza da parte dell’autore della novità piú significativa della sua raccolta rispetto alla tradizione del genere novellistico, anche se poi questo suo progetto innovativo viene smorzato da una serie di remore e dallo sforzo di voler riadattare la fiaba agli schemi della novella tradizionale, sovrapponendo cosí a fatica due logiche narrative che sono di per sé inconciliabili. La compresenza non armonizzata di queste due componenti si intravede già nell’organizzazione spazio-temporale dei singoli racconti, in particolare quelli piú propriamente riconducibili alla dimensione della fiaba. Straparola si preoccupa diligentemente di far percepire la dimensione spaziale e cronologica secondo i canoni di verosimiglianza che sono propri della novella realistica di derivazione decameroniana, inserendo notazioni e precisazioni, ma di fatto si avverte subito l’inconsistenza di queste pseudo-storicizzazioni e la loro impossibilità a convivere con un’organizzazione dello spazio e del tempo decisamente fiabeschi. Ciò significa che non solo le indicazioni spaziali, collocate soprattutto all’inizio della novella, sono formule vuote di significato proprio, tanto che potrebbero essere perfino sostituite senza turbare lo sviluppo dell'azione, ma anche che predomina una organizzazione dello spazio in cui si verifica il superamento fiabesco delle leggi di natura e l'assenza di resistenza dell'ambiente sulle azioni dei personaggi.

Come ben individuato da D.S. Lichacëv (*Le proprietà dinamiche dell'ambiente nelle opere letterarie (Per un'impostazione del problema)*, in *Ricerche semiotiche. Nuove tendenze delle scienze umane nell'URSS*, a cura di Ju.M. Lotman e B.A. Uspenskij, trad. it. Torino, Einaudi, 1975[2], pp. 26-39), gli ostacoli che l'eroe della fiaba incontra nel suo cammino sono soltanto narrativi, mai naturali. L'ambiente fisico della fiaba, infatti, di per sé non conosce resistenza, perché in essa l'intreccio predomina sulla figurazione. In un testo in cui il racconto prevale quasi totalmente sulla descrizione, l'attenzione è tutta rivolta alle azioni dell'eroe e quindi l'organizzazione dello spazio prevede solo la creazione delle condizioni ideali per lo sviluppo dell'azione che deve compiersi con maggior facilità e rapidità possibili. I personaggi delle *Piacevoli notti* si spostano di continuo senza che l'ambiente opponga resistenza ai loro progetti e alle loro azioni, non si fermano mai se non nel momento della prova: l'ambiente non li influenza, non provoca remore e ritardi, non determina un'inerzia psicologica. L'eroe non conosce titubanze provocate dallo spazio (lunghezza del cammino, fatica del viaggio, pericoli imprevedibili, condizioni malagevoli, ecc.). L'eroe decide e fa, pensa e va. Allo stesso modo l'organizzazione del tempo si caratterizza non solo perché prevalgono generiche notazioni cronologiche del tipo « non è gran tempo », « ne' passati tempi », « già gran tempo fa » e simili, ma anche e soprattutto perché risente fortemente della logica fiabesca. Lo sviluppo narrativo è tutto concentrato sul momento della prova e quindi lo scrittore può permettersi di dilatare o contrarre la dimensione cronologica senza preoccuparsi del criterio di verosimiglianza nella percezione del tempo. Il lettore non si accorge della durata cronologica degli spostamenti: il personaggio parte e arriva subito, pensa ed è sul posto. Anche nei momenti decisivi non si ha la sensazione del trascorrere del tempo: l'azione è fulminea. L'assenza della dimensione della durata si avverte soprattutto quando il personaggio non viene minimamente intaccato dal logico fluire del tempo. Possono essere a lungo sottoposti a un crudele supplizio (come Doralice nella I 4), per anni condannati a condizioni di vita umilianti (come Chiaretta nella IV 3), per mesi costretti a subire un incantesimo (come Fluvio e Acquirino nella IV 3), eppure ritornano ben presto alla vitalità e alla freschezza di prima, come se il duro periodo di tempo trascorso non li avesse minimamente intaccati. Piú che di una durata lineare, la fiaba vive di attimi, perché anche l'azione decisiva si compie nell'attimo, attimi che sono certamente in successione, ma che contano soprattutto nella loro individualità.

Per quanto riguarda il "sistema" dei personaggi, si può notare come nelle fiabe delle *Piacevoli notti* sia ben evidente quell'aspetto di «unidimensionalità» di cui parla M. Lüthi (*La fiaba popolare europea. Forma e natura*, trad. it. Milano, Mursia, 1982). Nella fiaba, infatti, la creatura terrena non ha la sensazione di incontrare nell'essere ultraterreno un'altra dimensione. Nelle *Piacevoli notti* compaiono fate (II I, V I, ecc.), morti riconoscenti (IX 2), esseri personificati (IV 5), draghi (X 3), animali favolosi (III I, III 2, III 4, IV 3, ecc.), animali in apparenza comuni che iniziano a parlare (III 4, X 3), ma gli uomini che interagiscono con loro, eroi e antagonisti, li trattano da pari a pari. L'eroe non si meraviglia, non prova paura, gli manca il senso di ciò che è fuori della norma perché per lui tutto appartiene alla stessa dimensione: cosí può mettersi imperturbabilmente a parlare con un tonno (III I), con una sirena (III 4), con un cavallo (III 2), o impegnarsi a dirimere una controversia tra una formica, un'aquila e un lupo (III 4).

Tranquillamente, senza lasciarsi impressionare, i personaggi possono ricevere o rifiutare doni di esseri ultraterreni, accettare il loro aiuto o affrontarli, e proseguire poi per la loro strada. Gli uomini delle *Piacevoli notti* vedono e sperimentano situazioni fantastiche senza il minimo moto dell'animo, senza nessun timore, nessuna meraviglia, nessuna curiosità: chi ha ricevuto dei doni (come Fortunio nella III 4 o come Livoretto nella III 2) non prova né meraviglia né dubbio, non sperimenta il potere o gli oggetti magici, bensí li usa soltanto quando ne ha bisogno, e in genere, una volta adoperato, l'oggetto esce dall'orizzonte narrativo: non interessa piú e nessuno si ricorda piú di esso. L'eroe agisce e non ha né il tempo né la predisposizione per stupirsi di ciò che è insolito. La diversità degli esseri ultraterreni non lo riguarda come fenomeno in sé, per lui ha importanza solo il loro agire: non gli interessa da dove vengano né dove poi scompaiano, né chi abbia conferito loro il sapere e le virtú magiche e nemmeno lo chiede. L'ultraterreno convive con il terreno e spesso non è separato nemmeno da una lontananza geografica: Pietro Pazzo incontra il tonno nel mare della sua isola (Capraia) dove andava sempre a pescare (III 1), la madre stessa regala al figlio minore il cavallo fatato (III 2), Adamantina baratta la bambola magica al mercato (V 2).

Proprio perché il personaggio si risolve essenzialmente nell'azione, risultano inadeguati e fuorvianti i giudizi critici fondati su formule del tipo « infantilismo psichico », « fragilità morale », « gracilità emotiva », ecc., perché tentano di interpretare secondo i criteri della novellistica tradizionale il personaggio fiabesco che di per sé manca di ogni spessore corporeo e di ogni profondità psichica. Dietro le generiche formule di apertura che connotano, generalmente utilizzando caratterizzazioni decameroniane, i personaggi (« la quale e di bellezza e di virtú e di cortesia avanzava ogn'altra matrona ch'a' suoi tempi vivesse » (II 1 3), « bella di forma e graziata molto» (IV I 3), «uomo saggio, amorevole e singolare» (V I 4), dietro i nomi e i cognomi attribuiti ai personaggi, spesso ricorrendo alla tradizione dei poemi cavallereschi e dei cantari (un'interessante informazione sui gusti di lettura dello scrittore), si intravede senza grandi difficoltà il profilo tipico del personaggio delle fiabe. I personaggi delle *Piacevoli notti* sono, infatti, in genere figure «senza corpo, senza mondo interiore, senza un vero ambiente che li circondi; manca in loro ogni rapporto col mondo passato e futuro, insomma col tempo» (Lüthi, op. cit., p. 22). Essi possono subire orrende mutilazioni, come Biancabella (III 3) privata degli occhi e delle mani, senza provare alcun dolore fisico, o essere colpiti e uccisi senza mai pronunciare un grido (come Livoretto in III 2, che poi deve addirittura subire il taglio della testa e il frazionamento di nervi e ossa fino a diventare minuta polvere prima di risuscitare grazie all'acqua della vita), o essere sepolti vivi per mesi (come Doralice nella I 4) senza mai emettere un lamento. Nelle *Piacevoli notti*, anche nelle scene piú crude e anche negli atti piú atroci e macabri come quello ora citato, non si vede mai scorrere il sangue, né si ha la sensazione di un reale dolore sofferto dai personaggi. Il corpo è funzionale all'azione, può essere lacerato ferito massacrato e reintegrarsi perfettamente: ha una fisionomia bidimensionale, come nei vecchi cartoni animati. Inutile allora cercare un mondo di sentimenti in una logica narrativa dove è assente la dimensione della profondità psicologica: queste fiabe mostrano figure piane e non uomini con una ricca vita interiore. Nonostante gli sforzi di Straparola di aderire al dettato del Boccaccio, appiccicando caratterizzazioni, si nota la vacuità di queste formule e soprattutto il prevalere di un sistema narrativo dove tutto è azione, dove il personaggio non pensa ma agisce, dove al piano segue immediatamente la realizzazione. Anche in Boccaccio lo spessore dei personaggi emerge soprattutto dalle loro azioni e dalle loro scelte concrete, ma qui l'azione non produce nessuna verticalità psicologica, rimane in superficie perché non necessita di alcun approfondimento al di là della sua necessaria linearità. La fiaba ha una logica che non ammette smentite e non può variare: il giusto comportamento è quello dell'eroe, il fallimento è quello dei suoi antagonisti. L'eroe coglie immediatamente quello che è giusto con altrettanta sicurezza con cui l'antagonista sceglie la via o il mezzo sbagliato. Nei personaggi di questi racconti fiabeschi non si può nemmeno parlare di intelligenza, la virtú per eccellenza dell'universo narrativo del *Decameron*: la chiave per risolvere le situazioni piú complicate o la via e il mezzo per vincere la prova sono conferiti all'eroe, in modo fortuito ma necessario, da un aiutante esterno, che compare sempre nel momento del bisogno o previene il bisogno del protagonista.

Si è già mostrato che nonostante gli sforzi dello scrittore di conferire una dimensione storica e reale ai suoi racconti, le fiabe delle *Piacevoli notti* sono di fatto lontane dalla realtà: esse non mirano a dare forma al mondo concreto con le sue molteplici dimensioni, ma lo trasformano conferendogli un'altra forma che è assolutamente propria ed essenzialmente astratta e stilizzata. In questo mondo le figure risaltano e si distinguono esteriormente grazie ai loro contorni nitidi e ai loro colori puri. Straparola non indugia mai in nessuna descrizione, ma si serve di attributi generalmente singoli, epiteti fissi come nell'epica che fanno sí che ogni cosa, una volta nominata, appaia come un'unità definitivamente acquisita: «velenosa fiera», «cavallo fatato», «bianche perle», «bionde trecce». Lo scrittore rinuncia di fatto a una caratterizzazione individualizzante e utilizza le sue forme stilizzate e determinate in diverse occasioni, privilegiando contorni netti e definiti, colori chiari e puri (bianco, rosso, verde), ciò che è raro e prezioso (soprattutto oro e argento, ma anche perle e pietre preziose), formule rigide (in particolare il numero tre che nella tradizione originaria cui le fiabe attingono doveva avere un significato e una forza magica). Proprio questo numero tre viene dunque impiegato non solo con una funzione ornamentale, ma anche, e soprattutto, con una importante funzione strutturale e ritmica: tre antagonisti, tre aiutanti, tre prove, tre giorni, tre episodi, ecc. Proprio in questo ambito si può notare la tendenza dello Straparola a creare una struttura polimembre cosí da rispettare la logica essenzialmente ternaria, combinando materiali provenienti probabilmente anche da fiabe diverse (come nella VIII 1, che propriamente non è una fiaba di magia, dove sono accostati testi di diversa provenienza per creare una struttura trimembre) o scindendo un unico racconto in piú parti (come le fiabe III 2 e III 4, che forse provengono da un'unica fiaba, come dimostrano le versioni moderne trascritte dalla tradizione orale). Sempre nell'ambito della dimensione essenzialmente astratta della fiaba, si può notare come nelle *Piacevoli notti* ci sia una particolare predilezione per tutto ciò che è estremo: gli eroi sono sempre bellissimi, le eroine o le principesse bellissime, gli antagonisti bruttissimi e cattivissimi. A parte la caratterizzazione dove predomina la tendenza al superlativo e all'accostamento plurimo e iperbolico di forme aggettivali, l'estremità è ottenuta anche con altri metodi: l'eroe (o l'eroina) è un figlio unico (II 1, III 1) o il minore di una serie (III 2, IV 1, V 2, XI 1) o un adottivo (III 4) o il figlio maschio (X 3). Straparola introduce coppie senza figli in cui è necessario un intervento prodigioso per averli (II 1) oppure coppie che ne hanno troppi, almeno per l'orizzonte di attesa economico dei genitori (IV 1); altre volte i genitori muoiono lasciando i figli soli e bisognosi di aiuto (V 2, XI 1). Compaiono poi delitti estremi: infanticidi (I 4), orrende mutilazioni (III 3), calunnie velenose (V 1), sadici metodi di punizione (I 4), terribili odi familiari (IV 3), morti orribili e repentine resurrezioni (III 2), trasformazioni continue in una lotta serrata tra protagonista e antagonista (VIII 4). Ai contorni netti e definiti contribuiscono anche i divieti, sempre precisi e immutabili, e le condizioni dure, spietate e inflessibili: le condizioni possono essere rispettate e i divieti infranti solo grazie all'aiuto magico e soprattutto al prodigio, quintessenza della logica narrativa fiabesca, che arrivano sempre nel momento opportuno, tanto che prevalgono formule del tipo « non appena ebbe », « non appena furono », ecc.

Un'altra caratteristica importante, come ben individuato da Lüthi per la fiaba popolare europea, è l'isolamento dei personaggi. Nonostante le indicazioni dei rapporti di parentela, il personaggio delle *Piacevoli notti* è sostanzialmente un isolato: si incontra, si congiunge, si scontra, si separa, ma di fatto entra in contatto e in tensione solo perché ciò è funzionale all'azione. Nello spazio narrativo non c'è posto per unioni stabili e durevoli e, infatti, quando ciò si verifica (es. matrimonio) la fiaba finisce. Si pensi a III 4, dove il protagonista sposa la principessa a metà della vicenda (secondo una logica che non rispetta dunque la normale successione delle funzioni di Propp); qui però il matrimonio non provoca nessuna stasi narrativa e infatti il racconto procede con nuove avventure di Fortunio, il quale ritiene « cosa vile il star ne l'ocio avolto raccontando l'ore sí come fanno quelli che sciocchi sono e di prudenza privi » (par. 32) e solo dopo la nuova difficile lotta con la sirena può finalmente vivere in pace con la sua Doralice. Il personaggio della fiaba è, infatti, costituzionalmente un viandante che non può fermarsi se non al termine del racconto. I rapporti familiari, che pur esistono, sono solo un punto di partenza e di arrivo. Il rapporto familiare è stasi. Nella logica fiabesca serve solo come fonte di un contrasto e di uno sviluppo d'azione: per questo, spesso il personaggio lascia le persone note e si allontana dai luoghi natii per compiere il suo cammino. Proprio perché il personaggio è di fatto isolato, esso è in grado di entrare in un mondo di colleganze universali. Come ben detto da Lüthi (op. cit., p. 67), « Un manifesto isolamento e invisibili colleganze universali, questi due elementi possono venir definiti come la caratteristica fondamentale della forma della fiaba. Figure isolate si inseriscono, guidate da una mano invisibile, in un armonico gioco d'insieme. Questi due fattori sono però interdipendenti. Infatti solo ciò che non è radicato in nessun luogo, che non è trattenuto né da rapporti esteriori né da vincoli impostigli dalla propria personalità, in ogni momento può, a piacere, stringere o sciogliere dei legami. Inversamente, l'isolamento acquista un vero senso solo se si dimostra capace di rapporti universali; senza questa facoltà gli elementi esteriormente isolati, privi quindi di qualsiasi appiglio, dovrebbero per forza disperdersi in ogni direzione ».

In virtú dell'isolamento e delle colleganze universali, i personaggi delle *Piacevoli notti* possono entrare in rapporto con tutto e con tutti senza bisogno di rispettare i vincoli del racconto realistico (lingue diverse, costumi e tradizioni diverse, lontananze spaziali, differenze tra terreno e ultraterreno). L'assoluta libertà e apertura narrativa fa sí che si crei una logica in cui tutto è vicino e al tempo stesso lontano, tutto è legato e al tempo stesso sciolto: da ciò si ricava che non esiste nulla di casuale, ma tutti gli elementi sembrano coincidere con estrema precisione, con una logica ferrea che tutto presiede. I movimenti dei personaggi vanno in una direzione e non può essere altrimenti perché quella è la via giusta e lí si realizzerà lo sviluppo narrativo: cosí in III 2, i due fratelli Listico e Livoretto, partiti dalla loro città, si separano e si dirigono in due direzioni diverse, ma del primo non si saprà piú niente; è Livoretto, possessore del dono magico (cavallo fatato), che sarà al centro della narrazione.

Le azioni dell'eroe sono sempre quelle giuste e da esse egli trarrà beneficio: cosí Guerrino (v 1), che inconsapevolmente libera il calabrone che poi gli permetterà di superare la terza prova impostagli dal re. In questo sistema narrativo dove tutto è correlato, si determina dunque un ordine preciso che presiede tutta la realtà. È di fatto una diversa lettura del mondo con un'ottica e una prospettiva *sui generis* che ha goduto di larga fortuna nell'ambito della tradizione orale. Lo Straparola, scrittore colto e imbevuto di testi novellistici precedenti, se ne appropria e la fa sua, ma la contamina con altre istanze e altre implicazioni che sono scarsamente congruenti con questa visione della vita e del mondo. Il contrasto, irriducibile, emerge soprattutto quando lo scrittore prova a moralizzare la fiaba, inserendo all'inizio della narrazione o nei rapidi commenti finali, notazioni moralistiche desunte da un'etica spicciola e diffusa (si noti la frequenza di sentenze e proverbi) o da materiale libresco preesistente, tentando a fatica di piegare a una semplice e ridotta linea interpretativa frutto della morale comune un testo che implica una visione del mondo complessa, organica e a suo modo completa.

4. Accanto alle fiabe di magia, che costituiscono il nucleo piú compatto delle *Piacevoli notti*, esistono altri testi piú vicini al tipo di novella tradizionale, vicende esemplari, novelle erotiche, racconti di beffe, ma anche in queste narrazioni si può rilevare un ibridismo di fondo: la forma della novella tradizionale il piú delle volte viene rinnovata secondo una logica narrativa riconducibile alla fiaba di magia. Si pensi alla novella di Cassandrino (I 2), che geneticamente si inserisce in un fecondo filone narrativo già presente in Erodoto e poi, attraverso la mediazione del *Libro dei sette savi*, ben attestato nella tradizione novellistica italiana, da ser Giovanni Fiorentino, al Sercambi, al Bandello. Il racconto,

che si fonda sul tema del ladro astuto tentato da un potente e che sostanzialmente si riconduce allo schema della novella di beffa, in Straparola subisce un'organizzazione narrativa di tipo fiabesco, basata sulla successione di tre prove, « disposte a *climax* ascendente di difficoltà e di relativa remunerazione » (cfr. R. Bruscagli, *La novella e il romanzo*, in *Storia della letteratura italiana*, dir. da E. Malato, vol. IV. *Il primo Cinquecento*, Roma, Salerno Editrice, 1996, pp. 835-907, in partic. p. 869). La stessa logica narrativa presiede a II 2 che, in una vistosa combinazione di materiali decameroniani, riproduce il tema della beffa femminile e della controbeffa di uno scolare, organizzando simmetricamente e ripetitivamente le sequenze secondo un procedimento ternario e soprattutto caratterizzando il personaggio principale con aspetti fiabeschi, come dimostra la subitaneità iterativa delle sue azioni e il suo passare dalla passione per l'una o l'altra donna indifferentemente, senza complicazioni narrative o attriti psicologici (cfr. R. Bragantini, *Il riso sotto il velame. La novella cinquecentesca tra l'avventura e la norma*, Firenze, Olschki, 1987), e come dimostra anche la scarsa logica realistica e plausibilità del comportamento e delle azioni dei tre mariti. Cosí anche nella VI 3, una vedova astuta e vogliosa di frequentare i suoi amanti disinteressandosi delle preoccupazioni moralistiche del figlio propone una sfida al giovane e ingenuo Panfilio, il figlio malato di rogna, e lo vince sottoponendolo a tre inganni successivi, ancora disposti a *climax* ascendente, organizzati in tre sere successive. Altre volte, come in I 1, ingredienti fiabeschi – la trasgressione della volontà paterna, gli impulsi e le reazioni automatiche, e spesso sproporzionate, dei personaggi, i tre precetti paterni messi alla prova, la divisione dei beni in tre parti, i comportamenti netti assoluti e perentori dei personaggi (come il marchese) – si insinuano in racconti esemplari e qui convivono ambiguamente con elementi di diversa provenienza.

Cosí nella novella VII 1, il tema del personaggio maschile che, durante un viaggio di affari, s'innamora di una cortigiana dimenticando per lei patria e famiglia, tema presente anche in Pietro Fortini (*Giornate*, II), viene costruito sostanzialmente riproducendo una novella decameroniana (III 9), ma contaminandola con elementi magici e fiabeschi di sapore popolare, come lo scongiuro infernale, il viaggio della protagonista femminile sulle groppe di un diavolo per l'occasione trasformato in cavallo, la trasformazione di Isabella nella prostituta amata dal marito, il subitaneo concepimento durante l'unico rapporto sessuale con un gioco di coincidenze e combinazioni care alla fiaba di magia, ma già presente nel Boccaccio, dove però è ben diversa la strategia utilizzata da Giletta di Nerbona per riconquistare l'amato Beltramo.

Un altro consistente nucleo della raccolta è costituito dalle ventitré traduzioni dalle *Novellae* latine di Girolamo Morlini, tutte inserite nel secondo volume delle *Piacevoli notti*. La vistosa e compatta collocazione di questi testi nella parte finale del libro (ben diciassette sono inseriti nelle ultime due notti) autorizzerebbe a pensare a una certa fretta dello scrittore di ultimare la sua opera, forse su sollecitazione degli editori e su istanza del mercato, che aveva riservato un'accoglienza calorosa al primo volume. Al proposito, risulta sterile accusare lo Straparola di plagio, come a lungo ha fatto la critica, mentre conviene soffermarsi sul significato e sulle caratteristiche di questa traduzione, anche perché, come già ben visto da M. Guglielminetti (cfr. *Il plagiatore plagiato (lo Straparola fra il Morlini e il Basile)*, in Id., *La cornice e il furto. Studi sulla novella del '500*, Bologna, Zanichelli, 1984, in partic. pp. 79-92), si tratta di un «volgarizzamento che si presenta, nel complesso, meno improvvisato di quanto non paia a prima vista» (p. 79). Attraverso la sua parziale traduzione, Straparola conferisce un certo successo editoriale a un testo allora di fatto semi-sconosciuto e semi-clandestino, visto che la *princeps* napoletana del 1520 ad opera del francese Sallo non ebbe seguito e ufficialmente risultò negletta. È chiaro, comunque, che appropriandosi largamente di una buona parte della raccolta dello scrittore napoletano e inserendola in un nuovo contesto narrativo, Straparola sposti di alcuni gradi l'intento narrativo del Morlini (cfr. G. Villani, intr. a G. Morlini, *Novelle e favole*, Roma, Salerno Editrice, 1983, p. XXXI): il carattere vistoso ed estremistico dell'operazione narrativa dello scrittore napoletano e, soprattutto, il suo consistente espressionismo lessicale, viene limato e smussato nel nuovo contesto. Una narrativa cosí marcata e accentuata, frutto di un autore isolato rispetto ai circoli dominanti, può aver incuriosito lo Straparola forse perché ricca di temi e profili ampiamente desunti dall'oralità e non priva di vere e proprie fiabe (cfr. per es. la LXXX, che diventerà la VII 5 delle *Piacevoli notti*), ma probabilmente la *varietas* della raccolta napoletana, fortemente imparentata con il ricco e multiforme mondo della facezia umanistica latina, conferiva un carattere di novità e di apertura, varietà che poteva essere utilizzata strategicamente per rendere vivace un libro che, almeno secondo le intenzioni dello Straparola, mirava a riscuotere un ampio e immediato successo di pubblico attraverso un'operazione assortita ed eterogenea. Pur non appropriandosi dei piú estremistici testi morliniani, quelli cioè dove trionfa vistosamente la materia sessuale e coprologica, Straparola, che forse aveva esaurito per forza o per scelta la vena narrativa fiabesca, inserisce racconti vari e disparati che conferiscono al suo libro un aspetto mescidato.

Per quanto riguarda i caratteri di questo volgarizzamento, si può subito notare un'intenzionale fedeltà di trascrizione del testo originario, che in alcuni momenti determina delle vere e proprie incongruenze. Si pensi alla traduzione della XXII novella (*Piacevoli notti*, XIII 9) in cui Straparola rende il passo «Rumpor, hercle, risu in fabulam veritatem scribere!» in questo modo: «Non posso asternermi dal ridere *scrivendo* la veritade in luogo di favola», dimenticando la finzione della sua cornice e dunque che questo è diventato un testo orale, narrato, e non scritto, da Antonio Molino. L'intenzionale fedeltà non comporta comunque una pedissequa e letterale trasposizione del testo. Straparola ama infatti contaminare le sue fonti e quindi, anche in questa operazione narrativa, quando può, innesta nel racconto principale altre risorse narrative. Cosí nella XI 5, versione della novella XXXVI del Morlini, viene inserito, nel corpo centrale, un episodio ripreso dal Cornazano (*De proverbiorum origine*, VI: *Chi fa li fati suoi non se imbrata le mane*), presente anche in Aloise Cinzio de' Fabrizi (XIX, cantica III) e già tradotto in volgare dallo stesso Cornazano (*Proverbi in facezie*, VII). Altresí nella XIII 13 (traduzione di *Novellae*, LI) la caratterizzazione iniziale del protagonista, assente in Morlini, viene desunta letteralmente dal commento dantesco del Landino (si tratta di due aneddoti attribuiti a Iacopo da Santo Andrea). In quest'ultimo caso, a proposito della caratterizzazione dei personaggi, si è visto come Straparola non si astenga dal ricorrere ad altri testi per arricchire le presentazioni iniziali. Questa tendenza all'*amplificatio* piú o meno lunga si avverte costantemente nell'operazione di traduzione. Straparola si sforza di dare connotazioni anagrafiche e di appiccicare formule convenzionali di presentazione (in genere di origine decameroniana) anche là dove mancano nel testo originario; in piú, generalmente tende a settentrionalizzare o comunque a precisare la geografia del Morlini (dove prevale nettamente l'ambientazione partenopea), anche a costo di determinare delle vere e proprie incongruenze, come nella XIII 2 e nella già citata XI 5 (per le quali si rimanda al commento). Questa tendenza all'*amplificatio*, avvertibile, anche se in misura piú ridotta, pure nel corso del corpo centrale delle narrazioni attraverso arricchimenti, esplicazioni, raddoppiamenti verbali e coppie sinonimiche, viene controbilanciata dalla tendenza inversa all'alleggerimento dei punti piú estremi, e di fatto piú ostici, della scrittura del Morlini con la soppressione di costrutti complessi che vengono trasformati in un dettato piú piano e piú semplice. Questa operazione si verifica soprattutto a livello lessicale, dove certi termini espressionistici di difficile traduzione, vengono semplificati e resi in modo piú generico e vago, con la perdita del forte colore originario, ma adattati alla scrittura piú uniforme e meno sbilanciata che caratterizza le *Piacevoli notti*.

Il multiforme sistema narrativo che compone le *Piacevoli notti* è arricchito, infine, da due novelle in dialetto, la v 3 in bergamasco e la v 4 in pavano. La scelta di inserire questi due testi conferma il progetto vario e plurimembre dello scrittore e soprattutto la sua ricettività verso un settore letterario ben vivo e fecondo nella Venezia del suo tempo. I due dialetti, a partire dalla consacrazione teatrale ruzantiana, avevano conosciuto una notevole fortuna anche fuori dalle scene in testi narrativi che generalmente si trovano nei cataloghi della media e piccola editoria veneziana del tempo. Non è tra l'altro trascurabile la scelta di Antonio Molino come novellatore della prima delle due novelle: egli, meglio noto come Burchiella, era al tempo di Straparola uno dei maggiori rappresentanti della letteratura greghesca, fondata su una lingua ibrida, in cui, su un fondo generalmente veneto si mescolano elementi fonetici dei dialetti istriani e dalmati con elementi fonetici e lessicali provenienti dal greco moderno; per di piú in un suo *Dialogo piacevole di un greco e di un facchino*, il primo personaggio parla alla greghesca e il secondo proprio in bergamasco. L'operazione di Straparola non va letta demoticamente come tentativo di trascrizione immediata della parlata popolare, ma va interpretata alla luce di un contesto letterario caratterizzato da coordinate ben precise. La lingua impiegata è il risultato di un processo di stilizzazione in funzione espressiva, e a volte caricaturale, di zone e personaggi ai margini della Repubblica, da un lato l'estremo ovest (Bergamo) e dall'altro la campagna padovana con i suoi contrasti socio-culturali rispetto alla cólta città universitaria. Il punto di riferimento non è tanto la realtà, ma il teatro e il libro, e in particolare Ruzante, dove il bergamasco e il contadino padovano avevano già goduto di una notevole fortuna. E proprio a Ruzante, e a tutto il filone teatrale e narrativo del suo tempo, si rifà Straparola per il suo mezzo linguistico, rivelando comunque anche una certa insicurezza proprio nell'impiego del "suo bergamasco", che infatti risulta misto di venetismi e toscanismi, a dimostrazione non solo delle fonti libresche, ma anche della probabile, e cronica, perdita di contatti con la sua patria di origine. Va detto inoltre che i due racconti si basano su intrecci ben consolidati nella tradizione letteraria: se la novella v 4 si ricollega al diffuso tema della beffa della moglie astuta ai danni del marito semplice e ingenuo, la v 3, lunga e articolata, presenta vari episodi e si conclude con la ripresa del racconto dei *Tre gobbi*, già presente nei *fabliaux* e, poco prima della pubblicazione delle *Piacevoli notti*, riscritto dal Doni in una sua lettera.

5. L'eterogeneità dei materiali narrativi, e in particolare la freschezza della fiaba, viene canalizzata in un percorso stilistico tradizionale che contrae un forte debito con il *Decameron*. La raccolta del Boccaccio è un emporio da dove lo Straparola attinge a mani basse stilemi, espressioni, a volte interi periodi e intere sequenze. Il processo di riscrittura a partire da materiali decameroniani è una delle peculiarità piú evidenti della tradizione novellistica italiana, in partico-

lare umanistico-rinascimentale, ma qui il riuso risulta vistoso e marcato, quasi sfacciatamente esibito. Non si tratta di una scrittura evocativa, che mescola, mostra e nasconde le tessere iniziali, creando il nuovo e ammiccando con il lettore, ma di una scrittura in cui la materia originaria è presa e inserita in blocco; una sorta di tecnica del "copia e incolla" qualche secolo prima dell'invenzione dei programmi di videoscrittura: serve una sequenza, scatta il processo mnemonico, si attinge al *Decameron*, si provvede all'inserimento. Cosí, per esempio, nella II 3 allo scrittore serve la scena di un pestaggio; il ricordo corre subito al pestaggio di Biondello in *Dec.*, IX 8 26:

E cosí dicendo con le pugna, le quali aveva che parevan di ferro, tutto il viso gli ruppe né gli lasciò in capo capello che ben gli volesse; e, convoltolo per lo fango, tutti i panni indosso gli stracciò; e sí a questo fatto si studiava, che pure una volta dalla prima innanzi non gli poté Biondello dire una parola né domandare perché questo gli facesse;

il testo del Boccaccio viene preso e inserito nel nuovo contesto narrativo e diventa (*P.N.*, II 3 13):

Ma fattisi con miglior animo all'incontro, e guattatolo sottilissimamente nel volto, e vedutolo sí diforme e brutto, di molte bastonate il cariccorono e con le pugna, che di ferro parevano, tutto il viso e le spalle li ruppero, né li lasciorono in capo capello, che bene gli volesse, né contenti di ciò, lo gittorono a terra, stracciandogli e' panni da dosso e dandogli calzi e pugna quante mai ne puoté portare, e tanto spessi erano i calzi, che e' servi gli davano, che mai Carlo non puoté aprire la bocca e intendere la causa per che cosí crudelmente lo percotevano.

Analogamente nella I 2 Straparola deve inserire la sequenza dell'esumazione di un cadavere. La memoria ha già localizzato un preciso riferimento, *Dec.*, IX 1 8-29:

e 'l pensiero fu questo. Era, il giorno che questo pensiero le venne, morto in Pistoia uno il quale, quantunque stati fossero i suoi passati gentili uomini, era riputato il piggiore uomo che, non che in Pistoia, ma in tutto il mondo fosse; e oltre a questo vivendo era sí contrafatto e di sí divisato viso, che chi conosciuto non l'avesse, vedendol da prima, n'avrebbe avuta paura. E era sotterrato in uno avello fuori della chiesa de' frati minori; il quale ella avvisò dovere in parte essere grande acconcio del suo proponimento [...] e quella [sepoltura] leggiermente aperse [...] prese Alessandro pe' piedi e lui fuor ne tirò [...] e in su le spalle levatoselo verso la casa della gentil donna cominciò a andare.

Straparola riprende le tessere decameroniane e le inserisce nel suo nuovo mosaico (*P.N.*, I 2 10-12):

gli venne un pensiero, il qual fu questo. Era, il giorno che questa imaginazione li venne, morto in Perugia un mendico, lo quale era stato sotterrato in uno avello fuori della chiesa de' frati predicatori. Laonde egli la notte su 'l primo sonno andò là dove era il mendico sepolto e leggiermente lo avello aperse, e preso il corpo morto per li piedi, fuor della sepoltura lo trasse, e spogliatolo nudo, lo revestí de' propi panni, i quali li stavano sí bene in dosso, che non il mendico, ma Cassandrino, chiunque lo avesse veduto, giudicato lo arebbe. E levatoselo su le spalle meglio che ei puoté, verso il palagio se n'andò.

Tra l'altro, proprio analizzando questo passo, si può individuare un altro elemento interessante del processo di riuso utilizzato da Straparola. Questa sequenza decameroniana dell'esumazione gli doveva essere ben viva nella memoria, se da essa prende di peso una frase e la inserisce all'inizio del passo della II 3 che prima abbiamo analizzato. Cosí Boccaccio (*Dec.*, IX I 9):

e oltre a questo vivendo era sí contrafatto e di sí divisato viso, che chi conosciuto non l'avesse, vedendol da prima, n'avrebbe avuta paura;

e Straparola (*P.N.*, II 3 13):

veggendolo cosí contrafatto e di divisato viso che piú di bestia che di umana creatura la sembianza teneva, imaginandosi che 'l dimonio o qualche fantasma egli si fusse, volsero come da cosa mostruosa fuggire.

Questo tipo di scrittura non è uniformemente impiegato in tutte le novelle, ma si addensa maggiormente in certi testi ed è in parte o del tutto assente in altri. Un esempio di alta densità è certo la novella di Filenio (II 2), che pare, già nella tematica generale, tutta costruita con materiali decameroniani ripresi e inseriti nel nuovo contesto narrativo. La novella, che ha i suoi precedenti nel *Pecorone* (II 2: Buondelmonte e Nicolosa) e ha stretta affinità con la I 3 del Bandello (*Beffa d'una donna ad un gentiluomo ed il cambio che egli le ne rende in doppio*: la beffa di Filenio ricorda infatti quella di Pompeio), mostra evidenti e marcati punti di contatto con la VIII 7 del *Decameron*. La linea narrativa segue, come nel Boccaccio, la beffa e la controbeffa tra una donna e uno scolare, ma nello Straparola la beffa femminile si triplica. Scendendo piú in profondità, si possono comunque individuare vari riscontri ampiamente esibiti, come il gioco di sguardi di Sinforosia (*P.N.*, II 2 17):

E cominciòlo con la coda de l'occhio, quando ella lo vedeva, guattare, dimostrandoli che ella si consumava per lui,

che ricorda quello di Elena (*Dec.*, VIII 7 9):

E cominciatolo con la coda dell'occhio alcuna volta a guardare, in quanto ella poteva s'ingegnava di dimostrargli che di lui gli calesse,

ma cfr. anche Bandello, *Novelle*, I 3 (vol. I p. 46):

Ella che avveduta e maliziosa era [...] con la coda de l'occhiolino alcuna volta il guardava e s'ingegnava a poco a poco di mostrargli che di lui gl'increscesse.

E poi, soprattutto, la narrazione delle conseguenze subite da Filenio dopo la terza beffa (*P.N.*, II 2 21):

Era cerca un'ora innanti che spuntasse l'aurora, quando il liquore perdé la sua virtú e il miserello si destò, e credendo egli esser a lato di Sinforosia, si trovò scalcio e in camiscia e semimorto da freddo giacere sopra la nuda terra. Il poverello quasi perduto delle braccia e delle gambe appena si puoté levare in piedi, ma pur con gran malagevolezza levatosi e non potendo quasi affermarsi in piedi, meglio che egli puoté e sepe, senza esser d'alcuno veduto al suo albergo ritornò e alla sua salute provedé. E se non fusse stata la giovenezza che lo aiutò, certamente egli sarebbe rimaso attratto de nervi,

viene perfettamente ripresa dal *Decameron* (VIII 7 44-45):

E quasi tutto rattrappato, come poté a casa sua se ne tornò, dove, essendo stanco e di sonno morendo, sopra il letto si gittò a dormire, donde tutto quasi perduto delle braccia e delle gambe si destò; per che, mandato per alcun medico e dettogli il freddo che avuto avea, alla sua salute fé provedere. Li medici con grandissimi argomenti e con presti aiutandolo appena dopo alquanto di tempo il poterono de' nervi guerire e far sí che si distendessero; e se non fosse che egli era giovane e sopraveniva il caldo, egli avrebbe avuto troppo da sostenere.

Anche la reazione del personaggio e la disposizione strategica a preparare la controbeffa (*P.N.*, II 2 22):

Filenio ritornato sano e ne l'esser che era prima, chiuse dentro del petto le passate ingiurie, e senza mostrarsi crucciato e di portarle odio, finse che egli era di tutta tre vie piú innamorato che prima, e quando l'una e quando l'altra vagheggiava,

ricorda la strategia di Rinieri (*Dec.*, VIII 7 42):

Lo scolare [...] serrò dentro al petto suo ciò che la non temperata volontà s'ingegnava di mandar fuori; e con voce sommessa, senza punto mostrarsi crucciato.

I lamenti delle donne sono simili a quelli di Elena:

Le donne udendo queste parole rimasero piú morte che vive, e cominciorono ramaricarsi molto di aver altrui offeso, e appresso questo maladicevano loro medesime che troppo s'avevano fidate in colui che odiare dovevano (*P.N.*, II 2 25);

[Elena] s'incominciò a ramaricare d'avere altrui offeso e appresso d'essersi troppo fidata di colui il quale ella doveva meritamente creder nemico (*Dec.*, VIII 7 72).

Assai simile è la reazione del protagonista di fronte alle nudità femminili:

Spogliatesi adunque le donne e rimase come nacquero, erano cosí belle ignude come vestite. Il giovane scolare, riguardandole da capo a piedi e vedendole sí belle e sí delicate che la lor bianchezza avanzava la neve, cominciò tra sé sentire alquanta compassione, ma nella memoria ritornandoli le ricevute ingiurie e il pericolo di morte, scacciò da sé ogni pietà e nel suo fiero e duro proponimento rimase (*P.N.*, II 2 26);

Lo scolare, il quale in sul fare della notte col suo fante tra salci e altri alberi presso della torricella nascoso s'era e aveva tutte queste cose veduto, e passandogli ella quasi allato cosí ignuda e egli veggendo lei con la bianchezza del suo corpo vincere le tenebre della notte e appresso riguardandole il petto e l'altre parti del corpo e vedendole belle e seco pensando quali infra piccol termine dovean divenire, sentí di lei alcuna compassione [...]. Ma nella memoria tornandosi chi egli era e qual fosse la 'ngiuria ricevuta e perché e da cui, e per ciò nello sdegno raccesosi e la compassione e il carnale appetito cacciati, stette nel suo proponimento fermo e lasciolla andare (*Dec.*, VIII 7 66-68).

Si rimanda il lettore al commento per altre tessere disseminate nel corso della narrazione (i lamenti delle donne, il saluto ironico dello scolare, ecc.). Questo vistoso debito con la novella di Elena e lo scolare non esclude, però, l'utilizzo di altri *loci* decameroniani. Cosí, per esempio, le tre dichiarazioni d'amore di Filenio non sono altro che una rielaborazione del discorso del Zima alla moglie di messer Francesco Vergellesi (*Dec.*, III 5); anche la caduta subita da Filenio in seguito alla seconda beffa non è altro che la riproduzione della caduta di Andreuccio da Perugia (*Dec.*, II 5), con un finale meno maleodorante. Insomma, il *Decameron* è qui ostentatamente esibito come fucina di materiali narrativi, ora rimodellati e riadattati al nuovo contesto, ora lasciati allo stato grezzo, forse perché il pubblico dello Straparola non esigeva una complessa e raffinata operazione di riscrittura e si accontentava di questi ingredienti vistosi e non completamente amalgamati.

Non in tutte le novelle delle *Piacevoli notti* è cosí evidente il contatto con la raccolta del Boccaccio. Il gioco di combinazione e dislocazione dei materiali narrativi può divenire meno esibito soprattutto attraverso un processo di contaminazione di fonti differenti: Straparola ama combinare in luoghi molto vicini riscontri diversi, in particolare presi dal *Decameron*, ma anche da altri testi dello stesso Boccaccio o da altri autori (Petrarca, Sannazaro, Ariosto). Questo procedimento è molto frequente nelle introduzioni delle varie notti dove si può notare lo sforzo, tanto esibito quanto artificioso, di sollevare il tono della narrazione combinando tessere letterarie, ma si può individuare anche nelle narrazioni; si veda ad es. (*P.N.*, IX 2 20):

> – O crudelissima fiera, ecco che io moio, contentati, che piú non avrai di vedermi fastidio, e tardi divenuta pietosa di biasmare la tua durezza a forza costretta sarai. Oimè, e come può essere che 'l lungo amore ch'un tempo mi portasti sia ora in tutto da te fuggito? –

Le parole di Rodolino richiamano direttamente un brano dell'*Arcadia* (testo che sarà poi riutilizzato da Straparola nella canzonetta della notte XII) (*Ar.*, VIII 41-43):

O crudelissima e fiera piú che le truculente orse, piú dura che le annose querce, e a' miei preghi piú sorda che gli insani mormorii de l'infiato mare! Ecco che vinci già, ecco che io moio; contentati, che piú non avrai di vedermi fastidio [...] e tardi divenuta pietosa, sarai constretta a forza di biasmare la tua durezza, desiderando, almeno morto di veder colui a cui, vivo, non hai voluto di una sola parola piacere. Ohimè, e come può essere che 'l lungo amore, il quale un tempo son certo mi portasti, sia ora in tutto da te fuggito?

ma si può ricordare anche un *locus* decameroniano, molto probabilmente già presente nella memoria di Sannazaro (*Dec.*, IV 8 31):

Alla giovane, che tardi era divenuta pietosa, piacque, sí come a colei che morto disiderava di veder colui a cui vivo non avea voluto d'un sol bascio piacere; e andovvi.

Se nell'esempio presentato si verifica una probabile sovrapposizione di fonti, in quest'altro caso si può riconoscere la giustapposizione di materiali tratti da testi diversi del medesimo autore (*P.N.*, IV 2 2):

Amore, sí come io trovo da gli uomini savi prudentissimamente descritto, niuna altra cosa è che una irrazionabile volontà causata da una passione venuta nel cuore per libidinoso pensiero. I cui malvaggi effetti sono disipamento delle terrene ricchezze, guastamento delle forze del corpo, disviamento dell'ingegno e della libertà privazione. In lui non è ragione, in lui non è ordine, in lui non è stabilità alcuna. Egli è padre di vizii, nemico della gioventú e della vecchiezza morte.

In effetti il ragionamento iniziale della novellatrice Fiordiana combina un passo del *Filocolo* (IV 46 3):

Noi vogliamo che tu sappi che questo amore niun'altra cosa è che una inrazionabile volontà, nata da una passione venuta nel cuore per libidinoso piacere;

con uno del *Corbaccio* (128):

Vedere addunque dovevi amore essere una passione accecatrice dello animo, disviatrice dello 'ngegno, ingrossatrice, anzi privatrice, della memoria, discipatrice delle terrene facultà guastatrice delle forze del corpo, nemica della giovaneza, e della vecchieza morte; genitrice de' vizii e abitatrice de' vacui petti; cosa senza ragione e senza ordine e senza stabilità alcuna; vizio delle menti non sane e somergitrice della umana libertà.

Sempre nell'ambito di questa tendenza alla *contaminatio* si può leggere la novella IV 5, dove si può osservare, soprattutto nella descrizione della Vita (parr. 22-23), una combinazione di testi differenti dal *Filocolo* alla *Comedia delle ninfe fiorentine* all'*Hypnerotomachia Poliphili*, senza comunque dimenticare il ritratto della Fame nelle *Metamorfosi* di Ovidio (VIII 801-9).

6. Nonostante l'evidente sforzo di costruire una struttura sintattica ampia e articolata, avvertibile soprattutto nelle introduzioni delle notti e negli esordi delle singole narrazioni, con il tentativo fin troppo scoperto di imitare il profilo di certi periodi boccacciani, nelle *Piacevoli notti* prevale decisamente una sintassi semplice e lineare, costruita su una struttura paratattico-polisindetica che esprime il flusso continuo degli eventi e delle vicende:

Venuta la buia notte Cassandrino prese li suoi stromenti, e andatosene all'uscio del palagio, trovò che 'l guardiano dolcemente dormiva. E perciò che egli ottimamente sapeva tutti i luoghi secreti del palagio, lasciòlo dormire; e presa un'altra strada, entrò nella corte, e andatosene alla stalla e trovatala chiusa, tanto con e' suoi ferri chetamente operò, che l'uscio aperse; e veduto il servente sopra il cavallo con la briglia in mano, alquanto si smarrí, e appressatosi pianamente a lui, vide ch'ancor ei fieramente dormiva (I 2 21);

E andatosene Costanzo al bosco, prese uno secchio di ramo e incominciò attingere fuori della botte la vernaccia, ponendola nel doglio ivi vicino, e preso il pane e fattolo in pezzi, parimenti nel doglio di vernaccia pieno lo pose (IV I 23);

Avenne che un contadino rozzo e materiale, valicando per quel luogo dove l'orribil fiera morta giaceva, vide il pauroso e fiero mostro, e messo mane ad un suo coltellone che a lato tenea, gli spiccò il capo dal busto, e postolo in un saccone che seco aveva, caminò verso la città; e caminando di buon passo aggiunse la donzella che al padre ritornava e con lei s'accompagnò, e giunto al real palazzo, l'appresentò al padre, il qual veduta la ritornata figliuola, quasi da soverchia letizia se ne morí (X 3 18).

I periodi, visualmente e apparentemente ampi, sono costruiti su una sintassi di fatto semplice e lineare. L'accumulo di congiunzioni coordinative copulative esprime il susseguirsi degli eventi e scandisce il ritmo rapido della narrazione. Le relative, i gerundi e i participi servono all'espansione della struttura che si mantiene comunque in superficie, in linea orizzontale e continua. La linearità, tipica della struttura fiabesca, la stretta e rigida consequenzialità e il ritmo veloce del narrare non richiedono andamenti complessi e ipotattici: cosí, quando lo scrittore si serve di subordinate, prevalgono nettamente i nessi causali e consecutivi:

Stando adunque il pretore con gli occhi aperti e con le orecchi attente, e aspettando che 'l letto li fusse involato, ecco che Cassandrino mandò giú per lo pertugio il mendico morto, il quale nella camera del preside diede sí fatta botta in terra, che lo fece tutto smarrire (I 2 14);

E venuto il giorno seguente, ordinò alla Nina che apparecchiasse un bel desinare, perciò che voleva alcuni suoi amici venissero a mangiare con esso lui, e l'impose che ella tollesse certa carne di vitello e la lessasse, e i polli e il lombo arrostisse (I 3 13);

Postese tutte a sedere, suor Veneranda, che era piú attempata delle altre, si mise in mezzo del capitolo e trasse fuori un ago damaschino che era fitto nella nera cocolla, e levatisi e' panni dinanzi, *in praesentia* del vicario e delle suore sí minutamente orinò per lo forame de l'ago che pur una giocciola non si vide a terra cadere se prima non era per lo forame passata (VI 4 17);

Il che esser falso e' parenti dicevano, percioché chiaramante sapevano il lei marito già gran tempo esser stato e ora esser da lei lontano, e per consequente esser impossibile lei di Ortodosio esser gravida (VII 1 17).

L'azione si snoda in flusso continuo attraverso gli andamenti rapidi di una stretta consequenzialità e di una logica necessaria che non ammette smentite o altre soluzioni. È una linea narrativa che risente molto da vicino dell'oralità. Alle peculiarità del racconto orale rimandano poi anche altri moduli, come i numerosi proverbi (per es.: «il signore esser simile al vino del fiasco, il quale la mattina è buono e poi la sera guasto», I 1 26), le frequenti strutture in rima (per es.: «bramando prima il morire, che de sí sformato saracino moglie venire», III 4 16, e «Fa' pur, Cassandrino, il peggio che tu sai, ch'in questa notte il letto mio non averai», I 2 13), e le frequenti ripetizioni, in particolare informazioni riguardanti i personaggi, che diventano dei veri e propri epiteti che scandiscono i tempi della narrazione e segnano i passaggi logici e narrativi.

Questa tendenza alle formule fisse, di cui si è già parlato, si avverte in misura notevole nell'aggettivazione, sontuosa ma di fatto convenzionale e libresca nella cornice, e piena nelle narrazioni, nel senso che Straparola tende ad accostare quasi a ogni sostantivo un aggettivo qualificativo, servendosi spesso di superlativi:

Il soldano già invecchiato, veduta la maravigliosa prova e lo miracolo grande, tutto attonito e stupefatto rimase, e desideroso molto di ringiovenirsi, pregò la damigella che sí come ella fatto aveva al giovane, cosí ancora a lui far dovesse. La damigella non molto lenta ad ubidire il comandamento del soldano, prese l'acuto coltello che del giovenil sangue era bagnato ancora, e postali la mano sinistra sopra il cavezzo e quello forte tenendo, nel petto un mortal colpo li diede; indi gettollo giú d'una finestra dentro una fossa delle profonde mura del palazzo, e in vece di ringiovenirlo come il giovanetto, lo fece cibo de' cani, e cosí il misero vecchio finí la vita sua (III 2 50);

Nettata e abbellita che fu la bambina nel chiaro bagno e involta nelli bianchissimi pannicelli, a poco a poco incominciò scoprirsi una collana d'oro sottilissimamente lavorata, la quale era sí bella e sí vaga, che tra carne e pelle non altrimenti traspareva di ciò che soglino fare le preciosissime cose fuori d'un finissimo cristallo (III 3 6).

L'aggettivazione è ampia e marcata, ma di fatto convenzionale, neutra e prevedibile secondo un gusto caro alla tradizione del racconto orale.

L'aspetto multiforme che contraddistingue la prosa delle *Piacevoli notti* si evidenzia particolarmente nelle scelte lessicali, dove si può notare la compresenza di diverse componenti non sempre perfettamente armonizzate tra loro: latinismi, dialettismi (in particolare venetismi) compaiono in misura non cospicua ma neppure trascurabile a variare un lessico che generalmente tende a inserirsi nella tradizione toscana. In questo generale tono medio, dove non ci sono spinte centrifughe ed estremismi (si è già visto come Straparola tenda a smorzare l'espressionismo lessicale del Morlini), il termine dialettale e il calco latino, insieme con le varianti fonetiche e i frequenti ipercorrettismi, rivelano lo sforzo linguistico compiuto dall'autore in direzione dei modelli della novellistica tradizionale e sono la spia di un piú generale progetto narrativo vòlto a dare consacrazione letteraria alla fiaba della tradizione orale.

7. Alla fine di ogni «favola» segue un enigma, generalmente proposto (tranne rare eccezioni) dalla novellatrice o

dal novellatore. Il testo, in ottave di endecasillabi (quello della vi 1, di sei versi, piú che a un'eccezione fa pensare a una lacuna della *princeps* mai colmata nelle edizioni successive), è una sorta di indovinello, molte volte apparentemente osceno, che viene proposto agli astanti, e constatata la loro incapacità di risolverlo, generalmente, ma ci sono delle eccezioni, viene risolto dallo stesso propositore, che ottiene cosí il plauso generale: è questo lo schema che si ripropone quasi invariato al termine di ogni novella. La scelta di inserire questi enigmi dimostra ancora una volta la ricettività dello Straparola, che si appropria infatti di un genere di successo come attesta la testimonianza di Girolamo Bargagli nel *Dialogo de' giuochi che nelle vegghie sanesi si usano di fare* – piú tardo rispetto alle *Piacevoli notti* (1572), ma interessante specchio degli intrattenimenti e divertimenti amati nel Cinquecento – e come confermano soprattutto le varie raccolte di testi enigmistici, alcune delle quali (come quella del Risoluto e quella di Madonna Dafne) mostrano evidenti punti di contatto, fino al calco, con i testi presenti nello Straparola, il quale molto probabilmente, in particolare per il secondo libro, riprese enigmi già in circolazione e li riscrisse, senza eccessive variazioni se non sul piano metrico, con il passaggio dal sonetto, semplice o caudato, all'ottava. Altre volte Straparola prende spunto da testi letterari precedenti (l'enigma della xiii 7 deriva da una strofa di una canzone petrarchesca; quello della iv 2 dal *Filocolo*, quello della iii 1 dal *Fiore di virtú*, ecc.), ma è probabile che molti enigmi appartengano alla tradizione orale e che abbiano una particolare relazione proprio con la fiaba.

Il legame tra l'enigma e un aspetto, un personaggio o un elemento della fiaba prima raccontata si riconnette, probabilmente, alla tradizione favolistica orale, in cui gli indovinelli potevano trovarsi anche nel corso del racconto vero e proprio ed erano importanti per lo stesso sviluppo narrativo, in quanto il novellatore interrompeva l'intreccio e proponeva appunto l'indovinello, riservandosi di riprendere la narrazione solo quando gli ascoltatori avessero indovinato di che cosa si trattasse (cfr. S. Calabrese, *L'enigma del racconto. Dallo Straparola al Basile*, in «Lingua e stile», a. II 1983, pp. 177-98). A conferma di questa possibile genesi è interessante osservare che il legame fiaba-enigma è particolarmente evidente nel primo volume delle *Piacevoli notti*, quello piú ricco di fiabe, ed è invece meno avvertibile nel secondo, dove si rompe ogni relazione con la novella e di fatto si attinge largamente all'equivoco osceno, dopoché la Signora, prima attenta e severa censuratrice di ogni allusione erotica, allenta ogni freno e lascia campo libero ai membri della sua brigata. Pur volendo mantenere e ripetere lo schema strutturale iniziale, evidentemente lo Straparola faticava a conservare una relazione geneticamente inesistente con le novelle del secondo volume, piú riconducibili al tipo di novella tradizionale e meno caratterizzate dalla presenza del fiabesco, e quindi, con la sua consueta disponibilità eclettica, si rivolse a una materia diversa e disparata.

*

In conclusione, desidero ringraziare il direttore della collana, prof. Enrico Malato, per gli utili consigli e suggerimenti che mi ha dato durante le varie fasi del mio lavoro. Un sincero e vivissimo ringraziamento intendo esprimere anche a quanti mi hanno aiutato con la loro competenza, chiarendomi dubbi e perplessità: Giuseppe Velli, che da anni segue con costante attenzione i miei studi, Alfonso D'Agostino e Andrea Masini, con i quali ho discusso questioni filologiche e linguistiche e che mi sono stati vicini con paziente disponibilità, Annamaria Cabrini, Giuliana Nuvoli e Piera Tomasoni per i preziosi consigli. Un sentimento di doverosa gratitudine va anche a tutti coloro che hanno agevolato le mie ricerche, il professor Gino Belloni, la dottoressa Alessandra Schiavon, Giovanni Testa, Nunzio Recanati e il personale delle molte biblioteche, italiane e straniere, che ho visitato.

Un ringraziamento particolare intendo infine rivolgere al professor Emilio Bigi che segue sempre con benevola e paterna sollecitudine le mie ricerche e che ha riveduto pazientemente e scrupolosamente l'intero lavoro.

Dedico questo lavoro a mio nipote Federico.

NOTA BIOGRAFICA

La biografia di Giovan Francesco Straparola resta ancora un mistero insondabile. L'assenza pressoché assoluta – almeno allo stato attuale delle ricerche – di documenti che lo riguardino è aggravata dall'impossibilità di ricavare dalle sue opere notizie certe sulla sua vita. Solo vaghi cenni che danno adito a ipotetiche congetture, nelle quali si sono esercitati in modo certamente generoso ma infruttuoso vari eruditi dei secoli scorsi, arrivando spesso a ricostruzioni scarsamente persuasive se non totalmente infondate. Nemmeno Brakelmann e Rua, coloro cioè che con maggior rigore hanno tentato di districarsi tra le nebbie fitte dell'incertezza vagliando e contestando le ipotesi piú peregrine del passato, hanno raggiunto informazioni sicure. Dopo di loro tutti quelli che in modo specifico o sporadico si sono occupati di Straparola non hanno fatto altro che ripetere quanto già noto senza aggiungere nulla di nuovo.

Innanzi tutto il cognome, che compare in varie forme: Straparola (nelle edizioni delle *Piacevoli notti*), Strapparola (nella citazione del Doni), Streparola (nel canzoniere giovanile), Streparolle (nell'*ex libris* conservato a Bergamo). Ad alcuni studiosi del passato come il La Monnoye, prefatore della traduzione francese del 1725, Straparola parve un nome bizzarro « qu'on se donne en certaines académies tels que de Stordito, de Balordo ecc., car Straparole c'est un homme qui parle trop ». Ci fu anche chi, come il Lancetti nella sua *Bibliografia Cremonese* azzardò l'ipotesi che lo Straparola provenisse dalla famiglia Secchi di Caravaggio e Straparola fosse un *nom de plume*. L'ipotesi non è dimostrabile. Se è vero che il cognome risulta un po' bizzarro, è comunque un dato incontrovertibile che lo scrittore viene sempre nominato cosí, anche nell'unico documento ufficiale che lo riguardi direttamente (cfr. oltre il privilegio di stampa). La provenienza da Caravaggio, borgo rurale a sud di Bergamo, sembrerebbe invece un dato acquisito, visto che l'autore lo specifica sempre accanto al nome sia nel canzoniere sia nella raccolta di novelle. Un'ulteriore conferma proviene da un sonetto dell'*Opera nova* (il n. 114) dedicato appunto al proprio paese: « O Charauagio castel uenturato » (v. 1). Non è possibile invece determinare con precisione la data di nascita, in quanto nell'archivio di Caravaggio non si conservano i registri delle nascite (o dei battezzati nell'archivio parrocchiale) degli ultimi decenni del XV secolo. Dal momento che Straparola pubblicò il suo canzoniere a Venezia nel 1508, si può in via puramente congetturale stabilire la data di nascita intorno al 1480. Informazioni sulla sua formazione culturale si possono desumere dalle due opere edite. Conosceva certamente il latino e amava leggere autori italiani, certamente Dante, Petrarca e Boccaccio (non solo le opere maggiori), ma anche scrittori piú vicini nel tempo o contemporanei: Pulci, Boiardo, Sannazaro, Ariosto, Folengo, Ruzante e in genere i novellieri. Era certamente attratto dai cantari e dal variegato mondo della letteratura popolare, dalla quale trasse spunto per molte delle sue « favole ». Un interesse per la storia troverebbe invece una conferma diretta in un suo *ex libris* registrato su una copia dell'*editio princeps* dell'*Historia mediolanensis* di Bernardino Corio. Il grosso volume, oggi conservato presso la Biblioteca « A. Mai » di Bergamo, appartenne inizialmente a un giureconsulto bresciano, come si ricava da un'indicazione posta sopra una delle carte di guardia, ma poi entrò in possesso – non si sa come – di Straparola. Sulla carta seguente, in caratteri maiuscoli prettamente romani e in inchiostro un po' sbiadito, si legge infatti:

EST · IO[19] · FRANC[si] · STREPAROLLE · ET · AMICOR

Il volume è postillato, ma manca ogni termine di confronto per capire se le postille fossero di mano dell'autore. Sembra assai probabile che lo Straparola si sia trasferito abbastanza presto a Venezia, dove fece pubblicare il suo canzoniere (l'*Opera nova*) nel 1508 per i tipi del milanese Giorgio Rusconi e nel 1515 per i tipi di Alessandro Bindoni, con l'aggiunta di una « Littera overo epistola d'amore » e una canzonetta di congedo.

Le piacevoli notti uscirono dopo un lungo, e in un certo senso significativo, silenzio editoriale. L'*editio princeps* del primo volume è del 1550. Molto probabilmente Straparola rimase a lungo in laguna: le edizioni, e in particolare le prime, sono tutte veneziane; la cornice rivelerebbe vaghi contatti con personaggi, se non altro almeno conosciuti per fama, della Venezia degli anni Trenta, anche se non è possibile determinare storicamente la data del carnevale che fa da sfondo temporale alle notti, in quanto i dati risultano confusi e contradditori.

Proprio in relazione alla stampa del primo volume delle *Piacevoli notti* possediamo un documento riguardante l'autore. Prima della pubblicazione delle sue novelle, infatti, Straparola, seguendo le disposizioni in materia di stampa, chiese il privilegio al Senato: si sottoponeva doverosamente al controllo della censura, ma insieme si garantiva il *copyright* sulla sua opera per dieci anni. Il privilegio, che si può leggere nel registro Senato Terra 37, c. 4*v*, conservato all'Archivio di Stato di Venezia (d'ora in poi ASV), gli fu concesso l'8 marzo 1550: relatori i consiglieri Ludovico Barbadico, Tommaso Contareno (Contarini), Francesco Veniero (Venier), Zaccaria Duodo:

Che per auttorità di questo Conseglio sia concesso al R.do Padre Don Calisto da Piacenza, canonico regolare, et Predicatore Apostolico, che alcuno altro, che lui senza sua permissione possa stampare, né far stampare, né vendere in alcun loco del Do. [dominio] nostro, etiam che fossero stampate altrove le enarratione delli Evangelij da lui composte per anni x prossimi, sotto pena di perdere l'opere, et de ducati cento alli contrafacenti ogni fiata, che contrafarano; la qual pena sia divisa per terzo fra l'accusatore, il magistrato che farà l'essecutione et l'Arsenà nostro. – Et il medesimo sia concesso a Zuan Francesco Straparola da Caravaggio per l'opera volgare da lui composta, titolata le piacevoli notti; essendo obligati tutti loro d'osservare quello, che per le nostre leggi è disposto in materia di stampe –.

I risultati della votazione attestano l'ampia maggioranza ottenuta: *De parte* 138 (= favorevoli); *De non* 5 (= contrari); *Non sync* 4 (= astenuti). La filza corrispondente, sempre conservata nell'ASV, contiene la minuta di questo privilegio e la *supplicatio* di don Calisto da Piacenza, ma non c'è traccia di documenti riguardanti la richiesta di Straparola. In calce alla lettera dedicatoria del primo volume c'è la data (2 gennaio 1550), che va interpretata secondo il calendario allora in uso a Venezia (partiva dal 1 marzo). Dunque, in termini attuali, il primo volume fu edito nei primi mesi del 1551. Il secondo volume fu pubblicato nel 1553, con lettera di dedica dello stesso Straparola alle donne. Nel periodo intercorrente era già uscita una nuova stampa del primo volume.

In passato si è ritenuto di ricavare per congettura l'anno della morte dello scrittore da alcuni dati editoriali. Nell'introduzione di Jannet alla riedizione della traduzione francese delle *Piacevoli notti* (1857) si sostiene che Straparola sarebbe morto tra il 1557 e il 1558, opinione poi condivisa da tutti coloro che si sono occupati dello scrittore. Jannet fonda la sua ipotesi sul fatto che l'edizione del 1557 riporta nel *colophon* l'espressione « ad instanza dell'autore », formula sempre presente a partire dalla *princeps* del secondo volume, che però non compare piú nell'edizione dell'anno successivo (1558), ad opera comunque di altri librai e tipografi.

È lecito dubitare di questa congettura. Innanzi tutto, le edizioni 1556 e 1557 sono semplicemente emissioni di 1555 e quindi la data di morte potrebbe anche essere retrodatata: non ci fu una specifica edizione 1557 diversa dalle precedenti. Inoltre le due *principes* e le stampe successive non rivelano una presenza dello scrittore che intervenne a modificare la sua opera, anzi le incongruenze già evidenti nelle prime edizioni rimasero tali anche nelle successive. La strada editoriale risulta dunque infida per fondare una ricostruzione biografica certa. Ci si deve rassegnare dunque, almeno per ora, a un altro punto oscuro, tanto piú che i registri dell'ASV tacciono in proposito: ho controllato personalmente nell'ASV, « Provveditori alla Sanità: Necrologi », registri 795 (anni 1550-1552), 796 (aa. 1553-1554), 797 (aa. 1555-1556, fino al 23 gennaio), 798 (aa. 1558-1559).[1] Non si possono nemmeno ricavare informazioni piú precise dagli schedari dei testamenti, almeno quelli finora consultabili. Nessuna notizia certa dunque, ma in assenza quasi assoluta di dati, mancando informazioni sugli spostamenti di Straparola, sulle sue relazioni, ecc., non è poi nemmeno del tutto sicuro che l'autore fosse morto proprio a Venezia.

1. Questo registro copre il periodo dal 9 agosto 1558 al 31 luglio 1559 e dal 28 gennaio 1559 al 10 marzo 1560. I registri sono comunque in alcune parti lacunosi. Il registro successivo conservato è del 1563 (r. 799).

NOTA BIBLIOGRAFICA

I. Opere di Giovan Francesco Straparola

A parte *Le piacevoli notti*, per le quali si rinvia all'apposita *Nota al testo*, di Straparola ci è pervenuto un canzoniere pubblicato per la prima volta a Venezia nel 1508 e riedito poi nel 1515 con l'aggiunta di una «Littera overo epistola d'amore» e una canzonetta di congedo:

1) *Opera noua de / Zoan Francesco / Streparola da / Carauazo noua/mente stampata. / Sonetti. cxv. / Strambotti. xxxv. / Epistole. vij. / Capitoli. xij. / Cum gratia.* – Explicit: *Stampada in Venetia per Georgio di Ru-/choni Milanese. 1508.adi.xv.Septembrio.*

2) *Opera noua de Zoan Francesco Streparola da / Carauazo nouamente stampata. / Sonetti. cxyu* [sic] *Strambotti. xxxv. / Epistole. yii. Capitoli xii.* [Con un disegno di una donna che incorona un uomo in ginocchio. Dietro un poeta con strumento a corde e altri tre personaggi. Sullo sfondo alberi] – Explicit: *Stampata in Venetia per Alexan/dro di Bindoni.* M.D.XV. */ adi xy. Novembrio.*

Entrambe queste edizioni sono conservate presso la Biblioteca Marciana di Venezia in una miscellanea (Misc. 2432) comprendente anche altri testi di poeti del XVI secolo, alcuni dei quali con un titolo simile a quello di Straparola. La prima edizione del canzoniere (1508) si trova anche nella Biblioteca Nazionale di Firenze e nella British Library di Londra. Non esistono edizioni moderne di questo testo.

II. Bibliografia critica

Escludendo i semplici e scarni cenni degli eruditi del Seicento e del Settecento e le ricerche ottocentesche dedicate alla fiaba, in cui l'interesse degli studiosi converge non su Straparola e la sua specificità quanto sul materiale fiabesco e sui rapporti tra le varie versioni delle fiabe (antiche e moderne), il primo esteso e significativo contributo sullo scrittore è la monografia di F.W.I. Brakelmann, *Giovan Francesco Straparola da Caravaggio. Inaugural-Dissertation zur Erlangung der philosophischen Doctorwürde*, Göttingen, Universitäts-Buchdruckerei von E.A. Huth, 1867, tesi di dottorato che ha se non altro il merito di raccogliere tutta una serie di annotazioni precedentemente sparse relative alla biografia dell'autore, alle edizioni dell'opera e alle fonti. Precisazioni bibliografiche si trovano anche in altri contributi generali sulla novellistica: A.M. Borromeo, *Notizia de' novellieri italiani posseduti dal Conte Anton-Maria Borromeo, gentiluomo padovano con alcune novelle inedite*, Bassano, Remondini, 1794; Id., *Catalogo de' novellieri italiani posseduti dal fu conte Anton Maria Borromeo gentiluomo padovano con aggiunte*, II ed., ivi, id., 1805; B. Gamba, *Delle novelle italiane in prosa. Bibliografia*, Firenze, Tipografia all'insegna di Dante, 1835; *I novellieri italiani in prosa indicati e descritti da Giambattista Passano*, Milano, Libreria Antica e Moderna di Gaetano Schiepatti, 1864; *Catalogo dei novellieri italiani in prosa raccolti e posseduti da G. Papanti*, Livorno, Vigo, 1871; G. Papanti, *G.B. Passano e i suoi Novellieri italiani in prosa indicati e descritti. Note*, ivi, id., 1878. In mancanza di fonti o documenti, risultano scarse e spesso imprecise le segnalazioni sulla biografia basate piú su congetture che su vere e proprie notizie certe. Ai tentativi precedenti va aggiunto, senza tuttavia un concreto apporto, F. Zumbrini, *Cenni biografici intorno ai letterati illustri italiani. Brevi memorie di quelli che co' loro scritti illustrarono l'antico idioma*, Faenza 1837. Tutto l'ampio lavoro esegetico svolto nel Settecento e nell'Ottocento viene comunque riassunto esaurientemente nell'opera paziente e meritoria di Giuseppe Rua, il quale forní il primo studio specifico e sistematico sullo Straparola e preparò la prima edizione critica delle *Piacevoli notti*. Sia i saggi G. Rua, *Intorno alle 'Piacevoli Notti' dello Straparola*, in « Giornale Storico della Letteratura Italiana », vol. XV, 1° semestre 1890, pp. 111-51; Id., *Intorno alle 'Piacevoli Notti' dello Straparola*, ivi, vol. XVI, 2° semestre 1890, pp. 218-83, dedicati soprattutto al minuzioso recupero delle fonti e a chiarire alcune questioni bio-bibliografiche, sia il volume monografico G. Rua, *Tra antiche fiabe e novelle*, I. *Le 'Piacevoli notti' di messer Gian Francesco Straparola*, Roma, Loescher, 1898 (dove tra l'altro delinea un profilo della fortuna europea dell'opera e discute i piú significativi contributi eruditi o critici precedenti) rappresentano il suggello di una stagione critica dedicata al riconoscimento e al riordinamento delle fonti tematiche, ma condizionata dal punto di vista interpretativo da forti remore puristiche e moralistiche. Metodologicamente diverso l'approccio critico di F. De Sanctis, *Storia della letteratura italiana*, Napoli, Morano, 1870-1871, che nel capitolo sul Cinquecento dedica alcune pagine allo Straparola con un giudizio comunque limitativo e poco lusinghiero, giudizio che poi diviene piú severo nelle poche righe di B. Croce, *Novelle*, in Id., *Poesia popolare e poesia d'arte. Studi sulla poesia italiana dal Tre al Cinquecento*, Bari, Laterza, 1933, pp. 490-91.

Sempre nei primi decenni del XX secolo poco aggiungono, rispetto a un'interpretazione criticamente nuova dell'opera, le pagine dedicate allo Straparola da L. Di Francia, *Novellistica*, Milano, Vallardi, 1924, vol. i pp. 713-31, che riprende sostanzialmente dal Rua e aggiorna in parte le ricerche sulle fonti, tipiche della scuola storica, e fornisce un giudizio negativo, viziato da moralismo e dal discutibile criterio di fondare il giudizio di valore sulla raccolta misurando originalità e plagi delle novelle. Nei primi decenni del Novecento, *Le piacevoli notti* suscitano scarso interesse. Nessun contributo critico di rilievo, nessuno studio specifico: prevalgono notazioni erudite o curiosità. C. Bonomi, *M. Gianfranco Straparola da Caravaggio (Conferenza letta il 10 settembre [1899] in Caravaggio)*, Pavia, Fratelli Fusi, 1899, con notizie riprese dal Rua senza aggiungere nulla di nuovo; O. Bulle, *Straparolas ergotzliche Nachte*, nel Supplemento della « Münchener neueste Nachrichten », 1908, n. 29; A. Mazzi, *Un ex libris di Gio. Francesco Straparola*, in « Bollettino della civica biblioteca di Bergamo », 1909, n. 4 p. 155, interessante segnalazione di un *ex libris* probabilmente dello Straparola; G.S. Gargano, *Una problematica fonte shakespeariana. Le 'Piacevoli notti' di G.F. Straparola*, in « Marzocco », 20 novembre 1927, recensione all'ed. laterziana del 1927 e contributo sulla fortuna del volume in Inghilterra con notazioni non sempre persuasive; A. Borlenghi, *Donne e lupi nello Straparola*, in « La Fiamma », 28 luglio-3 agosto 1942, articolo giornalistico e semplice curiosità letteraria; M. De Filippis, *Straparola's Riddles*, in « Italica », xxiv 1947, pp. 134-46, sugli enigmi; M. De Filippis, *The Literary Riddle in Italy. To the End of the Sixteenth Century*, Berkeley-Los Angeles, Univ. of California Press, 1948, ancora sugli enigmi con riferimenti a Straparola e ad altri scrittori del Cinquecento; A. Sala, *Gianfrancesco Straparola favolatore bergamasco, prodigioso e sconsiderato*, in « Giornale del Popolo », 10 marzo 1951, articolo giornalistico; C. Bizioli, *Gianfrancesco Straparola disincantato rapsodo bergamasco*, in « Gazzetta di Bergamo », febbraio 1952, pp. 16 sgg., articolo giornalistico di uno studioso locale; G. Boscardi, *Le novelle di G.F. Straparola*, in « Rassegna lucchese », a. iii 1952, 8 pp. 2-7; G. Bonomo, *Motivi stregonici in una novella dello Straparola*, in « La Rassegna della letteratura italiana », a. lxii 1958, pp. 365-70, dedicato alla novella vii 1.

Certamente piú importanti, anche perché ricche di spunti critici nuovi, le introduzioni a edizioni complete o parziali delle *Piacevoli notti*, come quella di G. Macchia all'ed. Milano, Bompiani, 1943 (poi anche nel volume *Il cortegiano francese*, Firenze, Parenti, 1943, pp. 30-42); M. Guglielminetti, *Introduzione* al volume *Novellieri del Cinquecento*, Milano-Napoli, Ricciardi, 1972, pp. ix-liii (in partic. pp. xxxvi-

XLII); l'introduzione di M. PASTORE STOCCHI al *reprint* dell'ed. RUA 1927, Roma-Bari, Laterza, 1975 (1979²); *Novelle del Cinquecento*, a cura di M. CICCUTO, Milano, Garzanti, 1982. Piú superficiale, invece, l'introduzione di B. ROSSETTI all'ed. Roma, Avanzini e Torraca, 1966.

Solo a partire dagli anni '60 gli studi sulla novella cinquecentesca hanno conosciuto una ripresa non effimera, frutto delle acquisizioni metodologiche provenienti dall'estero e comunque di una maggiore attenzione alla peculiare fisionomia letteraria dei singoli testi, non piú valutati a priori negativamente perché scarto rispetto alla norma decameroniana o al modello linguistico dominante. Di ciò ha tratto parziale beneficio anche l'opera di Straparola, che tuttavia ha ancora pagato lo scotto di non essere pubblicata in un'edizione filologicamente piú persuasiva del testo Rua. Dense indicazioni, soprattutto per una nuova lettura del testo e per una ridefinizione delle strutture fiabesche, si trovano in G. BARBERI SQUAROTTI, *Problemi di tecnica narrativa cinquecentesca: lo Straparola*, in « Sigma », a. II 1965, 5 pp. 84-108. Fondamentali sono poi gli studi dedicati da Giancarlo Mazzacurati allo Straparola, alle strutture narrative delle *Piacevoli notti* e all'ideologia del fiabesco: *La narrativa di G.F. Straparola e l'ideologia del fiabesco*, in ID., *Forma e ideologia*, Napoli, Liguori, 1974, pp. 67-113 (ora anche in ID., *All'ombra di Dioneo*, Firenze, La Nuova Italia, 1996, pp. 151-89); *Rapporto su alcuni materiali in opera nelle 'Piacevoli notti' di G.F. Straparola*, in ID., *Conflitti di culture nel Cinquecento*, Napoli, Liguori, 1977, saggio precedentemente letto al « Convegno di studi su lingua parlata e lingua scritta » (Palermo, autunno 1967) e successivamente incluso negli Atti pubblicati come volume XI del « Bollettino del Centro di Studi Filologici Siciliani », Palermo, Mori, 1969-1970. Ma di Mazzacurati è bene ricordare anche la dispensa universitaria *Società e strutture narrative (dal Trecento al Cinquecento)*, Napoli, Liguori, 1971. Non propriamente specifici, perché dedicati in generale alla novellistica del Cinquecento, ma altrettanto importanti risultano gli studi di Guglielminetti e di Bragantini: cfr. M. GUGLIELMINETTI, *La cornice e il furto. Studi sulla novella del '500*, Bologna, Zanichelli, 1984, con pagine sullo Straparola a proposito della cornice delle *Piacevoli notti* e un capitolo specifico su *Il plagiatore plagiato (lo Straparola fra il Morlini e il Basile)*, dove viene chiarito in termini nuovi (rispetto alle considerazioni di inizio secolo) il rapporto tra Morlini e Straparola e poi il rapporto con Basile; argomento già precedentemente trattato in M. GUGLIELMINETTI, *Dalle « novellae » del Morlini alle « favole » dello Straparola*, in *Medioevo e Rina-*

scimento veneto. Con altri studi in onore di L. Lazzarini, 2 voll., Padova, Antenore, 1979, II pp. 69-81; e in ID., *Le simultanee « mutazioni » di Belfagor arcidiavolo*, in *Studi in onore di A. Chiari*, 2 voll., Brescia, Paideia, 1973, I pp. 653-73; e cfr. poi R. BRAGANTINI, *Il riso sotto il velame. La novella cinquecentesca tra l'avventura e la norma*, Firenze, Olschki, 1987, in partic. il cap. *La magia e la regola*, dove vengono analizzate due rivisitazioni cinquecentesche della novella decameroniana VIII 7: Straparola II 2 e Bandello I 3.

Piú legati all'elemento specifico della fiaba, aspetto importante ma comunque non esclusivo delle *Piacevoli notti*, sono altri studi. Cfr. in partic. S. CALABRESE, *L'enigma del racconto. Dallo Straparola al Basile*, in « Lingua e stile », a. XVIII 1983, pp. 177-98 (ora ampliato, rivisto e corretto in ID., *Gli arabeschi della fiaba. Dal Basile ai romantici*, Pisa, Pacini, 1984, pp. 37-70); e soprattutto M. PETRINI, *La fiaba di magia nella letteratura italiana*, Udine, Del Bianco, 1983, con un capitolo dedicato a Straparola (pp. 153-65) e al suo particolare uso delle strutture fiabesche. Una nuova lettura delle *Piacevoli notti* in rapporto al modello decameroniano, per valutare la continuità e gli scarti, e quindi per tentare di cogliere lo specifico dello Straparola nel tentativo di mettere a fuoco le diverse componenti narrative, è in M. COTTINO JONES, *Il "picciol dono" di Giovan Francesco Straparola: 'Le Piacevoli notti'*, in EAD., *Il dir novellando: modelli e deviazioni*, Roma, Salerno Editrice, 1994, pp. 129-90. Altre piú recenti letture sono dedicate ad aspetti particolari del testo: per un confronto tra la favola XI I e il racconto di Basile, cfr. G. CATTANEO, *La gatta e il pezzente "resagliuto"*, in ID., *Il lettore curioso. Figure e testi della letteratura italiana*, Firenze, Sansoni, 1992, pp. 59-62. Per la fortuna di Straparola all'estero (Francia, Gran Bretagna e soprattutto Spagna) cfr. D. SENN, *'Le Piacevoli notti' (1550-1553) von Giovan Francesco Straparola, ihre italienischen editionen und die spanische übersetzung 'Honesto y agradable entretenimento de dams y galanes' (1569-1581) von Francisco Truchado*, in « Figura. Zeitschrift für Erzähforschung », a. XXXIV 1993, pp. 45-65. Infine cfr. D. PEROCCO, *Fiaba e novella in Straparola*, in *Favole parabole istorie. Le forme della scrittura novellistica dal Medioevo al Rinascimento*. Atti del Convegno di Pisa, 26-28 ottobre 1998, a cura di G. ALBANESE, L. BATTAGLIA RICCI e R. BESSI, Roma, Salerno Editrice, 2000, pp. 465-81.

A un approccio sociologico sono sostanzialmente riconducibili invece le ricerche sul tema della beffa nella novellistica condotte da studiosi francesi sotto la guida di A. Rochon, e in particolare lo studio, per la verità poco persuasivo, di A. MOTTE, *Le thème de la « beffa » dans les 'Piacevoli notti' de G. Straparola*, in *Formes et significations de la « beffa » dans la littérature italienne de la Renaissance*, a cura di A. ROCHON, Paris, Université de la Sorbonne nouvelle, 1972, pp. 167-77. L'impostazione sociologica si ritrova poi nel contributo specifico M.F. PIÉJUS, *Le couple citadin-paysan dans les 'Piacevoli notti' de Straparola*, in *Ville et campagne dans la littérature italienne de la Renaissance*, I. *Le paysan travesti*, ivi, id., 1973, pp. 139-77; e gli studi successivi sul Cinquecento con pagine dedicate a Straparola: M.F. PIÉJUS, *Individue et societé. Le parvenu dans la nouvelle italienne du XVIe siècle*, La Garenne-Colombes, Edition de l'Espace Européen, 1991; e ID., *L'hospitalité recompensèe: variations et reecritures dans quatre nouvelles italiennes du XVIe siècle*, in *Narrations breves. Mèlanges de litterature ancienne offerts à Krystyne Kasprzyk*, Genève, Droz, 1993, pp. 215-28, dove viene analizzato, in quattro novelle di Straparola, Cattaneo, Bandello e Giraldi, il *topos* del sovrano che facendo finta di perdersi mette alla prova il senso dell'ospitalità dei suoi sudditi.

Rimandano invece al metodo formalistico e in particolare al tentativo di applicare, modificandoli in parte, gli schemi di Propp sulla fiaba le letture di P. LARIVAILLE, *Perspectives et limites d'une analyse morphologique du conte. Pour une révision du schéma de Propp*, Paris, Université de Nanterre, 1979; e il piú specifico ID., *Le Réalisme du merveilleux: structure et histoire du conte*, Paris, Université de Paris-Nanterre, 1982, dedicato all'analisi di 19 fiabe delle *Piacevoli notti*.

Rapidi cenni sull'autore, in alcuni casi anche spunti piú distesi e felici, si trovano poi nelle maggiori storie letterarie. Cfr. *Storia letteraria d'Italia. Il Cinquecento*, a cura di G. TOFFANIN, Milano, Vallardi, 1927 (in partic. pp. 210-11); A. MOMIGLIANO, *Storia della letteratura italiana*, Milano-Messina, Principato, 1936^2, pp. 216-17; F. FLORA, *Storia della letteratura italiana*, Milano, Mondadori, 1941, vol. II pp. 366-67; S. BATTAGLIA-G. MAZZACURATI, *La letteratura italiana*, to. II. *Rinascimento e Barocco*, Firenze, Sansoni, 1974, pp. 177-79; E. BONORA, *La novella*, in *Storia della letteratura italiana*, diretta da E. CECCHI e N. SAPEGNO, IV, Milano, Garzanti, 1966, pp. 302-33 (in partic. 321-24); *Il Cinquecento*, a cura di C. SALINARI, in *Antologia della letteratura italiana*, diretta da M. VITALE, Milano, Rizzoli, 1966; B. PORCELLI, *La novella del Cinquecento*, in *Letteratura italiana. Storia e testi*, diretta da C. MUSCETTA, Roma-Bari, Laterza, IV/2 1973, pp. 23-33; S. NIGRO, *La narrativa in prosa. Forme brevi nel Cinquecento*, in *Manuale di letteratura italiana. Storia per generi e problemi*, a cura di F.

Brioschi e C. Di Girolamo, ii. *Dal Cinquecento alla metà del Settecento*, Torino, Bollati Boringhieri, 1994, pp. 407-22; R. Bruscagli, *La novella e il romanzo*, in *Storia della letteratura italiana*, diretta da E. Malato, vol. iv. *Il primo Cinquecento*, Roma, Salerno Editrice, 1996, pp. 835-907 (in partic. 866-70); A. Tartaro, *La prosa narrativa antica*, in P. De Meijer-A. Tartaro-A. Asor Rosa, *La narrativa italiana dalle Origini ai giorni nostri*, Torino, Einaudi, 1997, pp. 43-140 (in partic. 131-32). Il volume trae origine dalla *Letteratura italiana* Einaudi, diretta da A. Asor Rosa.

Notazioni sparse si trovano poi in alcuni studi piú generali sulla novella del Cinquecento. Cfr. M. Landau, *Beiträge zur Geschichte der italianische Novelle*, Wien, Resner, 1895; A. Chiari, *La fortuna del Boccaccio*, in *Questioni e correnti di storia letteraria*, Milano, Marzorati, 1949, pp. 275-348; G. Pullini, *Novellistica minore del '500*, in « Lettere italiane », a. vii 1955, pp. 389-409; L. Graedel, *La cornice nelle raccolte novellistiche del Rinascimento italiano e i rapporti con la cornice del 'Decameron'*, Firenze, Stamperia « Il Cenacolo », 1959; L. Sozzi, *Les contes de Bonaventure Des Périers. Contribution à l'étude de la nouvelle française de la Renaissance*, Torino, Giappichelli, 1965 (studio con importanti riferimenti alla tradizione italiana); M. Olsen, *Les transformations du triangle érotique*, København, Akademisk Forlag, 1976; G.-A. Pèrouse, *Nouvelles françaises du XVIe siècle. Images de la vie du temps*, Genève, Droz, 1977 (vasto lavoro con riferimenti alle novelle italiane); R. Bragantini, *La novella del Cinquecento. Rassegna di studi (1960-1980)*, in « Lettere italiane », a. xxxiii 1981, pp. 77-114; H.H. Wetzel, *Eléments sociohistoriques d'un genre littéraire: l'histoire de la nouvelle jusqu'à Cervantès*, in *La nouvelle française à la Renaissance*, Genève-Paris, Slatkine, 1981; M. Olsen, *Amore, virtú e potere nella novellistica rinascimentale. Argomentazione narrativa e ricezione letteraria*, trad. it., Napoli, Federico & Ardia, 1984; *La novella italiana*. Atti del Convegno di Caprarola, 19-24 settembre 1988, Roma, Salerno Editrice, 1989, 2 voll.; E. Benzoni, *La crudeltà nelle novelle italiane del '500: qualche spunto*, in « Atti dell'Istituto Veneto di Scienze, Lettere ed Arti », a. clii 1993-1994, pp. 101-48; C. Lucas, *Réalités matérielles et espace mental dans les 'Ecatommiti' de Giovan Battista Giraldi Cinzio*, in *L'après Boccace. La nouvelle italienne aux XVe et XVIe siècles*, Paris, Université de la Sorbonne Nouvelle, 1994, pp. 297-355 (per confronti tra Giraldi Cinzio, Straparola e Bandello); *La novella, la voce, il libro. Dal "cantare" trecentesco alla penna narratrice barocca*, a cura di N. Merola e N. Ordine, Napoli, Liguori, 1996; *La novella e il comico da Boccaccio a Brancati*, a cura degli stessi, ivi, id.,

1996; N. ORDINE, *Teoria della novella e teoria del riso nel Cinquecento*, ivi, id., 1996.

Per i rapporti tra Morlini e Straparola, oltre ai contributi già citati di Guglielminetti, cfr. G. VILLANI, *Da Morlini a Straparola: problemi di traduzione e problemi del testo*, in « Giornale Storico della Letteratura Italiana », vol. CLXIX 1982, pp. 66-73; ma anche l'ed. G. MORLINI, *Novelle e favole*, a cura di G. VILLANI, Roma, Salerno Editrice, 1983.

Sullo stile e sulla lingua delle *Piacevoli notti* manca ancora un lavoro specifico e sistematico, ritardo in parte causato dalla mancanza di un testo filologicamente piú persuasivo dell'ed. RUA. Notazioni sparse si trovano nei già citati studi di Bragantini, Guglielminetti, Pastore Stocchi, Mazzacurati. Spunti interessanti anche in A. STUSSI, *Scelte linguistiche e connotati regionali nella novella italiana*, in *La novella italiana*, cit., pp. 191-214 (in partic. 211-13); L. SERIANNI, *La prosa*, in *Storia della lingua italiana*, a cura di L. SERIANNI e P. TRIFONE, I. *I luoghi della codificazione*, Torino, Einaudi, 1993, pp. 459-511.

Tra i numerosissimi studi sulla fiaba si segnalano, infine, alcuni contributi utilizzati per l'introduzione e il commento alle *Piacevoli notti*. Innanzi tutto, i due maggiori repertori di motivi, il primo di carattere generale, il secondo dedicato in particolare alla novella italiana: S. THOMPSON, *Motif-index of Folk-Literature*, Copenhagen, Rosenkilde and Bagger, 1955-1958, 6 voll.; D.P. ROTUNDA, *Motif-Index of the Italian Novella in Prose*, Bloomington, Indiana Univ., 1942. Per studi generali sulla fiaba cfr. (in trad. it.) V.JA. PROPP, *Morfologia della fiaba* (1928), a cura di G.L. BRAVO, Torino, Einaudi, 1966; A. JOLLES, *Forme semplici* (1930), Milano, Mursia, 1980; S. THOMPSON, *La fiaba nella tradizione popolare* (1946), Milano, Il Saggiatore, 1967; M. LÜTHI, *La fiaba popolare europea. Forma e natura* (1947), Milano, Mursia, 1979; I. CALVINO, *Fiabe italiane* (in particolare l'introduzione e le note), Torino, Einaudi, 1956 (ora anche Milano, Mondadori, 1993); ID., *Sulla fiaba*, a cura di M. LAVAGETTO, Torino, Einaudi, 1988 (ora anche in ID., *Saggi*, a cura di M. BARENGHI, Milano, Mondadori, 1995); G. COCCHIARA, *Storia del folklore in Europa*, Torino, Boringhieri, 1971; D.S. LICHAČËV, *Le proprietà dinamiche dell'ambiente nelle opere letterarie. (Per un'impostazione del problema)*, in *Ricerche semiotiche. Nuove tendenze delle scienze umane nell'URSS*, a cura di J.M. LOTMAN e B.A. USPENSKIJ, Torino, Einaudi, 1973; E.M. MELETINSKIJ-S.JU. NEKLJUDOV-E.S. NOVIK-D.M. SEGAL, *La struttura della fiaba* (1969), Palermo, Sellerio, 1977; *Tutto è fiaba*, a cura di A.M. CIRESE, Milano, Edizioni Emme, 1980; C. LAVINIO, *La magia della fiaba tra oralità e scrittura*, Firenze, La Nuova Italia, 1993; V. Pisanty, *Leggere la fiaba*, Milano, Bompiani, 1993; S. Calabrese, *Fiaba*, Firenze, La Nuova Italia, 1997 (con ampia e aggiornata bibliografia); *Dizionario della fiaba*, Roma, Meltemi, 1998.

★

Nel corso del commento e della *Nota al testo* i testi piú frequentemente citati sono stati indicati sommariamente come segue:

Ageno = F. Ageno, *Il verbo nell'italiano antico. Ricerche di sintassi*, Milano-Napoli, Ricciardi, 1964.

AIS = K. Jaberg-J. Jud, *Sprach- und Sachatlas Italiens*, Zofingen, Ringier, 1928-1940 (rist. anast. Mendeln/Liechtenstein, Kraus, 1972; si cita per vol. e numero di carta).

Boerio = *Dizionario del dialetto veneziano* di Giuseppe Boerio, seconda edizione aumentata e corretta, aggiuntovi l'indice italiano-veneto, Venezia, G. Cecchini, 1856.

Calvino, *Fiabe* = I. Calvino, *Fiabe italiane*, Milano, Mondadori, 1993.

Cosquin = E. Cosquin, *Contes populaires de Lorraine comparés avec les contes des autres provinces de France et des pays étrangers et précédés d'un essai sur l'origine et la propagation des contes populaires européens*, Paris, F. Vieweg, 1886, 2 tomi.

DEI = C. Battisti-G. Alessio, *Dizionario Etimologico Italiano*, Firenze, Barbera, 1950-1957.

DELI = M. Cortelazzo-P. Zolli, *Dizionario Etimologico della Lingua Italiana*, Bologna, Zanichelli, 1979-1988, 5 voll.

GDLI = *Grande Dizionario della Lingua Italiana*, fondato da S. Battaglia, voll. I-XIX (A-Sque).

Migliorini, *Note* = B. Migliorini, *Note sulla grafia italiana nel Rinascimento*, in « Studi di filologia italiana », a. XIII 1955, pp. 259-96 (poi in Id., *Saggi linguistici*, Firenze, Le Monnier, 1957, pp. 197-225, da cui si cita).

PATRIARCHI	= *Vocabolario veneziano e padovano co' termini e modi corrispondenti toscani composto dall'abate* GASPARO PATRIARCHI, Padova, Tipografia del Seminario, 1821.
PIOTTI	= M. PIOTTI, *« Un puoco grossetto di loquella ». La lingua di Niccolò Tartaglia*, Milano, LED, 1998.
PITRÈ, *Fiabe, Novelle e Racconti*	= *Fiabe, Novelle e Racconti popolari siciliani*, raccolti ed illustrati da G. PITRÈ, con discorso preliminare, Grammatica del dialetto e delle parlate siciliane, Saggio di novelline albanesi di Sicilia e Glossario, Palermo, Pedone Lauriel, 1875, 4 voll.
Postille al *REW*	= P.A. FARÈ, *Postille italiane al 'Romanisches Etymologisches Wörterbuch' di W. Meyer-Lübke comprendenti le 'Postille italiane e ladine' di Carlo Salvioni*, Milano, Ist. Lombardo di Scienze e Lettere, 1972.
Proverbi toscani	= *Raccolta di proverbi toscani con illustrazioni cavata dai manoscritti di* GIUSEPPE GIUSTI *ed ora ampliata ed ornata*, Firenze, Le Monnier, 1853.
Proverbi veneti	= *Raccolta di proverbi veneti fatta da* C. PASQUALIGO, Treviso, Zoppelli, 1882.
REW	= W. MEYER-LÜBKE, *Romanisches Etymologisches Wörterbuch*, Winter, Heidelberg, 1935[3] (il numero indica il lemma).
ROHLFS	= G. ROHLFS, *Grammatica storica della lingua italiana e dei suoi dialetti*, trad. it., Torino, Einaudi, 1966-1969 (si cita per paragrafo).
ROTUNDA	= D.P. ROTUNDA, *Motif-Index of the Italian Novella in Prose*, Bloomington, Indiana Univ., 1942.
RUA, *Di alcune stampe*	= G. RUA, *Di alcune stampe d'indovinelli*, in « Archivio per lo studio delle tradizioni popolari », a. VII 1888, pp. 427-65.
RUA, *Intorno alle 'Piacevoli notti'*	= G. RUA, *Intorno alle 'Piacevoli Notti' dello Straparola*, in « Giornale Storico della Letteratura Italiana », vol. XV, 1° semestre 1890, pp. 111-51; ivi, vol. XVI, 2° semestre 1890, pp. 218-83.

TB = N. TOMMASEO-B. BELLINI, *Dizionario della lingua italiana*, Torino, UTET, 1865-1879.

THOMPSON = S. THOMPSON, *La fiaba nella tradizione popolare*, trad. it., Milano, Il Saggiatore, 1967 (ed. or. *The Folktale*, Holt, Rinehart & Winston, 1946).

TROVATO = P. TROVATO, *Storia della lingua italiana. Il primo Cinquecento*, Bologna, Il Mulino, 1994.

VILLANI = G. MORLINI, *Novelle e favole*, a cura di G. VILLANI, Roma, Salerno Editrice, 1983.

★

Le citazioni e i rinvii ad altri testi in nota sono desunti, salvo diversa indicazione, dalle seguenti edizioni:

Academia di enigmi in sonetti di Madonna Daphne di Piazza a gli academici Fiorentini suoi amanti. Cosa ingeniosa argutta et bella da eccitar gli acuti et elevati ingegni, et di notabile piacere, non piú veduta. Con privilegio, Venezia, Appresso Stefano de Alessi, alla Libraria del Cavalletto, in calle della Bissa, 1552.

L.B. ALBERTI, *I libri della famiglia*, a cura di R. ROMANO e A. TENENTI, nuova ed. a cura di F. FURLAN, Torino, Einaudi, 1994.

D. ALIGHIERI, *Vita Nuova*, a cura di M. BARBI, Firenze, Le Monnier, 1932.

D. ALIGHIERI, *La Commedia secondo l'antica vulgata*, a cura di G. PETROCCHI, Milano, Mondadori, 1966-1967.

P. ARETINO, *Sei giornate*, a cura di G. AQUILECCHIA, Bari, Laterza, 1969.

P. ARETINO, *Tutte le commedie*, a cura di G.B. DE SANCTIS, Milano, Mursia, 1973.

S. DEGLI ARIENTI, *Le Porretane*, a cura di B. BASILE, Roma, Salerno Editrice, 1981.

L. ARIOSTO, *Satire*, ed. critica e commentata a cura di C. SEGRE, Torino, Einaudi, 1987.

L. ARIOSTO, *Orlando furioso*, a cura di E. BIGI, Milano, Rusconi, 1982.

L. ARIOSTO, *Cinque canti*, in ID., *Opere minori*, a cura di C. SEGRE, Milano-Napoli, Ricciardi, 1954.

M. BANDELLO, *Le novelle*, in ID., *Tutte le opere*, a cura di F. FLORA, Milano, Mondadori, 1934-1935.

G.B. Basile, *Lo cunto de li cunti*, a cura di M. Petrini, Roma-Bari, Laterza, 1976.

F. Bello (Cieco da Ferrara), *Libro d'arme e d'amore nomato Mambriano*, a cura di G. Rua, Torino, Utet, 1926.

P. Bembo, *Prose e rime*, a cura di C. Dionisotti, ivi, id., 1966[2].

G. Boccaccio, *Tutte le opere*, a cura di V. Branca, Milano, Mondadori, 1964.

M.M. Boiardo, *Orlando innamorato*, a cura di A. Zottoli, ivi, id., 1937.

P. Bracciolini, *Facezie*, a cura di M. Ciccuto, Milano, Rizzoli, 1983.

A. Calmo, *Rodiana. Comedia stupenda e ridicolosissima piena d'argutissimi moti e in varie lingue recitata*, a cura di P. Vescovo, Padova, Antenore, 1985.

A. Calmo, *Le lettere* [...] *riprodotte sulle stampe migliori*, con introduzione ed illustrazioni di V. Rossi, Torino, Loescher, 1888.

Caterina da Siena, *Lettere*, Edizione del Centro Nazionale di Studi Cateriniani, a cura di G. Anodal, Roma, Biblioteca Fides, 1973.

D. Cavalca, *Pungilingua*, in *Racconti esemplari di predicatori del Due e Trecento*, a cura di G. Varanini e G. Baldassarri, Roma, Salerno Editrice, 1993, 3 tomi, iii pp. 73-127.

Les Cent Nouvelles nouvelles, édition critique par F.P. Sweetser, Genève, Droz, 1966.

A. Cinzio de' Fabrizi, *Libro della origine delli volgari proverbi*, Venezia, Bernardino e Matteo de i Vitali, 1526.

F. Colonna, *Hypnerotomachia Poliphili*, ed. critica e commento a cura di G. Pozzi e L.A. Ciapponi, Padova, Antenore, 1964.

Comedia di Dante degli Allegherii col commento di Jacopo della Lana, *bolognese*, Bologna, Commissione per la pubblicazione dei testi di lingua, 1866.

Comento di Christoforo Landino *fiorentino sopra la Comedia di Danthe Alighieri poeta fiorentino*, Firenze, Nicholo di Lorenzo della Magna, 1481.

A. Cornazano, *De proverbiorum origine*, Milano, Pietro martire de Mantegatiis, 1503.

A. Cornazano, *Proverbi di messer Antonio Cornazano in facezie*, Bologna, Commissione per i testi di lingua, 1968 (ristampa fotomeccanica dell'ed. Bologna, G. Romagnoli, 1865).

T. Costo, *Il fuggilozio*, a cura di C. Calenda, Roma, Salerno Editrice, 1989.

F. Delicado, *La Lozana Andalusa*, a cura di L. Orioli, Milano, Adelphi, 1970 (prima ed. or. *Retrato de la Lozana Andaluza*, Venezia 1528).

G. Della Casa, *Galateo*, a cura di G. Barbarisi, Venezia, Marsilio, 1991.

F. Del Tuppo, *Aesopus. Vita et fabulae latine et italice per Franc. De Tuppo M.CCC.LXXXV*, a cura di C. De Frede, Napoli, Associazione napoletana per i monumenti e il paesaggio, 1968.

L. Dolce, *Delle Osservationi di M. Lodovico Dolce Libri IIII. Di nuovo da lui medesimo ricorrette, et ampliate, et con le postille*, Venezia, appresso Domenico Farri, 1566 (I ed. 1550).

A.F. Doni, *Novelle*, a cura di G. Petraglione, Bergamo, Ist. italiano d'arti grafiche, 1907.

Fabliaux. Racconti francesi medievali, a cura di R. Brusegan, Torino, Einaudi, 1980.

Fiore di Leggende. Cantari antichi, editi e ordinati da E. Levi, Bari, Laterza, 1914.

A. Firenzuola, *Le novelle*, a cura di E. Ragni, Roma, Salerno Editrice, 1971.

T. Folengo, *Baldus*, a cura di E. Faccioli, Torino, Einaudi, 1989.

G. Forteguerri, *Novelle edite ed inedite*, a cura di V. Lami, Bologna, G. Romagnoli, 1882.

Gesta romanorum, a cura di H. Oesterley, Hildesheim, G. Olms, 1963.

P. Fortini, *Le giornate delle novelle dei novizi*, a cura di A. Mauriello, Roma, Salerno Editrice, 1988, 2 voll.

P. Fortini, *Le piacevoli e amorose notti dei novizi*, a cura di A. Mauriello, ivi, id., 1995, 2 voll.

F. Fortunio, *Regole grammaticali della volgar lingua*, Venezia, nelle case de' figliuoli di Aldo, 1562 (rist. an. Bologna, Forni, 1979).

G. Gherardi da Prato, *Il Paradiso degli Alberti*, a cura di A. Lanza, Roma, Salerno Editrice, 1975.

Ser Giovanni Fiorentino, *Il Pecorone*, Milano, Soc. Tip. di Classici italiani, 1804, 2 voll.

G. Giustiniani, *Brevis commentariolus memorabilis facti serenissimi principis Maximiliani Bohemiae regis*, Padova, Giacomo Fabriano, dicembre 1550.

P. Giovio, *Ragionamento sopra i motti e disegni d'arte e d'amore che comunemente chiamano imprese*, Milano, G. Daelli, 1863.

A.F. Grazzini (il Lasca), *Le Cene*, a cura di R. Bruscagli, Roma, Salerno Editrice, 1976.

A.F. GRAZZINI (IL LASCA), *Teatro*, a cura di G. GRAZZINI, Bari, Laterza, 1953.

F. GUICCIARDINI, *Ricordi*, ed. critica a cura di R. SPONGANO, Firenze, Sansoni, 1951.

I due primi libri della istoria di Merlino ristampati secondo la rarissima edizione del 1480, a cura di G. ULRICH, Bologna, Commissione per i testi di lingua, 1969 (rist. fotomeccanica dell'ed. Bologna, Romagnoli, 1884).

IACOPO DA VARAZZE, *Legenda aurea*, ed. critica a cura di G.P. MAGGIONI, Firenze, SISMEL-Edizioni del Galluzzo, 1998, 2 voll.

O. LANDO, *Sermoni funebri de vari autori nella morte de diversi animali*, Venezia, Gabriel Giolito de' Ferrari, 1548.

O. LANDO, *Sette libri de cathaloghi a varie cose appartenenti*, Venezia, Giolito de' Ferrari, 1552.

N. MACHIAVELLI, *La Mandragola*, a cura di G. DAVICO BONINO, Torino, Einaudi, 1979.

MARGHERITA DI NAVARRA, *L'eptameron*, a cura di E. FACCIOLI, ivi, id., 1958[2].

MASUCCIO SALERNITANO, *Il Novellino*, a cura di G. PETROCCHI, Firenze, Sansoni, 1957.

LORENZO DE' MEDICI, *Tutte le opere*, a cura di P. ORVIETO, Roma, Salerno Editrice, 1992, 2 voll.

F.M. MOLZA, *Novelle*, a cura di S. BIANCHI, ivi, id., 1992.

G. MORLINI, *Novelle e favole*, a cura di G. VILLANI, ivi, id., 1983.

G. MUSICI, *Rime diverse ingegnose, con la gionta di molto artifitio*, Padova, Lorenzo Pasquati, 1570.

Novelle antiche dei codici panciatichiano-palatino 138 e laurenziano-gaddiano 193, a cura di G. BIAGI, Firenze, Sansoni, 1880.

Novellino e Conti del Duecento, a cura di S. LO NIGRO, Torino, UTET, 1963.

F. PETRARCA, *Canzoniere*, a cura di M. SANTAGATA, Milano, Mondadori, 1996.

F. PETRARCA, *Trionfi, Rime estravaganti, Codice degli abbozzi*, a cura di V. PACCA e L. PAOLINO, ivi, id., 1996.

A. POLIZIANO, *Stanze per la giostra*, a cura di S. ORLANDO, Milano, Rizzoli, 1988.

Ponzela Gaia, a cura di B. BARBIELLINI AMIDEI, Milano-Trento, Luni, 2000.

L. PULCI, *Morgante*, a cura di D. DE ROBERTIS, Firenze, Sansoni, 1984.

[Resoluto (A. Cenni),] *Sonetti del Resoluto*, Siena, Calistro di Simeone, 1538.

Rime di diversi in lingua genovese, Torino, B. Calzetta e A. Barberi, 1612.

G. Ruscelli, *De' commentarii della lingua italiana libri vii*, Venezia, appresso Damian Zenaro, alla Salamandra, 1581.

Ruzante, *Teatro*, a cura di L. Zorzi, Torino, Einaudi, 1967.

F. Sacchetti, *Il Trecentonovelle*, a cura di V. Marucci, Roma, Salerno Editrice, 1996.

Sacre rappresentazioni del Quattrocento, a cura di L. Banfi, Torino, Utet, 1963.

I. Sannazaro, *Arcadia*, a cura di F. Erspamer, Milano, Mursia, 1990.

I. Sannazaro, *Sonetti e canzoni*, in Id., *Opere volgari*, a cura di A. Mauro, Bari, Laterza, 1961.

G. Sercambi, *Il Novelliere*, a cura di L. Rossi, Roma, Salerno Editrice, 1974.

G. Sermini, *Le novelle*, a cura di F. Vigo, Livorno, Vigo, 1874.

Sonetti molti artifitiosi, composti da diversi Authori, Et stampati nuovamente in Bologna ad instantia di Damon fido pastore detto il Peregrino, nato et nutrito, sopra la foresta di Corzona inter Oves, et Boves (senza indicazione dell'anno).

Storia di Campriano contadino, a cura di A. Zenatti, Bologna, Forni, 1968 (rist. fotomeccanica dell'ed. Bologna, G. Romagnoli, 1884).

G.F. Straparola, *Opera nova de Zoan Francesco Streparola da Caravazo novamente stampata. Sonetti. cxyu [sic] Strambotti. xxxv. Epistole. yii. Capitoli xii.*, Venezia, Alessandro di Bindoni, 1515.

A. Sylvano, *Quarenta Aenigmas en Lengua Espannola*, Paris, En la casa de Gilles Beys, 1581.

A. Sylvano, *Cinquante Aenigmes Françoises*, Paris, Gilles Beys, 1582.

LE PIACEVOLI NOTTI

[LETTERA DEDICATORIA]

[1] *Orfeo dalla carta, alle piacevoli e amorose donne salute.*

[2] Meco pensando, amorevoli donne, quanti e quali siano stati quelli celesti e sollevati[1] spiriti, i quali cosí ne gli antichi come ne' moderni tempi[2] hanno descritte varie favole, delle quali voi, leggendole, ne prendete non picciolo diletto, io comprendo e voi parimente lo potete comprendere,[3] che da altra causa non sono mossi a scrivere, se no[4] a consolazione vostra e per compiacere a voi. Essendo adunque cosí, sí come io giudico anzi certissimo tengo, voi come piacevoli e amorose non arrete a sdegno, se io, vostro buon servo, a nome vostro darò in luce[5] le favole e gli enimmi dell'ingenioso messer Gioanfrancesco Straparola da Caravaggio non men elegante che dottamente[6] descritti. [3] E quantunque la loro materia non porgesse a vostre orecchie quel piacere e diletto che nelle altre solete trovare, non però per questo le sprezzarete, ponendole da canto e dandole totalmente ripulsa, ma con allegro viso l'abbracciarete, sí come le altre solete abbracciare. Perciò che se voi leggendole considerarete la diversità di casi e le astuzie che in quelle si contengono, almeno vi saranno di ammaestramento non picciolo. [4] Appresso di ciò voi non risguardarete il basso e rimesso stile[7]

1. *sollevati*: insigni, eccelsi. Cfr. anche v 5 11.

2. *cosí ... tempi*: cfr. *Dec.*, Proem. 14: « cosí ne' moderni tempi avvenuti come negli antichi ».

3. *io ... comprendere*: cfr. *Dec.*, I Intr. 55: « io comprendo, e voi similemente il potete comprendere ».

4. *se no*: tranne che.

5. *darò in luce*: pubblicherò.

6. *non ... dottamente*: coppia di avverbi coordinata con un unico suffisso comune (cfr. ROHLFS, 888).

7. *il basso ... stile*: cfr. *Dec.*, IV Intr. 3: « in istilo umilissimo e rimesso ».

dell'auttore, perciò che egli le scrisse non come egli volse, ma come udí da quelle donne che le raccontarono, nulla aggiongendole o sottraendole. E se in cosa alcuna egli fusse stato manchevole, non accusarete lui, ch'ha fatto ciò che puoté e seppe, ma me che contra il voler suo le diedi in luce. [5] Accettate adunque con lieto viso il picciolo dono del vostro servo, il quale s'intenderà esservi, come egli spera, grato, si sforzerà per lo innanzi di donarvi cose che vi saranno di maggior piacere e contento.[1] State felici, memori di me. Da Vinegia,[2] alli II di Gennaio M.D.L.[3]

1. *contento*: soddisfazione.

2. *Vinegia*: Venezia. La forma, adattamento di « le Vegnesie » « Vegnesia », è anche nel Boccaccio. Cfr. *Dec.*, IV 2 7.

3. *II di Gennaio M.D.L.*: questa data va intesa secondo il calendario veneziano, che iniziava il 1 marzo. Straparola, in effetti, ottiene il privilegio di stampa in data 8 marzo 1550 e l'opera viene stampata circa dieci mesi dopo. Nel calendario attuale la data posta in calce alla lettera dedicatoria corrisponde dunque al 2 gennaio 1551.

[1] *Comincia il libro delle favole ed enimmi di messer Giovanfrancesco Straparola da Caravaggio, intitolato Le piacevoli notti.*

PROEMIO

[2] In Melano, antica e principal città di Lombardia, copiosa di leggiadre donne, ornata di superbi palagi e abondevole di tutte quelle cose che ad una gloriosa città si convengono, abitava Ottavianomaria Sforza,[1] eletto vescovo di Lodi, al quale per debito di eredità, morto Francesco Sforza duca di Melano,[2] l'imperio del stato ragionevolmente apparteneva. Ma per lo ravoglimento[3] de' malvagi tempi, per gli acerbi odii, per le sanguinolenti[4] battaglie e per lo contínovo[5] mutamento de' stati, indi si partí e a Lodi con

1. *Ottavianomaria Sforza*: figlio naturale del duca di Milano Galeazzo Maria, ebbe il titolo di conte di Melzo. Dal 1497 fu vescovo di Lodi. La sua missione episcopale fu assai travagliata per motivi politici e dinastici e si concluse nel 1533, quando, perso definitivamente il vescovado, dovette ridursi a vita privata. L'ultimo documento che lo ricorda vivente risale al 1541. La data della morte è comunque incerta. La presenza dello Sforza a Venezia e a Murano è attestata da alcune lettere da lí spedite (ora conservate presso l'Archivio di Stato di Milano).

2. *Francesco ... Melano*: Francesco II Sforza, duca di Milano (1495-1535). Secondogenito di Ludovico il Moro, divenne duca nel 1521 grazie alla lega tra Carlo V e Leone X. Accusato di tradimento, nel 1525 ebbe lo stato occupato da Carlo V. Ne riprese il possesso nel 1529. Non avendo avuto eredi legittimi, alla sua morte lo stato fu incorporato dall'imperatore nei suoi domini. È protagonista di una novella dello Straparola (IX 3). – *Melano*: la forma con *-e-* protonica è anche nel *Decameron* (e cfr. poco oltre, par. 8: *melanese*).

3. *ravoglimento*: 'sconvolgimento', con riferimento alla mutazione repentina e confusa degli assetti politici e istituzionali.

4. *sanguinolenti*: cruenti. Cfr. Sabadino degli Arienti, *Le Porretane*, X 1: « sanguinolente battaglie »; Bandello, *Novelle*, I 2 (vol. I p. 16): « sanguinolente battaglie ».

5. *contínovo*: da *continuo*, con epentesi di *-v-* in iato e dissimilazione. La forma è anche nella *princeps* degli *Asolani* del Bembo, desunta forse da un'edizione veneziana del *Decameron* (cfr. Trovato, p. 269).

la figliuola Lucrezia,[1] moglie di Giovanfrancesco Gonzaga cugino di Federico marchese di Mantova, nascosamente se n'andò, ivi per alcun tempo dimorando. Il che avendo presentito li[2] suoi, non senza suo grave danno il perseguitorono.

[3] Il miserello vedendo la persecuzione de' parenti suoi e il mal animo contra lui e la figliuola, che dinanzi era rimasa vedova, prese quelle poche gioie e danari che egli si trovava avere e a Vinegia con la figliuola se n'andò, dove trovato il Ferier Beltramo,[3] uomo di alto legnaggio, di natura benigno, amorevole[4] e gentile, fu da lui insieme con la figliuola nella propia casa con strette accoglienze onorevolmente ricevuto. E perché la troppa e lunga dimoranza nell'altrui case il piú delle volte genera rincrescimento, egli con maturo discorso indi partire si volse e altrove trovare propio[5] alloggiamento.

[4] Laonde un giorno ascese con la figliuola una navicella e a Morano[6] se n'andò. E adocchiatovi un palagio di maravigliosa bellezza, che allora vuoto si trovava, in quello entrò, e considerato il dilettevole sito, la spaziosa corte, la superba loggia, l'ameno giardino pieno di ridenti fiori e copioso de[7]

1. *Lucrezia*: figlia naturale di Ottaviano, si uní in matrimonio nel febbraio del 1515 con Francesco Gonzaga, figlio di Giovanni, il quale era fratello di Francesco, marchese di Mantova. Ne restò vedova nel 1523.

2. *li*: articolo determinativo maschile plurale molto diffuso al Nord (cfr. Piotti, p. 94, con ampia bibliografia), ma non sconosciuto ad altre regioni (cfr. Rohlfs, 417-18).

3. *Ferier Beltramo*: mercante trevigiano, attivo a Venezia e amico dell'Aretino, che in una lettera del 26.9.1537 ne piange la morte (cfr. P. Aretino, *Lettere. Libro I*, a cura di P. Procaccioli, Roma, Salerno Editrice, 1997, n. 204, pp. 291-92).

4. *di natura ... amorevole*: cfr. *Dec.*, iv 6 40: « uomo di natura benigno e amorevole ».

5. *propio*: frequenti in Straparola le forme con dissimilazione *propio/a* per *proprio/a*.

6. *Morano*: Murano (forma con *-o-* protonica).

7. *de*: frequente nell'Italia settentrionale la forma *de* per la preposizione semplice *di*. Contro questa forma reagisce Bembo, *Prose*, iii 11.

vari frutti e abondevole di verdiggianti erbette, quello sommamente comendò.[1] E asceso sopra le marmoree scale, vide la magnifica sala, le morbide camere[2] e un verone sopra l'acqua, che tutto il luogo signoreggiava. [5] La figliuola, del vago e piacevole sito invaghita, con dolci e umane parole[3] tanto il padre pregò, che egli a compiacimento di lei il palagio prese a pigione. Di che ella ne sentí grandissima allegrezza, perciò che mattino e sera se ne andava sopra il verone mirando gli squamosi pesci che nelle chiare e maritime acque in frotta a piú schiere nuotavano,[4] e vedendogli guizzare or quinci or quindi sommo diletto n'apprendeva. [6] E perché ella era abbandonata da quelle damigelle che prima la corteggiavano, ne scelse dieci altre non men graziose che belle, le cui virtú e leggiadri gesti sarebbe lungo raccontare. De quai[5] la prima fu Lodovica, i cui begli occhi risplendenti come lucide stelle[6] a tutti che la guardavano ammirazione non picciola porgevano. L'altra fu Vicenza, di costumi lodevoli, bella di forma e di maniere accorta, il cui vago e delicato viso dava grandissimo refrigerio a chiunque la mirava. La terza fu Lionora, la quale, avenga che per la sua natural bellezza alquanto altera paresse, era però tanto graziosa e cortese quanto mai alcun'altra donna trovar si potesse. La quarta fu Alteria dalle bionde trecce, la quale con fede e

1. *palagio ... comendò*: tutta la descrizione del palazzo è condotta sulla base di un passo del Boccaccio: *Dec.*, III Intr. 4. È un ambiente descritto in termini di perfetto *locus amoenus* primaverile, benché si tratti di stagione invernale.

2. *morbide camere*: comode, confortevoli, lussuose camere. Cfr. *Dec.*, III 10 3.

3. *con dolci ... parole*: cfr. SABADINO DEGLI ARIENTI, *Le Porretane*, XL 5: « piú volte cum umane e dolce parole l'admonitte ».

4. *mirando ... nuotavano*: cfr. *Dec.*, VII Intr. 7: « i pesci notar vedean per lo lago a grandissime schiere ».

5. *De quai*: delle quali (pronome relativo senza articolo secondo un uso consolidato nella prosa cinquecentesca).

6. *i cui ... stelle*: immagine tradizionale. Cfr., per es., SANNAZARO, *Arcadia*, IV 4: « duo occhi vaghi e lucidissimi scintillavano, non altrimente che le chiare stelle sogliono nel sereno e limpido cielo fiammeggiare ».

donnesca pietà[1] contínovo[2] alli servigi della Signora dimorava. La quinta fu Lauretta, vaga di aspetto, ma sdignosetta alquanto, il cui chiaro e amoroso sguardo incatenava ciascuno che fiso[3] la mirava. La sesta fu Eritrea, la quale, quantunque picciola fusse, non però si teneva alle altre di bellezza e di grazia inferiore, perciò che in lei erano duo occhi scintillanti e lucidi piú che 'l sole, la bocca piccola, e 'l petto poco rilevato, né cosa alcuna in lei si trovava che di somma laude degna non fusse. La settima fu Cateruzza per cognome Brunetta chiamata, la quale tutta leggiadra, tutta amorosa con le dolci e affettuose sue parole non pur gli uomini nelle amorose panie invescava,[4] ma il sommo Giove averrebbe potuto far giú discendere da l'alto cielo. L'ottava fu Arianna, giovane di età, di faccia venerabile, di aspetto grave e di eloquenza ornata, le cui divine virtú accompagnate da infinite lodi come stelle in cielo sparte[5] rilucono. La nona fu Isabella, molto ingeniosa, la quale con le sue argute e vive proposte tutti e' circostanti ammirativi[6] rendeva. L'ultima fu Fiordiana, prudente e d'alti pensieri adorna, le cui egregie e virtuose opere avanzano tutte quelle ch'in ogn'altra donna vedesse[7] giamai.

[7] Queste adunque dieci vaghe damigelle tutte insieme, e ciascheduna da per sé, servivano alla generosa Lucrezia sua signora. La quale insieme con esso loro elesse due altre matrone di venerando aspetto, di sangue nobile, di età matura e pregiate molto, acciò che con suoi savi consigli, l'una alla destra, l'altra alla sinistra sempre le fusse. L'una de quai

1. *donnesca pietà*: cfr. *Dec.*, I Intr. 34.
2. *contínovo*: continuamente, assiduamente.
3. *fiso*: fissamente.
4. *nelle ... invescava*: cfr. *Dec.*, X 6 24: «nell'amorose panie s'invescò».
5. *come ... sparte*: cfr. *Canz.*, CCCVIII 10: «che 'n lei fur come stelle in cielo sparte».
6. *ammirativi*: pieni di meraviglia.
7. *vedesse*: vedessi.

era la signora Chiara, moglie di Girolamo Guidiccione, gentiluomo ferrarese; l'altra, la signora Veronica, fu già consorte di Santo Orbat, antico e nobile di Crema.[1] [8] A questa dolce e onesta compagnia concorsero molti nobili e dottissimi uomini, tra' quai il Casal bolognese, vescovo e del re d'Inghilterra ambasciatore,[2] il dotto Pietro Bembo, cavaliere del gran Maestro di Rodi,[3] e Vangelista di Cittadini[4] melanese, uomo di gran maneggio,[5] il primo luoco appresso la Signora tenevano. Dopo costoro vi erano Bernardo Capello tra gli altri gran versificatore,[6] l'amoroso Antonio Bembo,[7] il domestico Benedetto Trivigiano,[8] il faceto Antonio Molino detto Burchiella,[9] il cerimonioso Ferier Beltramo e mol-

1. *Chiara ... Crema*: nei repertori genealogici e araldici ferraresi e cremonesi consultati non ho trovato nessuna notizia su queste due donne e sui rispettivi consorti.

2. *Casal ... ambasciatore*: Giambattista Casali nacque probabilmente a Bologna poco prima del 1490. Fu ambasciatore del re d'Inghilterra Enrico VIII a Venezia. Nell'aprile 1535, mentre si dirigeva in Transilvania in missione diplomatica, fu catturato dagli agenti imperiali e rinchiuso nel castello di Neustadt, vicino Vienna, dove rimase detenuto fino al maggio 1536. Tornato a Bologna, morí tra il settembre e l'ottobre 1536.

3. *Pietro Bembo ... Rodi*: Bembo (Venezia 1470-Roma 1547) viene qui presentato come « cavaliere del gran Maestro di Rodi », cioè dell'ordine gerosolimitano, con probabile allusione ai benefici dell'ordine in Ungheria ottenuti dal Bembo nel 1517. Non viene definito « cardinale », carica che ottenne nel 1539.

4. *Vangelista* [Evangelista] *Cittadini*: vescovo e segretario del cardinale Triulzi, è ricordato in alcune lettere di Pietro Bembo.

5. *uomo di gran maneggio*: persona investita di importanti responsabilità.

6. *Bernardo ... versificatore*: il Cappello (Venezia 1498-Roma 1565) fu allievo del Bembo, come riconobbe egli stesso in un suo sonetto, poeta e letterato, ma partecipò attivamente e in modo travagliato alla vita politica del suo tempo. La sua fama poetica è legata alle *Rime*, raccolte e stampate a Venezia da Dionigi Atanagi nel 1556. Pietro Bembo e Bernardo Cappello sono ricordati insieme anche nell'*Orlando furioso*, XXXVII 8 e XLVI 15.

7. *Antonio Bembo*: cugino di Pietro, il quale lo ricorda in alcune lettere.

8. *Benedetto Trivigiano* [Trevisano]: poeta veneziano. Il Bembo, in una lettera datata 9.9.1530, apprezza due suoi sonetti: « sono belli e gentili, e sonomi molto piaciuti ».

9. *Antonio ... Burchiella*: nacque intorno al 1495 e morí forse a Venezia intorno al 1571. Fu attore e poeta. Tra i suoi scritti, un poemetto *I fatti e le prodezze*

ti altri gentiluomini, i cui nomi ad uno ad uno raccontare sarebbe noioso.

[9] Questi adunque tutti, overo la maggior parte di loro, quasi ogni sera a casa della signora Lucrezia si riducevano; e ivi, ora con amorose danze ora con piacevoli ragionamenti e ora con suoni e canti la intertenevano; e cosí quando in un modo e quando in un altro il volubile e fugace tempo passavano. Di che la gentil Signora con le savie damigelle sommo diletto n'apprendeva. Furono ancora tra loro sovente proposti alcuni problemi, de' quai la Signora era sola difinitrice.[1]

[10] E perciò che oramai s'approssimavano i giorni ultimi di carnesale[2] dedicati alle piacevollezze, la Signora a tutti comandò che sotto pena della disgrazia sua a concistorio[3] la seguente sera ritornassero, acciò che divisar potessero il modo e l'ordine che avessero tra loro a tenere.

[11] Venute le tenebre della seguente notte, tutti secondo il comandamento a·lloro fatto vi venero; e messisi tutti a sedere secondo i gradi loro, la Signora cosí a dire incominciò:

– Gentiluomini miei onorati molto e voi piacevoli donne, noi siamo qui raunati[4] secondo l'usato modo per met-

di Manoli Blessi, pubblicato da Ludovico Dolce a Venezia nel 1561, è considerato il piú notevole esempio della letteratura greghesca, in una lingua ibrida nella quale, in un fondo generalmente veneto, si mescolano elementi fonetici dei dialetti istriani e dalmati insieme a elementi fonetici e lessicali provenienti dal greco moderno.

1. *difinitrice*: interprete.

2. *carnesale*: Giuseppe Rua, cercando di determinare storicamente questo carnevale, ritenne probabile quello del 1536, visto che Ottaviano arrivò a Venezia dopo la morte di Francesco Sforza nel novembre 1535 (*terminus post quem*) e visto che il Casali morí nella seconda metà del 1536 (*terminus ante quem*). Ma il Casali nei primi mesi del 1536 era prigioniero a Neustadt, e il Bembo il lunedí di Carnevale 1536 era sicuramente a Padova, da dove invia a Venezia una lettera a Giovanni Matteo Bembo.

3. *concistorio*: riunione, adunanza. Cfr. *Dec.*, VI Intr. 4: « E già l'ora venuta del dovere a concistoro tornare ».

4. *raunati*: radunati.

tere regola a' dolci e dilettevoli intertenimenti nostri, acciò che questo carnesale, di cui oggimai pochi giorni ci restano, possiamo prendere alcun piacevole trastullo. Ciascuno adunque di voi proponerà quello che piú gli aggrada, e ciò che alla maggior parte parerà, fie[1] deliberato –.

[12] Le donne parimente e gli uomini ad una voce risposero che era convenevole che ella determinasse il tutto. La Signora, vedendo esserle tal carico imposto, rivoltasi verso la grata compagnia, disse:

– Dapoi che cosí vi piace che io di contentamento vostro ditermini l'ordine che si ha a tenere,[2] io per me vorrei che ogni sera, insino a tanto che durerà il carnesale, si danzasse; indi che cinque damigelle a suo bel grado una canzonetta cantassero, e ciascheduna de cinque damigelle a cui verrà la sorte debba una qualche favola racontare, ponendole[3] nel fine uno enimma da essere tra tutti noi sottilissimamente risolto; e ispediti tai ragionamenti ciascuno di voi se n'anderà alle loro case a posare.[4] Ma se in questo il mio parere non vi piacesse, ché disposta io sono il voler vostro seguire, ciascuno di voi dirà quello che piú gli aggrada –.

[13] Questo proponimento fu da tutti comendato molto.[5] Laonde fattosi portare un vasetto d'oro e postivi dentro de cinque donne i nomi, il primo che uscí del vaso fu quello della vaga Lauretta, la quale per vergogna tutta arrossita divenne come mattutina rosa.[6] Indi seguendo l'incominciato

1. *fie*: sarà.

2. *si ha a tenere*: si deve tenere (cfr. anche Proem. 10: « avessero tra loro a tenere »).

3. *ponendole*: aggiungendo ad essa.

4. *posare*: riposare. Cfr. *Dec.*, II Concl. 16: « ma estimando la reina tempo essere di doversi andare a posare ».

5. *Ma se ... molto*: cfr. *Dec.*, I Intr. 112-13: « quando questo che io dico vi piaccia, ché disposta sono in ciò di seguire il piacer vostro, faccianlo; e dove non vi piacesse, ciascuno infino all'ora del vespro faccia che piú gli piace. Le donne parimente e gli uomini tutti lodarono il novellare ».

6. *la quale ... rosa*: cfr. BOCCACCIO, *Filostrato*, II 38 1-3: « Criseida alquanto ar-

ordine, il secondo che uscí fuori fu di Alteria il nome; il terzo di Cateruzza; il quarto di Eritrea; il quinto di Arianna. [14] Appresso[1] questo comandò che gli stromenti venissero e fattasi recare una girlandetta[2] di verde alloro in segno di maggioranza in capo di Lauretta la puose, comandandole che nella seguente sera al dolce favoleggiare desse principio. Dopo volse che Antonio Bembo con gli altri insieme facesse una danza. Egli, presto a' comandamenti della Signora, prese per mano Fiordiana, di cui era alquanto invaghito; e gli altri parimenti fecero il somigliante. [15] Finita la danza con tardi[3] passi e con gli amorosi ragionamenti, i giovani con le damigelle si ridussero in una camera, dove erano apparecchiati confetti e vini preziosi.[4] E le donne e gli uomini, rallegratisi alquanto, al motteggiare si diedero; e finito il dilettevole motteggiare, presero licenza dalla generosa Signora; e tutti con sua buona grazia si partirono.

[16] Venuta la seguente sera, e tutti raunati all'onestissimo collegio e fatti alcuni balli nella usata maniera, la Signora fece cenno alla vaga Lauretta che desse al cantare e al favoleggiare principio. Ed ella senza piú aspettare che detto le fusse, levatasi in piedi e fatta la debita riverenza alla Signora e a' circostanti, ascese uno luogo[5] alquanto rilevato, dove era la bella sedia di drappo di seta tutta guarnita, e fattesi venire le quattro compagne ellette, la sequente canzonetta con an-

rossò vergognosa / udendo ciò che Pandaro diceva, / e risembrava mattutina rosa ».

1. *Appresso*: dopo.

2. *girlandetta*: ghirlandetta (con palatalizzazione della consonante iniziale). La ghirlanda di alloro è il segno della regalità anche nel *Filocolo* e nel *Decameron*. Questo particolare però non verrà piú ricordato nel corso delle *Piacevoli notti*.

3. *tardi*: lenti.

4. *confetti... preziosi*: sono un abbinamento topico nella novellistica (i *confetti* sono dei dolciumi). Nel brano prima citato del *Dec.*, III Intr. 4, il siniscalco offre ai giovani « preziosissimi confetti e ottimi vini ».

5. *ascese uno luogo*: per questo verbo usato transitivamente cfr. Proem. 4.

geliche voci in laude della Signora tutte cinque in tal maniera cantorono:[1]

[17] Gli atti, donna gentil, modesti e grati,
con l'accoglienze vaghe e pellegrine,[2]
salir vi fanno tra l'alme divine.
Vostro stato real ch'ogn'altro avanza,
per cui divengo dolcemente meno,
e l'ornamento d'ogni laude pieno,
pascendomi di vostra alma sembianza,[3]
tengon miei spirti in voi tanto avezzati,
che, se voglio d'altrui formar parola,
dir mi convien di voi nel mondo sola.

[18] Dapoi che le cinque damigelle tacendo dimostrarono la sua canzone esser venuta al glorioso fine, sonorono gli stromenti e la vezzosa Lauretta, a cui il primo luogo di questa notte per sorte toccava, senza aspettare altro comandamento dalla Signora,[4] diede principio alla sua favola cosí dicendo.

1. *canzonetta ... contorono*: madrigale di endecasillabi. Schema rimico con disposizione in due terzine e due distici: ABB CDD CA EE.

2. *pellegrine*: leggiadre.

3. *alma sembianza*: mirabile bellezza.

4. *senza ... Signora*: formula frequente nel *Decameron*. Cfr. per es. I 4 2: « quando Dioneo, che appresso di lei sedeva, senza aspettare dalla reina altro comandamento ».

NOTTE PRIMA, FAVOLA I[1]

[1] *Salardo, figliuolo di Rainaldo Scaglia, si parte da Genova e va a Monferrato, dove fa contra tre comandamenti del padre lasciatili per testamento, e condannato a morte vien liberato, e alla propia patria ritorna.*

[2] Di tutte le cose che l'uomo fa over intende di fare, o buone o rie che elle si siano, dovrebbe sempre il termine maturamente considerare. Laonde dovendo noi dar cominciamento a' nostri dolci e piacevoli ragionamenti,[2] assai piú caro mi sarebbe stato se altra donna che io al favoleggiare avesse dato principio;[3] perciò che a tal impresa non molto sofficiente mi trovo, perché di quella facondia che in tai ragionamenti si richiede, al tutto priva mi veggio, per non mi essere essercitata nell'arte de l'ornato e polito di-

1. Questa favola ha rapporti con un esempio contenuto in un trattato anonimo *Dell'ingratitudine e di molti esempli d'essa* (ms. cartaceo del XV secolo conservato nella Biblioteca Ambrosiana) pubblicato nel « Propugnatore », vol. II, parte I 1869, pp. 398-431 (partic. pp. 411-14), con un racconto dell'*Esopo* di Francesco del Tuppo (VIII exemplum, pp. 156-57) e con un testo di Aloise Cinzio de' Fabrizi, *La va da tristo a cattivo*, cantica prima. Nelle versioni di Del Tuppo e De' Fabrizi si trova anche il particolare del trafugamento del falcone, assente nel testo dell'Ambrosiana. Per la sopravvivenza di questo racconto nella tradizione orale, si può ricordare un testo palermitano pubblicato nell'« Archivio per lo studio delle tradizioni popolari », a. XIII 1894, pp. 188-95 (cfr. soprattutto pp. 194-95: varianti e riscontri); e cfr. anche Pitrè, *Fiabe, Novelle e Racconti*, n. 252. Per la fortuna di questa novella in Inghilterra cfr. G.S. Gargano, *Una problematica fonte shakespeariana. Le 'Piacevoli notti' di G.F. Straparola*, in « Marzocco », 20 novembre 1927. Per i motivi cfr. Rotunda, J21.22 (*Do not tell a secret to a woman*); J21.27 (*Do not adopt a child*); J21.28 (*Do not trust a ruler who rules by reason alone*).

2. *dovendo ... ragionamenti*: cfr. *Dec.*, I 1 2: « dovendo io al vostro novellare, sí come primo, dare cominciamento ».

3. *assai ... principio*: cfr. *Dec.*, VII 1 2: « a me sarebbe stato carissimo [...] che altra persona che io avesse a cosí bella materia, come è quella di che parlar dobbiamo, dato cominciamento ».

re,[1] sí come hanno fatto queste nostre graziose compagne. [3] Ma poi che cosí piace a voi, ed emmi[2] dato per sorte che io a ragionare sia la prima, acciò che 'l mio tacere a questa nostra amorevole compagnia non cagioni disordine alcuno, con quella maniera di dire che mi sarà dal divino favore concessa, al nostro favoleggiare darò debole cominciamento, lasciando l'ampio e spazioso campo[3] alle compagne, che dopo me verranno, di poter meglio e con piú leggiadro stile sicuramente raccontare le loro favole di ciò che da me ora udirete.

[4] Beato, anzi beatissimo è tenuto quel figliuolo che con ogni debita riverenza è ubidiente al padre, perciò che egli adempisce il comandamento datoli dallo eterno Iddio, e lungamente vive sopra la terra; e ogni cosa che egli fa e opera li riuscise in bene. Ma pel contrario quello che gli è disubidiente, infelice, anzi infelicissimo è riputato, per ciò che a crudele e malvagio fine riusciscono le cose sue, sí come per la presente favola, che raccontarvi intendo, agevolmente potrete comprendere.

[5] Dicovi adunque, graziose donne, che in Genova, città antiquissima e forse cosí dilettevole o piú come ne sia alcun'altra, fu, non è gran tempo, un gentiluomo, Rainaldo Scaglia per nome chiamato, uomo nel vero non meno abondevole de' beni della fortuna che di quelli dell'animo.[4] Egli,

1. *ornato ... dire*: modo di parlare nitido ed elegante. Cfr. Boccaccio, *Trattatello in laude di Dante*, 181: « Si maravigliò sí per lo bello e pulito e ornato stile del dire ».

2. *emmi*: enclisi della particella pronominale (normale in italiano antico dopo congiunzione copulativa secondo la cosiddetta legge Tobler-Mussafia) e raddoppiamento. Nello Straparola permangono ancora sporadici esempi di questa "regola" già incrinata sul finire del Quattrocento (cfr. Piotti, p. 138).

3. *l'ampio ... campo*: metafora diffusa. Cfr. *Dec.*, II 8 3: « ampissimo campo è quello per lo quale noi oggi spaziando andiamo ». Cfr. anche Bembo, *Asolani*, I 6: « assai bello e spazioso campo aremo oggi da favellare ».

4. *non meno ... dell'animo*: formula stereotipata nello Straparola: cfr., per es., II I 3. Per questa formula cfr. *Dec.*, VIII 7 4: « de' beni della fortuna convenevolmente abondante ».

essendo ricco e dotto, aveva un figliuolo nominato Salardo,[1] il quale amando il padre oltre ogni cosa, lo ammaestrava e acostumava[2] come dee fare un buono e benigno padre, né li lasciava mancare cosa che li fusse di utile, onore e gloria.

[6] Avenne che Rainaldo, essendo già pervenuto alla vecchiezza, gravemente s'infermò,[3] e vedendo esser giunto il termine della vita sua, chiamò un notaio e fece il suo testamento, nel quale instituí Salardo suo universal erede; dopo pregòlo come buon padre che egli volesse tenere a memoria tre precetti né mai scostarsi da quelli. De' quai il primo fu che, per l'amore grande[4] che egli alla moglie portasse, secreto alcuno mai non le palesase. L'altro, che per maniera alcuna figliuolo da sé non generato non allevasse come suo figliuolo ed erede de' suoi beni. Il terzo, che non si sottoponesse a signore, che per la sua testa sola lo suo stato reggesse. Questo detto e datali la benedizzione, rivolse la faccia al pariete[5] e per spazio d'un quarto d'ora spirò.

[7] Morto adunque Rainaldo e rimaso Salardo erede universale, vedendo che egli era giovane, ricco e di alto legnaggio, in luogo di pensare all'anima del vecchio padre e alla moltitudine de' maneggi che come a nuovo possessore de' paterni beni gli occorevano, diterminò di prendere moglie e trovarla tale e di sí fatto padre, che egli di lei ne rimanesse contento. [8] Né passò l'anno dalla morte del padre che Salardo si maritò, e tolse per moglie Teodora, figliuola di messer Odescalco Doria,[6] gentiluomo genovese e de' pri-

1. *Salardo*: il nome è nei *Reali di Francia*, nel *Mambriano* e nell'*Orlando innamorato*.

2. *acostumava*: educava.

3. *Avvenne ... s'infermò*: cfr. *Dec.*, I 1 20: « avvenne che egli infermò ».

4. *per l'amore grande*: nonostante il grande amore.

5. *rivolse ... pariete*: espressione biblica. Cfr., per es., *Is.*, 38 2: « Et convertit Ezechias faciem suam ad parietem ». Stessa formula a X 4 29.

6. *Odescalco Doria*: il cognome è preso da una delle piú note famiglie genovesi.

mai[1] della città. E perciò che ella era bella e accostumata, ancor che sdegnosetta fusse,[2] era tanto amata da Salardo suo marito, che egli non pur la notte, ma anche il giorno non si scostava da lei. [9] Essendo amenduo piú anni dimorati insieme, né potendo per aventura aver figliuoli, parve a Salardo, contro agli ultimi paterni aricordi,[3] di consenso della moglie, adottarne uno e allevarlo come suo legittimo e natural figliuolo, e al fine lasciarlo erede del tutto. E sí come ne l'animo suo aveva proposto, cosí senza indugio essequí, e prese per adottivo figliuolo un fanciullo di una povera vedova, Postumio chiamato, il quale da loro fu piú vezzosamente che non se li conveneva nodrito e allevato.[4]

[10] Pasato certo tempo, parve a Salardo di partirsi di Genova[5] e andar ad abitare altrove, non già che la città non fusse bella e onorevole, ma mosso da un certo non so che appetito,[6] che 'l piú delle volte trae coloro che senza governo di alcuno superiore vivono. Presa adunque grandissima quantità di danari e di gioie e messe in assetto[7] tutte le cavalcature e carriagi,[8] con Teodora sua diletta moglie e con Postumio suo adottivo figliuolo, da Genova si partí, e aviatosi verso Piamonte,[9] a Monferrato se ne andò.

1. *primai*: piú importanti, piú eminenti.
2. *ancor ... fusse*: cfr. *Dec.*, x 8 52: « la qual [...] un poco sdegnosetta ».
3. *aricordi*: ammonimenti, avvertimenti.
4. *il quale ... allevato*: il quale fu da loro educato e fatto crescere con piú cura e delicatezza di quanto meritasse. – *se li*: ordine pronominale dell'italiano antico: accusativo + dativo.
5. *di Genova*: da Genova (cfr. Rohlfs, 804).
6. *appetito*: desiderio intenso.
7. *messe in assetto*: messe in ordine, apprestate.
8. *cavalcature e carriagi*: cavalli e carri con i bagagli. Omissione dell'articolo davanti al termine successivo al primo di una sequenza nominale coordinata (cfr. Piotti, p. 130).
9. *Piamonte*: Piemonte (trasformazione in *a* della *e* atona nella sillaba iniziale. La forma « Piamonte » è anche nei *Reali di Francia*).

[11] Dove assettatosi adagiamente,[1] cominciò prendere amicizia con questo e con quello cittadino, andando con esso loro alla caccia, e prendendo molti altri piaceri, de' quai egli molto si dilettava. E tanta era la magnificenza sua verso ciascuno, che non pur amato ma anche onorato era sommamente da tutti. [12] Già era pervenuto alle orecchi[2] del marchese la gran liberalità di Salardo, e vedendolo giovane, ricco, nobile, savio e atto ad ogni impresa, li prese tanto amore, che non sapeva stare un giorno che egli non lo avesse con esso lui. E tanto era Salardo col marchese in amistà congiunto, che a chiunque voleva dal signor grazia alcuna era bisogno che egli andasse per le sue mani, altrimenti la grazia non conseguiva. Laonde vedendosi Salardo dal marchese in tanta altezza posto, se ingegnava con ogni studio e arte di compiacerli di tutte quelle cose che giudicava potessero esserli grate. Il marchese, che parimente era giovane, molto di andare a sparviere[3] si dilettava, e aveva nella sua corte molti uccelli, bracchi e altri animali, sí come ad uno illustre signore si conviene; né mai pur una sola volta sarebbe andato alla caccia o a uccellare,[4] se Salardo seco stato non fusse.

[13] Avenne che, ritrovandosi Salardo un giorno ne la sua camera solo, cominciò tra se stesso pensare al grande onore che li faceva il marchese; dopo si riduceva a mente le maniere accorte, i graziosi gesti e gli onesti costumi di Postumio suo figliuolo e come egli gli era ubidiente. E cosí stando in questi pensieri diceva:

– Deh, quanto il padre mio se ingannava! certo io dubito

1. *assettatosi adagiamente*: sistematosi in modo conveniente alla sua condizione.

2. *era ... orecchi*: cfr. *Filocolo*, II 5 1: « pervenendo poi alle orecchi del mio signore ». – *orecchi*: plurale femminile in *-i*.

3. *andare a sparviere*: andare a caccia con lo sparviere.

4. *uccellare*: andare a caccia degli uccelli con l'aiuto di rapaci o con le reti o le panie. Cfr. *Dec.*, X 10 4: « in niuna altra cosa il suo tempo spendeva che in uccellare e in cacciare ».

che egli teneva del scemo[1] come il piú de gli insensati vecchi fanno.[2] Io non so qual frenesia, anzi sciocchezza lo inducesse a comandarmi espressamente di non dover allevare figliuolo da me non generato, né sottoppormi alla testa d'un signore che solo signoreggiasse. Io ora vedo gli suoi precetti esser molto dalla verità lontani, per ciò che Postumio è mio figliuolo adottivo, né mai lo generai, ed egli è pur buono, savio, gentile, accostumato e a me molto ubidiente. E chi mi potrebbe piú dolcemente carecciare[3] e onorare di ciò che fa il marchese? egli è pur testa sola né ha superiore, nondimeno tanto è l'amore che egli mi porta e tanto mi onora, che basterebbe[4] io li fussi superiore e che egli temesse di me. Di che tanto mi maraviglio, che io non so che mi dire. [14] Sono certamente alcuni vecchi insensati, i quali non ricordandosi di quello che hanno fatto nella loro gioventú, vogliono dar leggi e ordini a i loro figliuoli, imponendoli carichi che elli col dito non toccherebbeno.[5] E ciò fanno non d'amore che li portino, ma mossi da una simplicità, accioché lungamente stiano in qualche travaglio. Ora io di due delle gravezze impostemi da mio padre sono oltre la speranza riuscito a lieto fine, e presto voglio fare della terza larga isperienza; e tengo certo che la cara e dolce mia consorte mi confermerà molto piú nel suo cordiale e ben fondato amore. Ed ella, che io amo piú che la luce de gli occhi miei, ampiamente scoprirà quanta e qual sia la semplicità, anzi pazzia della misera vecchiaia, la quale allora molto piú si gode quando empie il suo testamento di biasmevoli condizioni. Conosco ben ora che 'l mio padre, quando te-

1. *teneva del scemo*: mostrava di avere scarsa intelligenza.
2. *fanno*: come succede alla maggior parte dei vecchi (verbo vicario).
3. *carecciare*: far carezze, tenermi caro.
4. *basterebbe*: poco manca che (ellissi della congiunzione).
5. *toccherebbeno*: desinenza della terza persona condizionale analogica sul presente e tipica della lingua cortigiana. Cfr. Piotti, p. 126; e cfr., poco oltre, per il presente (*credeno*).

stava, era di memoria privo e come vecchio insensato e fuori di sé faceva gli atti da fanciullo. In cui potrei io piú sicuramente fidarmi che nella propia moglie? la quale avendo abbandonato il padre, la madre, i fratelli, le sorelle e la propia casa ci è fatta meco una istessa anima e uno istesso cuore.[1] Laonde rendomi sicuro che io le posso aprire[2] ogni mio secreto, quantunque quello importantissimo sia. [15] Farò adunque isperienza della sua fede, non già per me, ché io sono certo mi ami[3] piú di se medesima, ma solo tentaròla ad essempio de' semplici giovani i quali sciocamente credeno esser peccato irremissibile il contrafare[4] a' pazzi ricordi de' vecchi padri, i quali a guisa di uomo che sogna,[5] entrano in mille frenesie e contínovo vacillano –.

[16] Deleggiando[6] adunque Salardo tra se stesso in tal maniera i saggi e ben regolati comandamenti paterni, deliberòsi[7] di contravenire al terzo. Onde uscito di camera e sceso giú delle scale, senza mettervi indugio alcuno, se ne andò al palagio del marchese, e appressatosi ad una stanga dove erano molti falconi, ne prese uno, che era il migliore e al marchese piú caro, e senza che egli fusse d'alcuno veduto, via lo portò; e chetamente andatossene a casa di uno suo amico, nominato Fransoe, glielo appresentò, pregandolo, per lo amore grande che era tra loro, custodire lo dovesse sino a tanto che egli intendesse il voler suo; e ritorna-

1. *avendo abbandonato ... cuore*: cfr. *Gn.*, 2 24: « quam ob rem relinquet homo patrem suum et matrem et adherebit uxori suae et erunt duo in carne una ». E cfr. anche *Mt.*, 19 5, che riprende il passo della Genesi.

2. *aprire*: rivelare.

3. *certo mi ami*: ellissi della congiunzione dichiarativa *che* secondo un uso caro alla prosa quattro e cinquecentesca.

4. *contrafare*: disubbidire, contrastare.

5. *a guisa ... sogna*: cfr. *Canz.*, CCLXIV 88: « ché 'n guisa d'uom che sogna ».

6. *Deleggiando*: trascurando, sottovalutando.

7. *deliberòsi*: frequente nello Straparola questa forma verbale con enclisi pronominale senza raddoppiamento, mentre BEMBO, *Prose*, III 20, sosteneva che « la consonante di queste tali voci si raddoppia ».

tosene a casa, prese uno de' suoi e secretamente, senza che alcuno lo vedesse, lo uccise, portandolo alla moglie, cosí dicendole:

– Teodora, moglie mia diletta, io, come tu puoi ben sapere, non posso con questo nostro marchese aver mai pur un'ora di riposo, perciò che egli ora cacciando ora uccellando ora armeggiando e ora facendo altre cose, mi tiene in sí contínovo essercizio, che io non so alle volte se io sia morto o vivo. Ma per rimoverlo dallo andare tutto il dí alla caccia, io gli ho fatta una beffa[1] che egli si vedrà poco contento, e forse egli per alquanti giorni riposerà, lasciandone[2] ancor noi altri posare –.

[17] A cui disse la moglie:

– E che gli avete fatto voi? –

A cui rispose Salardo:

– Io gli ho ucciso lo miglior falcone e lo piú caro che egli abbia, e penso, quando egli non lo trovi, quasi da rabbia non moia –.

[18] E appertisi li drappi[3] dinanzi, cavò fuori il falcone ucciso e dièlo alla moglie, imponendole che lo facesse cucinare, ché a cena per amor del marchese lo mangerebbe. La moglie udendo le parole del marito e vedendo il falcone ucciso, molto si ramaricò, e voltatasi contra lui lo cominciò rimproverare, caricandolo[4] fortemente dello errore commesso:

– Io non so come voi avete mai potuto commettere sí grave eccesso, oltraggiando lo signor marchese, che tanto cordialmente vi ama. Egli vi compiace di tutto ciò che voi addimandiate e appresso questo voi tenete il primo luoco

1. *io ... beffa*: per l'accordo del participio (costruito con *avere*) con l'accusativo cfr. Rohlfs, 725.
2. *lasciandone*: lasciandoci.
3. *drappi*: vestiti.
4. *caricandolo*: accusandolo, incolpandolo.

appo la persona sua. Oimè Salardo mio, voi vi avete tirata[1] una gran roina addosso. Se per aventura lo signor venisse a saperlo, che sarebbe di voi? certo voi incorreste[2] in pericolo di morte –.

[19] Disse Salardo:

– E come vuoi tu che egli lo intenda? niuno sa questo se non[3] tu e io. Ma ben ti prego, per quello amore che m'hai portato e porti,[4] che questo secreto appalesar non vogli, perciò che manifestandolo ne saresti e della tua e della mia total roina cagione –.

A cui la moglie rispose:

– Non dubitate punto che io piú tosto soffrirei di morire che mai tal secreto rivelare –.

[20] Cotto adunque e ben concio[5] il falcone, Salardo e Teodora si puosero a sedere a mensa, e non volendo ella mangiare del falcone, né attendere alle parole del marito che a mangiarne dolcemente la essortava, Salardo alciò la mano e sopra il viso le diede sí fatta guanzata,[6] che le fece la guanza destra tutta vermiglia. Il perché[7] ella si mise a piangere e dolersi che egli battuta l'aveva, e levatasi da mensa, tuttavia[8] barbottando, lo minacciò che di tal atto in vita sua si ricorderebbe, e a tempo e luoco si vendicarebbe.[9]

1. *vi avete tirata*: frequente nelle *Piacevoli notti* l'uso dell'ausiliare *avere* con verbi riflessivi (cfr. Rohlfs, 731).

2. *incorreste*: forma sincopata.

3. *se non*: tranne.

4. *per quello ... porti*: per questo poliptoto verbale, cfr. *Dec.*, III 5 21: « renderti guiderdone dell'amore il quale portato m'hai e mi porti ».

5. *concio*: confezionato con opportuni ingredienti.

6. *guanzata*: 'schiaffo', letteralmente 'colpo dato con la mano aperta sulla guancia'.

7. *Il perché*: per la qual cosa. Cfr. Bembo, *Prose*, III 64: « È *Il perché* delle prose, usato tuttavia rade volte, in vece di dire *Per la qual cosa* ».

8. *tuttavia*: continuamente.

9. *vendicarebbe*: vendicherebbe. Forma del condizionale con atona *-a-*, come spesso avviene anche nelle forme del futuro. È tratto tipico della *koinè* set

[21] E venuta la mattina, molto per tempo si levò di letto e senza porre indugio alla cosa, andòsene al marchese e puntalmente[1] li racontò la morte del falcone. Il che intendendo il marchese, si accese di tanto sdegno e ira, che lo fece prendere, e senza udir ragione[2] e difesa alcuna, comandò che in quello instante fusse impiccato per la gola,[3] e che tutti gli suoi beni fussero divisi in tre parti, de' quai l'una data fusse alla moglie che accusato lo aveva, l'altra al figliuolo, e la terza fusse assignata a colui che lo impiccasse.

[22] Postumio, che era ben formato della persona e aitante della vita, intesa la sentenza fatta contra il lui padre[4] e la divisione de' beni, con molta prestezza corse alla madre e dissele:

– O madre, non sarebbe meglio che io sospendessi il padre mio e che io guadagnasi il terzo de' suoi beni che alcun'altra strana[5] persona? –

A cui rispose la madre:

– Veramente, figliuolo mio, tu hai ben discorso, perciò che, facendolo, la facultà di tuo padre rimarà integralmente a noi –.

[23] E senza mettergli intervallo di tempo, il figliuolo se ne andò al marchese e chieseli grazia di sospendere il padre, acciò che della terza parte de' suoi beni, come carnefice, successore rimanesse. La dimanda a Postumio dal marchese fu graziosamente concessa. [24] Aveva Salardo pregato Fransoe, suo fedel amico a cui aperto aveva lo suo secreto, che quando la famiglia[6] del marchese lo conducesse per darli

tentrionale e ancora ben documentato nel Cinquecento (cfr. PIOTTI, p. 124, con ampia bibliografia).

1. *puntalmente*: puntualmente, in ogni minimo particolare.

2. *ragione*: giustificazione.

3. *impiccato per la gola*: la pena riservata ai ladri (cfr. *Dec.*, II 5 80).

4. *il lui padre*: per questa forma di genitivo dell'italiano antico cfr. ROHLFS, 630.

5. *strana*: estranea, cioè che non appartiene alla sua famiglia.

6. *famiglia*: il corpo di guardia.

la morte, che egli fusse presto ad andare al marchese, pregandolo Salardo li fusse menato dinanzi, e prima che fusse giusticiato, benignamente lo ascoltasse.[1] Ed egli, sí come imposto li fu, cosí fece.

[25] Dimorando l'infelice Salardo co' ceppi a' piedi nella dura prigione, e aspettando di ora in ora di esser condotto al patibolo della ignominiosa morte, tra sé duramente piangendo a dire incominciò:

– Ora conosco e chiaramente comprendo il mio vecchio padre con la sua lunga isperienza aver provisto alla salute mia. Egli prudente e savio mi diede il consiglio, e io ribaldo e insensato lo sprezzai. Egli per salvarmi mi comandò che io fuggessi[2] questi miei domestici nemici; e io, acciò mi uccidessino e poi di mia morte ne godessino, mi li sono dato in preda. Egli conoscendo la natura de' prencipi che in un'ora amano e disamano, essaltano e abbassano, mi confortò stare[3] da quelli lontano; e io per perdere la robba, l'onore e la vita, incautamente li ricercai. [26] O Dio volessi[4] che io mai ispermentata[5] non avesse l'infida mia moglie! o Salardo, quanto meglio ti sarebbe, se sequitato avesti[6] la paterna traccia, lasciando a' lusinghieri e a gli adulatori il corteggiare e' prencipi e signori! ora io veggio a che condotto mi ha il troppo fidarmi di me stesso, di mia moglie e del scelerato[7] figliuolo, e sopra tutto il troppo credere all'in-

1. *pregandolo ... ascoltasse*: l'amico Fransoe aveva il compito di convincere il marchese ad ascoltare Salardo prima che venisse eseguita la sentenza.

2. *fuggessi*: fuggissi. Con scambio della vocale tematica.

3. *confortò stare*: giustapposizione reggente + infinito, tratto ben attestato nella prosa cinquecentesca.

4. *volessi*: volesse. A proposito di questa forma, scrive il Bembo, *Prose*, III 44: « La qual cosa [forma] nel vero è fuori d'ogni regola e licenziosamente detta ».

5. *ispermentata*: sperimentata, messa alla prova. Forma prostetica e sincopata. Il successivo *avesse* vale *avessi*.

6. *avesti*: avessi (cfr. Rohlfs, 560).

7. *scelerato*: scellerato (*-l-* scempia secondo la fonetica settentrionale).

grato marchese. Ora sono chiaro[1] quanto egli mi amasse. E che peggio potevami egli fare? certamente nulla; perciò che e nella robba e ne l'onore e nella vita ad un tratto mi offende. O quanto presto l'amor suo è in crudo e acerbo odio[2] rivolto! ben vedo ora che 'l proverbio, che volgarmente si dice, esser verificato: cioè il signore esser simile al vino del fiasco, il quale la mattina è buono e poi la sera guasto.[3] [27] O misero Salardo, a che sei venuto? dove è ora la tua nobiltà? dove sono i cari parenti tuoi? dove sono le ampie ricchezze? dove è ora la tua lealtà, integrità e amorevolezza? O padre mio, io credo che tu riguardando, cosí morto come sei, nel chiaro specchio dell'eterna bontà, mi vedi qua condotto per esser sospeso, non per altra cagione se no per non aver creduto né ubidito a' tuoi savi e amorevoli precetti; e credo che con quella tenerezza di cuore che[4] già mi amasti ancora adesso mi ami e preghi il sommo Iddio che 'l abbi compassione de' sciocchi miei giovenili errori[5] e io, come ingrato tuo figliuolo e disubidiente a' comandamenti tuoi, pregoti mi perdoni –.[6]

[28] Mentre che in tal modo tra se stesso Salardo se medesimo riprendeva, Postumio suo figliuolo, come ben ammaestrato carnefice, se ne andò con la sbiraglia alla prigio-

1. *chiaro*: convinto, persuaso.

2. *acerbo odio*: cfr. *Dec.*, IV 3 22: « rivoltato l'amore il quale a Restagnon portava in acerbo odio ».

3. *il signore ... guasto*: cfr. SACCHETTI, *Il Trecentonovelle*, LXV 2: « Signore è vino di fiasco, la mattina è buono e la sera è guasto ». Il proverbio è già nell'*Esopo volgare* (cfr. *Favole di Esopo volgare del codice Palatino già Guadagni*, a cura di M. LOMBARDI-LOTTI, Firenze, Le Monnier, 1942), p. 43: « Amistà di grande uomo e vino di fiasco, la mattina è buono, e la sera è guasto; e cosí dice il proverbio antico ».

4. *che*: con cui (*che* indeclinabile, tratto proprio di un livello medio della lingua).

5. *miei giovenili errori*: cfr. *Canz.*, I 3: « in sul mio primo giovenile errore ».

6. *O Dio ... perdoni*: in tutta questa sequenza Straparola riprende il modulo stilistico dell'*Ubi sunt* di lontana ascendenza biblico-medievale.

ne, e arrogantemente appresentatosi innanzi al padre, disse tai parole:

– Padre mio, poi che per sentenza del signor marchese voi senza dubbio dovete esser sospeso, e dovendosi dar la terza parte de' vostri beni a colui che farà l'ufficio de impiccarvi, e conoscendo lo amore che voi mi portate, io so che voi non arrete a sdegno se io farò cotal ufficio; perciò che facendolo, i beni vostri non anderanno nelle altrui mani, ma ci resteranno in casa come prima, e di ciò voi ne rimarrete contento –.

[29] Salardo, che attentamente ascoltate aveva le parole del figliuolo, rispose:

– Iddio ti benedica, figliuolo mio; tu hai pensato ciò che molto mi piace e se prima moriva[1] scontento ora, intese le tue parole, me ne morrò contento; fa' adunque, figliuol mio, l'ufficio tuo e non tardare –.

[30] Postumio prima li dimandò perdono e basciòlo in bocca;[2] dopo, preso il capestro, glielo pose al collo, essortandolo e confortandolo che pazientemente sopportasse tal morte. Salardo vedendo il mutamento delle cose, attonito e stuppefatto rimase; e uscito della prigione con le mani dietro legate e col capestro ravolto[3] al collo, accompagnato dal carnefice e dalla sbirraglia, si aviò con frettoloso passo verso il luoco della giustizia, e giuntovi, rivolse le spalle alla scala, che era appoggiata alla forca, e in tal modo di scaglione[4] in scaglione quella ascese; e con intrepido e costante animo pervenuto al deputato termine della scala, guardò d'intorno al popolo e raccontògli a pieno la causa per la quale egli era condotto alla forca; dopo con dolci e amorevoli parole d'o-

1. *moriva*: morivo. Desinenza etimologica in *-a* della prima persona singolare dell'imperfetto indicativo.

2. *basciòlo in bocca*: cfr. *Dec.*, III 7 86: «tutti basciandogli in bocca».

3. *ravolto*: posto attorno.

4. *scaglione*: scalino (dal fr. *échelon*, deriv. da *échelle*)

gni oltraggio umilmente dimandò perdono, essortando i figliuoli ad esser ubidienti a i loro vecchi padri. Udita che ebbe il popolo la causa della condannazione[1] di Salardo, non vi fu veruno che dirottamente non piangese la sciagura del sventurato giovane e che non desiderasse la sua liberazione.

[31] Mentre che le sopradette cose si faceano, Fransoe se ne era andato al palagio, al marchese tai parole dicendo:

– Illustrissimo signor, se mai favilla di pietà fu accesa nel petto di giusto signore, rendomi certo quella raddoppiarsi in voi, se con la solita clemenza considerarete la innocenzia dell'amico all'estremo di morte già condotto per errore non conosciuto. Qual causa, signor mio, vi indusse a sentenziare a morte Salardo che tanto cordialmente voi amavate? egli non vi ha mai offeso né pur pensato di offendervi. Ma se voi, benignissimo signore, commetterete[2] il fedelissimo amico vostro esser qui alla presenzia vostra condotto innanzi che egli moia, farovvi apertamente conoscere la innocenzia sua –.

[32] Il marchese co gli occhi per ira affoccati,[3] senza altra risposta all'amico Fransoe rendere, volevalo al tutto da sé scacciare, quando egli, gittatosi a terra e abbracciateli le ginocchia, tuttavia piangendo, cominciò gridare:

– Mercé, signore giusto, mercé signor benigno, non moia, pregoti, per tua cagione lo innocente Salardo. Cessi la perturbazione tua e io manifesterotti l'innocenzia sua. Cessa per una ora, signore, per amor della conservata sempre da' tuoi vecchi e da te giustizia. Non sia detto di te, signore, che sí strabbocchevolmente[4] senza causa faci[5] morire i tuoi amici –.

1. *condannazione*: condanna (lat. *condamnatio -onis*).
2. *commetterete*: darete ordine.
3. *affoccati*: infiammati.
4. *strabbocchevolmente*: precipitosamente.
5. *faci*: fai (cfr. Rohlfs, 546).

[33] Il marchese tutto sdegnoso contra Fransoe disse:

– Vedo che tu attendi di essere compagno di Salardo, e se poco piú accendi il fuoco de mia ira, a mano a mano[1] te li[2] metterò appresso –.

Disse Fransoe:

– Signore, io sono contento che la lunga mia servitú abbia questo ricompenso, che tu faccia impiccarmi insieme con Salardo, se non lo trovi innocente –.

[34] Il marchese considerata la grandezza dell'amico Fransoe, fra se stesso pensò che senza certezza della innocenzia sua egli non si ubligarebbe ad esser suspeso con Salardo; e perciò disse che era contento che si soprastesse[3] per un'ora, e non provando Fransoe lui esser innocente, s'apparecchiasse a ricevere la morte con esso lui. E fattosi chiamare uno servente, gli ordinò che egli andasse al luoco della giustizia, imponendo per nome suo a' ministri che piú oltre non procedessero e che Salardo, cosí legato e col capestro al collo dal carnefice accompagnato, alla presenza sua fusse condotto.

[35] Giunto Salardo alla presenza del marchese e veggendolo ancora nella faccia infiammato, fermò il suo altiero animo, e con asciutto viso e aperto né da parte alcuna turbato,[4] cosí li disse:

– Signor mio, la servitú mia verso te e l'amore che io ti porto non aveva meritato l'oltraggio e la vergogna che mi hai fatta condannandomi a vituperevole e ignominiosa morte.[5]

1. *a mano a mano*: subito, immediatamente.

2. *li*: a lui.

3. *soprastesse*: soprassedesse.

4. *con asciutto ... turbato*: come Ghismonda davanti al padre; cfr. *Dec.*, IV I 31: « con asciutto viso e aperto e da niuna parte turbato cosí al padre disse ». – *asciutto*: franco, schietto.

5. *Signor mio ... morte*: Straparola riprende e adatta al nuovo contesto le parole di Tancredi a Guiscardo. Cfr. *Dec.*, IV I 22: « Guiscardo, la mia benignità verso te non avea meritato l'oltraggio e la vergogna la quale nelle mie cose fatta m'hai ».

E quantunque il sdegno[1] preso per la mia gran follia, si follia dir si diè,[2] voglia che tu contra tua natura in me incrudelisca, non però dovevi senza udire la ragione sí frettolosamente condannarmi a morte. Il falcone, per la cui pensata morte sei contra me focosamente adirato, vive ed è in quel stato[3] che era prima, né io lo presi per ucciderlo né per oltraggiarti, ma per far piú certa isperienza d'un mio celato oggetto, il quale ora ora ti sarà manifesto –.

[36] E chiamato Fransoe che vi era presente, lo pregò che 'l falcone portasse e al caro e dolce suo patrone rendesse. E da principio sino alla fine li raccontò gli amorevoli comandamenti del padre e la contrafazzione[4] loro. Il marchese udite le parole di Salardo, che uscivano dalle infime parti del cuore, e veduto il suo falcone grasso e bello piú che prima, quasi muto divenne; ma poscia che alquanto in se medesimo rivenne e considerò l'error suo in aver inavedutamente condannato lo innocente amico a morte, alciò gli occhi quasi di lagrime pregni, e guardando fiso nel volto di Salardo, cosí li disse:

– Salardo, se ora tu potesti penetrare[5] co gli occhi la parte di dentro del mio cuore, apertamente conosceresti che la fune che ti ha finora tenute legate le mani e il capestro che ti ha circondato il collo non hanno apportato a te tanto dolore quanto a me affanno, né tanta pena a te quanto a me doglia; né penso mai piú viver lieto e contento, poi che in tal maniera ho offeso te che con tanta scincera[6] fe-

1. *il sdegno*: frequente nello Straparola, come nell'Italia settentrionale, l'articolo *il* davanti a *s* impura. Contro questa tendenza reagisce Bembo, *Prose*, III 9.

2. *diè*: deve. Dittongo come in dialetto (cfr. per es. Ruzante, *Fiorina*, II 3 28: «Te ghe diè int'ogni muò aér fato qualche noela»).

3. *quel stato*: uso dialettale dell'aggettivo dimostrativo davanti a *s* implicata (al posto di *quello*). Cfr. Piotti, p. 105.

4. *contrafazzione*: disubbidienza (cfr. par. 15: «contrafare»).

5. *potesti penetrare*: potessi scrutare nell'intimo.

6. *scincera*: sincera. Palatalizzazione della *s* iniziale (ipercorrettismo).

de mi amavi e servivi. E se possibil fusse che quello è già fatto si potesse annullare, io per me lo annullarei. Ma essendo ciò imposibile, sforzerommi con ogni mia possa di ristaurare in tal guisa la ricevuta offesa, che di me rimarrai contento –.

[37] Ciò detto, il marchese con le propie mani li trasse il capestro dal collo e le mani li sciolse, abbracciandolo con somma amorevolezza e piú fiate basciandolo, e presolo colla destra mano lo fece appresso sé sedere. E volendo il marchese che 'l laccio fusse posto al collo di Postumio per suoi[1] malvagi portamenti, e impiccato, Salardo nol permesse;[2] ma fattolo venire a sé innanzi, disseli tai parole:

– Postumio, da me per Dio[3] da fanciullo infino a cotesta età allevato, io di te, sallo Iddio, che non so che fare. Da l'una parte mi tira l'amore che io finora ti ho portato, da l'altra mi trae lo sdegno contra te per gli tuoi mali gesti conceputo.[4] L'uno vuole che come buon padre ti perdoni, l'altro mi essorta che contra te rigidamente m'incrudelisca.[5] Che debbo dunque far io? se io ti perdono, sarò mostrato a dito;[6] se farò la giusta vendetta, farò contra lo divino precetto. Ma acciò che io non sii detto troppo pio né troppo crudele, torrò la via di mezzo, e da me non sarai corporalmente punito, né anche ti fia da me al tutto perdonato. Prendi adunque questo capestro, che tu mi avevi avinchiato al collo, e in

1. *per suoi*: possessivo senza articolo, costruzione non rara nello Straparola.
2. *nol permesse*: non lo permise.
3. *per Dio*: per carità.
4. *conceputo*: cfr. *Dec.*, III 6 33: « conceputo sdegno ».
5. *Postumio ... incrudelisca*: cfr. *Dec.*, IV 1 27-29: « Guiscardo [...] nella nostra corte quasi come per Dio da piccol fanciullo infino a questo dí allevato [...] ma di te sallo Idio che io non so che farmi. Dall'una parte mi trae l'amore il quale io t'ho sempre piú portato che alcun padre portasse a figliuola, e d'altra mi trae giustissimo sdegno preso per la tua gran follia: quegli vuole che io ti perdoni e questi vuole che io contro a mia natura in te incrudelisca ».
6. *sarò ... dito*: cfr. *Dec.*, VIII 4 37: « che egli non fosse da' fanciulli mostrato a dito ».

rincompenso de' miei beni che tu desideravi avere, lo porterai teco, ricordandoti sempre di me e del tuo grave errore, stando da me sí lontano, che mai non possi[1] piú sentir nova di te –.

[38] E cosí detto, lo scacciò da sé e mandòlo in sua malora, né piú di lui se intese novella alcuna. [39] Ma Teodora, alle cui orecchie era già pervenuta la nova della liberazione di Salardo, se ne fuggí, e andatasene in un monasterio di suore, dolorosamente finí la vita sua. Indi Salardo persentita[2] la morte di Teodora sua moglie, chiese buona licenza dal marchese, e da Monferrato si partí e a Genova ritornò, dove lietamente lungo tempo visse, e per Dio dispensò la maggior parte de' suoi beni, ritenendone tanti quanti fussero bastevoli[3] al viver suo.

[40] Aveva la favola da Lauretta raccontata piú volte mosse le compagne a lagrimare, ma poi che intesero Salardo esser liberato dalla forca e Postumio vituperevolmente cacciato e Teodora miseramente morta, si rallegrarono molto e resero le debite grazie a Dio che da morte l'avea campato. [41] La Signora, che attentamente ascoltata aveva la pietosa favola e quasi ancora da dolcezza piangeva, disse:

– Se queste altre donzelle nel narrare le loro favole se porteranno sí valorosamente, come ha fatto la piacevole Lauretta, ciascheduna di noi si potrà agevolmente contentare –; e senza dir altro né aspettar altra risposta, le comandò che 'l suo enimma proponesse acciò che l'ordine dato nella precedente sera si osservasse. Ed ella presta a' suoi comandamenti con lieto viso[4] cosí disse:[5]

1. *possi*: possa. Cfr. Rohlfs, 555.
2. *persentita*: appresa.
3. *bastevoli*: sufficienti.
4. *con lieto viso*: cfr. *Dec.*, iv 4 9: « con lieto viso ».
5. *cosí disse*: per gli enigmi lo Straparola utilizza generalmente un'ottava di endecasillabi.

[42] Nacqui tra duo seraglia incarcerata,
e di me nacque dopo un tristo figlio
grande come sarebbe, oimè mal nata,
un picciol grano di minuto miglio;
da cui per fame fui poi divorata
senza riguardo alcun, senza consiglio.
O trista sorte mia dura e proterva
di madre non poter restar pur serva.[1]

[43] Non senza grandissimo diletto fu da tutti ascoltato[2] il dotto e arguto enimma dalla festevole[3] Lauretta ingeniosamente raccontato, e chi in uno modo e chi in un altro lo interpretorono. Ma niuno fu che aggiungesse al segno. Laonde la vaga Lauretta, vedendolo irressolubile rimanere, sorridendo disse:

– Lo enimma per me proposto, se io non erro, altro non significa se non la fava secca, la quale essendo nata giace chiusa tra due seraglia, cioè tra due scorze; dopo nasce di lei, a guisa d'un granello di miglio, un vermicello, il quale sí fieramente la rode e consuma, che, di madre, serva non può rimanere –.

[44] Ad ognuno maravigliosamente piacque[4] la isposizione di Lauretta, e tutti ad una voce molto la comendorono. La quale fatta la debita reverenza, al suo luoco si pose a se-

1. *Nacqui ... serva*: in un sonetto enigmatico della raccolta di Madonna Dafne dedicato al « zanin che sta in la fava » (lvi) si ritroveranno alcuni elementi di questo enigma: « Di madre biancha un figlio negro nasce / senzalchun padre, e tosto che gli e nato / tanto e duro e crudel et arrabiato / che la madre diuora e in lei si pasce »; per la fortuna di questo enigma si può ricordare poi un testo (tra gli *'nnimini*) raccolto in G. Pitrè, *Canti popolari siciliani*, Palermo, Pedone Lauriel, 1871, n. 850. Ma cfr. anche un testo cinquecentesco in Rua, *Di alcune stampe*, p. 437.

2. *Non senza ... ascoltato*: cfr. Sannazaro, *Arcadia*, vii 1: «Venuto Opico a la fine del suo cantare, non senza gran diletto da tutta la brigata ascoltato ».

3. *festevole*: piacevole, faceta.

4. *Ad ... piacque*: cfr. Sannazaro, *Arcadia*, iv 1: « Piacque maravigliosamente a ciascuno il cantare ».

dere. E Alteria, la quale appresso Lauretta sedeva[1] e a cui il secondo luoco di favoleggiare toccava, desiderosa piú di dire che di ascoltare,[2] non aspettando altro comandamento dalla Signora, in tal maniera a dire incominciò.

1. *Alteria... sedeva*: modulo decameroniano. Cfr., per es., *Dec.*, I 6 2: « Emilia, la quale appresso la Fiammetta sedea ».

2. *desiderosa ... ascoltare*: cfr. SANNAZARO, *Arcadia*, IV 3: « Ma io, che non men desideroso di sapere chi questa Amaranta si fusse che di ascoltare ».

NOTTE PRIMA, FAVOLA II[1]

[1] *Cassandrino, famosissimo ladro e amico del pretore*[2] *di Perugia, li fura il letto e un suo cavallo leardo; indi appresentatoli*[3] *pre' Severino in uno saccone legato, diventa uomo da bene e di gran maneggio.*

[2] Sí alta, valorose donne, e resvigliata[4] è la virtú dello intelletto umano, che non è cosa in questo mondo sí grave e sí malagevole che, rappresentata dinanzi all'uomo, non le[5] paia leve e facile, e con spazio di tempo non la mandi a perfezzione. Laonde tra la gente minuta communamente[6] dir si suole che l'uomo fa ciò che egli vuole. Il qual proverbio mi dà materia di raccontarvi una favola, la quale, avenga che ridiculosa[7] non sia, sarà però piacevole e di diletto, ammaestrandovi ad agevolmente conoscere l'astuzia di coloro che contínovo involano i beni e le facultà d'altrui.

1. Straparola riprende in modo efficace e vivace, variandolo, il tema diffusissimo del ladro astuto tentato da un potente. Già ERODOTO (*Storie*, II 121) riporta diffusamente la leggenda egiziana del tesoro di re Rampsinite, fonte principale della lunga tradizione novellistica. Il racconto entra nella letteratura medievale attraverso le varie redazioni del *Libro dei sette savi*. Diverse sono le versioni letterarie italiane, da SER GIOVANNI FIORENTINO (IX I), al SERCAMBI (LXXXVIII) al BANDELLO (I 25) che ambienta ancora nell'antico Egitto la vicenda. Per tutta questa lunga tradizione che arriva fino allo HEINE del *Romancero*, cfr. S. PRATO, *La leggenda del tesoro di Rampsinite*, Como, Franchi, 1882; ma cfr. anche CALVINO, *Fiabe*, pp. 1092-93, dove sono segnalate varie versioni moderne della fiaba. Il furto del cavallo ricorda quello compiuto da Brunello ai danni di Sacripante nell'*Orlando innamorato* di BOIARDO (II 5 39 sgg.). Per altre versioni e riscontri cfr. COSQUIN, n. 70 (to. II pp. 274-81, dove sono esaminate molte versioni). Per i motivi cfr. ROTUNDA, K301 (*Master thief*).
2. *pretore*: giudice, magistrato.
3. *appresentatoli*: presentatogli.
4. *resvigliata*: pronta e vivace.
5. *le*: gli.
6. *communamente*: è un tratto settentrionale la *-a-* nella prima parte degli avverbi in *-mente*.
7. *ridiculosa*: da far ridere.

[3] In Perugia, antica e nobile città della Romagna,[1] celeberrima de studi[2] e abondantissima del vivere, dimorava, non già gran tempo fa, un giovane giotto[3] e della vita ben disposto[4] quanto alcuno altro fusse giamai, e da tutti era Cassandrino[5] chiamato. Costui sí per la sua fama sí per li suoi ladronezzi[6] era quasi noto a ciascuno del popolo perugino. Molti cittadini e plebei[7] eransi andati a richiamare al pretore, facendo contra lui gravi e lunghe querele per cagione de' beni che egli involati gli aveva. Ma egli dal pretore non fu mai castigato, quantunque da lui con minacie fusse agramente ripreso. [4] E avenga che Cassandrino fusse per i ladronezzi e per le altre giottonie infame e di perduta speranza,[8] nientedimeno egli aveva in sé una laudevole virtú, che essercitava il latrocinio non già per avarizia,[9] ma per poter a tempo e luoco usare la liberalità e magnificenza verso coloro che gli erano benigni e favorevoli. E perciò che egli era affabile, piacevole e faceto, il pretore sí cordialmente lo amava, che non poteva star un giorno che seco non lo avesse.

[5] Perseverando adunque Cassandrino in questa parte

1. *Perugia ... Romagna*: singolare questa precisazione geografica, pur considerando i confini estesi della regione.

2. *celeberrima de studi*: Perugia era sede di una celebre università, attiva fin dal XIII secolo. Già nel Trecento si era acquistata grande fama e richiamava studenti da ogni parte d'Europa.

3. *giotto*: scaltro. Forma dialettale con palatalizzazione. E cfr. poco oltre *giottonie* ('furfanterie, ribalderie').

4. *della vita ben disposto*: robusto, aitante.

5. *Cassandrino*: secondo G. Rua, *Tra antiche fiabe e novelle*, I. *Le 'Piacevoli notti' di messer Gian Francesco Straparola*, Roma, Loescher, 1898, p. 98, è nome non ignoto al teatro popolare.

6. *ladronezzi*: ladronecci, ruberie (forma settentrionale).

7. *plebei*: popolani.

8. *perduta speranza*: che non lasciava speranza, dal quale nulla di buono si poteva sperare. Cfr. *Dec.*, x 8 103: « un giovane [...] di perduta speranza, e a tutti i romani notissimo ladrone ».

9. *avarizia*: avidità.

biasmevole e parte laudevole vita, e considerando il pretore le giuste querele che di giorno in giorno contra lui erano porte, e per lo amor grande che li portava non potendolo punire, un giorno lo chiamò a sé, e ridottolo in uno secreto camerino, lo cominciò caritativamente ammonire, essortandolo volesse lasciare cotesta malvagia vita e accostarsi alla virtú, fuggendo i trabbocchevoli[1] pericoli ne' quai egli per li suoi pessimi portamenti incorreva. [6] Cassandrino, che attentamente raccolte aveva le parole del pretore, rispose:

– Signor mio, io ho udite e chiaramente intese le amorevoli ammonizioni che voi per vostra urbanità fatte mi avete, e quelle conosco uscire dal vivo e chiaro fonte di quello amore che voi mi portate. Di che vi ringrazio assai. Ma ben mi doglio che certi insensati, invidiosi de gli altrui beni, di contínovo cercono seminar scandali e togliere con sue velenose parole l'altrui onore e fama. Meglio farebbeno questi tali che ciò vi dicono tenere la velenifera lingua tra' denti che improperare[2] altrui –.

[7] Il preside,[3] che di poca levatura aveva bisogno,[4] diede piena fede alle parole di Cassandrino, nulla o poco delle querele contra lui date curandosi; perciò che lo amore che 'l pretore li portava avevali sí abbarbagliati[5] gli occhi, che piú oltre non vedeva.

[8] Avenne che, trovandosi un giorno Cassandrino col pretore alla mensa e ragionando con esso lui di varie cose che erano di piacere e diletto, tra l'altre li raccontò d'un

1. *trabbocchevoli*: eccessivi, straordinari (cfr. Ageno, pp. 279-80).

2. *improperare*: rimproverare, insultare.

3. *preside*: pretore. Secondo il *GDLI* è voce generica di varie cariche, quali quelle di podestà, governatore, ecc.

4. *che ... bisogno*: ci voleva poco a convincerlo. Cfr. *Dec.*, vii 3 22: « La donna, che loica non sapeva e di piccola levatura aveva bisogno ».

5. *abbarbagliati*: abbagliati, accecati. Per la metafora cfr. *Canz.*, li 1-2: « Poco era ad appressarsi agli occhi miei / la luce che da lunge gli abbarbaglia »; e *Orlando furioso*, ii 53 7 « all'uno e all'altro sí gli occhi abbarbaglia ».

giovane che era di tanta astuzia dalla natura dotato, che non vi era cosa alcuna sí nascosa[1] e diligentemente custodita, che ei con sue arti furtivamente non la prendesse. Il che intendendo il pretore disse:

– Questo giovane non può esser altri che tu, che sei uomo accorto, malizioso e astuto. Ma quando ti bastasse l'animo in questa notte furarmi il letto della camera dove io dormo, ti prometto sopra la mia fé di donarti fiorini cento d'oro –.

[9] Udendo Cassandrino la proposta del pretore assai si turbò, e in tal maniera li rispose:

– Signor, a quel che mi posso avedere, voi mi tenete un ladro; ma io non sono ladro, né anche figliuolo di ladro, per ciò che io della propia industria e de' propi sudori me ne vivo, e cosí passo la vita mia. Ma pur, se vi è in piacere di farmi per tal causa morire, io per lo amore che vi ho sempre portato e ora porto,[2] faròvi questo e ogn'altro piacere, e poi me ne morrò contento –.

[10] Desideroso adunque Cassandrino di compiacere al pretore, senza aspettare da lui altra risposta si partí, e tutto quel giorno freneticando[3] se n'andò come egli li potesse rubbare il letto, che egli non s'avedesse; e stando in questa frenesia[4] gli venne un pensiero, il qual fu questo.[5] [11] Era,[6] il giorno che questa imaginazione li venne, morto in Perugia un mendico, lo quale era stato sotterrato in uno avello

1. *nascosa*: nascosta (participio forte: cfr. Rohlfs, 625).

2. *per lo amore ... porto*: per questo poliptoto verbale cfr. i i 19.

3. *freneticando*: farneticando, pensando, immaginando (in modo agitato e sconnesso).

4. *frenesia*: idea fissa, ossessione.

5. *gli venne ... questo*: questa espressione, apparentemente generica, si ricollega invece a un preciso luogo boccacciano, come dimostrerà anche la nota successiva. Cfr. *Dec.*, ix i 7: « e 'l pensiero fu questo ».

6. *Era, il giorno ... predicatori*: cfr. *Dec.*, ix i 8-9: « Era, il giorno che questo pensiero le venne, morto in Pistoia uno il quale [...] era stato sotterrato in uno avello fuori della chiesa de' frati minori ».

fuori della chiesa de' frati predicatori.[1] Laonde egli la notte su 'l primo sonno[2] andò là dove era il mendico sepolto e leggiermente lo avello aperse, e preso il corpo morto per li piedi, fuor della sepoltura lo trasse,[3] e spogliatolo nudo, lo revestí de' propi panni,[4] i quali li stavano sí bene in dosso, che non il mendico, ma Cassandrino, chiunque lo avesse veduto, giudicato lo arebbe. [12] E levatoselo su le spalle meglio che ei puoté, verso il palagio se n'andò;[5] e giuntovi, col mendico in spalla montò su per una scala, che seco recata aveva, e su 'l tetto del palagio salí, e chetamente cominciò scoprire il coperto[6] del palagio, e con li suoi stromenti di ferro sí fattamente perforò le travi e le tavole, che fece un gran pertugio sopra la camera dove il pretor dormiva. [13] Il preside, che nel letto giaceva e non dormiva, sentiva chiaramente tutto quello che faceva Cassandrino; e quantunque ne sentisse danno per lo romper del coperto, pur ne prendeva piacere e gioco, aspettando di punto in punto che egli venisse a furarli il letto di sotto. E tra se stesso diceva:

– Fa' pur, Cassandrino, il peggio che tu sai, ch'in questa notte il letto mio non averai –.[7]

[14] Stando adunque il pretore con gli occhi aperti e con le orecchi attente, e aspettando che 'l letto li fusse involato, ecco che Cassandrino mandò giú per lo pertugio il mendico

1. *chiesa de' frati predicatori*: probabilmente allude alla chiesa gotica di S. Domenico, una delle piú note di Perugia, edificata a partire dagli inizi del XIV secolo.

2. *la notte ... sonno*: cfr. *Dec.*, IX 1 14: « stasera in sul primo sonno ».

3. *leggiermente ... trasse*: cfr. *Dec.*, IX 1 28-29: « e quella [sepoltura] leggiermente aperse [...] prese Alessandro pe' piedi e lui fuor ne tirò ».

4. *e spogliatolo ... panni*: la vestizione è differente nella novella del Boccaccio che Straparola sta utilizzando in filigrana. Cfr. *Dec.*, IX 1 25: « e spogliato Scannadio e sé rivestito ».

5. *E levatoselo ... se n'andò*: cfr. *Dec.*, IX 1 29: « e in su le spalle levatoselo verso la casa della gentil donna cominciò a andare ».

6. *coperto*: tetto.

7. *sai ... averai*: espressione in rima non rara nelle *Piacevoli notti* secondo un modulo caro alla tradizione canterina.

morto, il quale nella camera del preside diede sí fatta botta in terra, che lo fece tutto smarrire. Onde levatosi di letto e preso il lume, vide il corpo che in terra tutto franto e pisto[1] giaceva. E credendo veramente che 'l corpo caduto fusse Cassandrino, per ciò che era vestito de' suoi panni, fra se stesso assai dolendosi disse:

– Oimè misero! Guata, dolente me, come per adempire un mio fanciullesco appetito[2] della costui morte son stato cagione. Che si dirà di me quando si saperà[3] che egli mi sia morto in casa? O quanto cauti e aveduti gli uomini esser denno! –[4]

[15] Stando il pretore in questi lamenti, picchiò a l'uscio della camera di uno suo leale e fido servente, e destatolo, li raccontò il misero caso intervenuto, pregandolo facesse una fossa nel giardino e dentro il corpo morto ponesse, acciò che tal vituperoso fatto ad alcun tempo non venisse in luce. Mentre il pretore e lo servente diedero sepultura al corpo morto, Cassandrino, che di sopra cheto si stava e ogni cosa vedeva, non udendo né vedendo persona alcuna nella camera, primamente si calò giú per una fune, e fatto uno viluppo del letto, con molto suo agio via lo portò. Sepolto il corpo morto e ritornato il pretore nella camera per posare, vide che 'l letto li mancava. Di che tutto suspeso rimase, e se egli volse dormire, forza li fu prendere altro partito, pensando tuttavia alla sagacità e astucia del sottilissimo ladro.

[16] Venuto il giorno, Cassandrino secondo ch'egli soleva,

1. *franto e pisto*: percosso e pieno di contusioni.

2. *fanciullesco appetito*: cfr. *Dec.*, III 10 6: « La giovane [...] non da ordinato disidero ma da un cotal fanciullesco appetito »; e anche FORTINI, *Giornate*, VIII 12: « Margherita mossa piú da un fanciullesco apetito che da maturo discorso ».

3. *saperà*: forma del futuro non sincopata (non rara nello Straparola). Cfr. invece BEMBO, *Prose*, III 51: « del qual verbo [sapere] piú sono ad usanza *Saprò* e *Saprei* che *Saperò* e *Saperei* non sono ».

4. *denno*: devono. La forma è analogica su *ponno*, *danno*, *vonno*.

se n'andò al palagio, e appresentòsi al pretore, il quale veggendolo disse:

– Veramente, Cassandrino, tu sei un famosissimo ladro. Chi mai sarebbe imaginato d'involare il letto con tant'astuzia se non tu? –

[17] Cassandrino nulla rispondeva, ma sí come il fatto suo non fusse ammirativo[1] ci stava.

– Tu me ne hai fatta una delle beffe – diceva il pretore –, ma voglio che tu me ne faci un'altra, e allora conoscerò io quanto il tuo ingegno vaglia.[2] Se tu nella seguente notte mi rubberai il cavallo leardo[3] che tanto mi piace e tengo caro, io ti prometto, oltre i cento fiorini che io ti promisi, darteni[4] altri cento –.

[18] Cassandrino udita la dimanda del pretore, fece sembiante di esser molto turbato, e duolsesi che ei avesse di lui cosí sinistra oppenione, pregandolo tuttavia che della sua roina non volesse esser cagione. Il pretore vedendo Cassandrino rifiutare ciò che gli addimandava, si sdegnò e disseli:

– Quando non farai questo, non aspettar altro da me, se non esser appiccato col capestro ad una delle morse delle mura[5] di questa città –.

[19] Cassandrino, che vedeva la cosa esser molto pericolosa e importar altro che finocchi,[6] disse al pretore:

– Io farò ogni mio forzo[7] di contentarvi, intravenga ciò che si voglia, ancor che a tal cosa atto non mi trovi –; e presa licenza si partí.

1. *ammirativo*: ammirevole, degno di essere ammirato.

2. *vaglia*: valga.

3. *leardo*: di colore grigio chiaro.

4. *darteni*: dartene (non rara nello Straparola la forma dialettale *ni* per *ne*).

5. *morse delle mura*: ciascuna delle sporgenze che, alternate a rientranze, sono disposte in serie lungo il bordo verticale dei muri, per permettere l'attacco di una nuova costruzione o il prolungamento di quelle già esistenti. Cfr. *Dec.*, V 4 29: « appiccandosi a certe morse d'un altro muro ».

6. *importar ... finocchi*: non era impresa di poco conto.

7. *forzo*: sforzo.

[20] Il pretore, che cercava isperimentare l'ingegno sottile di Cassandrino, chiamò a sé uno suo servente e dissegli: – Va' alla stalla e metti in punto il mio cavallo leardo e montali su e fa' che in questa notte che[1] tu non smonti giú, ma guata bene e abbi buona cura che 'l cavallo non ti sia tolto –.

E ad un altro comandò che a guardia del palagio si stesse; e chiuse le porte sí del palagio come della stalla con fortissime chiavi, si partí.

[21] Venuta la buia notte Cassandrino prese li suoi stromenti, e andatosene all'uscio del palagio, trovò che 'l guardiano dolcemente dormiva. E perciò che egli ottimamente sapeva tutti i luoghi secreti del palagio, lasciòlo dormire; e presa un'altra strada, entrò nella corte, e andatosene alla stalla e trovatala chiusa, tanto con e' suoi ferri chetamente operò, che l'uscio aperse; e veduto il servente sopra il cavallo con la briglia in mano, alquanto si smarrí, e appressatosi pianamente a lui, vide ch'ancor ei fieramente dormiva. [22] Lo astuto e trincato[2] ladro, vedendo il servo a guisa d'una marmota profondamente dormire, trovò la piú bella malizia che uomo vivente si potesse mai imaginare; imperciò che egli tolse la misura dell'altezza del cavallo, dandole però quello avantaggio che all'opera sua conveneva, e partitosi e gitosene[3] nel giardino, prese quattro gran pali che sostenevano le viti d'un pergolato, e fatteli l'acuta punta, alla stalla ritornò; e veduto il servo ancora dirottamente dormire, astutamente tagliò le redine della briglia che il servente teneva in mano; dopo tagliò il pettorale, la cingia,[4] la grop-

1. *fa' che ... che*: ripresa del *che* subordinante, non rara nell'italiano antico (cfr. Trovato, p. 193, e Piotti, p. 135, con ampia bibliografia).

2. *trincato*: furbo. Cfr. Machiavelli, *Mandragola*, iii 2: « Questi frati sono trincati ». La voce è anche in Aretino, *Sei giornate*, 173 27, 184 18, 190 6.

3. *gitosene*: andatosene.

4. *cingia*: cinghia.

piera[1] e ogn'altra cosa che pareva li fusse ad impedirlo. E fitto in terra uno palo sotto l'uno de' cantoni della sella, quella alquanto chetamente solevò dal cavallo e posela su 'l palo. Indi postone un altro palo sotto l'altro cantone, fece il somigliante; e fatto il simile ne gli altri duo cantoni, levò la sella tutta di netto dalla schiena del cavallo e, tuttavia[2] il servo sopra la sella dormendo, sopra i quattro pali in terra fitti la puose; e preso il capestro e messolo al capo del cavallo, quello via condusse.

[23] Il pretore, levatosi di letto la mattina per tempo, e andatosene alla stalla, credendo trovare il cavallo, trovò il servente che profondamente dormiva sopra la sella da quattro pali sostentata. E destatolo, li disse la maggior villania che si dicesse mai ad uomo del mondo.[3] E tutto sopra sé manendo,[4] di stalla si partí. [24] Venuto il giorno, Cassandrino secondo l'uso suo se n'andò al palagio e appresentòsi al preside, con lieto viso salutandolo. A cui disse il preside:

– Veramente Cassandrino tu porti il vanto de tutti i ladri, anzi io ti posso chiamare re e prencipe de' ladri. Ma ora ben conoscerò io se tu sei sacente[5] e ingenioso. Tu conosci, se non me 'nganno, pre'[6] Severino, rettore della chiesa di San Gallo, non molto lontana dalla città; se tu me lo porterai qua in uno sacco legato, promettoti sopra la mia fé, oltre li ducento fiorini d'oro che io ti promisi, dartene altretanti; e non facendolo, pensa di morire –.

1. *groppiera*: finimento del cavallo da sella o da tiro, consistente in una striscia di cuoio che corre lungo la groppa allacciandosi da una parte alla sella o al basto con una correggia e terminando dall'altra con il sottocoda o posolino (*GDLI*).

2. *tuttavia*: sempre, continuamente.

3. *li disse ... mondo*: cfr. *Dec.*, III 3 47: « esso disse la maggior villania che mai a uomo fosse detta ».

4. *E tutto ... manendo*: e tutto assorto nei propri pensieri, nei propri rovelli.

5. *sacente*: 'saccente' nel senso antico di 'istruito, esperto, abile, scaltro'.

6. *pre'*: prete.

[25] Era questo pre' Severino uomo di buona fama e di onestissima vita, ma non molto aveduto, e attendeva solamente alla sua chiesa, e d'altro nulla o poco si curava. Vedendo Cassandrino l'animo del pretore contra lui sí mal disposto, disse tra se medesimo:

– Certo costui cerca farmi morire; ma forse il pensier suo gli anderà fallito; perciò che io mi delibero a piú potere di sodisfarlo al tutto –.

[26] Volendo adunque Cassandrino far sí che 'l pretore rimanesse contento, s'imaginò di fare al prete una beffa, la quale secondo che egli desiderava, gli andò ad effetto. La beffa adunque fu questa: che[1] egli prese da uno suo amico imprestanza[2] uno camice sacerdotale lungo sino a' piedi e una stola bianca tutta ricamata d'oro, e portòsela a casa. Dopo presi certi cartoni grandi e sodi,[3] fece due ali di vari colori dipinte, e un diadema[4] che alluminava l'aria d'intorno.

[27] E sopragiunta la sera, con le sopradette cose uscí fuori della città e andossene a quella villa[5] dove abitava pre' Severino, e ivi si nascose dietro una macchia di pungenti spine; e tanto vi stette che venne l'aurora. Laonde Cassandrino, cacciatosi in dosso il camice sacerdotale e messasi la stola al collo e lo diadema in capo e le ali alle spalle, si appiatò e cheto stette fino a tanto che venne il prete a sonar l'Ave Maria.[6] [28] Appena che Cassandrino si era vestito e appiattato,

1. *La beffa ... che*: costruzione a destra non rara nelle *Piacevoli notti*. L. SERIANNI, *La prosa*, in *Storia della lingua italiana*, dir. L. SERIANNI e P. TRIFONE, vol. I. *I luoghi della codificazione*, Torino, Einaudi, 1993, p. 195, ha rilevato il sostanziale antiboccaccismo di queste costruzioni a destra con dimostrativo cataforico: sono costruzioni che, quantunque siano anch'esse rappresentate nel *Decameron*, ne contraddicono la prevalente vocazione a periodi d'impronta latineggiante, sbilanciati a sinistra.

2. *imprestanza*: in prestito.

3. *sodi*: rigidi.

4. *diadema*: aureola.

5. *villa*: borgo rurale, villaggio.

6. *sonar l'Ave Maria*: all'alba, quando il suono della campana (cosí come a

che pre' Severino col cherichetto giunse all'uscio della chiesa, ed entratovi dentro lo lasciò aperto e andòsene a far li suoi servigi. Cassandrino, che stava attento e vedeva l'uscio della chiesa aperto, mentre che 'l prete sonava l'Ave Maria, uscí della macchia e chetamente entrò in chiesa, e accostatosi al cantone d'uno altare e stando dritto in piedi con uno saccone che con ambe le mani teneva, cominciò con umile e bassa voce cosí dire:

– Chi vuol andar in gloria,[1] entri nel sacco; chi vuol andar in gloria, entri nel sacco –.

[29] Continovando[2] Cassandrino in tal maniera le sue parole, ecco che 'l cherichetto uscí fuori di sacrestia, e veduto lo camice bianco come neve,[3] e lo diadema che risplendeva come il sole, e le ali che parevano penne di pavone, e udita la voce, molto si smarrí; ma rivenuto alquanto ritornò al prete e disseli:

– Messere, non ho io veduto[4] l'angelo dal cielo con uno sacco in mano, il qual dice « chi vuol andar in gloria entri nel sacco »? io vi voglio andare, messiere –.

[30] Il prete, che aveva poco sale in zucca,[5] prestò fede alle parole del cherichetto, e uscito fuori di sacrestia, vide l'angelo parato[6] e udí le parole. Onde, desideroso il prete di andar in gloria, e dubitando che 'l cherichetto non li togliesse

mezzogiorno e al tramonto) invitava i credenti a recitare la preghiera della Vergine.

1. *andar in gloria*: andare in paradiso. Per questa formula, attestata anche nella *Venexiana*, cfr. Trovato, p. 318.

2. *Continovando*: continuando.

3. *bianco come neve*: cfr. *Dec.*, x 6 11: « un vestimento di lino sottilissimo e bianco come neve ».

4. *non ho io veduto*: se l'interrogativa presenta una forma verbale composta, il soggetto pronominale viene generalmente posto tra i due costituenti, determinandone la tmesi (cfr. G. Patota, *Sintassi e storia della lingua italiana: tipologia delle frasi interrogative*, Roma, Bulzoni, 1990, p. 101).

5. *che... zucca*: cfr. *Dec.*, iv 2 39: « madonna Lisetta [...] sí come colei che poco sale avea in zucca ».

6. *parato*: rivestito di paramenti sacri.

la volta[1] entrando prima che lui nel sacco, finse di aversi domenticato il breviario a casa e disse al cherichetto:

– Va' a casa e guata nella camera mia, e recami il mio breviario che mi ho domenticato sul scanno –.

[31] Mentre che 'l cherichetto andò a casa, pre' Severino riverentemente accostòsi all'angelo e con grandissima umiltà nel sacco si misse.[2] Cassandrino trincato, malizioso e astuto, vedendo il suo dissegno riuscir bene, subito chiuse il sacco e strettamente legòlo; e trattosi di dosso lo camice sacerdotale e posto giú lo diadema e le ali, fece un viluppo e messolo col sacco sopra le spalle, verso Perugia se n'andò.

[32] E fatto il chiaro giorno, entrò nella città e a convenevole ora appresentò il sacco al pretore, e, scioltolo, trasse fuori pre' Severino, il quale piú morto che vivo trovandosi in presenza del pretore, e accorgendosi esser diriso, fece gran querela contra lui, altamente gridando come egli era stato assassinato[3] e astutamente posto nel sacco non senza suo disonor e danno, pregando sua altezza che dovesse far giustizia e non lasciare cotale eccesso senza grandissimo castigamento, acciò che la sua pena sia chiaro e manifesto essempio a tutti gli altri mal fattori. Il pretore, che già aveva inteso il caso dal principio al fine, quasi dalle risa non si poteva astenere; e voltatosi verso pre' Severino cosí li disse:

– Padrezzollo[4] mio, state cheto e non vi sgomentate; perciò che noi non vi mancheremo di favore e di giustizia, ancor che questa cosa, sí come noi potiamo comprendere, sia stata una berta –.

[33] E tanto seppe fare e dire il pretore che lo attasentò,[5] e

1. *non ... volta*: non gli rubasse il turno, l'occasione.
2. *si misse*: perfetto rafforzato analogico da ricondurre ad ascendenza dialettale (cfr. Piotti, p. 118).
3. *assassinato*: maltrattato, angariato.
4. *Padrezzollo*: babbino, paparino (settentrionalismo: cfr. Trovato, p. 344).
5. *attasentò*: fece tacere.

preso un sacchetto con alquanti fiorini d'oro glielo puose in mano, e ordinò che fusse fin fuori della terra[1] accompagnato. E voltatosi verso Cassandrino, disse:

– Cassandrino, Cassandrino, maggiori sono gli effetti delli tuoi ladronezi che non è la fama per la terra sparsa.[2] Però prendi i quattrocento fiorini d'oro da me a te promessi, perciò che onoratissimamente guadagnati gli hai. Ma fa' che ne l'avenire attendi a viver piú modestamente di ciò che per lo adietro hai fatto, perciò che se di te piú mi verrà alle orecchi querela alcuna, io ti prometto senza remissione di farti impiccare per le canne della gola –.

Cassandrino, presi li quattrocento fiorini d'oro e rese le debite grazie al pretore, si partí; e messosi al mercatantare divenne uomo saggio e di gran maneggio.

[34] Piacque a tutta la compagnia, e massimamente alle donne, la favola da Alteria raccontata, e quella sommamente commendorono tutti. Ma il Molino con amoroso viso e cera allegra, disse:

– Signora Alteria, ancora voi, sí come io posso comprendere, siete una ladroncella, perciò che voi sí chiaramente avete scoperte le malizie de' ladroncelli, che nulla si potrebbe aggiungere. Il che dimostra che voi abbiate alcuno intendimento con esso loro –.

Rispose il Bembo:

– Ella non è ladroncella dell'altrui avere, ma con li suoi lucenti e scintillanti lumi[3] fura il cuore di chiunque la mira –.

Alteria per tai parole arrossita alquanto, voltòsi verso il Molino e il Bembo e disse:

1. *terra*: città.

2. *maggiori ... sparsa*: bonario rovesciamento di un proverbio che trova la forma piú concisa nel detto di Claudiano « minuit praesentia famam » (Velli).

3. *con li ... lumi*: espressione tradizionale; cfr., per es., BOCCACCIO, *Teseida*, XII 56 1-2: « Di sotto a queste eran gli occhi lucenti / e piú che stella scintillanti assai ».

– Io non sono ladroncella delli altrui beni, né meno involatrice de gli altrui cuori, ma noi vi vendiamo a contanti[1] la favola di Cassandrino, sí come noi comperata l'abbiamo –.

E perciò che le parole aumentavano, la Signora comandò ognuno tacesse e che Alteria col suo enimma seguisse. La quale posto giú il sdegno e raddolcita alquanto cosí disse:

[35] Su e giú scorrendo a passo lento e tardo[2]
uno scopersi che guardava in giú:
– Al letto, al letto omai, messer Bernardo –
gridando forte andai – non state piú.
Duo lo discalcin, quattro di riguardo
chiudin le porte e otto stian di su –.
Mentre ch'io feci un tale fitto[3] effetto,
l'uno scoperto si fuggí di netto.[4]

[36] Non men di piacere fu lo enimma che la favola da Alteria ingeniosamente raccontata. E quantunque ciascuno dicesse il parer suo, non però fu veruno che pienamente intendere lo potesse. Laonde Alteria, vedendo che vanamente si perdeva il tempo né ci era alcuno che aggiungesse al segno, levatasi in piedi disse:

– Non che io sia degna di questo onore, ma acciò che non si sparghino le parole in darno, dirò quello ch'io sento. Un gentiluomo era andato in contado con la sua famiglia, sí come lo state[5] piú de le volte avenire suole, e aveva messa nel suo palagio una vecchiarella per guardia, la quale, come

1. *vi vendiamo a contanti*: fuori dalla metafora economica significa: prendere una notizia come se fosse vera.

2. *a passo ... tardo*: cfr. *Canz.*, XXXV 2. « a passi tardi et lenti ».

3. *fitto*: finto, simulato.

4. *Su e giú ... netto*: per la fortuna di questo enigma si può segnalare una cantilena (*La donna minacciata dai ladri*) in G. FERRARO, *Tradizioni ed usi popolari ferraresi*, in « Archivio per lo studio delle tradizioni popolari », a. V 1886, p. 278.

5. *state*: estate (forma aferetica). Per questa parola di genere maschile cfr. ROHLFS, 393.

prudente e accorta, ogni sera discorreva per tutto,[1] se scoprire poteva alcuno che involare volesse. Una sera la sagace vecchia, andando per casa e fingendo di fare alcune sue bisogne, vide un ladro che era sopra il palco e guatava per un pertugio quello che la donna faceva; la buona donna non volse gridare, ma saggiamente fingendo il padrone esser in casa con molti serventi, disse: « Andate al letto omai messer Bernardo e duo serventi lo vadino[2] a scalzare e quattro chiudino l'uscio e le finestre e otto stiano di sopra a far buona guarda ». Mentre che la vecchiarella fece cotal ufficio, il ladro, dubitando esser scoperto, se ne fuggí e cosí la casa salva rimase –.

[37] Finito e risoluto il dotto enimma da Alteria raccontato, Cateruzza, che le sedeva appresso, conobbe che a lei toccava il terzo aringo[3] della prima notte. Onde con viso allegro in tal maniera a dire incominciò.

1. *discorreva per tutto*: cfr. *Dec.*, I Intr. 57: « discorrendo per tutto ».
2. *vadino*: forma semiletteraria del congiuntivo presente (cfr. Piotti, p. 121).
3. *aringo*: sfida. Metafora decameroniana: cfr. *Dec.*, IX I 2: « assai m'agrada [...] per questo campo aperto e libero [...] del novellare, d'esser colei che corra il primo aringo ». E cfr. anche *Dec.*, II 8 3.

NOTTE PRIMA, FAVOLA III[1]

[1] *Pre' Scarpacifico, da tre malandrini una sol volta gabbato, tre fiate gabba loro, e finalmente vittorioso con la sua Nina lietamente rimane.*

[2] Il fine della favola da Alteria prudentemente raccontata mi dà materia di dovere raccontarne una, la quale vi fia non men piacevole che grata, ma sarà diferente in uno, che in quella pre' Severino fu da Cassandrino gabbato, ma in questa pre' Scarpacifico piú volte gabbò coloro che lui gabbare credevano, sí come nel discorso della mia favola a pieno intenderete.

[3] Appresso Imola città vendichevole[2] e a' tempi nostri dalle parti quasi ridotta all'ultimo esterminio, trovasi una villa, chiamata Postema,[3] nella cui chiesa ufficiava ne' tempi passati un prete nominato pre' Scarpacifico,[4] uomo nel vero

1. Per la prima parte di questa favola cfr. una novella del III libro del *Panciatantra*, di cui esisteva un volgarizzamento di A.F. Doni nella *Moral filosofia*, Venezia, Marcolini, 1552, trattato II p. 42: *Alcuni piacevoli uomini beffano un santo uomo, facendogli credere che ha sulle spalle un cane e non un becco*. Si tratta comunque di un racconto ben noto in Europa e diffuso nelle raccolte di *exempla* (cfr. N. Bozon, *Les contes moralisés*, Paris, Librairie de Firmin Didot, 1889, cap. CXVII; ma esistono anche altre versioni, come quella di Jacopo da Vitry, di Etienne de Bourbon, del Bromyard). Nella seconda parte le beffe contraccambiate dal prete appartengono alla storia di Campriano contadino. A conferma della popolarità dei motivi cfr. anche il *Baldus* di Folengo (libri VIII e IX) e Fortini, *Notti*, I. A partire dalle *Astuzie sottilissime di Bertoldo* sono poi parecchie le versioni successive, e italiane e straniere, che presentano le stesse beffe organizzate da pre' Scarpacifico, come conferma una novella in napoletano raccolta da Raffaele Della Campa (*'O cunte 'e Catuzze*) e pubblicata nel « Giambattista Basile », a. III 8, 15 agosto 1885, pp. 59-63. Per altre segnalazioni e versioni cfr. Calvino, *Fiabe*, n. 82; Cosquin, n. 10 (to. I pp. 111-20); Pitrè, *Fiabe, Novelle e Racconti*, n. 157; e *Italian popular tales*, ed. by T.F. Crane, London, Macmillan & C., 1885, pp. 303-9. Per i motivi cfr. Rotunda, K113.7, K131, K842, K894.3.
2. *vendichevole*: dove si esercitavano molte vendette personali.
3. *Postema*: non sono riuscito a identificare questa località.
4. *Scarpacifico*: uno dei tanti nomi parlanti delle *Piacevoli notti*.

ricco, ma oltre modo misero e avaro. Costui per suo governo[1] teneva una femina scaltrita e assai sagace, Nina chiamata, ed era sí aveduta che uomo non si trovava che ella non ardisse di dirli ciò che bisognava. E perché ella era fedele e prudentemente governava le cose sue, la teneva molto cara. [4] Il buon prete, mentre fu giovane, fu uno di quelli gagliardi uomini che nel territorio imolese si trovasse; ma giunto all'estrema vecchiezza,[2] non poteva piú sopportare la fatica del caminar a piedi. Laonde la buona femina piú e piú volte lo persuase che un cavallo comperare dovesse, acciò che ne l'andare tanto a piedi la vita sua innanzi ora non terminasse. [5] Pre' Scarpacifico, vinto dalle preghiere e dalle persuasioni della sua fante, se ne andò un giorno al mercato, e adocchiato un muletto che alle bisogne sue parevali convenevole, per sette fiorini d'oro lo comperò. [6] Avenne che a quel mercato erano tre buoni compagnoni, i quali piú dell'altrui che del suo, sí come anche a' moderni tempi si usa, si dilettavano vivere. E veduto che ebbero pre' Scarpacifico avere il muletto comperato, disse uno di loro:

– Compagni miei, voglio che quel muletto sia nostro.

– E come? – dissero gli altri.

– Voglio – rispose – che noi ci andiamo alla strada dove egli ha a passare,[3] e che l'uno stia lontano da l'altro un quarto di miglio, e ciascaduno di noi seperatamente[4] li dirà il muletto da lui comperato esser un asino. E se noi staremo fermi in questo detto, il muletto agevolmente sarà nostro –.

[7] E partitisi di comune accordo, s'acconciorono[5] su la strada, sí come tra loro avevano deliberato. [8] E passando

1. *per suo governo*: per i suoi servizi domestici.
2. *estrema vecchiezza*: cfr. *Dec.*, IV I 44: « nella tua estrema vecchiezza ».
3. *ha a passare*: deve passare.
4. *seperatamente*: separatamente.
5. *s'acconciorono*: si disposero.

pre' Scarpacifico, l'uno de' masnadieri, fingendo d'altrove che dal mercato venire, li disse:

– Iddio vi salvi messere –.

A cui rispose pre' Scarpacifico:

– Ben venga il mio fratello.

– E di dove venete[1] voi? – disse il masnadiero.[2]

– Dal mercato – rispose il prete.

– E che avete voi di bello comperato? – disse il compagnone.

– Questo muletto – rispose il prete.

– Qual muletto? – disse il masnadiero.

– Questo che ora cavalco – rispose il prete.

– Dite voi da dovero, overo burlate meco?

– E perché? – disse il prete.

– Per ciò che non un mulo, ma un asino mi pare.

– Come asino? – disse il prete.

E senza altro dire, frettolosamente seguí il suo camino.

[9] Né appena cavalcato aveva due tratte di arco, che se li fé incontro l'altro compagno, e disseli:

– Buon giorno messere, e dove venete voi?

– Dal mercato – rispose il prete.

– Vi è bel mercato? – disse il compagno.

– Sí bene – rispose il prete.

– Avete fatta voi alcuna buona spesa? – disse il compagnone.

– Sí – rispose il prete – ho comperato questo muletto che ora tu vedi.

1. *venete*: venite. Metaplasmo di coniugazione (per TROVATO, p. 317, è forse forma ipercorretta rispetto alla confluenza settentrionale di *-ete* e *-ite* in *-í*).

2. *masnadiero*: ladro, brigante. Con la desinenza *-o* nei sostantivi con suffisso *-er*, *-ier*, secondo una tendenza tipica della prosa settentrionale quattro-cinquecentesca. Cfr. invece BEMBO, *Prose*, III 3, per l'uscita in *-e*. Il DOLCE, *Osservationi*, p. 33, ammetteva entrambe le uscite, limitando però quella in *-e* alla prosa.

– Dite il vero? – disse il buon compagno – avetelo voi comperato per un mulo?

– Sí – rispose il prete.

– Ma in verità egli è un asino – disse il buon compagno.

– Come un asino? – disse il prete – se piú alcuno me lo dice, voglio di esso farli un presente –.

[10] E seguendo il suo camino, s'incontrò nel terzo compagno,[1] il qual li disse:

– Ben venga il mio messere, dovete per aventura venir dal mercato voi?

– Sí – rispose il prete.

– Ma che avete comperato voi di bello? – disse il buon compagno.

– Ho fatto spesa di questo muletto che tu vedi.

– Come muletto? – disse il compagnone – dite da dovero, over burlate voi?

– Io dico da dovero e non burlo – rispose il buon prete.

– O puovero uomo – disse il masnadiero – non vi avedete che egli è un asino e non muletto? o ghiotti,[2] come bene gabbato vi hanno! –

Il che intendendo pre' Scarpacifico, disse:

– Ancor duo altri poco fa me l'hanno detto e io nol credevo –.

E sceso giú del muletto, disse:

– Piglialo, ché di lui io ti fo un presente –.

Il compagno, presolo e ringraziatolo[3] della cortesia, a i compagni se ne tornò, lasciando il prete andar alla pedona.[4]

1. *s'incontrò ... compagno*: il verbo è costruito come il latino *incido (in aliquem)*.

2. *ghiotti*: furfanti, ribaldi. Questa forma si alterna nello Straparola con la forma dialettale *giotti*.

3. *presolo e ringraziatolo*: la stessa particella pronominale enclitica in questo punto genera ambiguità: ovviamente Straparola vuol dire 'preso il mulo e ringraziato il prete'.

4. *alla pedona*: a piedi.

[11] Pre' Scarpacifico, giunto che fu a casa, disse alla Nina come egli aveva comperato una cavalcatura, e credendosi aver comperato un muletto, aveva comperato un asino. E per che per strada molti ciò detto gli avevano, all'ultimo aveva fatto un presente. Disse la Nina:

– O cristianello, non vi avedete che elli vi hanno fatto una beffa? io mi pensavo che voi foste piú scaltro di quello che voi siete. Alla mia fé, che elli non mi arrebbeno[1] ingannata! – Disse allora pre' Scarpacifico:

– Non ti affannare di questo, ché se ei me ne hanno fatto una, io gliene farò due; e non dubitare per ciò che essi che ingannato mi hanno non si contenteranno de questo, anzi con nova astuzia verranno a vedere si potranno cavarmi alcuna cosa da le mani –.

[12] Era nella villa un contadino non molto lontano dalla casa del prete e aveva, tra l'altre, due capre che si somigliavano sí che l'una da l'altra agevolmente conoscer non si poteva. Il prete fece di quelle due mercato e a contanti le comperò. [13] E venuto il giorno seguente, ordinò alla Nina che apparecchiasse un bel desinare, perciò che voleva alcuni suoi amici venissero a mangiare con esso lui, e l'impose che ella tollesse certa carne di vitello e la lessasse, e i polli e il lombo arrostisse. Dopo le sporse[2] alcune specie, e ordinòle che li facesse un saporetto[3] e una torta,[4] secondo il modo che ella era solita a fare. Poscia il prete prese una delle capre e legòla a un siepe nel cortile, dandole da mangiare, e l'altra legòla con un capestro e con esso lei al mercato se n'andò. [14] Né fu sí tosto giunto al mercato, che i tre compagni de l'asino l'ebbero veduto e accostatisi a lui, dissero:

1. *arrebbeno*: forma sincopata con raddoppiamento consonantico.

2. *sporse*: porse, diede (dal lat. *exporrigere*).

3. *saporetto*: salsa, condimento sapido e aromatico, preparato con le spezie, che veniva usato per insaporire e accompagnare le vivande.

4. *torta*: pasticcio di vari ingredienti cotto al forno.

– Ben venga il nostro messere! E che andate voi facendo? volete voi forse comperare alcuna cosa di bello? –

A cui rispose il missere:[1]

– Io me ne sono venuto costí per ispendere, perciò che alcuni miei amici verranno a desinare oggi meco. E quando vi fusse a grado di venire ancora voi, mi fareste piacere –.

[15] I buoni compagni molto volontieri accettorno lo invito. Pre' Scarpacifico, fatta la spesa che bisognava, mise tutte quelle robbe comperate sopra il dorso della capra e in presenza de' tre compagni disse alla capra:

– Va' a casa e di' alla Nina che lessi questo vitello, e il lombo e li polli arrostisca, e dille che con queste specie la[2] faccia una buona torta e alcuno saporetto secondo l'usanza nostra. Hai tu ben inteso? or vatene in pace –.

[16] La capra, carica di quelle robbe e lasciata in libertà, si partí, ma nelle cui mani capitasse, non si sa. Ma il prete e i tre compagni e alcuni altri suoi amici intorniorono[3] il mercato, e parendoli l'ora, se n'andarono a casa del prete; ed entrati nella corte, subito i compagni balcorono[4] la capra legata al siepe che l'erbe pasciute ruminava, e credettero che essa fusse quella che 'l prete con le robbe aveva mandata a casa, e molto si maravigliorono. [17] Ed entrati tutti insieme in casa, disse pre' Scarpacifico alla Nina:

– Nina, hai tu fatto quello che io ti ho mandato a dire per la capra? –

Ed ella accorta, e intendendo quello voleva dire il prete, rispose:

– Messer sí; io ho arrostito il lombo e polli,[5] e lassata la

1. *missere*: con la *-i-* protonica. Unica attestazione nelle *Piacevoli notti.*

2. *la*: per questa forma soggettiva proclitica cfr. Rohlfs, 446.

3. *intorniorono*: percorsero in tutta la sua estensione.

4. *balcorono*: adocchiarono, guardarono (voce dialettale veneziana: cfr. Boerio, s.v. *balcar*, 'guardare').

5. *il lombo e polli*: omissione dell'articolo davanti al termine successivo al primo di una sequenza nominale coordinata (cfr. Piotti, p. 130).

carne di vitello. Appresso questo ho fatta la torta[1] e il saporetto con delle specie per dentro, sí come mi disse la capra.

– Sta bene – disse il prete.

[18] I tre compagni, vedendo il rosto,[2] il lesso e la torta al fuoco, e avendo udite le parole della Nina, molto piú che prima si maravigliorono, e tra loro cominciorono pensare sopra della capra, come aver la potessino. [19] Venuta la fine del desinare, e avendo molto pensato di furar la capra e di gabbar il prete, e vedendo non poterne riuscire, dissero:

– Messere, noi vogliamo che voi ne[3] vendiate quella capra –.

A cui rispose il buon prete non volerla vendere perché non vi erano danari che la pagassino; e pur, quando elli la volessero, cinquanta fiorini d'oro l'appreciava.[4] I buon compagni, credendosi aver robbati panni franceschi,[5] subito gli annoverorono i cinquanta fiorini d'oro.

– Ma avertite[6] – disse il prete – che non vi dogliate poi di me, perciò che la capra, non conoscendovi in questi primi giorni per non esser assuefatta con esso voi, forse non farà l'effetto che fare dovrebbe –.

[20] Ma i compagni, senza altra risposta darli, con somma allegrezza condussero la capra a casa e dissero alle lor mogli:

– Dimane non apparecchiarete altro da desinare sino a tanto che noi non lo mandiamo a casa –.

E andatissene in piazza, comperorono polli e altre cose

1. *ho fatta la torta*: per l'accordo del participio (costruito con *avere*) con l'accusativo cfr. ROHLFS, 725.

2. *rosto*: il lombo e i polli arrostiti.

3. *ne*: ci.

4. *l'appreciava*: la valutava.

5. *credendosi … franceschi*: metafora mercantesca che significa: 'credendo di aver fatto un ottimo affare'. Cfr. FORTINI, *Giornate*, XXXVIII 24: «parendoli la notte avere auti panni franceschi».

6. *avertite*: fate attenzione, badate.

che facevano bisogno a·lloro mangiare, e postele sopra il dorso della capra, che seco condotta avevano, la ammaestrarono di tutto quello che ei volevano che la facesse e alle loro mogli dicesse. [21] La capra, carica di vettovaria essendo in libertà si partí, e andossene in tanta bon'ora che mai piú la videro.

[22] Venuta l'ora del desinare, i buoni compagni ritornorono a casa e addimandorono le loro mogli[1] se la capra era venuta con la vettovaria a casa e se fatto avevano quello che ella detto gli aveva. Risposero le donne:

– O sciocchi e privi d'intelletto, voi vi persuadete che una bestia debba far i servigi vostri? certo ve ne restate ingannati, perciò che voi volete ogni giorno gabbare altrui, e alla fine voi rimanete gabbati –.

[23] I compagnoni vedendosi dirisi dal prete e aver tratti i cinquanta fiorini d'oro, s'accesero di tanto furore che al tutto lo volevano per uomo morto, e prese le sue arme, a trovarlo se n'andorono. Ma lo sagace pre' Scarpacifico, che non stava senza sospetto della sua vita e aveva sempre i compagni innanzi gli occhi, che non li fessero alcuno dispiacere, disse alla sua fante:

– Nina, piglia questa vescica piena di sangue e ponela sotto il guarnello,[2] perciò che, venendo questi malandrini, darotti la colpa del tutto, e fingendo di esser teco adirato tirerotti con questo coltello un colpo nella vescica; e tu non altrimenti che se morta fosti,[3] a terra caderai, e poi lascia lo carico a me –.

[24] Né appena pre' Scarpacifico aveva finito le parole con

1. *addimandorono le loro mogli*: il verbo è costruito con l'accusativo seguito da un'interrogativa indiretta, costruzione non rara in italiano antico (cfr. AGENO, p. 48).

2. *guarnello*: veste femminile modesta e ordinaria di canapa o cotone (*Dec.*, IX 5 9).

3. *fosti*: fossi.

la fante, che sopragiunsero i malandrini, i quali corsero a dosso al prete per ucciderlo. Ma il prete disse:

– Fratelli, non so la cagione che voi mi vogliate offendere. Forse questa mia fante vi debbe aver fatto alcuno dispiacere che io non so –.

[25] E voltatosi contra lei, misse mano al coltello, e tiròle di punta, e feritela[1] nella vescica che era di sangue piena. Ed ella fingendo di esser morta in terra cadé, e il sangue come un ruscello d'ogni parte correva. Poscia il prete veggendo il caso strano finse di esser pentuto,[2] e ad alta voce cominciò gridare:

– O misero e infelice me, che ho fatt'io? come scioccamente ho uccisa costei che era il bastone della vecchiezza mia?[3] come potrò io piú viver senza lei? –

[26] E presa una piva[4] fatta al modo suo, levòle i panni e gliela pose tra le natiche e tanto dentro soffiò, che la Nina rivenne, e sana e salva saltò in piedi. Il che vedendo i malandrini restorono attoniti, e messo da canto ogni lor furore comprorono la piva per fiorini ducento, e lieti a casa ritornorono.

[27] Avenne che un giorno un de' malandrini fece parole con la sua moglie e in quel sdegno le ficcò il coltello nel petto, per la cui botta ella se ne morí. Il marito prese la piva comperata dal prete e gliela mise tra le natiche e fece sí come il prete fatto aveva, sperando che ritornasse viva. Ma indarno s'affaticava in sparger il fiato, perciò che la misera alma era partita di questa vita e se ne era ita all'altra. L'altro compagno, vedendo questo, disse:

1. *feritela*: terza persona singolare del passato remoto indicativo in *-itte* (cfr. Rohlfs, 578), con la dentale scempia e particella pronominale enclitica.

2. *pentuto*: pentito (frequenti nello Straparola i participi deboli in *-uto*).

3. *bastone ... mia*: cfr. Boccaccio, *Filocolo*, ii 10 3: « unico bastone della mia vecchiezza ».

4. *piva*: mantice.

– O sciocco, tu non hai saputo ben fare; lascia un poco fare a me –.

E presa la propia moglie per li capelli, con uno rasoglio[1] le tagliò le canne della gola; dopo tolta la piva le soffiò nel martino,[2] ma per questo la meschina non resusitò. E parimente fece il terzo: e cosí tutta tre rimasero privi delle loro mogli. [28] Laonde sdegnati andoro[3] a casa del prete e non volsero piú udire sue folle,[4] ma lo presero e lo possero in un sacco con animo di affogarlo nel vicino fiume, e mentre che lo portavano per attuffarlo nel fiume, sopragiunse non so che a i malandrini, onde forza li fu metter giú il prete, che era nel sacco strettamente legato, e fuggirsene. [29] In questo mezzo che 'l prete stava chiuso nel sacco, per aventura indi passò un peccoraro col suo gregge, la minuta erba pascendo; e cosí pascolando, udí una lamentevole[5] voce che diceva: «i[6] me la vogliono pur dare e io non la voglio, ché io prete sono e prendere non la posso»; e tutto sbigottito rimase, perciò che non poteva sapere donde venisse quella voce tante volte ripetita.[7] [30] E voltatosi or quinci or quindi, finalmente vide il sacco, nel quale il prete era legato, e accostatosi al sacco, tuttavia[8] il prete vociferando forte, lo sciolse e trovò il prete. E addimandatolo per qual causa fusse nel sacco chiuso e cosí altamente gridasse, li rispose che 'l signor della città li voleva dar per moglie una sua figliuola,

1. *rasoglio*: rasoio (forma palatalizzata).

2. *martino*: ano. Voce dialettale veneziana (cfr. E. Ferrero, *Dizionario storico dei gerghi italiani. Dal Quattrocento a oggi*, Milano, Mondadori, 1991, s.v.).

3. *andoro*: andarono.

4. *folle*: fole, sciocchezze (con consonante geminata per probabile ipercorrettismo).

5. *lamentevole*: lamentosa.

6. *i*: forma soggettiva pronominale di terza plurale molto diffusa al Nord, come sostiene Rohlfs, 448.

7. *ripetita*: estensione alla seconda coniugazione del participio debole *-ito*.

8. *tuttavia*: sempre.

ma che egli non la voleva, sí perché era attempato, sí anche perché di ragione avere non la poteva per esser prete. Il pastorello, che pienamente dava fede alle finte parole del prete, disse:

– Credete voi messere che 'l signore a me la desse?

– Io credo di sí – rispose il prete – quando tu fosti in questo sacco sí come io ero legato –.

E messosi il pastorello nel sacco, il prete strettamente lo legò e con le peccore da quel luogo si allontanò. [31] Non era ancor passato un'ora[1] che li tre malandrini ritornorono al luogo dove avevano lasciato il prete nel sacco, e senza guatarvi dentro presero il sacco in spalla e nel fiume lo gittorno; e cosí il pastorello in vece del prete la sua vita miseramente finí. [32] Partitisi i malandrini, presero il camino verso la lor casa, e ragionando insieme, videro le peccore che non molto lontane pascevano. Onde deliberorono di rubbare uno paio di agnelli, e accostatisi al grege videro pre' Scarpacifico che era di loro il pastore; e si maravigliorono molto, perciò che pensavano che nel fiume annegato si fusse. Onde l'addimandorono come fatto aveva ad uscire del fiume. A i quali rispose il prete:

– O pazzi, voi non sapete nulla. Se voi piú sotto mi affocavate, con dieci volte artante[2] pecore di sopra me ne veniva –.

[33] Il che udendo i tre compagni dissero:

– O messere, volete voi farne questo beneficio? voi ne porrete ne' sacchi e ne gitterete nel fiume, e di masnadieri, custodi di peccore diverremo –.

Disse il prete:

– Io sono apparecchiato a fare tutto quello che vi aggra-

1. *passato un'ora*: mancato accordo del participio (non raro nell'italiano antico: cfr. AGENO, pp. 161 sgg.).

2. *artante*: altrettante (voce dialettale veneziana: cfr. BOERIO, s.v.; e RUZANTE, *La Piovana*, v 150 e passim).

da, e non è cosa in questo mondo che volontieri non la facesse –.[1]

[34] E trovati tre buoni sacconi di ferma e fisa canevazza,[2] li puose dentro, e strettamente, che uscir non potessero, li legò, e nel fiume gli aventò[3] e cosí infelicemente se n'andorono le anime loro a i luoghi bugi,[4] dove sentino eterno dolore; e pre' Scarpacifico, ricco e di danari e di peccore, ritornò a casa e con la sua Nina ancora alquanti anni allegramente visse.

[35] La favola da Cateruzza raccontata a tutta la compagnia molto piacque e sommamente tutti la commendorono, ma vie piú la sagacità e astuzia dell'ingenioso prete, il quale per aver donato un mulletto, acquistò molti danari e peccore, e vendicata l'ingiuria de' suoi nemici, lieto con la sua Nina rimase. E acciò che non si sconciasse l'incominciato ordine in questa guisa il suo enimma propose:

[36] Stava ad un desco un fabro e la mogliera
con un sol pane intiero e un mezzo appena.
Con la sorella il prete in su la sera
quattro si ritruovaro a quella cena.
Tre parti fer del pane, e piú non v'era;
e tutti quattro con faccia serena,
godendo la lor parte, fur contenti.
Non so tu, che m'ascolti, quel che senti.[5]

[37] Finito il sentenzioso enimma da Cateruzza raccontato, e da tutti con somma ammirazione atteso, e non trovandosi

1. *facesse*: facessi.

2. *fisa canevazza*: tela di sacco, canapa grossa e ruvida (voce dialettale settentrionale, derivata da *canapa*). Cfr. TROVATO, p. 344.

3. *aventò*: gettò.

4. *bugi*: frequenti in Straparola queste forme con epentesi di *-g-*. Per l'espressione *luoghi bugi* cfr. *Inf.*, XVI 82: « Però, se campi d'esti luoghi bui ».

5. *Stava ... senti*: per la fortuna di questo enigma nella tradizione popolare cfr. un indovinello portoghese in « Archivio per lo studio delle tradizioni popolari », a. III 1884, p. 247.

veruno in sí ingeniosa compagnia che della dura scorza il vero senso traere sapesse, disse Cateruzza:

– Piacevoli donne, il senso del mio enimma è che, trovandosi un fabro aver per moglie la sorella d'un prete, ed essendosi ambe doi[1] posti alla mensa per cenare, sopragiunse il prete: e cosí erano quattro, cioè la moglie con il fabro suo marito, e la moglie del fabro col prete, che le era fratello. E avenga che paresseno[2] quattro, nondimeno erano se non tre, e ciascuno di loro prese mezzo un pane, e tutta tre contenti rimaseno –.

[38] Dopo che Cateruzza pose fine al suo arguto enimma, la Signora fece cenno ad Eritrea che l'ordine seguisse, la quale tutta festevole e ridente cosí disse.

1. *doi*: forma dialettale del numerale (cfr. PIOTTI, p. 109, con ampia bibliografia).

2. *paresseno*: nella terza persona plurale dell'imperfetto congiuntivo è la desinenza piú gradita nella *koinè* settentrionale. Su di essa si appuntano le riserve del Bembo.

NOTTE PRIMA, FAVOLA IV[1]

[1] *Tebaldo, prencipe di Salerno, vuole Doralice unica sua figliuola per moglie, la quale, perseguitata dal padre, capita in Inghilterra, e Genese la piglia per moglie, e con lei ha duo figliuoli, che da Tebaldo furono uccisi. Di che Genese re si vendicò.*

[2] Quanta sia la potenza d'amore, quanto li stimoli della corrottibile carne, penso che non sia alcuna di noi che per isperienza provato non l'abbia. Egli come potente signore regge e governa senza spada a un solo cenno lo imperio suo, sí come per la presente favola, che raccontarvi intendo, potrete comprendere.

[3] Tebaldo[2] prencipe di Salerno, amorevoli donne, sí come piú fiate udi' da' nostri maggiori ragionare, ebbe per moglie una prudente e accorta donna e non di basso legnaggio, e di lei generò una figliuola, che di bellezza e di costumi tutte le altre salernitane donne trappassava. Ma molto meglio a Tebaldo sarebbe stato se quella avuta non avesse,[3]

1. Di questa fiaba, assai diffusa nella tradizione orale, si conoscono molte versioni raccolte nell'Ottocento (cfr. CALVINO, *Fiabe*, n. 103: *Maria di Legno*), che testimoniano la fortuna dei motivi nel corso del tempo, nonostante la varietà delle vicende, degli intrecci e dello svolgimento (cfr. anche COSQUIN, n. 28, to. I pp. 275-80; CRANE, op. cit., p. 337; e THOMPSON, pp. 187-88: tipo 510B). È probabile che lo Straparola abbia attinto dalla tradizione orale, anche se, soprattutto nell'incipit, si può intravedere un evidente rapporto con la IV I del *Decameron*, ma anche, per il tema dell'amore incestuoso, con la sacra rappresentazione quattrocentesca di santa Uliva e con una novella del MOLZA: *Una figliuola del re di Bertagna si fugge dal padre innamorato di lei* [...]. La prima parte della fiaba dello Straparola è ripresa abbastanza fedelmente da BASILE (II 6: *L'orza*) e da PERRAULT (*Peau d'asne*). Per i motivi cfr. ROTUNDA, H363, H363.2, K1812.14, K2116.1, N693, Q416.0.2.

2. *Tebaldo*: il nome Tebaldo è nel *Decameron* (II 3), nell'*Orlando innamorato*, ma si ricordi anche il Tibaldo dei *Reali di Francia*.

3. *molto ... avesse*: cfr. *Dec.*, IV I 3: « il quale [Tancredi] in tutto lo spazio della sua vita non ebbe che una figliuola, e piú felice sarebbe stato se quella avuta non avesse ».

perciò che avenuto non li sarebbe quello che gli avenne. [4] La moglie, giovene de anni ma vecchia di senno, venendo a morte, pregò il marito, che cordialissimamente amava, che altra donna per moglie prendere non dovesse, se l'anello, che nel dito portava, non stesse bene nel dito di colei che per seconda moglie prendere intendeva. Il prencipe, che non meno amava la moglie che la moglie lui, giurò sopra la sua testa di osservare quanto ella gli aveva commesso.

[5] Morta la bella donna e orrevolmente[1] sepolta, venne in animo a Tebaldo di prender moglie, ma rimembrandosi della promissione fatta alla morta moglie, lo suo ordine in maniera alcuna pretermettere[2] non volse. Già era divulgato d'ogn'intorno come Tebaldo prencipe di Salerno voleva rimaritarsi, e la fama pervenne alle orecchi di molte puncelle, le quali e di stato e di virtú a Tebaldo non erano inferiori. Ma egli desideroso di adempire la volontà della morta moglie, a tutte quelle puncelle, che in moglie offerte gli erano, volse primieramente provare se l'anello della prima moglie le conveniva, e non trovandone veruna a cui l'anello convenisse, per ciò che ad una era troppo largo, a l'altra troppo stretto, a tutte a fatto diede ripulsa.

[6] Ora avenne che la figliuola di Tebaldo, Doralice[3] per nome chiamata, desinando un giorno col padre e avendo veduto sopra la mensa l'anello della morta madre, quello nel dito si mise, e voltatasi al padre, disse:

– Vedete, padre mio, come l'anello della madre mia mi si conviene al dito? –

[7] Il che veggendo il padre, lo confirmò. Ma non stette molto tempo che un strano e diabolico pensiero entrò nel cuore a Tebaldo: di avere Doralice sua figliuola in moglie, e

1. *orrevolmente*: onorevolmente, decorosamente.
2. *pretermettere*: trascurare.
3. *Doralice*: nome della tradizione dei poemi cavallereschi (cfr. *Orlando innamorato*).

lungamente dimorò tra il sí e 'l no. Pur vinto dal diabolico proponimento e acceso della sua bellezza, un giorno a sé la chiamò e le disse:

– Doralice, figliuola mia, vivendo tua madre ed essendo nell'estremo della vita sua, caldamente mi pregò ch'io niun'altra per moglie prender dovessi, se non colei a cui convenisse l'anello che tua madre vivendo in dito portava, e io sopra il capo mio con giuramento le promisi di far quanto era il suo volere. Laonde avendo io isperimentate molte puncelle né trovandone alcuna a cui l'anello materno meglio convenga che a te, deliberai nella mente mia al tutto di averti per moglie, perciò che cosí facendo io adempirò il voler mio e non sarò manchevole a tua madre della promessa fede –.

[8] La figliuola, che era non men onesta che bella,[1] intesa la mala intenzione del perverso padre, tra se stessa forte si turbò, e considerato il malvagio suo proponimento, per non contaminarlo[2] e addurlo a sdegno, nulla allora li volse rispondere, ma dimostrandosi allegra ne l'aspetto, da lui si partí. Né avendo alcuno di cui meglio si fidasse che la sua balia, a lei come a fontana d'ogni sua salute per consiglio liberamente ricorse.[3] La quale inteso il fellone animo del padre e pieno di mal talento,[4] e conosciuta la costante e forte intenzione della giovanetta, atta piú tosto a sostenere ogni gran pena che mai consentire al furor del padre, la racconfortò,[5] promettendole aiuto acciò che la sua virginità con

1. *che era ... bella*: cfr. *Dec.*, v 9 6: « ma ella [monna Giovanna] non meno onesta che bella ».

2. *contaminarlo*: turbarlo.

3. *come ... ricorse*: cfr. *Canz.*, LXXIII 42-43: « A·llor sempre ricorro / come a fontana d'ogni mia salute ».

4. *mal talento*: astio, livore; cfr. *Dec.*, IV 9 11: « e come in quella parte il vide giunto dove voleva, fellone e pieno di maltalento, con una lancia sopra mano gli uscí adosso gridando ». Per questa espressione cfr. anche BANDELLO, *Novelle*, I 9 (vol. I p. 127): « con animo fellone e pieno di mal talento ».

5. *racconfortò*: rincuorò.

disonore violata non fusse. [9] La balia, tutta pensosa a ritrovare il rimedio che alla figliuola di salute fusse, saltava ora in un pensiero ora ne l'altro, né trovava modo col quale assicurar la potesse, perciò che il fuggire e allontanarsi dal padre molto le aggradiva, ma la temenza dell'astuzia sua e il timore che non l'aggiungese e uccidesse, forte la perturbava. Ora andando la fedel balia freneticando[1] nella mente sua, entròvi un nuovo pensiero nell'animo, che è questo che intenderete. [10] Era nella camera della morta madre un armaio[2] bellissimo e sottilissimamente[3] lavorato, nel quale la figliuola le sue ricche vestimenta e care gioie tenea, né vi era alcuno che aprire lo sapesse se no la savia balia. Costei nascosamente trasse le robbe e gioie che vi erano dentro e posele altrove, e mise nello armaio un certo liquore di tanta virtú, che chiunque ne prendeva un cucchiaro, ancor che picciolo, molto tempo senza altro cibo viveva; e chiamata la figliuola dentro la chiuse, essortandola che là entro dimorasse fino a tanto ch'Iddio le porgesse migliore e piú lieta fortuna e che 'l padre dal fiero proponimento[4] si rimovesse. La figliuola ubidiente alla cara balia fece quanto da lei imposto le fu. [11] Il padre non raffrenando il concupissibile appetito,[5] né rimovendosi dalla sfrenata voglia, piú volte della figliuola addimandò, e non trovandola né sapendo dove ella fusse, s'accese di tanto furore che la minacciò di farla[6] vituperosamente morire.[7]

1. *freneticando*: farneticando, pensando, immaginando.

2. *armaio*: armadio. TROVATO, p. 344, giudica questa voce un compromesso toscano settentrionale o meglio un toscanismo artificiale (contro il settentrionale *armaro* e il fiorentino *armadio*).

3. *sottilissimamente*: con grande maestria.

4. *fiero proponimento*: cfr. *Dec.*, IV I 48: « fiero proponimento ».

5. *il concupissibile appetito*: cfr. *Dec.*, X 8 17: « raffrena il concupiscibile appetito ».

6. *la … farla*: accumulo pleonastico di particelle pronominali.

7. *vituperosamente morire*: cfr. *Dec.*, II 6 38: « e d'ira e di cruccio fremendo andava, disposto di fargli vituperosamente morire ».

[12] Non erano ancora trappassati molti giorni che Tebaldo una mattina ne l'apparir del sole entrò nella camera, dove l'armaio posto era, e vedendoselo innanzi a gli occhi, né potendo sofferire di vederlo, comandò con mano che indi levato fusse e altrove portato e venduto, acciò che ei da gli occhi levar si potesse questa seccagine. Li serventi, molto presti a' commandamenti de lor signore, preselo[1] sopra le spalle e in piazza lo portorono.

[13] Avenne che in quel punto aggiunse in piazza un leale e ricco mercatante genovese, il quale avendo adocchiato l'armaio bello e riccamente lavorato, di quello fortemente s'innamorò, deliberando tra se stesso di non lasciarlo per danari, quantunque ingordo[2] pregio addimandato li fusse. Accostatosi adunque il genovese al servente, che dello armaio cura aveva, e convenutosi del pregio con esso lui, lo comperò e messolo in spalla ad uno bastaio,[3] alla nave lo condusse.

[14] Alla balia, che ogni cosa veduta aveva, questo molto piacque, quantunque della perduta figliuola tra se medesima si dolesse molto. Ma pur si racconsolava alquanto, perciò che quando duo gran mali concorreno, il maggiore sempre si dee fuggire.

[15] Il mercatante genovese levato[4] da Salerno con la nave carica di preciose merci, pervenne all'isola di Britania, oggi dí chiamata Inghilterra, e fatta scala[5] ad uno luoco dove era un'ampia pianura, vide Genese già poco tempo fa creato re, il quale, velocissimamente correndo per la piaggia de l'isola, seguitava una bellissima cerva che per timore già s'aveva

1. *preselo*: terza persona singolare in luogo del plurale (fenomeno non raro nei testi settentrionali).
2. *ingordo*: eccessivo, smoderato.
3. *bastaio*: facchino (bizantinismo deriv. dal greco βαστάξω, 'porto').
4. *levato*: salpato.
5. *fatta scala*: fatto scalo, approdato.

gittata nelle maritime onde. Il re già stanco e affannato per l'aver lungamente corso si riposava, e veduta che ebbe la nave, al patrone dimandò da bere. [16] Il patrone fingendo di non conoscere il re, amorevolmente l'accettò, facendoli quelle accoglienze che se li convenevano, e con ingegno e arte tanto operò, che lo fece salire in nave. Al re, che già veduto aveva il bello e ben lavorato armaio, accrebbe tanto desiderio di esso, che una ora mille [1] li pareva di averlo. Onde addimandò il patrone [2] della nave quanto l'estimava; risposo gli fu assai pregio valere. Il re invaghito molto di sí preciosa cosa, non si partí di là, che col mercatante si convenne del pregio; e fattosi recare il danaro e sodisfatto il mercatante pienamente del tutto e preso da lui il comiato, al palazzo lo fece portare e nella sua camera porre.

[17] Genese per esser troppo giovane non aveva ancora presa moglie e ogni dí la mattina per tempo alla caccia andare molto si dilettava. Doralice, figliuola di Tebaldo, che nascosa si stava ne l'armaio che nella camera di Genese posto era, udiva e intendeva ciò che nella camera del re si faceva, e pensando a' passati pericoli, cominciò di qualche buona sorte sperare. [18] E tantosto che il re era della sua camera partito e alla caccia andato secondo il costume suo, la giovanetta usciva dell'armaio e con grandissimo magistero apparecchiava la camera, scoppandola, distendendo il letto, acconciando i capoletti [3] e ponendoli sopra una coltre lavorata a certi compassi [4] di perle grossissime con duo guanzali or-

1. *una ora mille*: iperbole decameroniana; cfr. *Dec.*, VII 9 57: « parendole ancora ogni ora mille che con lui fosse ».

2. *addimandò il patrone*: il verbo è costruito con l'accusativo seguito da un'interrogativa indiretta, costruzione non rara in italiano antico (cfr. AGENO, p. 48).

3. *capoletti*: drappi appesi in capo al letto. Cfr. *Dec.*, X 10 52: « [Griselda] cominciò a spazzar le camere e ordinarle e a far porre capoletti e pancali per le sale ».

4. *compassi*: fregi geometrici a linee curve.

nati a maraviglia.[1] Appresso questo, la bella giovane pose sopra il vago letto rose, viole e altri odoriferi fiori mescolati insieme con uccelletti cipriani[2] e altri odori che piacevolmente olivano e al celebro[3] molto erano confortativi.[4] La giovane piú e piú volte, senza che mai d'alcuno fusse veduta, questo ordine tenne. Il che a Genese re era di sommo contento,[5] perciò che quando egli veniva dalla caccia ed entrava nella camera, li pareva esser tra tutte le speziarie[6] che mai nacquero in Oriente.

[19] Volse un dí il re dalla madre e dalle damigelle intendere chi era colei sí gentilesca[7] e di sí alto animo, che sí ornata e odorificamente[8] gli apparecchiava la camera. A cui risposo fu che non sapevano cosa alcuna, per ciò che quando ad acconciare il letto andavano, tutto di rose e di viole coperto e di soavi odori profomicato[9] lo trovavano. Il che il re intendendo, deliberò al tutto di sapere onde procedeva la causa; e finse di andare una mattina per tempo ad uno ca-

1. *letto ... maraviglia*: cfr. *Dec.*, x 9 76: « fece il Saladin fare in una gran sala un bellissimo e ricco letto di materassi tutti, secondo la loro usanza, tutti di velluti e di drappi a oro, e fecevi por suso una coltre lavorata a certi compassi di perle grossissime e di carissime pietre preziose, la qual fu poi di qua stimata infinito tesoro, e due guanciali quali a cosí fatto letto si richiedeano ».

2. *uccelletti cipriani*: pezzi di pasta profumata, preparati variamente, che si ardevano. Cfr. *Dec.*, viii 10 24: « sentí quivi maraviglioso odore di legno aloè e d'uccelletti cipriani ».

3. *celebro*: cervello. Cfr. *GDLI*: *Celebro* è voce semidotta dal lat. *cerebrum* (cfr. anche *celabro* per dissimilazione). E cfr. anche il severo commento di Boerio, s.v.: « voce triviale detta dagl'Idioti che non sanno dir cerebro ».

4. *la bella giovane ... confortativi*: cfr. *Dec.*, i Intr. 24: « portando nelle mani chi fiori, chi erbe odorifere e chi diverse maniere di spezierie, quelle al naso ponendosi spesso, estimando essere ottima cosa il cerebro con cotali odori confortare ».

5. *contento*: piacere.

6. *speziarie*: spezie, sostanze profumate.

7. *gentilesca*: di indole gentile e nobile. L'aggettivo, usato non raramente dal Boccaccio, compare due volte nel *Decameron*: cfr. ii 8 31 e iii 10 4.

8. *ornata e odorificamente*: coppia di avverbi coordinata con un unico suffisso comune.

9. *profomicato*: profumato.

stello dalla città dieci miglia lontano, e chetamente nella camera si nascose, mirando fiso per una fissura, e aspettando quello che avenir potesse.[1] [20] E non stette guari che Doralice piú bella che 'l chiaro sole,[2] de l'armaio uscí fuori, e messassi a scoppare la camera, a drizare li tappeti e ad apparecchiare il letto, ogni cosa, sí come ella era solita di fare, diligentemente acconziò. Avendo adunque la gentil poncella già pienamente compiuto il degno e laudevole ufficio, volse nello armaio entrare, ma il re, che intentamente aveva veduto il tutto, le fu presto alle spalle e presela per mano; e vedutala bella e fresca come un giglio,[3] la dimandò chi ella era. La giovane tutta tremante disse che era unica figliuola d'un prencipe, il cui nome non sapeva per esser già molto tempo ne l'armaio nascosa; ma la cagione di ciò dirle[4] non volse. Il re inteso il tutto, con consentimento della madre in moglie la prese, e con esso lei generò duo figliuoli.

[21] Tebaldo continovando nel suo malvagio e perfido volere, non trovando la figliuola che piú giorni cercata e ricercata aveva, s'imaginò che nello armaio venduto nascosa si fusse, e uscitane fuori andare[5] per lo mondo errando. Laonde vinto dalla ira e dal sdegno, deliberò provare sua ventura[6] se in luoco alcuno trovare la potesse. [22] E vestitosi da

1. *chetamente... potesse*: cfr. *Dec.*, III 7 14: « Per che, chetamente alla fessura accostatosi, cominciò a guardare che ciò volesse dire ».

2. *piú ... sole*: cfr. *Canz.*, CXIX 1: « Una donna piú bella assai che 'l sole ».

3. *bella ... giglio*: similitudine, di tradizione canterina, molto usata nel Boccaccio. Cfr., per es., *Caccia di Diana*, XVII 46: « Ciascuno era fresco come un giglio »; e *Filostrato*, II 71: « fresco piú che giglio d'orto ».

4. *dirle*: dirgli.

5. *s'imaginò che ... andare*: non rara in italiano antico la coordinazione tra un infinito e una precedente proposizione secondaria esplicita: cfr. AGENO, pp. 393-99.

6. *provare sua ventura*: Straparola utilizza qui, con tono e significato differente, un'espressione quasi tecnica nel linguaggio d'amore, non rara in Boccaccio, Boiardo e Masuccio Salernitano. Cfr. ad es. *Dec.*, VIII 2 16: « era tempo d'andare alla Belcolore e di provar sua ventura ».

mercatante, e prese molte gioie e lavorieri[1] tutti d'oro a maraviglia lavorati, da Salerno isconosciuto si partí, e scorrendo per diversi paesi, si abbatté in colui che prima l'armaio comperato aveva, e dimandòlo se di quello era riuscito in bene e alle mani di chi era pervenuto. A cui il mercatante rispose averlo venduto al re de Inghilterra e averne guadagnato altrettanto di quello che gli era costo.[2] [23] Il che intendendo Tebaldo molto si rallegrò e verso Inghilterra prese il camino, e aggiunto ed entrato nella città regale, pose per ordine alle mura del palagio le gioie e lavorieri tra' quai erano fusi e rocche; e gridare incominciò:

– Fusi e rocche, donne! –

[24] Il che udendo una delle damigelle, alla finestra si puose, e veduto che ella ebbe il mercatante con le care robbe, corse alla reina e dissele che per strada era uno mercatante con rocche e fusi d'oro, i piú belli e i piú ricchi che si vedessero giamai. La reina comandò che su in palagio venire lo facesse; ed egli asceso sopra le scale e venuto in sala, dalla reina non fu conosciuto, perciò che ella del padre piú non si pensava, ma ben il mercatante conobbe la figliuola.[3] [25] La reina adunque veduti i fusi e le rocche di maravigliosa bellezza addimandò al mercatante quanto ciascuna di esse appreciava. Ed egli:

– Molto – rispose – ma quando fosse aggrado a vostra altezza che io dormisse una notte nella camera de' duo figliuoli vostri, io in ricompensamento le[4] darei tutte queste merci in dono –.

1. *lavorieri*: manufatti.

2. *costo*: costato. È aggettivo verbale sostitutivo del participio debole della coniugazione in *a* (cfr. Rohlfs, 627).

3. *dalla reina ... figliuola*: anche il conte d'Anguersa riconosce, ma non viene riconosciuto dalla figlia (cfr. *Dec.*, II 8).

4. *vostra ... le*: in questa battuta di discorso diretto lo Straparola passa dal *voi* al *lei*.

[26] La signora semplicetta e pura, non avendo del mercatante alcuno sinistro pensiero, a persuasione delle sue donzelle li consentí. Ma prima che messo fusse dalle serventi a riposare, le donzelle con la reina determinorono di dargli una bevanda di allopiato[1] vino.

[27] Venuta la notte, e fingendo il mercatante di esser stanco, una delle damigelle lo menò nella camera i figliuoli[2] del re, dove era apparecchiato un bellissimo letto, e innanzi che lo ponesse a riposare, disse la dongella:

– Padre mio, avete voi sete? –

A cui rispose:

– Sí, figliuola mia –.

[28] E preso un bicchiere che d'argento pareva,[3] li porse l'allopiato vino. Ma il mercatante malizioso e astuto prese il bicchiere, e fingendo di bere, tutto il vino sopra le vestimenta sparse e andossene a riposare.

[29] Era nella camera de' fanciulli un usciollo[4] per lo quale nella stanza della reina entrare si poteva. Il mercatante nella mezza notte, parendoli ogni cosa cheta, tacitamente nella camera della reina entrò e, accostatosi al letto, le tolse un coltellino, che per l'adietro adocchiato aveva, che la reina allato[5] portava, e gittosene[6] alla culla dove erano i fanciulli, ambe duo uccise e subito il coltellino cosí sanguinoso nella guagina[7] ripuose, e aperta una finestra si callò giú con una fune tutta nodosa;[8] e la mattina nell'aurora andatosene

1. *allopiato*: misto con l'oppio.
2. *nella camera i figliuoli*: per questa forma di genitivo cfr. Rohlfs, 630.
3. *un bicchiere ... pareva*: cfr. *Dec.*, I Intr. 104: « con bicchieri che d'ariento parevano ».
4. *usciollo*: porticina. Per il suffisso diminutivo cfr. Rohlfs, 1084.
5. *allato*: di fianco.
6. *gittosene*: andatosene.
7. *guagina*: guaina. Forma dialettale.
8. *e aperta ... nodosa*: come Tancredi, dopo aver scoperto la relazione tra la figlia e Guiscardo. Cfr. *Dec.*, IV I 21: « Della quale Tancredi, ancora che vecchio fosse, da una finestra di quella si calò nel giardino ».

ad una barbaria[1] si fece radare[2] la lunga barba, acciò che conosciuto non fosse, e vestitosi de nuovi panni larghi e lunghi andò per la città. [30] Le balie sonnogliose,[3] all'ora solita destatesi per allattare i bambini e postesi su le culle, trovorono i fanciulli uccisi. Laonde cominciorono a gridar forte e dirottamente a piagnere, squarciandosi i capegli e stracciandosi i panni dinanzi e mostrando il petto. [31] Venne subito la trista nova al re e alla reina, i quali scalci e in camicia corsero allo scuro[4] spettaculo, e vedendo li figliuoli morti, amaramente piansero.[5] Già per tutta la città era sparsa la fama dell'uccisione di li duo bambini, e come era giunto in la città[6] un famoso astrologo, il quale secondo i vari corsi delle stelle sapeva le cose passate e prediceva le future. Ed essendo alle orecchie del re pervenuta la gran fama sua, il re lo fece chiamare; e venuto al palagio, si appresentò a sua maestà. E dimandato dal re se egli saprebbe dirli chi li fanciulli uccisi avesse, li rispose saperlo. E accostatosi all'orecchio del re, secretamente li disse:

– Sacra maestà, fa' che tutti gli uomini e tutte le donne, che coltello allato portano e sono nella tua corte, s'appresentino al tuo conspetto, e a chi troverai il coltello nella guagina ancora di sangue macchiato, quello sarà di tuoi figliuoli stato il vero omicida –.

[32] Onde per comandamento del re tutti e' cortiggiani comparsero dinanzi a lui, il quale con le propie mani ad uno ad uno cercare volse, guattando con diligenzia se i lor col-

1. *barbaria*: bottega di barbiere.
2. *radare*: caso di assimilazione grafica.
3. *sonnogliose*: insonnolite (dal lat. *somniculosus*).
4. *scuro*: atroce.
5. *amaramente piansero*: cfr. *Dec.*, IV 5 17: « amaramente pianse ».
6. *in la città*: il tipo *in la* non era gradito ai grammatici; cosí ad es. il DOLCE, *Osservationi*, p. 44: « Né mai buoni scrittori dissero *In La*, o *in Lo*, e cosí nel piú *in Le*, o *in Li*, ma sempre *Ne La*, *Ne Lo*, *Ne Le*, *Ne Gli* ».

telli erano cruentati,[1] né trovandone alcuno che di sangue bruttato fusse, ritornò allo astrologo e raccontòli tutto quello che fatto aveva, né alcuno restare[2] che ricercato non fusse, sol la vecchia madre e la reina. A cui lo astrologo disse:

– Sacra maestà, cercate bene, né di niuno abbiate rispetto, perciò che senza dubbio il malfattore trovarete –.

[33] Il re cercata la madre e nulla trovandole, chiamò la reina, e presa la guagina che allato ella teneva, trovò il coltellino tutto bruttato di sangue. Il re d'ira e di furore acceso, veduto lo apertissimo argomento,[3] contro la reina si volse, e disselle:

– Ahi malvagia e dispietata femina, nemica delle propie carni! Ahi traditrice de' propi figliuoli! Come hai tu potuto mai sofferire di bruttar le mani ne l'innocentissimo sangue di questi bambini? io giuro a Dio che ne patirai la penitenza di tanta sceleraggine commessa –.

[34] E quantunque il re fusse infiammato di sdegno e desideroso allora di vendicarsi con vituperosa e disonesta morte, nientedimeno, acciò che ella sentisse maggiore e piú lungo tormento, gli entrò un nuovo pensiero ne l'animo, e comandò che la reina fusse spogliata, e cosí ignuda sino alla gola in terra sepolta, e con buoni e delicati cibi nodrita, acciò che, cosí lungamente vivendo, i vermi le carni sue divorassino, ed ella maggiore e piú lungo supplicio ne sentisse. La reina, che per l'adietro molte altre cose aveva miseramente sostenute, conoscendo l'innocenza sua, con paziente animo la grandezza del supplicio sofferse.

[35] L'astrologo intendendo la reina come colpevole esser condennata a crudelissimi tormenti, molto si rallegrò, e

1. *cruentati*: insanguinati, sporchi di sangue (latinismo).

2. *restare*: non rara in italiano antico la coordinazione tra un infinito e una precedente proposizione secondaria esplicita: cfr. AGENO, pp. 393-99.

3. *apertissimo argomento*: evidentissima prova. Cfr. *Dec.*, I Intr. 64: « noi ne vedremo apertissimo argomento ».

presa licenza dal re, assai contento d'Inghilterra si partí; e giunto celatamente al suo palagio, raccontò alla balia della figliuola tutto ciò che gli era avenuto e come il re a grave, supplicio aveala condannata. Il che intendendo, la balia dimostrò fuori segno di letizia, ma dentro fuor di modo si ramaricava, e mossa a pietà della tormentata figliuola e vinta dal tenero amore che le portava, di Salerno una mattina per tempo se partí,[1] e tanto dí e notte sola cavalcò, ch'al regno d'Inghilterra aggiunse. [36] Laonde salita su per le scale del palagio, trovò il re che in una spaziosa sala udienza prestava;[2] e inginocchiatasi a' piedi del re, gli addimandò una secreta audienza di cose che all'onore della corona aspettavano.[3] Il re abbracciatala la fece in piè levare, e presala per mano, licenziò la brigata e con lei sola si pose a sedere. La balia ben instrutta[4] delle cose occorse, riverentemente disse:

– Sappi, sacra corona, che Doralice, tua moglie e mia figliuola, non che io l'abbia portata in questo misero ventre ma per averla lattata[5] e nodrita con queste poppe, è innocentissima del peccato per lo quale fu da te a cruda morte miseramente dannata. E quando minutamente inteso averai, e tocco con mani, chi fu l'empio omicida e la cagione per cui egli si mosse ad uccidere i tuoi figliuoli, rendomi certa che tu mosso a pietà subito da sí lunghi e acerbi tormenti la libererai. E se in ciò sarò buggiarda, mi offero di sofferire quella istessa pena, che ora la misera reina patisse –.[6]

[37] E cominciando da capo fino alla fine li raccontò a

1. *se partí*: per il pronome riflessivo e impersonale, si assiste nelle *Piacevoli notti* a una costante oscillazione tra la forma letteraria *si* e quella settentrionale *se*, sia in proclisia che in enclisia, secondo una tendenza affermata nella lingua di *koinè* anche cinquecentesca.
2. *udienza prestava*: concedeva udienza.
3. *aspettavano*: spettavano, appartenevano.
4. *instrutta*: informata.
5. *lattata*: allattata (forma aferetica).
6. *patisse*: patisce.

punto a punto tutto quello che era avenuto. Il re intesa intieramente la cosa, diede fede alle parole sue e immantinente fece la reina, che era piú morta che viva, della sepultura trarre; e fatala con diligenzia medicare e ottimamente ricoverare, in breve tempo si riebbe. [38] Il re dopo fece uno apparecchiamento grande per tutto il suo regno e raunò un potentissimo essercito e lo mandò a Salerno, dove non stette molto tempo che fé della città conquisto, e Tebaldo, con torte funi i piedi e le mani strettamente legate, in Inghilterra fu prigione[1] condotto. [39] E volendo il re aver maggior certezza del già commesso fallo, severamente contra lui processe, e messolo al martorio, diedegli delle buone.[2] Ma egli senza esser piú collato,[3] il tutto ordinatamente confessò, e il giorno sequente con quattro cavalli sopra un carro per tutta la città menato e con tenaglie affocate attanagliato, come Gano di Maganza lo fece squartare, dando le sue carni a rabbiosi cani.[4] E cosí il tristo e scelerato Tebaldo miseramente finí la vita sua, e il re e la reina Doralice per molti anni felicemente si goderono insieme, lasciando figliuoli dopo la morte loro.

[40] Stette ciascuno non men pietoso che attonito ad

1. *prigione*: prigioniero.

2. *diedegli delle buone*: gli diede dei forti tratti di corda. Cfr. *Dec.*, II 1 24: « di che il giudice turbato, fattolo legare alla colla, parecchie tratte delle buone gli fece dare ».

3. *collato*: torturato mediante tratti di corda (denominale da *colla*, 'fune, canapo'). Era uno strumento di tortura consistente in una corda corrente in una carrucola fissata in alto: si sollevava in alto il condannato con le braccia legate dietro la schiena, veniva fatto piombare in basso all'improvviso, sino a che avesse confessato.

4. *e il giorno ... cani*: e infatti Straparola riproduce la stessa fine che Gano fa nel *Morgante*, XXVIII 14-15 1: « E poi che il carro al palazzo è tornato, / Carlo ordinato avea quattro cavagli; / e come a questi il ribaldo è legato, / cominciano i fanciugli a scudisciàgli, / tanto che l'hanno alla fine squartato. / Poi fe' Rinaldo que' quarti gittàgli / per boschi e bricche e per balze e per macchie / a' lupi, a' cani, a' corvi, alle cornacchie. // Cotal fine ebbe il maladetto Gano ».

ascoltare la compassionevole favola.[1] La quale finita, Eritrea, senza altro comandamento dalla Signora aspettare, il suo enimma in tal maniera propose:

[41] Nasce tra gli altri un animal sí vile,
che 'nvidia e odio porta al propio seme,
tien per natura un sí malvagio stile,
che, veggendo i figliuoli grassi, geme.
E con il rostro con modo sottile
la teneretta carne punge e preme,
tal che sol vi riman l'ossa e la piuma:
tanto d'invidia e odio si consuma.

[42] Varie furono le oppinioni di uomini e delle donne, e chi una cosa e chi un'altra dicevano, né potevansi persuadere che animale alcuno si trovasse sí empio e sí crudo che oltre il natural corso contra la propia prole per invidia s'incrudelisca, ma la vaga Eritrea con dolci parole sorridendo disse:

– Signori, non vi maravigliate di questo, perciò che si trovano padri che portano invidia a' figliuoli, sí come fa lo rapace nibbio, il quale essendo macro e induto[2] e veggendoli ingrassarsi, li porta invidia e odio e con il duro rostro le tenere carni li percuote sí, che per macrezza s'assottigliano –.

[43] La risoluzione dello arguto enimma a tutti sommamente piacque e non fu veruno, che degnamente non lo comendasse. Ma ella umilmente levatasi in piedi e fatto a tutti il debito onore, al suo luoco si pose a sedere. La Signora fece cenno ad Arianna che l'ordine seguitasse. La quale levatasi dal suo scanno, cosí la sua favola cominciò.

1. *Stette... favola*: cfr. SANNAZARO, *Arcadia*, II 1: « Stava ciascun di noi non men pietoso che attonito ad ascoltare le compassionevoli parole di Ergasto ».
2. *induto*: arrabbiato (voce dialettale veneziana: cfr. BOERIO, s.v.).

NOTTE PRIMA, FAVOLA V[1]

[1] *Dimitrio bazzariotto*[2] *impostosi nome Gramotiveggio scopre Polissena sua moglie con un prete, e a' fratelli di lei la manda, da' quai essendo ella uccisa, Dimitrio la fante prende per moglie.*

[2] Vedesi il piú delle volte, amorose donne, che nell'amore è grandissima disavaglianza,[3] per ciò che se l'uomo ama la donna, la donna disama lui; e pel contrario, se la donna ama l'uomo, l'uomo sommamente ha in odio lei. Quinci nasce la rabbia della subita gelosia,[4] fugatrice d'ogni nostro bene e insidiatrice d'ogni onesto vivere, quinci nascono i disonori e ignominiose morti non senza grandissima vergogna e vituperio di noi altre donne. Taccio i strabbocchevoli pericoli,[5] taccio gli innumerabili mali, ne' quali gli uomini e le donne disavedutamente incorreno, per cagione di questa malvagia gelosia. I quali se io ad uno ad uno raccontare volesse, io vi sarei piú tosto di noia che di diletto. Ma acciò che

1. Alcuni elementi di questa novella sopravvivono in un racconto popolare siciliano in Pitrè, *Fiabe, Novelle e Racconti*, n. 170. Lo studioso, che cita questa novella dello Straparola, sostiene che il testo siciliano presenta alcune situazioni comuni con questa delle *Piacevoli notti*, ma è azzardato parlare di una esatta corrispondenza. Altrettanto generiche appaiono le corrispondenze con un altro testo francese in Cosquin, n. 80 (per i riscontri to. II pp. 334-37). Per i motivi cfr. Rotunda, K1569.5 (*Disguised husband surprises wife in adultery*); K1813 (*Disguised husband visits his wife*); K1817.1 (*Disguise as beggar*).

2. *bazzariotto*: piccolo rivenditore che fa commercio comprando merci di poco valore a bordo dei bastimenti in arrivo (*GDLI*).

3. *amore ... disavaglianza*: cfr. Bembo, *Asolani*, I 12: « maravigliosa cosa è il pensare chenti e quali sieno le disagguaglianze [...] che Amore nelle menti de' servi amanti traboccando accozza con gravosa disparità ».

4. *subita gelosia*: cfr. *Dec.*, III 6 10: « ella entrò in subita gelosia »; e cfr. Bembo, *Asolani*, I 30: « alcuno, d'un nuovo rivale avedutosi, entra in subita gelosia ».

5. *strabbocchevoli pericoli*: cfr. Boccaccio, *Filocolo*, IV 89 2 e IV 128 4: « strabocchevoli pericoli ». E cfr. anche *Dec.*, V 6 3: « istrabocchevoli e non pensati pericoli ».

io dia fine in questa sera a' nostri piacevoli ragionamenti, io intendo di raccontarvi una favola di Gramotiveggio[1] per lo adietro non piú udita, per la quale io penso che voi ne prenderete non men piacere che ammaestramento.

[3] Vinegia, città per l'ordine delli suoi magistrati nobilissima e abbondevole di varie maniere di genti[2] e felicissima per le sue sante leggi, siede nell'estremo seno del mare Adriatico ed è chiamata reina di tutte le altre città, reffugio de' miseri, ricettaculo de gli oppresi, e ha il mare per mura e il cielo per tetto. E quantunque cosa alcuna non vi nasca, nondimeno è copiosissima di ciò che ad una città si conviene. [4] In questa adunque nobile e generosa città trovavasi a' passati tempi un mercatante bazzariotto, Dimitrio per nome chiamato, uomo leale e di buona e di santa vita,[3] ma di picciola condizione. Costui desideroso di avere figliuoli, prese per moglie una vaga e leggiadra giovane nominata Polissena,[4] la quale era sí caldamente amata da lui, che non fu mai uomo che tanto amasse donna, quanto egli amava lei. Ella vestiva sí pomposamente, che non vi era alcuna, fuori le nobili, che di vestimenta, di gioie e di grossissime perle l'avanzasse. Appresso questo aveva abbondanza de cibi delicatissimi, i quali, oltre che alla bassa sua condizione non convenivano, la facevano piú morbida e piú delicata di quello che stata sarebbe.

[5] Avenne che Dimitrio, che per lo adietro fatto aveva molti viaggi per mare, deliberò di andarsene con le sue merci in Cipro, e apparecchiata e pienamente fornita la casa di vettovaglia e di ciò che ad una casa s'appartiene, lasciò

1. *Gramotiveggio*: nome parlante di facile etimologia (*Gramo ti veggio*).

2. *abbondevole ... genti*: cfr. *Dec.*, VIII 3 4: « Nella nostra città, la qual sempre di varie maniere e di nuove genti è stata abondevole ».

3. *uomo ... vita*: formula solitamente riservata ai religiosi. Cfr. *Dec.*, I 1 30: « un frate antico di santa e di buona vita ».

4. *Polissena*: per questo nome e per le sue implicazioni cfr. quanto si dirà a VI 3 3.

Polissena sua diletta moglie con la fante giovane e ritondetta; e partitosi da Vinegia andossene al suo viaggio. [6] Polissena, che lautamente viveva e alle dilicatezze si dava, sentendosi della persona aitante e non potendo piú sofferire gli acuti dardi d'amore, adocchiò uno prete della sua parrochia, e di quello caldamente s'accese. Il quale essendo giovane e non men leggiadro che bello, un giorno s'avide che Polissena con la coda dell'occhio lo ballestrava.[1] E veggendola vaga d'aspetto, leggiadra della persona, e avere tutte quelle qualità di bellezze, che ad una bella donna si convengono, la cominciò con molta solecitudine celatamente vagheggiare. E i loro animi sí fidi e sí divoti d'un reciproco amore divennero, che non passò molto tempo che Polissena senza essere d'alcuno veduta, condusse il prete in casa a fare e' suoi piaceri. [7] E cosí molti mesi furtivamente continuarono il loro amore, e piú volte li stretti abbracciamenti e dolci basi iterrarono,[2] lasciando il sciocco marito a' pericoli del gonfiato mare.

[8] Dimitrio essendo stato per alcun tempo in Cipro e avendo delle sue mercatantie assai ragionevolmente guadagnato, a Vinegia ritornò, e smontato giú di nave e andatosene a casa, ritrovò la sua cara moglie, che dirottamente piangeva. E addimandatale la causa che sí fortemente piangesse, rispose:

– Sí per le cattive nove udite, sí anche per la soverchia allegrezza ch'io sento della venuta vostra. Imperciò che, avendo io udito ragionare da molti le cipriane navi esser nel mare somerse, temeva sommamente che alcuno sinistro ca-

1. *ballestrava*: lanciava occhiate di desiderio. SABADINO DEGLI ARIENTI, *Le Porretane*, XI 3: « uno chiamato Rosello, uomo audace e bellicoso, venendoli balestrato gli occhii nel viso de la giovene »; cfr. anche BANDELLO, *Novelle*, II 2 (vol. I p. 673): « il primo che io in chiesa vedrò con gli occhi levati andar in qua e in là balestrando ».

2. *stretti ... iterrarono*: cfr. FIRENZUOLA, *Ragionamenti*, I 3 27: « con saporiti baci e con stretti abbracciamenti ». – *basi*: esito assibilato settentrionale.

so non vi fusse avenuto. Ma ora per la Iddio mercé vedendovi salvo e sano a casa ritornato, per la soprabondante letizia non posso dalle lagrime astenermi –.

[9] Il cattivello[1] che di Cipro a Vinegia era ritornato per ristaurare il tempo che per la sua lunga assenza la moglie avea perduto, pensava che le lagrime e le parole di Polissena procedessino da caldo e ben fondato amore che ella le[2] portasse, ma non considerava il miserello che ella tra se medesima diceva: – O volesse Iddio che egli nelle minacciose onde affocato fosse! perciò che io piú securamente e con maggior contento mi darei piacere e diletto col mio amante che cotanto mi ama –.

[10] Non passò il mese che Dimitrio al suo viaggio fece ritorno. Dil[3] che Polissena ne ebbe quella allegrezza che avere si potesse la maggiore, né stette gran pezza in farlo intendere allo amante suo, il quale non meno che ella vigilante stava, e venuta l'ora convenevole e diterminata, a lei secretamente se n'andò. [11] Ma l'andare del prete non puoté esser sí occolto, che da Manusso, che abitava al derimpetto alla casa di Dimitrio suo compare, non fusse veduto. Il perché Manusso, che molto amava Dimitrio per esser uomo conversevole e servigiale,[4] avendo non picciolo sospetto della comare, piú e piú volte le pose a mente.[5] Veduto adunque chiaramente che al prete a certo segno e a certa ora era

1. *cattivello*: tapino, meschinello (cfr. *Dec.*, II 5 58: « ebber veduto il cattivel d'Andreuccio »).

2. *le*: gli.

3. *Dil*: preposizione articolata della *koinè* settentrionale molto diffusa nel Quattrocento, ma attestata anche nel Cinquecento. Contro questa forma si schierano i grammatici a partire da Bembo, *Prose*, III 11. Dura in proposito la posizione del Ruscelli, *Commentarii*, p. 123: « questa parola DIL, che molti malamente usano, non è in alcun modo della nostra lingua ».

4. *conversevole e servigiale*: affabile e servizievole (dal lat. tardo *servitialis*, 'servente').

5. *le ... mente*: la spiò.

aperto l'uscio, ed egli entrava in casa, e men cautamente che non si conveniva con la comare scherzava, deliberò di star cheto accioché il fatto, che era nascosto, non si apalesase e ne seguisse scandalo; ma volse aspettare Dimitrio, che ritornasse dal suo viaggio, accioché egli piú maturamente provedesse a' casi suoi.

[12] Venuto il tempo di ripatriare, Dimitrio ascese in nave e con prosperevole vento a Vinegia ritornò, e smontato di nave, a casa se ne gí, e picchiato l'uscio, la fante andò alla finestra a vedere, e conosciutolo, corse giú e quasi piangendo per l'allegrezza l'aperse. Polissena intesa la venuta del marito, discese giú per la scala e con le braccia aperte abbracciollo e basciollo, facendoli le maggior carezze del mondo. E perché egli era stanchetto e tutto rotto[1] dal mare, senza altra cena se n'andò a dormire; e sí fiso si addormentò, che senza l'ultime dilettazioni d'amore conoscere, venne giorno.

[13] Passata adunque la buia notte e ritornato il chiaro giorno, Dimitrio si destò e levatosi di letto[2] senza d'un sol bascio compiacerle, andò ad una cassettina, della quale trasse fuori certe cosette di non picciolo valore, e ritornato al letto, le appresentò alla moglie, la quale, perciò che altro aveva in capo, de tai doni nulla o poca stima si fece.

[14] Avenne l'occasione a Dimitrio di navigare in Puglia per oglio[3] e altre cose, e raccontatolo alla moglie, si mise in ordine per partirsi. Ma l'astuta moglie fingendo della sua partenza aver dolore, il carezzava pregandolo che egli volesse alcuno giorno stare con esso lei; ma nel cuore un gior-

1. *rotto*: privato delle forze, indebolito.

2. *levatosi di letto*: è espressione del fiorentino trecentesco (cfr. Trovato, p. 345) non rara nelle *Piacevoli notti*.

3. *oglio*: con pronuncia palatale di olju, comune nella *scripta* settentrionale ancora nell'Otto-Novecento (cfr. P.V. Mengaldo, *L'epistolario di Nievo: un'analisi linguistica*, Bologna, Il Mulino, 1987, p. 56).

no le pareva mille che s'allontanasse da gli occhi, acciò che nelle braccia del suo amatore piú sicuramente metter si potesse.

[15] A Manusso, che veduto aveva il prete piú volte vagheggiare la comare, e anche far cose che dir non si conviene, parve far ingiuria al compare se non li scopriva ciò che aveva veduto far alla moglie. Laonde deliberò, avenga che si voglia, di raccontargli il tutto. E invitatolo un giorno con lui a desinare, e postisi a mensa, disse Manusso a Dimitrio:

– Compare mio, voi sapete, se non m'inganno, ch'io sempre vi amai e amerò fin che lo spirito reggerà queste ossa,[1] né è cosa, quantunque ella dificile fusse, che per vostro amore io non facessi; e quando non vi fusse in dispiacere, io vi racconterei cose che vi sarebbono piú tosto di noia che di diletto. Ma non ardisco dirle, acciò che non contamini la vostra ben disposta mente. Ma se voi sarete, come io penso, saggio e prudente, raffrenarete il furore che non lascia l'uomo in maniera alcuna conoscer il vero –.

[16] Disse Dimitrio:

– Non sapete voi che potete meco comunicar il tutto? avete voi per sorte ucciso alcuno?[2] ditelo e non abbiate timore.

– Io – disse Manusso – non ho ucciso alcuno, ma ben vid'io altrui uccidere l'onor e la fama vostra.

– Parlatemi chiaro – disse Dimitrio – e non mi tenete a bada con cotesto ragionare oscuro.

– Volete ch'io vel dica palesemente? – disse Manusso – ascoltate e portate in pace quello che ora vi dirò. Polissena, che voi cotanto amate e cara tenete, mentre che voi siete altrove, ogni notte giace con un prete e con esso lui dassi piacere e buon tempo.

1. *fin che … ossa*: cfr. *Aen.*, IV 336: « dum spiritus hos regit artus ».
2. *avete … alcuno?*: per la tmesi tra ausiliare e verbo principale nell'interrogativa cfr. I 2 29.

– [17] Deh, come è possibil questo? – disse Dimitrio – conciosiacosa che ella teneramente mi ama, né mai quinci mi parto che ella non empí il seno di lagrime e l'aria di sospiri, e se io lo vedessi co gli occhi, appena lo crederei.

– Se voi sarete – disse Manusso – uomo, com'io penso, di ragione, e se non chiuderete gli occhi, come sogliono molti sciocchi fare, farovvi con gli occhi il tutto vedere e con le mani toccare.

– Io sono contento – disse Dimitrio – di far tanto quanto voi mi comandarete, pur che mi facciate veder quello che promesso mi avete –.

[18] Disse allora Manusso:

– Se voi farete quello che io vi dirò, del tutto vi certificarete.[1] Ma fate che voi siate secreto mostrandole allegra cera e benigno viso, altrimenti si guasterebbe la coda al fasiano.[2] Dopo nel giorno che voi vi vorete partire, fingerete di ascender in nave, e piú celatamente che potrete, verrete a casa mia, ché senza dubbio vi farò il tutto vedere –.

[19] Venuto adunque il giorno che Dimitrio si doveva partire, egli fece grandissime carezze alla moglie, e raccomandatole la casa e presa licenza, finse di andare in nave, ma nascosamente a casa di Manusso si ridusse. Volse la sorte che non passarono due ore che si levò un nembo con tanta pioggia, che pareva volesse roinare il cielo, né mai quella notte refinò[3] di piovere. [20] Il prete, che già intesa aveva la partita di Dimitrio, non temendo né pioggia né vento, aspettò l'ora solita di andare al suo caro bene; e dato il segno, subito li fu aperto l'uscio, ed entratovi dentro le diede un dolce e sapo-

1. *certificarete*: renderete certo, convincerete.
2. *si guasterebbe ... fasiano*: si rovinerebbe l'impresa sul piú bello. Cfr. P. Giovio, *Ragionamento*, p. 68: «Veramente non me ne sovviene piú nessuna [impresa], quale abbia del buono, né voglio, come io sono usato di dire, guastare la coda al fagiano». – *fasiano*: esito assibilato settentrionale.
3. *refinò*: smise.

roso[1] bascio. Il che vedendo Dimitrio, che ad un pertugio nascoso si stava, e non potendo contradire a quello che 'l compare gli aveva detto, stette tutto attonito, e poscia per lo giusto dolore diede gli occhi al pianto. [21] Disse allora il compare a Dimitrio:

– Or che vi pare? avete mo veduto quello che voi mai non pensavate? ma state cheto e non vi sgomentate, perciò che, se voi m'ascoltarete facendo ciò ch'io vi dirò, vederete di meglio. Andate e ponete giú cotesti vestimenti e prendete gli stracci d'un puovero uomo e mettetevigli in dosso e impiastracciatevi di fango le mani e il viso, e contrafata la voce,[2] andatevene a casa e fingete di essere un mendico che dimandi per quella sera albergo. La fante forse veggendo il crudo tempo si moverà a pietà, e daravvi alloggiamento, e cosí agevolmente potrete vedere ciò che voi non voreste vedere –.

[22] Dimitrio come intese la cosa, si spogliò de' suoi panni, e si vestí di stracci d'un mendico che era allora entrato in casa per alloggiare; e tuttavia[3] fortemente piovendo se ne andò a l'uscio della sua casa, e tre volte picchiò alla porta, fieramente gemendo e sospirando. La fante fattasi alla finestra disse:

– Chi picchia là giú? –

Ed egli con voce interrotta le rispose:

– Io sono un povero vecchio mendico dalla pioggia quasi annegato e dimando per questa notte albergo –.

[23] La fante, che era non men compassionevole a' poveri che la patrona al prete, corse alla madonna, e dimandòle di grazia che ella contentasse[4] un povero mendico tutto dalla

1. *saporoso*: sensuale, appassionato.
2. *contrafata la voce*: mutato il tono di voce. Cfr. *Dec.*, III 8 65: « con una voce contrafatta ».
3. *tuttavia*: sempre.
4. *contentasse*: concedesse a.

pioggia molle[1] e bagnato albergar in casa fina[2] tanto che egli si riscaldasse e rasciugasse:

– Il potrà portar su l'acqua, menar lo schidone[3] e far fuoco, acciò che i poli piú tosto si arrostisono. E io in questo mezzo porrò al fuoco la pentola, e apparecchiarò le scodelle, e farò gli altri servigi di cucina –.

[24] La patrona accontentò,[4] e la fante aperto l'uscio e chiamatolo dentro, lo fece sedere presso al fuoco; e mentre il povero menava lo schidone, il prete e la patrona in camera si solacciavano.

[25] Avenne che amenduo tenendosi la mano andorono in cucina e il povero salutorono, e vedendolo sí impiastracciato lo berteggiavano. E accostatosi la patrona a lui, lo dimandò che era il nome suo. A cui rispose:

– Gramotiveggio, madonna, mi chiamo –.

Il che udendo, la patrona cominciò a ridersi che se le averrebbe potuto cavare i denti. E abbracciato il prete, disse:

– Deh, anima mia dolce, lasciatimi basciare –.[5]

E vedendo tuttavia il mendico, strettamente lo abbracciava e basciava. Lasciovi pensare di che animo si trovava il marito veggendo la moglie esser abbracciata e basciata dal prete.

[26] Venuta l'ora di cena, la fante puose gli amanti a mensa, e ritornata in cucina ci[6] accostò al vecchiarello, e disseli:

– Parizzuolo mio,[7] la mia patrona ha marito, e cosí uomo da bene quanto un altro che in questa terra si possa tro-

1. *dalla pioggia molle*: inzuppato di pioggia. Cfr. Ariosto, *Satire*, III 185: « ma di pioggia molle e brutto ».

2. *fina*: forma con la desinenza *-a* secondo una tendenza settentrionale ancora viva nel Cinquecento nonostante i precetti del Bembo.

3. *schidone*: lungo spiedo.

4. *accontentò*: acconsentí.

5. *Deh... basciare*: cfr. *Dec.*, IX 5 59: « Deh! anima mia dolce, lasciamiti basciare ».

6. *ci*: si.

7. *Parizzuolo mio*: mio paparino (settentrionalismo: cfr. Trovato, p. 344).

vare,[1] né le lascia mancare cosa veruna; e Iddio lo sa dove il miserello con questo malvagio tempo ora si trova; ed ella ingrata, non avendo pensiero di lui e meno del suo onore, si ha lasciata cecare[2] dal lascivo amore, accarezzando l'amante suo e chiudendo ad ogn'altro l'uscio, fuori che a lui. Ma di grazia andiansene chetamente[3] all'uscio della camera e vediamo quello che fanno e come mangino –.

Andatisene adunque a l'uscio, videro che l'uno e l'altro s'imboccava, dimorando in amorosi ragionamenti.

[27] Venuta l'ora di posare, ambeduo andorono al letto, e scherzando insieme e solacciando, cominciorono macinare a ricolta[4] e sí forte soffiavano e menavano le calcole,[5] che 'l mendico, che nell'altra camera vicina alla sua giaceva, agevolmente il tutto poteva comprendere. Il misero poverello non chiuse mai gli occhi quella notte, ma fatto giorno, subito si levò di letto, e ringraziata la fante della buona compagnia che ella fatta gli aveva, si partí; e senza essere d'alcuno veduto, se ne andò a casa di Manusso suo compare. [28] Il quale sorridendo disse:

– Compare, come va l'arte? avete voi per caso trovato quello che non volevate trovare?

– Sí, per certo – disse Dimitrio – e non l'arrei mai creduto, se con propi occhi non lo avesse veduto. Ma pazienzia, cosí vuole la mia dura sorte –.

Manusso, che aveva alquanto del giotto, disse:

– Compare, io voglio che voi fate quello ch'io vi dirò. Lavatevi molto bene e prendete e' vostri panni e poneteve-

1. *quanto ... trovare*: quanto nessun altro che si possa trovare in questa città.

2. *cecare*: accecare.

3. *andiansene chetamente*: andiamocene silenziosamente.

4. *macinare a ricolta*: metafora erotica. Cfr. *Dec.*, VIII 2 23: « perché noi maciniamo a raccolta ». Ma cfr. anche *Dec.*, Concl. dell'autore 26.

5. *menavano le calcole*: altra diffusa metafora erotica. Cfr. *Dec.*, VIII 9 26: « Or che menar di calcole e di tirar le casse a sé, per fare il panno serrato, faccian le tessitrici ».

gli in dosso, e senza perder giozzo[1] di tempo andatevene a casa, fingendo di non avervi potuto partire per la gran fortuna,[2] e state attento che 'l prete non fugga, perciò che essendo voi in casa egli si nasconderà in qualche luogo, e indi non si partirà sino a tanto che 'l non abbia agio di partirsi, e voi in questo mezzo mandarete per li parenti della moglie che vengano a desinare con esso voi, e trovato il prete in casa, farete quello che voi vorrete –.

[29] Piacque molto a Dimitrio il consiglio di Manusso suo compare, e spogliatosi di drappi[3] e vestitosi de' propi vestimenti, se ne andò alla sua casa picchiando a l'uscio. La fante, veggendo che era il messere, subito corse alla camera della patrona, che ancora col prete in letto giaceva, e dissele:

– Madonna, messere è ritornato –.

Il che intendendo la donna, tutta si smarrí, e levatasi di letto quanto piú tosto la[4] puoté, nascose il prete, che era in camiscia, in una cassa dove le sue piú pompose vestimenta teneva. E corsa giú con la peliccia in collo, scalza lo aperse[5] e dissegli:

– O marito mio, siate lo ben venuto![6] Io per amor vostro non ho mai chiusi gli occhi, pensando sempre a questa gran fortuna, ma lodato sia Iddio che siete ritornato a salvamento –.

[30] Entrato adunque Dimitrio in camera, disse alla moglie:

– Polissena, io in questa notte per la malvagità del tempo

1. *giozzo*: goccio, piccola quantità. Voce di area veneta con palatalizzazione iniziale (cfr. *giotto*) e assibilazione.

2. *fortuna*: tempesta.

3. *drappi*: qui genericamente vale 'pezzi di stoffa, stracci' (cfr. poco prima, 21).

4. *la*: per questa forma soggettiva proclitica, cfr. I 3 15.

5. *lo aperse*: gli aprí la porta.

6. *O marito ... venuto*: cfr. *Dec.*, II 8 93: « Padre mio, voi siate il molto ben venuto ».

non ho mai dormito; io volontieri vorrei alquanto riposare, ma di quanto riposerò, la fante se n'anderà da' tuoi fratelli, e per nome nostro gli inviterà che voglino sta mane venir a desinare insieme con esso noi –.

A cui Polissena disse:

– Non oggi, ma un altro giorno li potrete invitare, per ciò che ora il piove e la fante è occupata in lissiare[1] le nostre camiscie, le linciuola e gli altri panni di lino.

– Dimane forse sarà miglior tempo – disse Dimitrio – e mi converò partire –.[2]

[31] Disse Polissena:

– Voi vi potreste andare, e non volendovi andare per essere stanco, chiamate Manusso nostro compare qui vicino, che vi farà questo servigio.

– Tu dici bene – disse Dimitrio.

[32] Manusso, chiamato, venne e fece quanto commesso li fu. Vennero adunque i fratelli di Polissena a Dimitrio e allegramente desinarono insieme. Levata la mensa disse Dimitrio:

– Cognati miei, io non vi ho mai mostrata la casa, né anche le vestimenta che io fei a Polissena, vostra sorella e nostra moglie, e però sarete contenti di vedere come da me è ben trattata. Levati su Polissena da sedere e dimostriamo un poco la casa a' tuoi fratelli –.

[33] E levatasi, Dimitrio li dimostrava i magazzini pieni di legna, di formento,[3] di oglio e di mercatantie e appresso questo le botti piene di malvagia e di greco[4] e de altri preciosi e trabbocchevoli[5] vini. Indi disse alla moglie:

1. *lissiare*: lavare, fare il bucato. In veneziano *lissiar* (Boerio, s.v.).

2. *mi converò partire*: mi sarà opportuno partire.

3. *formento*: frumento (forma con metatesi). Per la vocale protonica iniziale cfr. Rohlfs, 132.

4. *malvagia ... greco*: malvasia e greco. Il secondo vino è un *topos* nella novellistica antica: cfr. per es. *Dec.*, II 5 30.

5. *trabbocchevoli*: con significato attivo (cfr. Ageno, p. 279).

– Mostrali il tuo pendente e le grossissime perle e di molta bianchezza. Cava fuori di quella cassettina i smeraldi, i diamanti, i rubini e le altre preciose gioie. Or che vi pare cognati? non è ben trattata la sorella vostra? –

A cui risposero tutti:

– Noi lo sapevamo e noi, se non avesimo intesa la buona vita e condizione vostra, non vi averessimo data nostra sorella in moglie –.

[34] E non contento di questo, le comandò che le casse aprir dovesse e li mostrasse le sue belle vestimenta di piú sorte. Ma Polissena quasi tutta tremante disse:

– Che fa bisogno di aprir casse e dimostrarli le vestimenta mie? non sanno che voi mi avete orrevolmente vestita, e vie piú di ciò richiede[1] la condizione nostra? –

Ma Dimitrio quasi adirato disse:

– Apri questa cassa, apri quest'altra –; e mostravali le vestimenta.

[35] Ora restava una sola cassa che fusse aperta, e di essa non si trovava la chiave, perciò che vi era il prete nascoso dentro. Laonde Dimitrio, vedendo che non si poteva aver la chiave, tolse un martello, e tanto martellò, che ruppe la serratura e aperse la cassa. Il prete tutto di paura tremava,[2] né si seppe sí occoltare, che non fusse da tutti conosciuto. I fratelli di Polissena questo veggendo fieramente si turborono, e tanto d'ira e furore si accesero, che poco mancò che ivi con le coltella, che a lato avevano, amendue non uccidessero. [36] Ma Dimitrio non volse che uccisi fussero, perciò che vilissima cosa estimava l'uccidere uno che fusse in camiscia, quantunque uomo robusto fusse. Ma voltatosi verso i cognati disse:

– Che vi pare di questa malvagia femina, in cui ogni

1. *ciò richiede*: ellissi del relativo, fenomeno frequente nelle *Piacevoli notti*.
2. *Il prete ... tremava*: cfr. *Dec.*, v 10 50: « tutto di paura tremava ».

mia speranza avea già posta? merito io da lei cotal onore? ahi misera e infelice te, che mi tiene ch'io no ti sieghi le vene? –

[37] La meschina non potendosi altrimenti iscusare, taceva, perciò che il marito in faccia le diceva ciò che egli aveva fatto e veduto la precedente notte, in tanto che ella denegar non lo poteva. E voltatosi al prete, che stava col capo chino, disse:

– Prendi i panni tuoi e levati tosto di qua e vatene in tal malora, che mai piú non ti veggia; per ciò che per una rea femina nel sacro sangue le mani imbruttare non intendo. Levati tosto, che stai tu a fare? –

[38] Il prete senza aprir la bocca si partí, pensando tuttavia di aver Dimitrio e i cognati con le coltella alle spalle. Dopo voltatosi Dimitrio a' cognati disse:

– Menate la sorella vostra ovunque vi piace, perciò che io non voglio che piú mi stia dinanzi a gli occhi –.

[39] I fratelli pieni di furore non andorono prima a casa che la uccisero. Il che inteso da Dimitrio, e considerata la sua fante che era bellissima e ricordatosi della compassione da lei verso lui dimostrata, in moglie diletta la prese. E fattole un dono de tutte le vestimenta e gioie che erano della prima moglie, in lieta e gioconda pace con lei lungo tempo visse.

[40] Finita che ebbe Arianna la sua favola, tutti ad una voce dissero la virtú e la costanza del vergognato Dimitrio esser stata grandissima, massimamente avendo innanzi gli occhi il prete d'ogni suo vituperio cagione. Ma minore non fu la paura del prete, il quale essendo in camiscia e scalzo[1] e vedendosi il marito e i fratelli adosso, non altrimenti che foglia conquassata dal vento tremava. La Signora, udendo i molti e vari raggionamenti che si facevano, impose silenzio

1. *essendo ... scalzo*: cfr. *Dec.*, II 2 15: « rimaso in camiscia e scalzo ».

e comandò ad Arianna che 'l suo enimma proponesse. La quale con chiaro viso e maniere accorte cosí disse:

[41] Stavano ad una mensa di presente
uniti insieme tre buon compagnoni.
Mai fu veduta la piú bella gente;
e van cercando sempre i buon bocconi.
Giunge con un piatel un lor servente,
e sovra il desco pone tre pizoni.[1]
Ciascun allegramente mangiò il suo
e sovra il desco ne restaro duo.[2]

[42] Questo enimma parve assai dificile alla brigata e quasi impossibile tutti lo giudicarono, non potendosi persuadere che, essendo i tre pizoni mangiati, duo ne rimanessero intieri sopra il desco. Ma non consideravano che l'angue era sotto l'erba nascosto.[3] Vedendo adunque Arianna il suo enimma non esser inteso, e consequentemente irresolubile rimanere, voltatasi col vago e delicato viso verso la Signora disse:

– Avenga, madonna mia, che l'enimma per me proposto a tutti paia dover esser irresolubile, non però è sí oscuro, che non si possa con agevolezza risolvere. La risoluzione adunque è questa: erano tre campioni[4] de' quai uno per nome Ciascuno si chiamava. Ed essendo tutta tre ad una mensa, e avendo empiuto il ventre a guisa di animali brutti,[5] venne un servente e sopra la mensa puose tre colombini arrosti,

1. *pizoni*: piccioni. Esito assibilato settentrionale con la *-z-* scempia.
2. *Stavano ... duo*: per la fortuna di questo enigma nella tradizione popolare cfr. un indovinello francese della Bassa Normandia segnalato in RUA, *Intorno alle 'Piacevoli Notti'*, pp. 111-51.
3. *l'angue ... nascosto*: per questa immagine, cfr. *Inf.*, VII 83-84: « seguendo lo giudicio di costei, / che è occulto come in erba l'angue »; e cfr. BOCCACCIO, *Corbaccio*, 311: « per ciò che ciascuno non vede la serpe che sta sotto l'erba nascosta ».
4. *campioni*: in questo caso della buona tavola.
5. *brutti*: bruti (geminazione della dentale per ipercorrettismo).

assignandone uno a ciascuno di loro. Ma colui che si chiamava Ciascuno mangiò il suo e gli altri, che erano già satoli,[1] lasciorono gli altri duo sopra la mensa e si partirono –.

[43] Non senza grandissime risa la risoluzione dell'oscuro enimma fu comendato[2] da tutti, né fu veruno che imaginare se lo avesse potuto. Era già l'ultima fatica del favoleggiare[3] della presente notte giunta al fine, quando la Signora impose a ciascuno che se n'andasse alle lor case a riposare; ritornando però nella seguente sera a ridotto sotto pena della disgrazia sua. Laonde accesi i torchi, che neve parevano, i signori fino alla riva furono accompagnati.

IL FINE DELLA PRIMA NOTTE

1. *satoli*: sazi, satolli.
2. *risoluzione ... comendato*: il participio viene concordato con « enimma » e non con « risoluzione ». Per l'espressione cfr. *Dec.*, VII 2 2: « con grandissime risa fu la novella d'Emilia ascoltata e l'orazione per buona e per santa commendata da tutti ».
3. *Era ... favoleggiare*: cfr. *Dec.*, I 10 2: « l'ultima fatica del novellare ».

[1] *Delle favole ed enimmi di messer Giovanfrancesco Straparola da Caravaggio*

NOTTE SECONDA

[2] Aveva già Febo le dorate rote nelle salse onde dell'Indiano mare,[1] ed e' suoi raggi non davano piú splendore alla terra, e la sua cornuta sorella[2] le oscure tenebre con la sua chiara luce signoreggiava per tutto e le vaghe e scintilanti stelle avevano già il cielo del suo lume depinto, quando l'onesta e orrevole[3] compagnia al luogo solito a favoleggiare si ridusse. [3] E messisi tutti secondo i gradi loro a sedere, la Signora Lucrezia comandò che l'ordine nella precedente sera tenuto in questa osservar si dovesse. E perciò che cinque delle damigelle restavano a novellare, la Signora impuose al Trivigiano che i loro nomi scrivesse e nel vasetto d'oro li ponesse, traendoli del vaso ad uno ad uno, sí come fu fatto nella prima sera. Il Trivigiano ubidiente molto alla sua Signora, essequí il comandamento suo. [4] E per sorte il primo che uscí del vaso fu de Isabella il nome; il secondo di Fiordiana; il terzo di Lionora; il quarto di Lodovica; il quinto fu di Vicenza. Poscia a suono de' flauti cominciorono a carolare, menando[4] il Molino e Lionora la ridda.[5] Di che le don-

1. *Aveva ... mare*: perifrasi mitologica per il tramonto. Cfr. Boccaccio, *Filocolo*, II 44 1: « Già aveva Febo nascosi i suoi raggi nelle marine onde ». E cfr. *Orlando furioso*, XXV 18 5-6: « Già avea attuffato le dorate ruote / il Sol ne la marina d'occidente ». – *Indiano mare*: Oceano Atlantico (mare delle Indie occidentali).

2. *cornuta sorella*: la luna. Cfr. *Filocolo*, III 48 1: « Già lasciava Febo vedere la sua cornuta sorella disiosa di tornare alquanto con la madre ».

3. *orrevole*: degna d'onore.

4. *menando*: guidando (ant. fr. *mener la danse*).

5. *ridda*: ballo di gruppo che consiste nel muoversi in circolo (poco sotto cfr. *ballo tondo*) alquanto velocemente, tenendosi per mano e accompagnando-

ne e parimente gli uomini fecero sí gran risa, che ancora ridono.[1] [5] Finito il ballo tondo tutti si puosero a sedere, e le damigelle una dolce e amorosa canzone in laude della Signora in tal guisa allegramente cantorono:[2]

[6] I' dico e dirò sempre,
né fia chi mai di tal pensier mi mute,
ch'essempio siete voi d'ogni virtute.
Con gli atti riverenti, onesti e saggi,[3]
ch'escono de' be' raggi,
s'adorna quel che bello il mondo chiama.
E chi seguir non brama
l'opre gentil, quai fan che mi distempre,[4]
degno non è di fama,
né di gustar il ben de l'altra vita,
al cui valor vostra bontà ci invita.

[7] Finita l'amorosa canzone, Issabella, a cui per sorte aveva toccato il primo luogo della seconda notte, lietamente al favoleggiare diede principio cosí dicendo.

si col canto. La voce è anche nel *Dec.*, VIII 2 9: « e menare la ridda e il ballonchio ».

1. *fecero ... ridono*: cfr. *Dec.*, III 10 34: « di che esse fecero sí gran risa, che ancor ridono ».

2. *canzone ... cantorono*: madrigale di tre terzine e un distico finale secondo il seguente schema rimico: aBB CcD dAd EE.

3. *gli atti ... saggi*: cfr. SANNAZARO, *Arcadia*, XI 105: « i bei costumi e gli atti onesti e saggi ».

4. *mi distempre*: mi consumo (metafora petrarchesca).

NOTTE SECONDA, FAVOLA I[1]

[1] *Galeotto re di Anglia*[2] *ha uno figliuolo nato porco, il quale tre volte si marita, e posta giú la pelle porcina e divenuto un bellissimo giovane, fu chiamato re Porco.*

[2] Quanto l'uomo, graziose donne, sia tenuto al suo creatore che egli uomo e non animale brutto[3] l'abbia al mondo creato, non è lingua sí tersa né sí faconda, che in mille anni a sofficienza il potesse isprimere. Però mi soviene una favola a' tempi nostri avenuta di uno che nacque porco, e poscia divenuto bellissimo giovene, da tutti re Porco fu chiamato.

[3] Dovete adunque sapere, donne mie care, che Galeotto[4] fu re d'i Angle, uomo non men ricco di beni della fortuna che de quelli dell'animo, e aveva per moglie la figliuola di Mattias,[5] re di Ongaria, Ersilia per nome chiamata, la quale e di bellezza e di virtú e di cortesia avanzava ogn'altra matrona ch'a' suoi tempi si trovasse. E sí prudentemente

1. È la nota e diffusissima fiaba del *re porco*, di cui si conoscono numerose testimonianze nella tradizione orale (cfr. CALVINO, *Fiabe*, n. 19: *Re Crin*, che riscrive una fiaba piemontese solo nella prima parte comune a quella dello Straparola). L'intreccio di molte versioni è simile a questo, anche se in alcune il re è un orso, in altre un corvo, un cavallo, un rospo, un ragno, ecc.; ma nessuna versione italiana arriva all'estremo di disumanizzazione della 127 dei Grimm, che fa del re un forno. Per altri riscontri cfr. CRANE, op. cit., pp. 324-25. Per i motivi cfr. ROTUNDA, B601.8 (*Marriage to swine*); D136 (*Transformation: man to swine*); D336 (*Transformation: swine to person*); D733.2 (*Swine bridegroom. Bride disenchants him by her love. He returns to original form*); F312.1 (*Fairies bestow supernatural gifts at birth of child*); F341.1 (*Fairies give three gifts*); M313 (*Man transformed into swine will regain human form after third marriage*); T554 (*Woman gives birth to an animal*).

2. *Anglia*: nome medievale dell'Inghilterra. Cfr. poco sotto: *Angle* ('inglesi').

3. *brutto*: bruto. Consonante dentale geminata per ipercorrettismo.

4. *Galeotto*: nome della tradizione del ciclo bretone.

5. *Mattias*: nel dare il nome a questo re, lo Straparola forse si è ispirato al celebre re di Ungheria Mattia Corvino (1443-1490).

Galeotto reggeva il suo regno, che non vi era alcuno che di lui veracemente lamentar si potesse. Essendo adunque stati lungamente ambeduo insieme, volse la sorte che Ersilia mai non s'ingravidò. Il che a l'uno e l'altro dispiaceva molto.

[4] Avenne che Ersilia passeggiando per lo suo giardino andava raccogliendo fiori; ed essendo già alquanto lassa, adocchiò un luogo pieno di verdi erbette, e accostatasi a quello si puose a sedere, e invitata dal sonno e da gli uccelli che su per li verdi rami dolcemente cantavano,[1] s'addormentò. [5] Allora per sua buona ventura passorono per l'aria tre altiere[2] fate, le quali veggendo l'addormentata giovane, si fermorono, e considerata la lei bellezza e leggiadria, si consigliorono insieme di farla inviolabile e affatata:[3] rimasero adunque le fate tutta tre d'acordo. La prima disse:

– Io voglio costei inviolabil sia, e la prima notte che giacerà col suo marito, s'ingravidi e di lei nasca un figliuolo che di bellezze non abbia al mondo pare –.

L'altra disse:

– E io voglio che niuno offender la possi, e che 'l figliuolo che nascerà di lei sia dotato di tutte quelle virtú e gentilezze che si possino imaginare –.

La terza disse:

– E io voglio che ella sia la piú savia e la piú ricca donna che si truovi,[4] ma che 'l figliuolo che ella conciperà,[5] nasca tutto coperto di pelle di porco, e i gesti e le maniere che egli

1. *da gli uccelli ... cantavano*: cfr. *Dec.*, II Intr. 2: « e gli uccelli su per li verdi rami cantando piacevoli versi ». E anche SANNAZARO, *Arcadia*, III 7: « e i vaghi ucelli sovra li verdi rami cantarono ».

2. *altiere*: splendide.

3. *affatata*: fatata, dotata di virtú magiche.

4. *truovi*: la forma dittongata dopo consonante esplosiva + *r* risulta a quest'epoca tendenzialmente arcaicheggiante (cfr. TROVATO, pp. 108, 192, 293). Straparola la usa raramente preferendo la forma monottongata.

5. *conciperà*: concepirà (per le vocali protoniche cfr. il verbo latino *concipio* della III coniug.).

farà siano tutti di porco, né mai possi di tal stato uscire, se prima non saranno da lui tre mogli prese –.

Partite che furono le tre fate, Ersilia si destò e incontinenti levatasi da sedere, prese i fiori che raccolti aveva e al palagio se ne tornò.

[6] Non passorono molti giorni che Ersilia s'ingravidò, e aggiunta al desiderato parto, parturí un figliuolo le cui membra non erano umane ma porcine. Il che andato alle orecchi del re e della reina, inestimabile dolore ne sentirono. E accioché tal parto non ridondasse[1] in vituperio della reina, che buona e santa era, il re piú fiate ebbe animo di farlo uccidere e gettarlo nel mare. Ma pur rivolgendo nell'animo e discretamente pensando che 'l figliuolo, che si fusse,[2] era generato da lui ed era il sangue suo, deposto giú ogni fiero proponimento, che prima nell'animo aveva, e abbracciata la pietà mista col dolore, volse al tutto non come bestia ma come animal razionale allevato e nodrito fusse. [7] Il bambino adunque diligentemente nodrito sovente veniva alla madre, e levatosi in piedi le poneva il grognetto e le zampette in grembo. E la pietosa madre all'incontro lo accarezzava, ponendoli le mani sopra la pilosa schiena e abbracciavalo e basciavalo non altrimenti che creatura umana si fussi. E il bambino avinchiavasi la coda e con evidentissimi segni le materne carezze esserli molto grate le dimostrava.

[8] Il porceletto essendo alquanto cresciuto, cominciò umanamente parlare e andarsene per la città, e dove erano l'immondicie e le lordure, sí come fanno i porci, dentro se li cacciava. Dopo cosí lordo e puzzolente si ritornava a casa, e accostatosi al padre e alla madre e fregandosi intorno alle vestimenta loro, tutte da lotame[3] gli le imbruttava;[4] e per-

1. *ridondasse*: si ripercuotesse.
2. *che si fusse*: ellissi del *qual*, che viene invece integrato nell'ed. 1555.
3. *lotame*: fango, letame (deriv. da *loto*).
4. *imbruttava*: insudiciava.

ciò che egli gli era unico figliuolo, ogni cosa pacientemente sofferivano.

[9] Tra gli altri un giorno a casa venne il porchetto, e messosi sí lordo e sporco come era sopra le vestimenta della madre, grognendo le disse:

– Io, madre mia, vorrei maritarmi –.

Il che udendo, la madre rispose:

– O pazzo che tu sei, chi vuoi tu che per marito ti prenda? tu sei puzzolente e sporco, e tu vuoi che uno barone o cavaliere sua figliuola ti dia? –

A cui rispose grugnendo che al tutto moglie voleva. La reina non sapendo in ciò governarsi, disse al re:

– Che dobbian noi fare? voi vedete a che condizione noi si[1] troviamo. Il figliuolo nostro vuole moglie, né fia alcuna che in marito prender lo voglia –.

[10] Ritornato il porchetto alla madre, altamente[2] grugnendo diceva:

– Io voglio moglie, né mai cessarò insino a tanto ch'io non abbia quella giovane che oggi ho veduta, perciò che molto mi piace –.

Costei era figliuola d'una poverella che aveva tre figliuole e ciascheduna di loro era bellissima. [11] Questo intendendo la reina, subito mandò a chiamare la poverella con la figliuola maggiore e dissele:

– Madre mia diletta, voi siete povera e carica di figliuole; se voi consentirete,[3] tosto ve ne verrete ricca. Io ho questo figliuolo porco e lo vorrei maritare in questa vostra figliuola maggiore. Non vogliate aver rispetto a lui, che è porco, ma

1. *si*: per *ci* è proprio della lingua lombarda. Cfr. l'interessante testimonianza di G. Ruscelli, *Fiori delle Rime de' poeti illustri*, Venezia, Sessa, 1558, p. 605.

2. *altamente*: è la lezione di 1555 piú adatta al significato dell'espressione. La *princeps* ha un piú dubbio « altramente », la cui *-r-* potrebbe essere stata introdotta per attrazione delle parole vicine.

3. *consentirete*: sarete d'accordo.

al re e a me, ché al fine di tutto il regno nostro ella sarà posseditrice –.

[12] La figliuola queste parole udendo, molto si turbò, e venuta rossa come mattutina rosa,[1] disse che per modo alcuno a tal cosa consentir non voleva. Ma pur sí dolci furono le parole della poverella che la figliuola accontentò.[2] Ritornato il porco tutto lordo a casa, corse alla madre, la quale li disse:

– Figliuolo mio, noi ti abbiamo trovata moglie e di tuo sodisfacimento –.

[13] E fatta venire la sposa vestita di onorevolissime vestimenta regali, al porco la presentò. Il quale veggendola bella e graziosa, tutto gioliva[3] e cosí puzolente e sporco la intorniava,[4] facendole col grugno e con le zampe le maggior carezze che mai porco facesse. Ed ella perciò che tutte le vestimenta le bruttava, indietro lo spingeva. Ma il porco dicevale:

– Perché indietro mi spingi? non ti ho io fatto coteste vestimenta? –

A cui ella superba alteramente disse:

– Né tu, né 'l tuo reame de porci mai me le facesti –.

[14] E venuta l'ora di andare a riposare, disse la giovane:

– Che voglio io fare di questa puzzolente bestia? questa notte, come egli sarà in sul primo sonno, io l'ucciderò –.

Il porco, che non era molto lontano, udí le parole e altro non disse.

[15] Andatosene adunque a l'ora debita il porco tutto di letame e di carogne impiastracciato al pomposo letto con il grugno e con le zampe levò le sottilissime linciuola,[5] e im-

1. *venuta ... rosa*: similitudine frequente nelle *Piacevoli notti* (cfr. Proem. 13).
2. *accontentò*: acconsentí.
3. *gioliva*: gioiva.
4. *la intorniava*: le girava intorno.
5. *linciuola*: lenzuola.

bruttato ogni cosa di fetente sterco, appresso la sua sposa si coricò. La quale non stette molto che s'addormentò. Ma il porco fingendo di dormire con le acute sanne sí fortemente nel petto la ferí, che incontanente[1] morta rimase.

[16] E levatosi la mattina per tempo, se n'andò secondo il suo costume a pascersi e inlordarsi.[2] Parve alla reina di andar a visitazione della nuora, e andatassene e trovatala dal porco uccisa, ne sentí grandissimo dolore. E ritornato il porco a casa, e agramente ripreso dalla reina, le rispose lui aver fatto a lei quello che ella voleva far a lui; e sdegnato si partí.

[17] Non passorono molti giorni che 'l porco da capo stimolò la madre di volersi rimaritare nell'altra sorella; e quantunque per la reina li fusse contradetto molto, nondimeno egli ostinato al tutto la voleva, minacciando di porre ogni cosa in roina, quando egli non l'avesse. Udendo questo la reina, andò al re e raccontògli il tutto; ed egli le disse che manco[3] male sarebbe farlo morire, che qualche gran male egli nella città facessi.[4] Ma la reina, che madre gli era e che li portava grande amore, non poteva patire di rimanere priva di lui, ancor che porco fusse. [18] E chiamata la poverella con l'altra figliuola, ragionò lungamente con esse loro, e poi che ebbero molto ragionato insieme di maritaggio, la seconda accontentò di accettare il porco per suo sposo. Ma la cosa non andò ad effetto sí come ella desiderava, percioché il porco la uccise come la prima, e di casa tostamente si partí. E ritornato a l'ora debita al palagio con tanta lordura e letame che per lo puzzore non se li poteva avicinare, fu dal re e dalla reina per lo eccesso commesso villaniggiato[5] molto. Ma

1. *incontanente*: immediatamente (variante di *incontinenti*: cfr. 5).
2. *inlordarsi*: insozzarsi.
3. *manco*: meno.
4. *facessi*: facesse.
5. *villaniggiato*: rimproverato con severità.

il porco arditamente li rispose lui aver fatto a lei quello che ella intendeva di fare a lui.

[19] Né stette molto che messere lo porco[1] ancora tentò la reina di volersi rimaritare e prender per moglie la terza sorella che era vie piú bella che la prima e la seconda. Ed essendoli la dimanda al tutto negata, egli di averla maggiormente solecitava, minacciando con spaventevoli e villane parole di morte alla reina,[2] se per sposa non l'aveva. La reina udendo le sozze e vituperevoli parole, ne sentiva nel cuore sí fatto tormento, che quasi ne era per impazzire. E messo da canto ogni altro suo pensiero, fece venir a sé la poverella e la terza sua figliuola, Meldina per nome chiamata,[3] e dissele:

– Meldina, figliuola mia, voglio che tu prendi messer lo porco per tuo sposo, né aver rispetto a lui, ma al padre suo e a me, ché se tu saprai ben esser con esso lui, sarai la piú felice e la piú contenta donna che si trovi –.

[20] A cui Meldina con sereno e chiaro viso rispose che era molto contenta, rengraziandola assai che si dignasse accettarla per nuora. E quando altro ella non avesse, le sarebbe bastevole[4] di poverella in uno instante esser venuta nuora d'un potente re. Sentendo la reina la grata e amorevole risposta, non puoté per dolcezza gli occhi dalle lagrime astenere. Ma pur temeva non avenisse[5] a lei come all'altre due

1. *messere lo porco*: per l'uso dell'articolo *lo* dopo *messere* cfr. BEMBO, *Prose*, III 9: « Usasi l'uno ancora dopo la voce *Messere*, che si dice *Messer lo frate Messer lo giudice* ».

2. *minacciando ... alla reina*: cfr. *Dec.*, V 8 16: « lei di morte con parole spaventevoli e villane minacciando ». Straparola costruisce il verbo *minacciare* con il dativo seguendo la costruzione classica di *minor* e *minitor*, sebbene il verbo (denominale) si sia formato probabilmente in età preromanza sul *minaciae -arum* attestato già in Plauto (cfr. AGENO, p. 49). Nelle *Piacevoli notti* prevale comunque la costruzione con l'accusativo.

3. *Meldina ... chiamata*: è l'unica delle tre sorelle, e non a caso, visto il suo ruolo nella fiaba, nominata per nome.

4. *bastevole*: sufficiente.

5. *temeva non avenisse*: ellissi della congiunzione *che* e costruzione alla latina del *verbum timendi*.

era avenuto. [21] Vestitasi la nuova sposa di ricche vestimenta e preciose gioie, aspettò lo suo caro sposo che venisse a casa. Venuto che fu messer lo porco piú lordo e sporco che mai fusse, la sposa benignamente lo ricevette, distendendo la sua preciosa veste per terra, pregandolo che si coricasse appresso lei. La reina le diceva che lo spingese da parte, ma ella ricusava di spingerlo e tai parole alla reina disse:

[22] Tre cose ho già sentite raccontare,
sacra corona veneranda e pia.
L'una, quel ch'è impossibile truovare,
andar cercando è troppa gran pazzia.
L'altra, a quel tutto fede non prestare
che 'n sé non ha ragion né dritta via.
La terza, il dono precioso e raro,
ch'hai ne le mani fa ch'il tenghi caro.[1]

[23] Messer lo porco, che non dormiva ma il tutto chiaramente intendeva, levatosi in piedi le lingeva[2] il viso, la gola, il petto e le spalle, ed ella all'incontro l'accarezzava e basciava, sí che egli tutto d'amore si accendeva.

[24] Venuta l'ora di posare, andòsene la sposa in letto, aspettando che 'l suo caro sposo se ne venisse, e non stette molto che 'l sposo tutto lordo e puzzolente se n'andò al letto. Ed ella levata la coltre se 'l fece venire appresso e sopra il guanciale li conciò[3] la testa, coprendolo bene e chiudendo le cortine, acciò che freddo non patisse.

[25] Messer lo porco, venuto il giorno e avendo lasciato il materasso pieno di sterco, se n'andò alla pastura. La reina la mattina andossene alla camera della sposa, e credendosi vedere ciò che per lo adietro delle altre due veduto aveva, tro-

1. *Tre ... caro*: questo testo ricorda gli ammaestramenti del rosignolo a un villano in cambio della sua libertà nel *Barlaam e Giosafat*. Metricamente è un'ottava di endecasillabi come gli enigmi.

2. *lingeva*: leccava (dal lat. *lingere*).

3. *li conciò*: gli mise.

vò la nuora allegra e contenta, ancor che 'l letto tutto di lordura e carogne imbruttato fusse. E ringraziò il sommo Iddio di sí fatto dono, che suo figliuolo aveva trovata moglie di suo contento.

[26] Non stette gran spazio di tempo che messer lo porco, essendo con la sua donna in piacevoli ragionamenti, le disse:

– Meldina, moglie mia diletta, quando io mi credesi che tu non appalesasi ad alcuno l'alto mio secreto, io non senza grandissima tua allegrezza ti scoprirei una cosa che finora ho tenuta nascosa; ma perciò che io ti conosco prudente e savia, e veggio mi ami di perfetto amore, vorrei di ciò farti partecipe.

– Sicuramente scopretemi[1] ogni vostro secreto – disse Meldina – ché io vi prometto di non manifestarlo senza il vostro volere ad alcuno –.

[27] Sicurato[2] adunque messer lo porco dalla moglie, si trasse la puzzolente e sporca pelle, e un vago e bellissimo giovane rimase, e tutta quella notte con la sua Meldina strettamente giacque. E impostole che al tutto dovesse tacere, perciò che era fra poco tempo per uscire[3] di sí fatta miseria, si levò di letto, e presa la sua spoglia porcina, alle immondicie, sí come per lo adietro fatto aveva, si diede. Lascio a ciascuno pensare quanta e qual fusse l'allegrezza di Meldina, veggendosi accompagnata con sí leggiadro e sí polito[4] giovane. [28] Non stette guari che la giovane se ingravidò, e venuta al termene del suo parto, partorí un bellissimo figliuolo. Il che al re e alla reina fu di grandissimo contento, e massimamente che non di bestia, ma di creatura umana te-

1. *scopretemi*: rivelatemi. Forma con scambio di vocale tematica.
2. *sicurato*: rassicurato.
3. *era ... per uscire*: forma perifrastica di futuro non rara nello Straparola. Cfr. Rohlfs, 592.
4. *polito*: affascinante.

neva la forma. [29] Parve a Meldina esserle molto carico tener celata cosí alta e maravigliosa cosa; e andatasene alla suocera, disse:

– Prudentissima reina, io mi credevo esser accompagnata con una bestia, ma voi mi avete dato per marito il piú bello, il piú vertuoso e il piú accostumato giovane che mai la natura creasse. Egli, quando viene in camera per accoricarsi[1] appresso me, si spoglia la puzzolente scorza, e in terra quella diposta, un attilato[2] e leggiadro giovane rimane. Il che niuno potrebbe credere, se con gli occhi propi non lo vedesse –.

[30] La reina pensava che la nuora burlasse, ma pur diceva da dovero. E addimandatala come ciò potesse vedere, rispose la nuora:

– Verete questa notte su 'l primo sonno alla camera mia, e trovarete aperto l'uscio e vederete ciò che io vi dico essere il vero –.

[31] Venuta la notte e aspettata l'ora che tutti erano andati a posare, la reina fece accendere i torchi e con il re se ne andò alla camera del figliuolo, ed entratovi dentro trovò la porcina pelle che era da l'un lato della camera posta giú in terra, e accostatasi la madre al letto, vide il suo figliuolo essere un bellissimo giovane, e Meldina sua moglie in braccio strettamente lo teneva.[3] Il che vedendo il re e la reina, molto si rallegrorono, e ordinò il re che, avanti alcuno indi si partisse, la pelle fusse tutta minutamente stracciata, e tanto[4]

1. *accoricarsi*: coricarsi (forma prostetica secondo una tendenza diffusa al Nord e ben attestata nelle *Piacevoli notti*).

2. *attilato*: elegante (iberismo).

3. *vide... teneva*: il verbo *vide* regge due proposizioni subordinate: la prima è un accusativo + infinito; la seconda è esplicita con ellissi della congiunzione *che*. Questa sorta di « variatio subordinativa » è riscontrata da M. DARDANO, *La sintassi dell'infinito nei 'Libri della Famiglia'*, ora in ID., *Studi sulla prosa antica*, Napoli, Morano, 1992, p. 405, nella sintassi dell'Alberti e di prosatori coevi.

4. *tanto*: avverbio al posto dell'aggettivo di quantità accordato.

fu l'allegrezza del re e della reina per lo rinovato figliuolo, che poco mancò che non se ne morisseno. [32] Il re Galeotto veggendo aver sí fatto figliuolo e di lui figliuoli, depose la diadema[1] e il manto regale, e in suo luogo con grandissimo trionfo fu coronato il figliuolo, il quale chiamato re Porco, con molto sodisfacimento di tutto il popolo, resse il regno; e con Meldina, sua diletta moglie, lungo tempo felicissimamente visse.

[33] Era già ridotta al suo termine la favola da Issabella raccontata, quando gli uomini e le donne sommamente si ridevono de messer lo porco tutto inlordato che accareciava la sua diletta moglie e cosí impiastracciato da fango con lei giaceva.

– Ma poniamo – disse la signora Lucrezia – omai il rider da parte, acciò che Issabella, proponendo il suo enimma, l'ordine seguisca –; la quale con allegro viso cosí disse:

[34] Vorrei che tu mi desti, o mio signore,
quel che non hai né sei per aver mai,
s'avesti andar al mondo con tuo onore
mill'anni e piú di vita ancor assai.
E se tu 'l pensi aver, vivi in errore,
e come cieco per la strada vai.
Ma se, come mi mostri, il mio ben vuoi,
damel, non tardar piú, ché dar mel puoi.

[35] Raccontato che fu da Isabella lo ingenioso enimma, tutti stupefatti rimasero, né poteansi persuadere che uno dovesse dare quello che egli non aveva, né era per lo innanzi per avere. Ma la prudente Isabella vedendo i loro animi tutti sospesi,[2] disse:

– Non vi maravigliate, signori miei, per ciò che l'uomo

1. *la diadema*: metaplasmo di genere attestato in italiano antico.
2. *i loro ... sospesi*: cfr. SANNAZARO, *Arcadia*, XII 1: « tenevano già, tacendo lui, admirati e suspesi gli animi degli ascoltanti ».

può dare alla donna quello che egli non ha né è per avere, cioè l'uomo non ha marito, né mai è per averlo, ma ben può l'uomo dare alla donna marito –.

[36] Piacque molto ad ognuno la risoluzione dello enimma, e comandato il silenzio a tutti, si levò Fiordiana, che presso Isabella sedeva, e con lieto e festevole viso disse:

– Signora mia e voi onorandissimi signori, il mi parebbe convenevole, tuttavia cosí parendo a tutti voi, che 'l nostro Molino con una sua facecia rallegrasse questa nostra dolce compagnia. E questo io dico, non già ch'io scampi la fatica, per ciò che ne ho molte per le mani, ma perché la favola raccontata da lui, con la sua buona grazia, vi sarà di maggior piacere e contentamento. Egli, sí come voi sapete, è ingenioso e faceto e ha tutte quelle buone parti che ad una gentilissima persona si convengono. E a noi, semplici donne, starebbe meglio l'aco[1] in mano che 'l raccontare le favole –.

[37] A tutti piacque il parlare della prudente Fiordiana e sommamente lo laudorono, e la Signora, gittati gli occhi adosso al Molino, disse:

– Signor Antonio, ora con una leggiadra favola ne rallegrarete tutti –; e comandòli che incominciasse.

Il Molino, che non pensava di favoleggiare, ringraziò prima Fiordiana delle lodi che ella date gli aveva; dopo ubidientissimo alla Signora in cotal guisa alla sua favola diede principio.

1. *l'aco*: conservazione della sorda intervocalica. Fenomeno reattivo, sostenuto anche dal latino, alla tendenza settentrionale a sonorizzare.

NOTTE SECONDA, FAVOLA II[1]

[1] *Filenio Sisterna scolare in Bologna vien da tre belle donne beffato, ed egli con una finta festa di ciascheduna si vendica.*

[2] Io non avrei mai creduto, valorose donne, né pur imaginato che la Signora mi avesse dato carico di dover favoleggiare,[2] e massimamente toccando la volta alla signora Fiordiana avenutale per sorte. Ma poscia che a sua altezza cosí piace ed è di contentamento di tutti, io mi sforzerò di raccontare cosa che vi sia di sodisfacimento. E se per aventura il mio ragionare, che Iddio non voglia, vi fosse noioso o che passasse di onestà il termine,[3] mi averete per iscuso[4] e incolparete la signora Fiordiana, la quale di tal cosa n'è stata cagione.

[3] In Bologna, nobilissima città di Lombardia,[5] madre de studi[6] e accomodata[7] de tutte le cose che si convengono, ritrovavasi uno scolare gentiluomo cretense, il cui nome era

1. La novella ha i suoi precedenti nel *Pecorone* (II 2) e ha stretta affinità con la I 3 del BANDELLO. Non trascurabili sono inoltre i rapporti con la VIII 7 del *Decameron*, il fabliau *Les deux changeurs*, e *Cent nouvelles nouvelles*, I. Secondo RUA, *Intorno alle 'Piacevoli notti'*, p. 226, la prima parte della novella mostra punti di contatto abbastanza stretti con un racconto del *Livre du chevalier de la Tour Landry* (cap. 23). Per la fortuna della novella in Inghilterra cfr. GARGANO, op. cit. Per i motivi cfr. ROTUNDA, K1218.4.1 (*Three women humiliate importunate lover*); Q473.4 (*Importunate lover put asleep in street*); Q476 (*Exposing mistress's person excepting face to her husband*).

2. *carico ... favoleggiare*: cfr. *Dec.*, VII 5 2: « piacevolmente il carico le 'mpose del novellare ».

3. *passasse ... termine*: cfr. SABADINO DEGLI ARIENTI, *Le Porretane*, XXXIX 2: « me perdonarete se in alcuna parola il termine de onestate passasse ».

4. *iscuso*: scusato, giustificato. Con *i-* prostetica.

5. *In Bologna ... Lombardia*: il termine *Lombardia* poteva estendersi all'Italia settentrionale e centro-settentrionale. La formula è comunque boccacciana. Cfr. *Dec.*, X 4 5: « in Bologna, nobilissima città di Lombardia ».

6. *madre de studi*: perché sede dell'antica e nota università.

7. *accomodata*: fornita.

Filenio[1] Sisterna, giovane leggiadro e amorevole. Avenne che in Bologna si fece una bella e magnifica festa,[2] alla quale furono invitate molte donne della città, e delle piú belle, e vi concorsero molti gentiluomini bolognesi e scolari, tra' quali vi era Filenio. Costui, sí come è usanza de' giovani, vagheggiando ora l'una e ora l'altra donna, e tutte molto piacendoli, dispose al tutto voler carolare[3] con una di esse loro. E accostatosi ad una, che Emerenziana si chiamava, moglie di messer Lamberto Bentivogli,[4] la chiese in ballo. Ed ella, che era gentile e non men ardita che bella,[5] non lo rifiutò. [4] Filenio adunque con lento passo menando il ballo, e alle volte stringendole la mano, con bassa voce cosí le disse:

– Valorosa donna, tanta è la bellezza vostra, che senza alcun fallo quella trapassa ogni altra che io vedessi giamai.[6] E non vi è donna veruna a cui cotanto amore io porti quanto alla vostra altezza,[7] la quale se mi corrisponderà nell'amore, terrommi il piú contento e il piú felice uomo che si truovi al mondo,[8] ma altrimenti facendo, tosto vedrammi di vita privo, ed ella ne sarà stata della mia morte cagione.[9] Aman-

1. *Filenio*: il nome ricorda il personaggio del *Filocolo* Fileno.

2. *bella ... festa*: anche il primo incontro tra Elena e lo scolare in *Dec.*, VIII 7, avviene a una festa. Per l'espressione cfr. invece *Dec.*, II 6 69: « una bella e magnifica festa ».

3. *carolare*: danzare.

4. *Bentivogli*: Straparola prende il cognome da una delle piú nobili famiglie di Bologna.

5. *non ... bella*: cfr. *Dec.*, VII 9 5: « una gran donna non meno ardita che bella ».

6. *Valorosa donna ... giamai*: cfr. *Dec.*, III 5 10: « Valorosa donna, [...] avete potuto comprendere a quanto amor portarvi m'abbia condotto la vostra bellezza, la quale senza alcun fallo trapassa ciascuna altra che veder mi paresse giammai ».

7. *vostra altezza*: cfr. *Dec.*, III 5 13: « porgere i prieghi miei alla vostra altezza ».

8. *terrommi ... mondo*: cfr. *Dec.*, III 5 15: « in voi sola il farmi piú lieto, e il piú dolente uomo che viva, dimora ».

9. *ma altrimenti ... cagione*: cfr. *Dec.*, III 5 13: « la quale [vita], se a' miei prieghi l'altiero vostro animo non s'inchina, senza alcun fallo verrà meno, e morrommi, e potrete esser detta di me micidiale ».

dovi adunque io, signora mia, come io fo ed è il debito mio, voi mi prenderete per vostro servo, disponendo e di me e delle cose mie, quantunque picciole siano, come delle vostre propie.[1] E grazia maggiore dal cielo ricevere non potrei, che di venire suggetto a tanta donna, la quale come uccello mi ha preso nell'amorosa pania –.[2]

[5] Emerenziana, che attentamente ascoltate aveva le dolci e graziose parole, come persona prudente, finse di non aver orecchie, e nulla rispose. Finito il ballo, e andatasi Emerenziana a sedere, il giovane Filenio prese un'altra matrona per mano e con esso lei cominciò ballare; né appena egli aveva principiata la danza, che con lei si mise in tal maniera a parlare:

– Certo non fa mestieri,[3] gentilissima madonna, che io con parole vi dimostri quanto e quale sia il fervido amore che io vi porto e porterò, fin che questo spirito vitale reggerà queste deboli membra e infelici ossa.[4] E felice, anzi beato mi terrei alora, quando io vi avessi per mia patrona, anzi singolar signora. Amandovi adunque io, sí come io vi amo, ed essendo io vostro, sí come voi agevolmente potete intendere, non arrete a sdegno di ricevermi per vostro umilissimo servitore, perciò che ogni mio bene e ogni mia vita da voi e non altronde dipende –.[5]

[6] La giovane donna, che Pantemia si chiamava, quantunque intendesse il tutto, non però li rispose, ma la danza

1. *voi mi ... propie*: cfr. *Dec.*, III 5 II: « E per questo vi potete render sicura che niuna cosa avete, qual che ella si sia o cara o vile, che tanto vostra possiate tenere e cosí in ogni atto farne conto come di me, da quanto che io mi sia, e il simigliante delle mie cose ».

2. *amorosa pania*: cfr. *Dec.*, X 6 24: « sí nell'amorose panie s'invescò ».

3. *fa mestieri*: è necessario.

4. *fin ... ossa*: cfr. *Dec.*, III 5 II: « e cosí sarà mentre la mia misera vita sosterrà questi membri ». Ma cfr. anche *Aen.*, IV 336: « dum spiritus hos regit artus ».

5. *umilissimo ... dipende*: cfr. *Dec.*, III 5 13: « dalla qual [vostra altezza] sola ogni mia pace, ogni mio bene e la mia salute venir mi puote, e non altronde: e sí come umilissimo servidor ».

onestamente seguí, e finito il ballo, sorridendo alquanto si puose con le altre a sedere.

[7] Non stette molto che lo innamorato Filenio prese la terza per mano, la piú gentile, la piú graziata[1] e la piú bella donna che in Bologna allora si trovasse, e con esso lei cominciò menare una danza, facendosi far calle[2] a coloro che s'appressavano per rimirarla, e innanzi che si terminasse il ballo, egli le disse tai parole:

– Onestissima madonna, forse io parerò non poco prosontuoso,[3] scoprendovi ora il celato amore che io vi portai e ora porto; ma non incolpate me, ma la vostra bellezza, la quale a ciascaduna altra donna vi fa superiore; e me come vostro mancipio[4] tene. Taccio ora i vostri laudevoli costumi, taccio le egregie e ammirabili vostre virtú,[5] le quali sono tali e tante che hanno forza di far discendere giú d'alto cielo i superni dei. Se adunque la vostra bellezza accolta per natura e non per arte aggradisce[6] a gli immortali dei, non è maraviglia se quella mi stringe ad amarvi e tenervi chiusa nelle viscere del mio cuore. Pregovi adunque, gentil signora mia, unico refrigerio della mia vita, che abbiate caro colui che per voi mille volte al giorno more. Il che facendo, io riputerò aver la vita per voi,[7] alla cui grazia mi raccomando –.

[8] La bella donna, che Sinforosia si appellava, avendo ottimamente intese le care e dolci parole che dal fuocoso cuore di Filenio uscivano, non puoté alcuno sospiretto nascon-

1. *graziata*: aggraziata, graziosa.

2. *far calle*: far luogo, spazio.

3. *prosontuoso*: presuntuoso (scambio di prefisso).

4. *mancipio*: servo (latinismo). Cfr. Petrarca, *Triumphus fame*, i 25: « d'Amor mancipio », e *Orlando furioso*, vii 59 5: « d'Alcina mancipio ».

5. *Taccio ... virtú*: cfr. *Dec.*, iii 5 10: « lascio stare de' costumi laudevoli e delle virtú singulari che in voi sono, le quali avrebbon forza di pigliare ciascuno alto animo di qualunque uomo ».

6. *aggradisce*: piace.

7. *aver ... voi*: cfr. *Dec.*, iii 5 13: « possa dire che, come per la vostra bellezza innamorato sono, cosí per quella aver la vita ».

dere,[1] ma pur considerando l'onor suo, e che era maritata, niuna risposta li diede, ma finito il ballo, se ne andò al suo luogo a sedere.

[9] Essendo tutta tre una appresso l'altra quasi in cerchio a sedere, e intertenendosi[2] in piacevoli ragionamenti, Emerenziana, moglie di messer Lamberto, non già a fine di male, ma burlando, disse alle due compagne:

– Donne mie care, non vi ho io da raccontare una piacevolezza che mi è avenuta oggi?

– E che? – dissero le compagne.

– Io – disse Emerenziana – mi ho trovato carolando uno innamorato, il piú bello, il piú leggiadro e il piú gentile che si possa trovare. Il quale dice esser sí acceso di me per la mia bellezza, che né giorno né notte non trova riposo –; e puntalmente le raccontò tutto ciò che egli le aveva detto.

[10] Il che intendendo Pantemia e Sinforosia, dissero quello medesimo essere avenuto a loro; e dalla festa non si partirono, che agevolmente conobbero uno istesso esser stato colui che con tutta tre aveva fatto l'amore.[3] Il perché chiaramente compresero che quelle parole dello innamorato non da fede amorosa, ma da fole[4] e fittizio[5] amore procedevano, e a sue parole prestorono quella credenza che prestare si suole a' sogni de gli infermi o a fola de romanzi.[6] E indi non si partirono, che tutte tre concordi si dierono la fede[7] di operare sí che ciascheduna di loro da per sé li farebbe una

1. *non puoté ... nascondere*: è la reazione della moglie di Francesco Vergellesi alle parole del Zima. Cfr. *Dec.*, III 5 17: « non poté per ciò alcun sospiretto nascondere ».

2. *intertenendosi*: intrattenendosi.

3. *aveva fatto l'amore*: aveva amoreggiato.

4. *fole*: folle, dissennato.

5. *fittizio*: non sincero.

6. *sogni ... romanzi*: sogni dei malati e fantasticheria di romanzi. Cfr. PETRARCA, *Triumphus cupidinis*, IV 65-66: « Ben è 'l viver mortal, che sí n'agrada, / sogno d'infermi, e fola di romanzi! ».

7. *si dierono la fede*: si obbligarono con solenne promessa.

beffa, e di tal sorte, che l'innamorato si ricorderebbe sempre, che anche le donne sanno beffare.[1]

[11] Continovando adunque Filenio in far l'amore quando con una, quando con l'altra, e vedendo che ciascheduna di loro faceva sembiante di volerli bene, si mise in core, se possibile era, di ottenere da ciascheduna di loro l'ultimo frutto d'amore,[2] ma non li venne fatto sí come egli bramava ed era il desiderio suo, perciò che fu perturbato ogni suo disegno. Emerenziana, che non poteva sofferire[3] il fittizio amore del sciocco scolare, chiamò una sua fanticella[4] assai piacevoletta e bella, e le impose che ella dovesse con bel modo parlare con Filenio, e isponerli lo amore che sua madonna li porta:[5] e quando li fusse apiacere,[6] ella una notte vorebbe esser con esso lui in la[7] propia casa. [12] Il che intendendo Filenio s'allegrò e disse alla fante:

– Va' e ritorna a casa, e raccomandami a tua madonna, e dille da parte mia che questa sera la mi aspetti, già che 'l marito suo non alberga in casa –.

In questo mezzo Emerenziana fece raccogliere molti fassicoli[8] di pungenti spine, e posele sotto la littiera,[9] dove la notte giaceva, e stette ad aspettare che lo amante venisse.

[13] Venuta la notte Filenio prese la spada e soletto se n'andò alla casa della sua nemica, e datole il segno, fu tosta-

1. *anche ... beffare*: ribalta *Dec.*, VIII 1 2: « per mostrare che anche gli uomini sanno beffare ».

2. *ultimo ... d'amore*: metafora erotica tradizionale. Cfr. per es. MASUCCIO SALERNITANO, *Il Novellino*, XII 19: « cominciò a pensare como l'ultimo frutto d'amore gli fusse stato de coglier concesso ».

3. *sofferire*: sopportare.

4. *chiamò ... fanticella*: cosí anche Elena in *Dec.*, VIII 7.

5. *porta*: il presente può giustificarsi con un passaggio dal discorso indiretto al discorso diretto (non raro nelle *Piacevoli notti*).

6. *fusse apiacere*: fosse gradito, piacesse (forma con *a-* prostetica).

7. *in la*: per il tipo *in la* cfr. I 4 31.

8. *fassicoli*: mazzetti, fascetti (esito assibilato settentrionale).

9. *littiera*: intelaiatura del letto (con *-i-* protonica: cfr. fr. ant. *litière*).

mente aperto. E dopo che ebbero insieme ragionato alquanto e lautamente cenato, ambeduo andorono in camera per riposare. Filenio appena si aveva spogliato per girsene al letto, che sopragiunse messer Lamberto, suo marito. Il che intendendo la donna, finse di smarrirse, e non sapendo dove l'amante nascondere, gli ordinò che sotto il letto se n'andasse. Filenio veggendo il pericolo suo e della donna, senza mettersi alcun vestimento in dosso, ma solo con la camiscia, corse sotto la littiera, e cosí fieramente si punse, che non era parte veruna del suo corpo, cominciando dal capo insino a i piedi, che non gittasse sangue. E quanto piú egli in quel scuro[1] voleva difendersi dalle spine, tanto maggiormente si pungeva, e non ardiva gridare, acciò che messer Lamberto non lo udisse e uccidesse. Io lascio considerare a voi a che termine quella notte si ritrovasse il miserello, il quale poco mancò che senza coda non restasse, sí come era rimasto senza favella.[2]

[14] Venuto il giorno e partitosi il marito di casa, il povero scolare meglio che egli puoté si rivestí, e cosí sanguignoso[3] a casa se ne tornò, e stette con non picciolo spavento di morte. Ma curato diligentemente dal medico, si riebbe e ricuperò la pristina salute.

[15] Non passorono molti giorni che Filenio seguí lo suo innamoramento, facendo l'amore con le altre due, cioè con Pantemia e Sinforosia,[4] e tanto fece che ebbe agio di parlare una sera con Pantemia, alla quale raccontò i suoi lunghi affanni e contínovi tormenti, e pregòla di lui pietà aver doves-

1. *scuro*: oscurità.

2. *senza coda ... senza favella*: metafora sessuale decameroniana. Cfr. *Dec.*, III 1 20: « la badessa, che forse stimava che egli cosí senza coda come senza favella fosse ».

3. *sanguignoso*: sanguinante.

4. *cioè ... Sinforosia*: non rare nello Straparola queste informazioni superflue e pleonastiche.

se. L'astuta Pantemia, fingendo averli compassione, si iscusava di non aver il modo di poterlo accontentare, ma pur al fine vinta da' suoi dolci preghi e cocenti sospiri,[1] lo introdusse in casa; ed essendo già spogliato per andarsene a letto con esso lei, Pantemia li comandò che andasse nel camerino ivi vicino, ove ella teneva le sue acque nanfe[2] e profumate, e che prima molto bene si profumasse e poi se n'andasse al letto. Il scolare non s'avedendo dell'astuzia della malvagia donna, entrò nel camerino, e posto il piede sopra una tavola diffitta dal travicello che la sosteneva, senza potersi ritenere, insieme con la tavola cadé giú in uno magazino terreno, nel quale alcuni mercatanti tenevano bambaia[3] e lane, e quantunque di alto cadesse, niuno però male si fece nella caduta.[4] Ritrovandosi adunque il scolare in quello oscuro luogo, cominciò brancolare se scala o uscio trovasse, ma, nulla trovando, maladiceva l'ora e il punto[5] che Pantemia conosciuta aveva. [16] Venuta l'aurora, e tardi accortosi il miserello dello inganno della donna, vide in una parte del magazino certe fissure nelle mura che alquanto rendevano di luce, e per essere antiche e gramose di fastidiosa muffa,[6] egli co-

1. *cocenti sospiri*: cfr. *Dec.*, IV 7 7: « mille sospiri piú cocenti che fuoco gittava ».
2. *acque nanfe*: profumi distillati dai fiori d'arancio. Cfr. *Dec.*, VIII 10 18: « qual d'acqua di fiori di gelsomino e qual d'acqua nanfa, tutti costoro di queste acque spruzzarono ».
3. *bambaia*: cotone. Con dileguo della *-g-*.
4. *Il scolare ... caduta*: viene qui riprodotta la disavventura di Andreuccio da Perugia con un finale però meno « puzzolente » (cfr. *Dec.*, II 5 38). Per un'altra maleodorante caduta cfr. la disavventura di ser Antonio in FORTINI, *Notti*, XXVIII.
5. *maladiceva ... punto*: una sorta di controcanto ironico di *Canz.*, LXI 1-2: « Benedetto sia [...] et la stagione, e 'l tempo, et l'ora, e 'l punto ». Ma cfr. anche il *Canzoniere* di Straparola, son. XXXIII 9: « Et maledisco el giorno, l'ora, el ponto ».
6. *mura ... muffa*: cfr. BOCCACCIO, *Filocolo*, III 24 6: « le mura erano grommose di fastidiosa muffa », che a sua volta rimanda a *Inf.*, XVIII 106: « Le ripe eran grommate d'una muffa ». – *gramose*: incrostate (la voce del Boccaccio però è « grommose »). – *fastidiosa*: sudicia.

minciò con maravigliosa forza cavare le pietre, dove men forti parevano, e tanto cavò, che egli fece un pertugio sí grande che per quello fuori se ne uscí. E trovandosi in una calle[1] non molto lontano dalla publica strada, cosí scalcio e in camiscia prese il camino verso lo suo albergo,[2] e senza esser d'alcuno conosciuto, entrò in casa.

[17] Sinforosia, che già aveva intesa l'una e l'altra beffa fatta a Filenio, s'ingegnò di farli la terza non minore delle due. E cominciòlo con la coda de l'occhio, quando ella lo vedeva, guattare, dimostrandoli che ella si consumava per lui.[3] Il scolare già domenticato delle passate ingiurie, cominciò passeggiare dinanzi la casa di costei, facendo il passionato.[4] Sinforosia avedendosi lui esser già del suo amore oltre misura acceso, li mandò per una vecchiarella una lettera, per la quale li dimostrò che egli con la sua bellezza e gentil costumi l'aveva sí fieramente presa e legata, che ella non trovava riposo né dí né notte, e per ciò, quando a lui fusse a grado, ella desiderava piú ch'ogni altra cosa di poter con esso lui favellare. Filenio presa la lettera e inteso il tenore, e non considerato l'inganno e smemorato delle passate ingiurie, fu il piú lieto e consolato uomo che mai si trovasse.[5] E presa la carta e la penna, le rispose che se ella lo amava e sentiva per lui tormento, che era ben contra cangiato, perciò che egli piú amava lei che ella lui, e ad ogni ora che a lei ci paresse, egli era a' suoi servigi e comandi. [18] Letta la risposta

1. *calle*: strada stretta e angusta.
2. *prese ... albergo*: come Andreuccio. Cfr. *Dec.*, II 5 55: «prese la via per tornarsi all'albergo».
3. *e cominciòlo ... lui*: cfr. *Dec.*, VIII 7 9: «E cominciatolo con la coda dell'occhio alcuna volta a guardare, in quanto ella poteva s'ingegnava di dimostrargli che di lui gli calesse». Ma cfr. anche BANDELLO, *Novelle*, I 3 (vol. I p. 46): «Ella che avveduta e maliziosa era [...] con la coda de l'occhiolino alcuna volta il guardava e s'ingegnava a poco a poco di mostrargli che di lui gl'increscesse».
4. *passionato*: profondamente innamorato.
5. *fu ... trovasse*: cfr. *Dec.*, VIII 10 12: «fu il piú lieto uomo che mai fosse».

e trovata la opportunità del tempo, Sinforosia lo fece venire in casa, e dopo molti finti sospiri, li disse:

– Filenio mio, non so qual altro che tu mi avesse mai condotta a questo passo, al quale condotta mi hai, imperciò che la tua bellezza, la tua leggiadria e il tuo parlare mi ha posto tal fuoco nell'anima, che come secco legno mi sento abbrusciare –.

Il che sentendo il scolare, teneva per certo che ella tutta si strugesse per suo amore. [19] Dimorando adunque il cattivello[1] con Sinforosia in dolci e dilettevoli ragionamenti e parendogli omai l'ora di andarsene al letto e coricarsi a lato lei, disse Sinforosia:

– Anima mia dolce, innanzi che noi andiamo a letto, mi pare convenevole cosa che noi si[2] riconfortiamo alquanto –; e presolo per la mano, lo condusse in uno camerino ivi vicino, dove era una tavola apparecchiata con preciosi confetti e ottimi vini.[3]

Aveva la sagace donna allopiato il vino per far che egli si addormentasse sino a certo tempo. Filenio prese il nappo[4] e lo empí di quel vino, e non avedendosi dell'inganno, intieramente bevè. Restaurati li spiriti e bagnatosi con acqua nanfa e ben profumatosi, se n'andò a letto. [20] Non stette guari che il liquore operò la sua virtú e il giovane sí profondamente s'addormentò, che il grave tuono delle artigliarie e di ogni altro gran strepito malagevolmente destato l'arebbe. Laonde Sinforosia, vedendo che egli dirottamente dormiva e il liquore la sua operazione ottimamente dimostrava, si partí, e chiamò una sua fante giovane e ga-

1. *cattivello*: disgraziato. Cfr. *Dec.*, VIII 7 39: «Lo scolar cattivello».

2. *si*: ci (cfr. II 1 9).

3. *preciosi ... vini*: abbinamento consueto (cfr. Proem. 15, e poco piú avanti, 24).

4. *nappo*: coppa cilindrica, bicchiere. Cfr. *Dec.*, V 7 29: «mise veleno in un nappo con vino».

gliarda,[1] che del fatto era consapevole,[2] e amendue per le mani e per li piedi presero il scolare, e chetamente aperto l'uscio, lo misero sopra la strada, tanto lungi da casa, quanto sarebbe un buon tratto di pietra.[3] [21] Era cerca un'ora innanti che spuntasse l'aurora, quando il liquore perdé la sua virtú e il miserello si destò, e credendo egli esser a lato di Sinforosia, si trovò scalcio e in camiscia[4] e semimorto da freddo giacere sopra la nuda terra. Il poverello quasi perduto delle braccia e delle gambe appena si puoté levare in piedi, ma pur con gran malagevolezza levatosi e non potendo quasi affermarsi in piedi, meglio che egli puoté e sepe, senza esser d'alcuno veduto al suo albergo ritornò e alla sua salute provedé. E se non fusse stata la giovenezza che lo aiutò, certamente egli sarebbe rimaso attratto de nervi.[5]

[22] Filenio ritornato sano e ne l'esser che era prima, chiuse dentro del petto le passate ingiurie, e senza mostrarsi crucciato e di portarle odio,[6] finse che egli era di tutta tre vie piú innamorato che prima, e quando l'una e quando l'altra vagheggiava. Ed elle non avedendosi del mal animo che egli avea contra loro, ne prendevano trastullo, facendoli quel viso allegro e quella benigna e graziosa cera, che ad uno vero innamorato far si suole. Il giovane, che era alquanto sdignosetto, piú volte volse giocare di mano[7] e signarle la

1. *fante ... gagliarda*: cfr. *Dec.*, IV 10 20: « la fante [...] che giovane e gagliarda era ».

2. *fante ... consapevole*: cfr. *Dec.*, IV 6 22: « andò la sua fante a chiamare, la quale di questo amor consapevole era ».

3. *tratto di pietra*: per questa unità di misura cfr. SANNAZARO, *Arcadia*, VI 4: « discosto da noi forse a un tratto di pietra ».

4. *si trovò scalcio e in camiscia*: cfr. *Dec.*, II 2 15: « rimaso in camiscia e scalzo ».

5. *Il poverello ... nervi*: Straparola riproduce le stesse conseguenze subite dallo scolare in *Dec.*, VIII 7 44-45.

6. *Filenio ... odio*: è la reazione dello scolare in *Dec.* VIII 7 42: « Lo scolare [...] serrò dentro al petto suo ciò che la non temperata volontà s'ingegnava di mandar fuori; e con voce sommessa, senza punto mostrarsi crucciato ».

7. *volse ... mano*: il verbo *volse* qui accenna a una azione che è stata per com-

faccia, ma come savio considerò la grandezza delle donne, e che vergognosa cosa li sarebbe stata a percuotere tre feminelle, e raffrenòsi. Pensava adunque e ripensava il giovane qual via in vendicarsi tener dovesse, e non sovenendogli alcuna, molto fra se stesso si ramaricava.

[23] Avenne dopo molto spazio di tempo che il giovane s'imaginò di far cosa per la quale al suo desiderio agevolmente sodisfar potesse, e sí come gli venne ne l'animo, cosí la fortuna fulli favorevole. Aveva Filenio in Bologna a pigione uno bellissimo palagio, il quale era ornato d'un'ampia sala e di polite [1] camere. Egli determinò di far una superba [2] e onorata festa e invitare molte donne, tra quali vi fussero ancor Emerenziana, Pantemia e Sinforosia. [24] Fatto l'invito e accettato, e venuto il giorno dell'onorevol festa, tutta tre le donne poco savie,[3] senza pensar piú oltre se n'andarono. Essendo l'ora di rinfrescar [4] le donne con recenti vini e preciosi confetti, l'astuto giovane prese le tre inamorate per mano e con molta piacevolezza le menò in una camera, pregandole che si rinfrescasseno alquanto. Venute adunque le pazze e sciocche tre donne in camera, il giovane chiuse l'uscio della camera, e andatosene a loro disse:

– Ora malvagie femine è venuto il tempo che io mi vendicherò di voi e farovvi portare la pena della ingiuria fattami per lo mio grande amore –.

[25] Le donne udendo queste parole rimasero piú morte che vive, e cominciorono ramaricarsi molto di aver altrui offeso, e appresso questo maladicevano loro medesime che

piersi, ma che in realtà non ha avuto luogo (cfr. Ageno, p. 453). – *giocare di mano*: percuoterle.

1. *polite*: raffinatamente ed elegantemente arredate.

2. *superba*: magnifica.

3. *poco savie*: cosí è definita dal Boccaccio madonna Elena (*Dec.*, viii 7 48), quando approva il consiglio della serva di servirsi delle arti negromantiche dello scolare.

4. *rinfrescar*: ristorare.

troppo s'avevano fidate[1] in colui che odiare dovevano.[2] Il scolare con turbato e minaccevole viso comandò che, per quanto cara avevano la vita loro, tutta tre ignude si spogliassino. Il che intendendo le ghiottoncelle, si guatorono l'una con l'altra, e dirottamente cominciorono a piangere, pregandolo, non già per loro amore ma per sua cortesia e innata umanità, l'onor suo riservato le fusse. Il giovane, che dentro di sé tutto godeva, in ciò le fu molto cortese; non volse però che nel suo conspetto vestite rimanessero. Le donne gittatesi a' piedi del scolare con pietose lagrime umilmente lo pregorono licenziare le dovesse, e che di sí grave scorno non fusse cagione. Ma egli, che già fatto avea di diamante il cuore,[3] disse questo non esser di biasmo, ma di vendetta degno. [26] Spogliatesi adunque le donne e rimase come nacquero, erano cosí belle ignude come vestite. Il giovane scolare, riguardandole da capo a piedi e vedendole sí belle e sí delicate che la lor bianchezza avanzava la neve,[4] cominciò tra sé sentire alquanta compassione, ma nella memoria ritornandoli le ricevute ingiurie e il pericolo di morte, scacciò da sé ogni pietà e nel suo fiero e duro proponimento rimase.[5] Appresso questo l'astuto giovane tolse tutte le vestimenta loro e altre robbe ch'in dosso portate avevano, e in uno camerino ivi vicino le pose, e con parole assai spiacevo-

1. *s'avevano fidate*: solita estensione dell'ausiliare *avere*: cfr. poco sopra (13). Per la costruzione *fidate in colui* occorre considerare che il verbo *fido* in latino poteva essere costruito con la preposizione *in* + accusativo (o piú raramente *in* + ablativo).

2. *Le donne ... dovevano*: cfr. *Dec.*, VIII 7 72: « [Elena] s'incominciò a ramaricare d'avere altrui offeso e appresso d'essersi troppo fidata di colui il quale ella doveva meritamente creder nemico ».

3. *che ... cuore*: aveva indurito il proprio cuore. Metafora piuttosto diffusa: cfr. BOCCACCIO, *Elegia di madonna Fiammetta*, VI 17 3: « né ha cuore di diamante o d'acciaio ».

4. *bianchezza ... neve*: cfr. BOCCACCIO, *Filocolo*, IV 74 18: « la terza bianchissima passava la neve nella sua bianchezza ».

5. *Il giovane ... rimase*: questa scena è esemplata sulla reazione dello scolare quando vede la nudità di Elena. Cfr. *Dec.*, VIII 7 66-68.

li le ordinò che tutta tre l'una a lato de l'altra nel letto si coricassero. [27] Le donne tutte sgomentate [1] e tremanti da terrore dissero:

– O insensate noi, che diranno i mariti, che diranno i parenti nostri, come si saprà che noi siamo quivi state ignude trovate uccise? [2] meglio sarebbe che noi fussimo morte in fasce, [3] che esser con tal vituperoso scorno manifestate –.

[28] Il scolare vedendole coricate l'una appresso l'altra, come fanno marito e moglie, prese uno linciuolo bianchissimo, ma non molto sottile, acciò che non trasparissero le carni e fussero conosciute, e tutta tre coperse da capo a piedi; e uscitosi di camera e chiuso l'uscio, trovò li mariti loro che in sala danzavano; e finito il ballo, menòli nella camera dove le tre donne in letto giacevano e disseli:

– Signori miei, io vi ho quivi condotti per darvi un poco di solaccio e per mostrarvi la piú bella cosa che a' tempi vostri vedeste giamai –; e approssimatosi al letto con un torchietto in mano [4] leggermente cominciò levare il linzuolo da' piedi e inviluparlo, e discoperse le donne sino alle ginocchia, e ivi li mariti videro le tondette e bianche gambe con i loro isnelli piedi, [5] maravigliosa cosa a riguardare. [6] Indi discopersele sino al petto e mostròli le candidissime cosce, che parevano due colonne di puro marmo, col rottondo corpo al finissimo alabastro somigliante. Dopo scoprendole piú in su, li mostrò il teneretto e poco rilevato petto con le

1. *sgomentate*: impaurite.

2. *che ... uccise*: cfr. *Dec.*, VIII 7 73: « O sventurata, che si dirà da' tuoi fratelli, da' parenti e da' vicini, e generalmente da tutti i fiorentini, quando si saprà che tu sii qui trovata ignuda? ».

3. *meglio ... fasce*: cfr. PETRARCA, *Triumphus Temporis*, 136: « Quanti son già felici morti in fasce! ».

4. *con un ... mano*: cfr. *Dec.*, VIII 4 32: « preso un torchietto acceso in mano ».

5. *isnelli piedi*: cfr. *Canz.*, CCCXLVIII 7: « da' piú bei piedi snelli ».

6. *maravigliosa ... riguardare*: per questo modulo cfr. *Dec.*, I Intr. 16: « Maravigliosa cosa è a udire ». E cfr. anche *Dec.*, IV I 55: « mirabile cosa furono a riguardare ».

due popoline sode, delicate e tonde, che arebbeno costretto il sommo Giove ad abbracciarle e basciarle.[1] Di che i mariti ne prendevano quel trastullo e contento che imaginar si puole.[2] [29] Lascio pensar a voi a che termine si trovavano le misere e infelici donne, quando udiano i mariti suoi prendere di loro trastullo. Elle stavano chete e non osavano citire,[3] acciò che conosciute non fussero. I mariti tentavano il scolare che le discoprisse il volto, ma egli piú prudente nell'altrui male che nel suo, consentire non volse. Non contento di questo, il giovane scolare prese le vestimenta di tutta tre le donne e mostròle a i mariti loro. I quali vedendole rimasero con una certa stupefazzione[4] che li rodeva il cuore. Dopo con grandissima maraviglia piú intensamente riguardandole, dicevano tra sé:

– Non è questo il vestimento ch'io fei alla mia donna? non è questa la cufia che io le comperai? non è questo il pendente che le discende dal collo innanzi il petto? non sono questi gli anelletti che la porta in dito? –

[30] Usciti di camera, per non turbar la festa non si partirono, ma a cena rimasero. Il giovane scolare, che già aveva inteso esser cotta la cena e ogni cosa dal discretissimo siniscalco apparecchiata,[5] ordinò che ognuno si ponesse a men-

1. *Indi ... basciarle*: tutta la scena ricorda, anche nei dettagli, la novella I 3 del BANDELLO. Ma per questo particolare cfr. anche *Dec.*, II 3 32: « Alessandro, posta la mano sopra il petto dell'abate, trovò due poppelline tonde e sode e delicate, non altrimenti che se d'avorio fossono state; le quali egli trovate e conosciuto tantosto costei esser femina, senza altro invito aspettare prestamente abbracciatala la voleva basciare ». Ma cfr. anche SER GIOVANNI FIORENTINO, *Il Pecorone*, II 2: « E cosí vennero alzando di parte in parte infino al petto, dov'erano due poppelline tonde sode, che non si vide mai la piú bella cosa ».

2. *puole*: terza persona dell'indicativo presente del verbo *potere*, formata per analogia su *vuole* (cfr. ROHLFS, 547).

3. *citire*: fiatare (voce dialettale veneziana in BOERIO, s.v.).

4. *stupefazzione*: stupore.

5. *e ogni ... apparecchiata*: cfr. *Dec.*, V Intr. 3: « essendo ogni cosa dal discretissimo siniscalco apparecchiata ». – *siniscalco*: maggiordomo, maestro di tavola.

sa. E mentre che gli invitati menavano le masselle,[1] lo scolare ritornò nella camera, dove le tre donne in letto giacevano, e discopertele disse:

– Bon giorno, madonne, avete voi uditi i mariti vostri?[2] Eglino quivi fuori con grandissimo desiderio vi aspettano vedere.[3] Che dimorate? levatevi su, dormiglioni,[4] non sbadegliate, cessate omai di stropicciarvi gli occhi, prendete le vestimenta vostre e senza indugio ponetevele in dosso, ché omai è tempo di gire in sala, dove le altre donne vi aspettano –.

[31] E così le berteggiava[5] e con diletto le teneva a parole.[6] Le sconsolate donne,[7] dubitando che 'l caso suo avesse qualche crudel fine, piangevano e disperavano della lor salute. E così angosciate e da dolor trasfitte, in piedi si levarono, più la morte che altro aspettando. E voltatesi verso il scolare, dissero:

– Filenio, ben ti sei oltre modo di noi vendicato; altro non ci resta se no che tu prendi la tua tagliente spada e con quella tu ne die la morte, la quale noi più che ogni altra cosa desideriamo.[8] E se questa grazia tu non ne vuoi fare, ti pre-

1. *masselle*: mascelle. Esito assibilato settentrionale.

2. *Bon giorno ... vostri*: cfr. *Dec.*, VIII 7 75: « Buon dí, madonna: sono ancora venute le damigelle? ».

3. *vi aspettano vedere*: salita lunga del clitico secondo un uso ben documentato nel *Decameron* (cfr. A. STUSSI, *Scelte linguistiche e connotati regionali nella novella italiana*, in *La novella italiana*. Atti del Convegno di Caprarola, 19-24 settembre 1988, Roma, Salerno Editrice, 1989, pp. 191-214, a p. 205). Per l'espressione cfr. *Dec.*, IV 9 14: « con disidero grandissimo l'aspettava ».

4. *dormiglioni*: plurale femminile in *-i*.

5. *berteggiava*: beffeggiava.

6. *teneva a parole*: faceva continue promesse, adduceva scuse.

7. *sconsolate donne*: come Elena in *Dec.*, VIII 7 144: « come alla sconsolata donna piacque ».

8. *Filenio ... desideriamo*: cfr. *Dec.*, VIII 7 122: « Rinieri, ben ti se' oltre misura vendico [...] per che io ti priego per solo Idio che qua su salghi e, poi che a me non soffera il cuore di dare a me stessa la morte, dallami tu, ché io la disidero piú che altra cosa ».

ghiamo almeno isconosciute a casa ne lasci ritornare, acciò che l'onor nostro salvo rimanga –.

[32] Parendo a Filenio aver fatto assai, prese gli suoi panni, e datili, ordinò che subito si rivestissero, e rivestite che furono, per un uscio secreto fuori di casa le mandò, e cosí vergognate senza esser d'alcuno conosciute alle loro case ritornorono. Spogliatesi le loro vestimenta, che in dosso avevano, le posero nelli lor forcieri e calidamente,[1] senza andar al letto, si misero a lavorare.

[33] Finita la cena, i mariti ringraziorono lo scolare del buon accetto[2] che fatto gli aveva, e molto piú del piacere che avevano avuto in vedere i delicati corpi che di bellezza avanzavano il sole,[3] e preso da lui il combiato,[4] si partirono e a i loro alberghi ritornorono. Ritornati adunque i mariti a casa, trovorono le loro mogli che nelle loro camere presso il fuoco sedevano e cusivano.[5] E perché i panni, l'anella e le gioie da' mariti vedute nella camera di Filenio li davano alquanta suspizione, acciò che niuno sospetto li rimanesse, ciascuno di loro addimandò la sua donna dove era stata quella sera e dove erano le sue vestimenta. A i quali ciascheduna di loro arditamente rispose che di casa quella notte uscita non era, e presa la chiave della cassa dove erano le robbe, li mostrò le vestimenta, le anella e ciò che i mariti fatto gli avevano. Il che vedendo i mariti e non sapendosi che dire, rimasero cheti, raccontando minutamente alle lo-

1. *calidamente*: astutamente.

2. *accetto*: accoglienza.

3. *bellezza ... sole*: per questa immagine cfr. I 4 20.

4. *combiato*: commiato. Con dissimilazione dialettale (cfr. veneziano: *combiao*). Cfr. anche nel *Canzoniere* di Straparola, Epistola VII 2: «prender combiato».

5. *cusivano*: conservazione della *-s-* (lat. tardo *cosere*) in accordo anche con la tendenza settentrionale. Il termine è attestato pure nelle edizioni di Masuccio Salernitano (*Novellino*, X 35: *cositisegli*). Cfr. Stussi, op. cit., p. 212, e Trovato, p. 344.

ro donne tutto quello che gli era quella notte avenuto. Il che intendendo, le mogli fecero sembiante di non saper nulla, e dopo che ebbero alquanto riso, si spogliorono e s'andorono a riposare.

[34] Non passorono molti giorni che Filenio piú volte per strada s'incontrò nelle[1] sue care madonne, e disse:

– Qual di noi ebbe maggior spavento? qual di noi fu peggio trattato? –; ma elle, tenendo gli occhi chini a terra nulla rispondevano. E in tal guisa lo scolare meglio che egli seppe e puoté senza battitura[2] alcuna virilmente si vendicò della ricevuta ingiuria.

[35] Finita la favola dal Molino raccontata, parve alla Signora e alle damigelle che la vendetta delle ricevute ingiurie fatta per lo scolare contra delle tre donne fusse stata non men spiacevole che disonesta; ma poscia che elle considerorono l'aspra pena che lo scolare sofferse per li pungenti spini, e il pericolo grande in cui egli incorse per lo cadere d'alto a basso, e il freddo grande[3] che egli patí trovandosi nella strada publica in camiscia sopra la nuda terra addormentato, giudicorono giustissima esser stata la vendetta. Ma perché Fiordiana si era scaricata[4] di raccontare la favola, la Signora le impose che almeno ella dicesse uno enimma, che non avesse disavaglianza da la materia del scolare. La quale desiderosa di ubidire disse:

– Signora mia, avenga che lo enimma che da me fia raccontato non sia di grave e noiosa vendetta sí come è stata la favola dal nostro ingenioso messer Antonio recitata, nondimeno sarà di materia che appartiene ad ogni studioso giovane –, e senza altro indugio e altra risposta aspettare cosí lo suo enimma propose:

1. *s'incontrò nelle*: il verbo è costruito come il latino *incido (in aliquem)*.
2. *battitura*: percossa.
3. *freddo grande*: cfr. *Dec.*, II 2 15: «essendo il freddo grande».
4. *si era scaricata*: si era esentata dalla responsabilità.

[36] Un vivo con duo morti un vivo fece,
dal qual ebbe la vita un morto poi.[1]
Quel ch'era estinto dopo si rifece
vita prendendo sí che erano doi.[2]
L'uno de l'altro il premio sodisfece,
tal che ciascuno attese a i fatti suoi;
il primo vivo per lor vivi e morti
a parlar puoi[3] si puose con e' morti.

[37] Fu il sottil enimma di Fiordiana diversamente interpretato, ma non fu alcuno che aggiungesse al segno. E vedendo la compagnia che Fiordiana crollava la testa,[4] sorridendo alquanto, disse il Bembo:

– Signora Fiordiana, a me pare sciocchezza grande a perder il tempo in questo. Dite voi ciò che vi pare, ché del dir vostro tutti noi ci contentaremo.

– Poi che cosí piace – disse Fiordiana – a questa orrevole compagnia che io delle mie cose sia interpretatrice, farollo molto volontieri, non ch'io sia a questa cosa bastevole, ma per sodisfare a tutti voi[5] a i quai per molte cause mi veggio tenuta. Altro, vezzose donne, il nostro enimma non significa se non lo scolare che si leva di letto la mattina per tempo a studiare, il quale essendo vivo fa viva l'esca con duo morti,

1. *Un vivo ... poi*: questi primi versi ricordano, almeno per l'ossimoro, la prima quartina di un sonetto dedicato al fuoco e alla cenere nella raccolta di Madonna Dafne (LXX): «Veggio un morto et un uiuo in uno auello / nasce il morto dal uiuo oue ei non dura / molto utile è quel morto a la natura / ma quel uiuo è piú utile et piu fello». Ma nella stessa raccolta cfr. anche i nn. 26 e 45. La popolarità di questo enigma di Straparola è confermata dal suo inserimento in varie raccolte successive: in quella di Girolamo Musici (n. 4); nelle raccolte in spagnolo e in francese di Alexandro Sylvano; in un'altra antologia in dialetto genovese (*Rime di diversi in lingua genovese*, Torino, B. Calzetta e A. Barberi, 1612, Demande d'adavinà, n. 39).

2. *doi*: forma dialettale del numerale.

3. *puoi*: poi. Forma dittongata per ipercorrettismo.

4. *crollava la testa*: cfr. *Dec.*, X 8 87: «di quello crollando la testa».

5. *sodisfare a tutti voi*: per questa costruzione indiretta del verbo cfr. AGENO, p. 49.

cioè con l'acciaio e con la pietra. Dal qual vivo, cioè da l'esca vivificata, poi un morto, che è il lume, riceve la vita; dopo, il primo vivo, che è lo scolare, per virtú de' duo vivi e morti sopradetti, si pone a ragionare con e' morti, che sono i libri da uomini dotti già gran tempo composti –.

[38] Piacque sommamente a tutti la isposizione del sottilissimo enimma dalla discreta Fiordiana ingeniosamente raccontato. E perché oggi mai[1] s'appressava la mezza notte, la Signora ordinò che Lionora alla sua favola desse cominciamento. La quale piú lieta che mai con festevole sembiante cosí a dire principiò.

1. *oggi mai*: ormai.

NOTTE SECONDA, FAVOLA III[1]

[1] *Carlo da Rimino ama Teodosia, ed ella non ama lui, per ciò che avëva a Dio la virginità promessa, e credendosi Carlo con violenza abbracciarla, in vece di lei abbraccia pentole, caldaie, schidoni e scovigli.*[2] *E tutto di nero tinto da' propi servi viene fieramente battuto.*

[2] La favola, donne mie care, dal Molino arteficiosamente[3] raccontata mi ha fatto rimovere da quella che mi era nell'animo di dire, e un'altra raccontar vi voglio, la quale, se non m'inganno, non sarà di minor piacere alle donne, che fusse la sua a gli uomini. E quanto piú la sua fu lunga, e alquanto sconvenevole, tanto piú la mia sarà breve e onesta.

[3] Dicovi adunque, piacevoli donne, che Carlo d'Arimino,[4] sí come io penso alcuna di voi sapere, fu uomo guerreggevole,[5] dispregiatore d'Iddio, bestemmiatore de' santi,[6] omicida, bestiale e dedito ad ogni specie di effeminata lussuria. E tanta fu la malignità di lui, e tali e tanti i vicii dell'a-

1. Questa novella prende spunto da un fatto avvenuto alle tre ancelle (Agape, Chionia e Irene) di santa Anastasia, secondo il racconto di Iacopo da Varagine (cfr. *Legenda aurea*, vii: *De Anastasia*). Per i motivi cfr. Rotunda, D1714.1 (*Chaste maiden at prayer vanishes from would-be ravisher's embrace*); Q552.1.3 (*Youth attempts to ravish girl while she is at prayer*).

2. *scovigli*: scopini (il *GDLI*, che riporta come unica attestazione il passo dello Straparola, segnala il francese *écouvillon*, 'scopino per pulire bottiglie' e 'scovolo'). Diversa l'interpretazione di Trovato, p. 344, che lo giudica un toscanismo artificiale per *stovigli*, 'utensili, stoviglie'. Questo toscanismo presunto è un refuso di edizioni del *Decameron*, imitato da qualche prosatore e passato anche nel *Vocabolario* dell'Acarisio.

3. *arteficiosamente*: con astuzia e malizia.

4. *Carlo d'Arimino*: è probabile che Straparola pensi a Carlo Malatesta (1480-1508), condottiero al servizio della Repubblica Veneta. – *Arimino*: Rimini (dal lat. *Ariminum*; la forma latineggiante è anche nel *Dec.*, vii 5).

5. *guerreggevole*: bellicoso.

6. *dispregiatore ... santi*: come ser Ciappelletto. Cfr. *Dec.*, i 1 13: « Bestemmiatore di Dio e de' Santi era grandissimo »; e anche *Dec.*, ii 1 17: « sia preso questo traditore e beffatore di Dio e de' santi ».

nimo, che non aveva pare. Costui essendo giovane leggiadro e riguardevole, fortemente s'accese dell'amore d'una giovanetta, figliuola d'una povera vedova, la quale, ancor che avesse bisogno e con la figliuola in gran necessità vivesse, era però di tal condizione, che piú tosto si arrebbe lasciata morire da fame, che consentire la figliuola peccasse. [4] La giovane, che Teodosia si chiamava, oltre che era bella e piacevole, era anche onesta, accostumata e de canuti[1] pensieri dotata; e sí era intenta al divino culto e alle orazioni, che nell'animo le temporali cose al tutto sprezzava. Carlo adunque infiammato di lascivo amore, di giorno in giorno la sollecitava, e il dí che egli non la vedeva, da doglia si sentiva morire. Piú volte egli tentò con lusinghe, con doni e con ambasciate ridurla a' suoi piaceri,[2] ma egli nel vero s'affaticava in darno, per ciò che come giovane prudente e savia ogni cosa rifiutava e cottidianamente[3] pregava Iddio che 'l rimovesse da tai disonesti pensieri. [5] Non potendo il giovane far piú resistenza all'ardente amore, anzi bestial furore, e ramaricandosi di esser refiutato da colei che piú che la vita sua amava, propose nell'animo, intravenga che che si voglia, di rapirla e contentare il suo concupisibile appettito. Ma pur temeva far tumulto e che il popolo, che l'odiava molto, non lo uccidesse. Ma vinto dalla sfrenata voglia e divenuto come rabbioso cane,[4] compose[5] con duo suoi servi uomini audacissimi di volerla a fatto rapire.

[6] Laonde un giorno ne l'oscurar della sera egli prese le sue arme e con e' duo serventi se n'andò alla casa della giovane; e trovato l'uscio aperto, prima che entrasse dentro, comandò a gli servi facessero buona guardia, né per quanto

1. *canuti*: maturi.
2. *con lusinghe ... piaceri*: cfr. *Dec.*, VIII 4 9: « la sollecitò molte volte e con lettere e con ambasciate ».
3. *cottidianamente*: quotidianamente.
4. *rabbioso cane*: cfr. *Dec.*, V 8 29: « a guisa d'un cane rabbioso ».
5. *compose*: stabilí.

cara hanno la vita sua, lasciasseno alcuno entrare in casa o fuori uscire, fino a tanto che egli non ritornasse a loro. I servi desiderosi di compiacere[1] al suo patrone risposero che farebbero quanto gli era da lui imposto.

[7] Avendo adunque Teodosia, con qual mezzo non so, la venuta di Carlo persentita, dentro d'una povera cucina subito soletta si rinchiuse. Salito allora Carlo su per la scala della picciola casa, trovò la vecchia madre, la quale, fuori d'ogni sospizione di essere in tal guisa salita,[2] a filare si stava, e dimandolle della figliuola sua da lui tanto desiata. [8] L'onesta donna veduto che ebbe il giovane lascivo armato, piú tosto al mal fare che al bene tutto inchinevole,[3] molto si smarrí, e nel viso come persona morta pallida divenne; e piú volte volse gridare, ma pensando che nulla farebbe, prese partito di tacere e mettere l'onor suo nelle mani d'Iddio, in cui molto si fidava. E preso pur alquanto di ardire e voltato il viso contra Carlo, cosí gli disse:

– Carlo, non so con qual animo e con qual arroganza sei tu qui venuto a contaminare la mente di colei che onestamente viver desidera. Se tu sei venuto per bene, Iddio, munerator[4] del tutto, ti dia ogni giusto e onesto contento; ma quando altrimenti fusse, il che Iddio nol voglia, tu faresti gran male a voler con vituperio conseguire quello che non sei per mai avere. Spezza adunque e rompi[5] cotesta sfrenata voglia, né vogli tuore[6] alla figliuola mia quello che tu rendere non le puoi giamai, cioè l'onor del corpo suo.[7] E quan-

1. *compiacere*: costruito con il dativo (cfr. il latino *indulgeo*).
2. *salita*: assalita (forma aferetica).
3. *inchinevole*: propenso, disposto.
4. *munerator*: rimuneratore.
5. *spezza ... e rompi*: cfr. Masuccio Salernitano, *Il Novellino*, XLVI 16: « rompere e spezzare il duro e longo mio diliberato proposito ».
6. *tuore*: togliere. Cfr. Trovato, p. 343.
7. *né vogli ... suo*: cfr. *Dec.*, VIII 7 78: « non mi voler tor quello che tu poscia vogliendo render non mi potresti, cioè l'onor mio ».

to piú tu sei di lei innamorato, tanto ella maggior odio ti porta, essendo tutta data alla virginità –.

[9] Carlo udite le compassionevoli parole della vecchiarella, assai si turbò, né per questo si mosse dal suo fiero proponimento,[1] ma come pazzo si mise per ogni parte della casa a ricercarla, e non la ritrovando, al luoco della picciola cucina se ne gí,[2] e trovatala rinchiusa, pensò che ella, come era, dentro vi si fusse, e guattando per una fissura della porta, vide Teodosia che in orazioni si stava, e con dolcissime parole la cominciò pregare[3] che aprire lo volesse,[4] in tal guisa dicendo:

– Teodosia, vita della mia vita, sappi che io non sono qui venuto per macolare[5] l'onor tuo, lo quale piú che me stesso amo e lo reputo mio, ma per accettarti per propria moglie, quando e a te e alla madre tua fusse a grado. E io vorrei esser omicida di colui che l'onor tor ti volesse –.

[10] Teodosia, che attentamente ascoltava le parole di Carlo, senza altro indugio rispondendo cosí disse:

– Carlo, rimoviti da cotesto tuo pertinace[6] volere, per ciò che per moglie mai non sei per avermi,[7] perché la mia virginità offersi e dedicai a colui che 'l tutto vede e regge. E quantunque a mio mal grado con violenza il corpo mio macchiasti,[8] non però la ben disposta mente,[9] la quale dal principio del mio nascimento al mio fattor donai, contami-

1. *né ... proponimento*: cfr. *Dec.*, IV I 48: « non smossa dal suo fiero proponimento ».

2. *se ne gí*: se ne andò.

3. *la cominciò pregare*: salita lunga del clitico secondo un uso ben documentato nel *Decameron* (cfr. STUSSI, op. cit., p. 205).

4. *aprire lo volesse*: costruzione assoluta di *aprire* con l'accusativo della persona.

5. *macolare*: oltraggiare, disonorare (latinismo).

6. *pertinace*: ostinato e caparbio.

7. *per ... avermi*: non mi avrai mai come moglie.

8. *macchiasti*: macchiassi (cfr. i sgg. *conoscesti* e *operarsti*).

9. *ben disposta mente*: cfr. *Dec.*, I I 36: « bene disposta mente ».

nare potresti. Iddio ti diede il libero arbitrio, acciò tu conoscesti il bene e il male e operasti quello che piú ti aggrada. Segui adunque il bene, che sarai detto virtuoso e lascia il contrario, che è detto vizioso –.

[11] Carlo dopo che vide nulla giovare le sue lusinghe e sentendosi rifiutare, né potendo piú far resistenza alla fiamma che gli abbrusiava il cuore, come giovane piú foribondo[1] che prima, lasciate le parole da canto, l'uscio, il quale non molto forte né molto sicuro era, con poca dificultà ad ogni suo buon piacere aperse. Entrato adunque Carlo nella piccioletta cucina, e veggendo la damigella piena di grazia e d'incomprensibile[2] bellezza, dell'amor suo piú furiosamente infiammato, pensò ogni suo disordinato apettito allora del tutto adempire; e se le aventò adosso non altrimenti che volonteroso[3] e affamato veltro alla timidetta lepre. Ma la misera Teodosia, avendo i biondi capei sparsi[4] dopo[5] le spalle ed essendo tenuta stretta nel collo, divenne pallida e debole di modo che quasi piú movere non si poteva. Laonde ella levò la mente al cielo e a Iddio dimandò soccorso.

[12] Appena era fornita[6] la mentale orazione, che Teodosia miracolosamente sparve, e a Carlo Iddio sí fortemente abbarbagliò il lume dell'intelletto,[7] che piú cosa buona non conoscea, e credendo egli di toccar la damigella, abbracciarla, basciarla e in sua balia averla, altro non stringeva, altro non abbracciava né basciava, se non[8] pentole, caldaie, schidoni, scovigli e altre simili cose che erano per la cucina. Avendo già Carlo saziata la sua sfrenata voglia e il suo vul-

1. *foribondo*: in preda a una furiosa eccitazione.
2. *incomprensibile*: indicibile, ineffabile.
3. *volonteroso*: bramoso.
4. *avendo … sparsi*: cfr. *Canz.*, XC 1: «Erano i capei d'oro a l'aura sparsi».
5. *dopo*: dietro.
6. *fornita*: finita.
7. *abbarbagliò … intelletto*: cfr. I 2 7.
8. *se non*: tranne che, all'infuori di.

nerato[1] petto da capo moversi sentendo, corse ancora ad abbracciar le caldaie, non altrimenti che le membra di Teodosia fussero. E sí fattamente il volto e le mani dalla caldaia tinte rimasero, che non Carlo ma il demonio pareva. In questa guisa adunque avendo Carlo saziato il suo apettito, e parendogli oggimai tempo di partirsi, cosí di nero tinto scese giú della scala. [13] Ma i duo servi, che presso l'uscio facevano la guardia che niuno entrasse o uscisse, veggendolo cosí contrafatto e di divisato[2] viso che piú di bestia che di umana creatura la sembianza teneva, imaginandosi che 'l dimonio o qualche fantasma egli si fusse,[3] volsero come da cosa mostruosa fuggire. Ma fattisi con miglior animo all'incontro, e guattatolo sottilissimamente[4] nel volto, e vedutolo sí diforme e brutto, di molte bastonate il cariccorono e con le pugna, che di ferro parevano, tutto il viso e le spalle li ruppero, né li lasciorono in capo capello, che bene gli volesse, né contenti di ciò, lo gittorono a terra, stracciandogli e' panni da dosso e dandogli calzi[5] e pugna quante mai ne puoté portare; e tanto spessi erano i calzi, che e' servi gli davano, che mai Carlo non puoté aprire la bocca e intendere la causa per che cosí crudelmente lo percotevano.[6] Ma pur tanto fece, che uscí delle lor mani, e via se ne fuggí, pensando tuttavia averli dietro le spalle.

[14] Carlo adunque, essendo da' suoi servi senza pettine

1. *vulnerato*: ferito.

2. *divisato*: sfigurato. Cfr. *Dec.*, IX 1 9: « era sí contrafatto e di sí divisato viso, che chi conosciuto non l'avesse, vedendol da prima, n'avrebbe avuta paura ». Nei testimoni considerati « e divisato viso » probabile aplografia.

3. *servi ... fusse*: Straparola segue molto da vicino il racconto di IACOPO DA VARAGINE, *Legenda aurea*, VII 13: « Quem servi qui eum pre foribus expectabant sic aptatum videntes, cogitantes quod in demonium versus esset ».

4. *sottilissimamente*: in modo acuto e penetrante. Cfr. *Dec.*, II 4 23: « piú sottilmente guardando ».

5. *calzi*: calci.

6. *ma fattisi ... percotevano*: Straparola riproduce qui la scena del pestaggio di Biondello. Cfr. *Dec.*, IX 8 26.

oltra modo carminato,[1] e avendo per le dure pugna gli occhi sí lividi e gonfi, che quasi non discerneva, corse verso la piazza gridando e fortemente ramaricandosi di servi suoi che lo avevano sí mal trattato. La guardia della piazza udendo la voce e il lamento che egli faceva, gli andò all'incontro, e veggendolo sí diforme e col viso tutto impiastracciato, pensò lui esser qualche pazzo. E non essendo da alcuno per Carlo conosciuto, ognuno il cominciò deleggiare[2] e gridare: – Dalli, dalli, che egli è pazzo! –; e appresso questo alcuni lo spinghievano, altri gli sputavano nella faccia, e altri prendevano la minuta polve e gliela aventavano ne gli occhi.[3] [15] E cosí in grandissimo spazio di tempo lo tennero in sino a tanto che 'l rumore andò alle orecchie del pretore, il quale levatosi di letto e fattosi alla finestra che guardava sopra la piazza, dimandò che era intravenuto, che cosí gran tumulto si faceva. Uno della guardia rispose che era un pazzo che metteva la piazza tutta sotto sopra. Il che intendendo il pretore comandò che legato li fusse menato dinanzi. E cosí fu essequito.

[16] Carlo, che per lo adietro era da tutti molto temuto, vedendosi esser legato, schernito e mal trattato, né sapendo che era isconosciuto, assai di ciò seco si maravigliava. E in tanto furore divenne che quasi ruppe il laccio che legato lo teneva. Essendo adunque Carlo condotto dinanzi al pretore, subito il pretore lo conobbe che egli era Carlo da Arimino, né puoté altro imaginare, salvo che quella lordura e disfor-

1. *senza ... carminato*: cfr. *Dec.*, II I 22: « il misero Martellino era senza pettine carminato ». Cosí il FORNACIARI spiega questa metafora: « *Pettinare uno* si dice in burla per *batterlo, conciarlo, graffiarlo* [...] Ma l'autore, per accrescere lo scherzo, ha usato quel termine (*carminare*) che vale *pettinar lana*, dove e il pettine è piú grosso e il movimento piú affrettato ».

2. *deleggiare*: schernire.

3. *e appresso ... occhi*: Straparola traduce letteralmente IACOPO DA VARAGINE, *Legenda aurea*, VII 14: « alii virgis eum percutiebant, alii in eius faciem expuebant, alii lutum et pulverem in eum proiciebant ». – *spinghievano*: ipercorrettismo.

mità[1] procedeva per causa di Teodosia, la quale egli sapeva che sommamente amava.[2] Laonde cominciò lusingarlo e carezzarlo, promettendogli di punire coloro che di tal vergogna erano stati cagione. Carlo, che ancora non sapeva che egli paresse un etiopo, stava tutto sospeso, ma poscia che chiaramente conobbe lui esser di bruttura[3] tinto, che non uomo ma bestia pareva, pensò quello istesso che 'l pretore imaginato s'aveva. E mosso a sdegno, giurò di tal ingiuria vendicarsi quando il pretore non la punisse.

[17] Il Rettore, venuto il chiaro giorno, mandò per Teodosia, giudicando lei aver fatto ciò per magica arte. Ma Teodosia, che tra sé considerava il tutto e ottimamente conosceva il pericolo grande che le poteva avenire, se ne fuggí ad uno monasterio di donne di santa vita, dove nascosamente dimorò servendo a Dio tutto il tempo della vita sua con buon cuore. Carlo dopo fu mandato allo assedio di uno castello, e volendo fare maggiori prove di ciò che li conveneva, fu preso come vil topo a trapola, perciò che volendo ascendere le mura del castello, e primo mettere lo stendardo del papa sopra li merli, fu colto da una grossa pietra, la quale in tal maniera il fracassò e ruppe, che non puoté appena dir sua colpa.[4] E cosí el malvagio Carlo, come meritato aveva, senza sentire vero frutto del suo amore, la sua vita miseramente finí.

[18] Già Lionora era giunta al termine della favola da lei brevemente raccontata, quando le oneste donne cominciorono alquanto a ridere della sciochezza di Carlo, il quale,

1. *disformità*: bruttezza.
2. *la quale ... amava*: cfr. *Dec.*, IV Intr. 12: « la quale egli sommamente amava ».
3. *bruttura*: lordura, sporcizia.
4. *Carlo ... colpa*: proprio come Carlo Malatesta da Rimini, del quale scrive il LITTA, *Famiglie celebri d'Italia*, vol. XVI, *Malatesta*, tav. XV: « Mandato nell'anno appresso [1508] ad espugnare Cadore che era stato occupato dall'esercito di Massimiliano imperatore, riuscí nella impresa dopo lotta disperatissima; ma nel colmo della vittoria, mentre entrava nella rocca, fu ucciso il dí 24 febbraio ».

credendosi abbracciare la sua diletta Teodosia, abbracciava e dolcemente basciava le pentole e le caldaie, né meno risero delle sconce e disordinate battiture che egli ebbe da' propi servi, i quai lo trattorono molto stranamente. Ma poscia che ebbero riso alquanto, Lionora, senza altro comandamento dalla Signora aspettare, in tal guisa il suo enimma propose:

[19] Una cosa son io polita e bella
e di molta bianchezza ancor non manco;
or la madre or la figlia mi flagella,
e pur copro d'ognun le spalle e 'l fianco.
Venni da quella madre che s'appella
dell'altre madre, né giamai mi stanco;
adoprami chi vuol; poscia invecchiata
io son da l'uomo pista e mal trattata.

[20] Fu il dotto enimma molto lodato da tutti, e perciò che non intendevano il suo soggetto, la pregorono che si dignasse della dichiarazione farli partecipi. La quale sorridendo disse:

– Non è convenevole che una feminella di poco sapere, quale sono io, insegna[1] voi altri piú esperimentati di me. Ma poi che cosí è il desiderio vostro e ogni vostra parola mi è special comandamento, dirovvi quello ch'io sento. Il mio enimma altro non significa se non la tela bella e di somma bianchezza, la quale dalle donne con le forfice[2] e agi[3] è flagellata e pista. E quantunque la copra le membra di ciascuno e venga dall'antica madre, che è la terra, non però venuta vecchia cessano di mandarla al follo,[4] acciò che ben fratta[5] e rotta, carta divenga –.

1. *insegna*: insegni (cfr. ROHLFS, 558, per la desinenza).
2. *forfice*: forbici. Dal lat. *forfex -icis*.
3. *agi*: aghi. Forma palatalizzata settentrionale.
4. *follo*: impianto per la follatura dei tessuti.
5. *fratta*: frantumata. Participio passato di *frangere* (*fractus*), con assimilazione consonantica.

[21] Piacque a tutti la isposizione del dotto enimma e sommamente la commendorono. La Signora, che già aveva persentito che a Lodovica, a cui toccava la volta, il capo gravemente doleva, voltatasi verso il Trivigiano, disse:

– Signor Benedetto, quantunque il favoleggiare aspetti a noi donne, pur essendo Lodovica da dolor di capo aggravata, voi supplirete in questa sera in vece di lei, e dovi ampio campo di dire ciò che piú vi aggrada –.

A cui il signor Benedetto rispose:

– Avenga, Signora mia, che io in tai cose mal pratico sia, nondimeno, per ciò che il voler vostro mi è comandamento, non resterò di accontentarvi, pregandovi tutti che mi abbiate per iscuso, se non rimarete sodisfatti sí come è il desiderio vostro e il voler mio –.

Levatosi adunque in piedi il Trivigiano, e fatta la convenevole riverenza, alla sua favola in tal maniera diede principio.

NOTTE SECONDA, FAVOLA IV[1]

[1] *Il demonio, sentendo i mariti che si lamentano delle loro mogli, prende Silvia Ballastro per moglie e Gasparino Boncio per compare dall'anello,*[2] *e non potendo con la moglie vivere, si parte ed entra nel corpo del duca di Melfi, e Gasparino suo compare fuori lo scaccia.*

[2] La leggerezza e poco senno che oggi si trova nella maggior parte delle donne, parlando tuttavia di quelle che senza considerazione alcuna si lasciano abbarbagliare gli occhi dell'intelletto e cercano di adempire ogni suo sfrenato desiderio,[3] mi dà cagione che io racconti a questa orrevole compagnia una favola non piú per lo adietro intesa,[4] la quale quantunque breve e mal composta sia, pur spero darà alcuno ammaistramento a voi donne di non esser cosí moleste nell'avenire a' mariti vostri come siete state finora. E se io sarò mordace, non accusate me, che a tutte voi minimo servitore sono, ma incolpate la Signora nostra che mi ha lasciata la briglia che io possi, sí come ancor udito avete, raccontare quello che piú m'aggrada.

[3] Già gran tempo fa, graziose donne, che avendo il demonio presentite[5] le gravi querele che facevano i mariti

1. È la famosa novella di *Belfagor arcidiavolo* già narrata da Machiavelli, Brevio e Doni. Il testo dello Straparola differisce in vari punti da quelli precedenti (cfr. *Belfagor arcidiavolo*, in M. GUGLIELMINETTI, *La cornice e il furto. Studi sulla novella del '500*, Bologna, Zanichelli, 1984, pp. 52-69). L'argomento di questa novella è molto diffuso nella tradizione popolare (cfr. CALVINO, *Fiabe*, n. 162: *Diavolozoppo*, e PITRÈ, *Fiabe, Novelle e Racconti*, n. 54). Cfr. inoltre THOMPSON, p. 297. Per i motivi cfr. ROTUNDA, G303.16.5.2.1 (*Devil disappears when offered Host*), T251.1.1 (*Belfagor*); T251.1.1.1 (*Devil flees shrewish wife and enters the body of a Duke*).

2. *compare dall'anello*: testimone di nozze.

3. *sfrenato desiderio*: cfr. MASUCCIO SALERNITANO, *Il Novellino*, XXXI 23: « sfrenato disiderio ».

4. *favola ... intesa*: in realtà, come si è visto, la novella ha un'illustre tradizione.

5. *presentite*: apprese.

contra le loro mogli, diterminò di maritarsi. E presa la forma d'un leggiadro e polito giovane, e de danari e de poderi accomodato molto, Pangrazio Stornello per nome si fece chiamare. E sparsa la fama fuori per tutta la città, vennero molti sensali, i quali gli offerivano donne bellissime e con molta dote e tra l'altre gli fu proposta una nobile e gentil donna di somma bellezza, Silvia Ballastro per nome chiamata, la quale al demonio molto piacendo, per moglie diletta la prese. Quivi furono le nozze grandissime e pompose, e molti parenti e amici da l'una e l'altra parte furono invitati; e venuto il giorno di sposarla, tolse per compare dall'anello un messer Gasparino da ca' Boncio, e finite le solenni e sontuose nozze, conduse la sua diletta Silvia a casa.

[4] Non passorono molti giorni che il demonio le disse: – Silvia, moglie mia piú che me stesso da me amata, tu puoi agevolmente comprendere quanto cordialissimamente ti ami, e questo l'hai potuto vedere per molti effetti. Essendo adunque cosí come veramente è, tu mi concederai una grazia, la quale e a te sarà facilima[1] e a me di sommo contento. La grazia che io ti dimando è che tu ad ora m'addimandi tutto quello che imaginare si può, sí di vestimenta come di perle, gioie e altre cose che a donna possino appartenere, perciò che deliberai, per l'amore ch'io ti porto, di contentarti di tutto ciò che mi addimanderai, se ben valesse un stato, con questa però condizione, che nell'avenire tu non abbi a molestarmi per tal cagione, ma che queste cose ti siano bastevoli per tutto il tempo della vita tua, né altro cercherai da me perché altro non averai –.

[5] Silvia, tolto il termine di rispondere al marito, se n'andò alla madre, che Anastasia si dimandava, e per che era alquanto vecchia, era parimente astuta, e le raccontò ciò che 'l marito detto le aveva e chiesele consiglio quello addiman-

1. *facilima*: facilissima (latinismo).

dare dovesse.[1] La madre, sagace e saputa molto, intesa la proposta, prese la penna in mano e scrisse tante cose, che una lingua in un giorno intiero non sarebbe bastevole la minima parte a raccontare, e disse alla figliuola:

– Ritorna a casa e dí al tuo marito che ti faccia tutto quello che si trova scritto in questa carta, che rimarai contenta –.

[6] Silvia, partitasi dalla madre e andatasene a casa, s'appresentò al marito e chiesegli tanto quanto nella scritta si conteneva. Pangrazio letta la scritta e ben considerata, disse alla moglie:

– Silvia, guatta bene che non ci manchi cosa alcuna, acciò che poi non ti lamenti di me, perciò che ti fo sapere che se tu poi mi chiederai cosa veruna, quella da me al tutto ti fia negata, né ti valeranno i pietosi preghi né le calde lagrime. Pensa adunque a i casi tuoi e guatta bene se nulla ci manca –.

[7] Silvia non sapendo altro che addimandare, disse che si contentava di quanto nella scritta si conteneva e che mai piú altra cosa non gli addimanderebbe. Il demonio le fece molte vestimenta lavorate a compassi di grossissime perle,[2] e preciose gioie e diverse altre ricche robbe, le piú belle e le piú care che mai fusseno state vedute d'alcuno. Appresso questo le diede reti di perle, anella, cinture e altre cose assai,[3] e molto piú che nella scritta si conteneva. Il che sarebbe impossibile a raccontare. Silvia, che era sí ben vestita e sí ben adornata che non vi era altra donna nella città che se·lle potesse agguagliare, stava tutta allegra, né aveva bisogno

1. *addimandare dovesse*: frequenti nello Straparola le inversioni di ispirazione boccacciana (cfr. Stussi, op. cit., p. 211).

2. *compassi ... perle*: cfr. I 4 18.

3. *Appresso questo ... assai*: per questi doni cfr. *Dec.*, X 9 86: « e molte reti di perle e anella e cinture e altre cose ». – *reti di perle*: reticella sottile ornata di perle con cui le donne si ornavano il capo.

di addimandare cosa alcuna al marito, perché nulla per giudizio suo le mancava.

[8] Avenne che nella città si preparava una solenne e magnifica festa alla quale furono invitate tutte le famose e orrevoli donne che si trovassino, e fra le altre fu anco invitata la signora Silvia per esser nobile, bella e delle maggiori. Laonde le donne mutorono e' portamenti[1] e a nuove fogge[2] non piú usate, anzi lascive molto si diedero; e loro vestiti erano sí differenti da' primi che in nulla si assimigliavano. E beata colei, come al presente si usa, che poteva trovar abito e portamento per l'adietro non piú usato, acciò che piú pomposamente onorasse la solenne festa.[3] Ciascheduna donna a piú potere s'ingegnava di avanzare le altre in ritrovare nuove e disdicevoli pompe.[4] [9] Alle orecchie di Silvia era già pervenuto come le matrone della città facevano varie fogge di vestimenta per onorare la superba festa. Onde s'imaginò che quelle vestimenta che ella aveva non fusseno piú buone né al proposito suo, perché erano fatte all'antica e ora si usavano vestimenta di altra maniera. Il perché ella entrò in sí fiera e sí spiacevole malinconia[5] e cordoglio, che né mangiare né dormire non poteva, e per casa non si udivano se non sospiri e lamenti, i quali discendevano dalle infime parti de l'addolorato cuore. [10] Il demonio, che quello che la moglie aveva apertamente sapeva, finse di nulla sapere, e accostatosi a lei, disse:

– Silvia, che hai tu che sí mesta e dolorosa mi pari? non vuoi ancor tu andartene a questa solenne e pomposa festa? –

1. *portamenti*: costumi.

2. *fogge*: modi di vestire, mode.

3. *solenne festa*: cfr. *Dec.*, II 7 26: « solenne festa ».

4. *nuove ... pompe*: cfr. Boccaccio, *Corbaccio*, 142: « E primieramente alle fogge nuove, alle leggiadrie non usate, anzi lascivie, e alle disdicevoli pompe si danno ».

5. *entrò ... malinconia*: cfr. *Dec.*, III 7 5: « di che egli entrò in fiera malinconia e ispiacevole ».

Silvia, vedendosi aver campo largo di rispondere, prese alquanto d'ardire e disse:

– E come volete voi, marito mio, che io vi vadi? le vestimenta mie sono tutte all'antica e non sono come quelle che oggi dí le altre donne usano. Volete voi ch'io sia delegiata[1] e beffata? veramente nol credo –.

Disse allora il demonio:

– Non ti ho fatt'io ciò che per tutto il tempo della vita tua ti faceva bisogno? e come ora mi addimandi cosa alcuna? –

Ed ella di tal guisa vestimenti non avere rispondeva, ramaricandosi molto della sua mala sorte. Disse il demonio:

– Or va', e questo ti sia per sempre, e addimandami tutto ciò che vuoi, ché per questa fiata da me ti fia concesso. E se piú nell'avenire cosa alcuna m'addimanderai, tiene per certo che ti averrà cosa che ti sarà di sommo scontento –.

E tutta allegra Silvia li ricchiese infinite cose che malagevol cosa sarebbe a raccontarle a punto a punto. E il demonio senza dimoranza alcuna la sfrenata voglia della moglie affatto adempí.

[11] Non passorono molti mesi che le donne cominciorono far nuove guise de abiti di quali Silvia vedeasi priva. E perché ella non poteva comparere tra l'altre donne che avevano fogge[2] sopra fogge, ancor ch'ella fusse riccamente vestita e di molte gioie oltre modo addobata, molto sospesa e di trista voglia ci stava, né dire cosa veruna al marito ardiva, per ciò che già due volte egli l'aveva accontentata di tutto quello ch'addimandare si poteva. Pur il demonio, veggendola star sí malinconiosa e sapendo la causa, ma fingendo di non saperla, disse:

– Che ti senti tu, Silvia mia, che sí trista e sí di mala voglia ti veggio? –

1. *delegiata*: derisa.
2. *fogge*: abiti alla moda.

A cui arditamente Silvia rispose:

– Non debbo io contristarmi e star di mala voglia? senza abiti che oggi dí usano le donne mi trovo, né posso comparer tra l'altre donne, che derisa e beffata non sia. Il che a l'uno e l'altro di noi è vituperevole molto. E la servitú che ho con esso voi, essendovi sempre stata fedele e reale,[1] non merita cotale ignominia e vergogna –.

[12] Allora il demonio, tutto d'ira acceso, disse:

– In che io mai mancato ti sono? non ti ho io già due fiate accontentata di tutto quello che addimandare si puole?[2] di che ti lamenti di me? io non so piú che farti. Io voglio accontentare il tuo disordinato appettito, e tanto lontano andaròmene che piú di me non sentirai novella alcuna –.

[13] E fattele molti drappi[3] alla foggia che allora si usavano, e sodisfattala del tutto, da lei senza tuor[4] commiato alcuno, si partí e a Melfi se n'andò, e nel corpo del duca entrato, oltre modo lo tormentava. Il povero duca, dal malegno spirito gravemente afflitto, tutto affannoso si stava, né vi era in Melfi uomo veruno di sí buona e santa vita[5] che da dosso torre lo potesse.

[14] Avenne che messer Gasparino Boncio, compare dall'anello del demonio, per alcuni delitti da lui commessi fu della città sbandito. Laonde, acciò che preso non fusse e per giustizia pienamente punito, indi si partí e a Melfi se n'andò. E perché mistiero alcuno non sapeva, né che far altro fuor che giuocare,[6] e questo e quel altro[7] ingannare, diede

1. *reale*: leale, fidata.

2. *puole*: presente indicativo di potere, analogico su *vuole*.

3. *drappi*: abiti lussuosi.

4. *tuor*: togliere, prendere. Dittongo aberrante di tipo settentrionale (Trovato, p. 343).

5. *buona e santa vita*: per una formula analoga, cfr. I 5 4.

6. *e perché ... giuocare*: e perché non sapeva alcun mestiere e non fare altro tranne.

7. *quel altro*: uso dialettale dell'aggettivo dimostrativo davanti a vocale (al posto di *quell'*). Cfr. Piotti, p. 105.

fama per tutta la città di Melfi come egli era uomo esperto e aveduto e atto molto ad ogni orrevole impresa, e nondimeno del tutto era inespertissimo.

[15] Or giuocando un giorno messer Gasparino con alcuni gentiluomini di Melfi, e avendoli co[1] sue baratterie aggiunti,[2] quelli molto si turborono, e se non fusse stato il timore della giustizia agevolmente ucciso l'arrebbero. E non potendo l'uno di loro patire tal ingiuria, disse tra sé:

– Io ti punirò di sí fatta maniera, che mentre tu viverai, sarai memore di me –.

[16] E senza mettervi punto d'indugio, da i compagni si partí e al duca se n'andò, e fattali la convenevole riverenza, disse:

– Eccellentissimo duca e signor mio, è in cotesta città un uomo, Gasparino per nome chiamato, il quale si va vantando saper trarre gli spiriti da dosso di chiunque persona, siano di qual qualità spiriti esser si voglino o aerei o terrestri o di qualunque altra sorte. Onde sarebbe buono che vostra eccellenzia ne fesse[3] alcuna isperienza, acciò che da tal crucciamento[4] ella rimanesse libera –.

[17] Inteso che ebbe il duca questo, incontanente mandò a chiamare messer Gasparino, il quale intesa la dimanda, al duca se n'andò. Il duca, guatatolo bene nel viso, disse:

– Maestro Gasparino, voi vi avete vantato di saper trarre gli spiriti da dosso; io, come voi vedete, sono inspiritato, e se vi basta l'animo di liberarmi dal maligno spirito che tuttavia[5] mi cruccia e tormenta, vi prometto di farvi un dono che sempre felice sarete –.

1. *co*: con (caduta della nasale finale, fenomeno ben attestato soprattutto nelle due novelle dialettali: V 3 e V 4).

2. *aggiunti*: ingannati.

3. *fesse*: facesse.

4. *crucciamento*: tormento.

5. *tuttavia*: continuamente.

[18] Messer Gasparino, che mai non aveva mossa parola di simil cosa, tutto stupefatto rimase e negò sé mai aversi da' vanto di tal cosa. Il gentiluomo, che poco discosto era, accostatosi a lui, disse:

– Non vi arricordate,[1] maestro, quando voi diceste sí e sí? –

E messer Gasparino con intrepida e aperta fronte[2] il tutto negava. Stando adunque in questa contenzione ambeduo, e l'uno affermando e l'altro negando, disse il duca:

– Ponete silenzio alle parole, e a voi, maestro Gasparino, io do termine tre giorni di maturamente pensare a' casi nostri, e se voi da tal miseria mi scioglierete, io vi prometto darvi in dono il piú bel castello che si trovi sotto il mio potere, e oltre ciò voi potrete disporre di me come della persona propia, ma se altrimenti farete, tenetevi certo che oggi otto giorni sarete tra due colonne del mio palazzo per la gola sospeso –.

[19] Messer Gasparino, inteso il fiero voler del duca, molto rimaricato rimase, e partito da lui, giorno e notte pensava come lo spirito trarre di dosso li potesse. E venuto il termine statuito,[3] messer Gasparino al duca ritornò, e fattolo stendere sopra uno tappeto in terra, cominciò il maligno spirito scongiurare che uscire di quel corpo dovesse e che piú non lo tormentasse. Il demonio, che indi quetamente si posava, nulla in quel punto li rispose, ma al duca sí fattamente gonfiò la gola, che quasi si sentí morire. Ripetendo allora maestro Gasparino il suo scongiuro, disse il demonio:

– O compare mio, voi avete il buon tempo. Io me ne sto bene e agiato, e volete che quindi mi parti? voi vi affaticate

1. *arricordate*: con *a*- prostetica (fenomeno non raro nelle *Piacevoli notti*, che riflette il gusto della lingua di *koinè* settentrionale per i composti preposizionali).

2. *con* ... *fronte*: senza esitazione e timore.

3. *statuito*: stabilito.

in vano –; e del compare assai se ne rideva. [20] Tornato messer Gasparino la terza volta a scongiurarlo, e addimandatolo di piú cose e di contínovo chiamandolo compare, né potendosi imaginare chi egli si fusse,[1] al fine lo costrinse a dire chi egli era.

A cui rispose il demonio:

– Dopo ch'io son costretto a confessarvi il vero e manifestarmi ch'io sono, sapiate ch'io sono Pangrazio Stornello marito di Silvia Balastro.[2] Non lo sapete voi? pensate forse che io non vi conosca? non siete voi messer Gasparino Boncio, mio carissimo compare dall'anello? non sapete voi quanti trionfi[3] abbiamo fatti insieme.

– Dhe compare mio – disse allora messer Gasparino – che fate voi qua dentro a tormentare il corpo di questo misero duca?

– Io non vel voglio dire – rispose il demonio – andate via e piú non mi molestate per ciò che mai io non stetti meglio di quello ch'io mi trovo ad ora –.

[21] Allora messer Gasparino tanto lo scongiurò, che de necessità fu costretto il demonio a raccontarli minutamente la causa per la quale era partito dalla moglie ed entrato nel corpo del duca. Disse messer Gasparino:

– O caro mio compare, non volete farmi un grande piacere?

– E che? – disse il demonio.

– Uscire di questo corpo – disse messer Gasparino – e non darli piú noia.

1. *né potendosi ... si fusse*: frequente in italiano antico il riflessivo nelle interrogative e dubitative dipendenti da *non sapere* e verbi equivalenti (cfr. AGENO, p. 149).

2. *Balastro*: precedentemente (3) Straparola aveva scritto il cognome con la -*l*- geminata. Nell'*Orlando furioso* « Balastro » è il nome di un re africano che sarà ucciso da Zerbino (cfr. XVIII 45).

3. *trionfi*: feste.

– Deh compare – disse il demonio – voi mi parete un gran pazzo addimandarmi cotal cosa, perciò che tanto refrigerio trovo qua dentro che meglio imaginar non mi potrei –.

[22] Disse messer Gasparino:

– Per la fede di compare che è tra noi, vi prego che mi vogliate compiacere per questa fiata, perciò che se quinci non vi partirete, io rimarrò di vita privo e voi della mia morte sarete cagione –.

Rispose il demonio:

– Non è oggi dí nel mondo la piú trista e scelerata fede quanto quella del compare, e se voi ne morirete, il danno fia vostro e non mio. Che desidero io altro che vedervi nel fondo dell'infernal abisso? dovevate voi essere piú prudente e savio e tenere la lingua tra' denti, perciò che un buon tacere non fu mai scritto.[1]

– Ditemi almeno, compare – disse messer Gasparino – chi fu colui che in tanto travaglio vi puose?

– Abbiate pazienzia – rispose il demonio – per ciò che non posso né vi[2] lo voglio dire. Or partitevi di qua e non aspettate altra risposta da me –; e quasi mezzo sdegnato, lasciò il duca piú morto che vivo.

[23] Essendo dopo alquanto spazio il duca rivenuto,[3] disse messer Gasparino:

– Signor duca, state di buon animo ché tosto sentirete la vostra liberazione. Io non voglio altro per ora da voi, se non che fate che domattina s'appresentino al palazzo tutti i mu-

1. *un buon ... scritto*: per il proverbio cfr. *Proverbi veneti*, p. 275: « un bel tàser, no xe mai stà scrito »; e cfr. *Proverbi toscani*, p. 232: « Un bel tacere non fu mai scritto ».

2. *vi*: forma atona in posizione proclitica (nello Straparola si registra una forte oscillazione tra forme toniche e forme atone). Per il fenomeno nella prosa del Cinquecento cfr. Piotti, p. 100.

3. *rivenuto*: ritornato in sé, avendo recuperati i sensi.

sici e sonatori,[1] e che sonino tutte le campane della terra,[2] e siano tratte[3] tutte l'artigliarie della città, e che unitamente facciano grandissima allegrezza e trionfo, e quanto piú strepito faranno, tanto piú contento ne sarò, e poi lasciate l'impaccio a me. E cosí fu fatto.[4]

[24] Venuta adunque la mattina seguente e andatosene messer Gasparino al palazzo, cominciò scongiurare lo spirito del duca, e mentre che lo scongiurava, si incominciorono sentire per la città trombe, nacchere, tamburi, baccini,[5] campane, artigliarie e tanti stromenti musichi che ad un tempo sonavano, che pareva che 'l mondo venisse a fine. E seguendo messer Gasparino il suo scongiuro, disse il demonio:

– Deh, compare, che vuol dire tanta diversità de stromenti con sí confuso strepito che mai piú non gli ho sentiti? –

A cui rispose messer Gasparino:

– Non lo sapete voi, compare mio?

– No – disse il demonio.

– E come no? – rispose messer Gasparino.

– Perciò che noi, velati di questi corpi umani, non potiamo[6] intendere né sapere il tutto ché troppo grossa è questa materia corporale.

– [25] Dirovello[7] brevemente – rispose messer Gasparino – se paziente starete ad ascoltarmi e non molestarete il povero duca.

1. *i musici e sonatori*: omissione dell'articolo davanti al termine successivo al primo di una sequenza nominale coordinata (cfr. Piotti, p. 130).

2. *terra*: città.

3. *tratte*: tirate.

4. *e cosí fu fatto*: cfr. *Dec.*, IV I 24: «e cosí fu fatto».

5. *baccini*: strumenti musicali di metallo (a percussione).

6. *potiamo*: possiamo (costruito sul tema dell'infinito invece che sul tema dell'indicativo presente: cfr. Rohlfs, 547).

7. *dirovello*: ve lo dirò (combinazione di due pronomi e raddoppiamento della *-l-*).

– Ditelo, vi prego – disse il demonio – ché volontieri vi ascolterò e promettovi per ora di non molestarlo –.

Allora messer Gasparino disse:

– Sapiate, compare mio, che 'l duca, vedendo che da lui non vi volete partire né cessare di tormentarlo e avendo inteso che voi dalla moglie per la mala vita che ella vi dava vi siete partito, per lei ha mandato, e del giunger suo tutta la città ne fa grandissima festa e trionfo –.

[26] Il che intendendo il demonio disse:

– O malvagio compare, voi siete stato piú astuto e scelerato di me. Non vi diss'io eri[1] che non si trovò mai compare che a l'altro fido fusse e leale? voi siete stato l'inventore e quello che l'ha fatta venire. Ma tanto il nome della moglie aborisco e ho in odio, che piú tosto nell'oscuro abisso dell'inferno mi contento di stare, che dove ella si trovi abitare. Laonde quinci ora mi parto e sí lontano me ne vo, che piú novella alcuna di me non saperete –.

[27] E fatto segno d'un grosso gonfiamento di gola e d'un volger d'occhi e altri spaventosi segni, del corpo del duca si partí. E lasciato un fettente puzzo, il duca da lo spirito libero al tutto rimase.

[28] Non passorono molti giorni che 'l poverello duca nel suo pristino stato rivenne e ricuperò le smarrite forze. E non volendo essere d'ingratitudine accusato, chiamò messer Gasparino e d'un bellissimo castello signore lo fece, dandoli molta quantità di danari e serventi che lo serviseno, e al dispetto de gli invidiosi il buon messer Gasparino con felice e prosperevole stato lungamente visse. E madonna Silvia, vedute le sue vestimenta e gioie e anella in cenere e fumo converse, tra pochi giorni disperata miseramente morí.

[29] Con gran maraviglia de gli ascoltanti fu dal Trivigiano raccontata la favola, la quale da gli uomini con grandis-

1. *eri*: ieri (forma monottongata: cfr. lat. *heri*).

sime risa fu commendata molto, avenga che alle donne assai dispiacesse. Laonde, vedendo la Signora il basso mormorio delle donne e le contínove risa de gli uomini, domandò che chiunque ponesse fine a' suoi ragionamenti e che 'l Trivigiano al suo enimma desse principio. Il quale senza altra iscusazione fare del mordimento fatto dalle donne, cosí disse:

[30] Giace fra noi, signori, un bel suggetto
che parla, palpa, va, torn', ode e vede.
Sensi non tiene ed è pien d'intelletto;
capo non ha, né man, lingua né piede.
Nosco s'annida, intende il nostro oggetto;
amaci estremamente e porta fede,
nasce una volta, e per quanto ch'io scerno,
dov'egli è posto, vive in sempiterno.

[31] L'oscuro enimma dal Trivigiano per ordine narrato diede grandissima considerazione a gli ascoltanti e ciascuno di loro vanamente s'affaticava in darli la vera interpretazione. Laonde vedendo il Trivigiano i loro saperi esser molto lontani dalla verità, disse:

– Signori miei, non mi par convenevole di tenere questa orrevole compagnia sí lungamente a bada. Se vi è a grado che io vi dica il parer mio, dirollo volontieri, se no, aspetterò di qualche soblime e risvegliato[1] ingegno la risoluzione –.

Tutti ad una voce dissero che egli lo risolvesse. Disse adunque il Trivigiano il suo enimma non dimostrar altro se non l'anima immortale, la quale è spirito e non ha capo né mani né piedi e fa ogni operazione, e dove è giudicata, o sia nel cielo o sia nell'inferno, eternamente vive. Piacque assai alla compagnia la dotta isposizione dell'oscuro enimma. [32] E per che oramai era passata gran parte della bugia[2] notte e

1. *risvegliato*: pronto e vivace.
2. *bugia*: buia.

i crestuti galli annonziavano lo sopragiungente giorno,[1] la Signora fece cenno a Vicenza, a cui restava l'ultimo favoleggiare della seconda notte, che con qualche piacevole favola la notte terminasse. Ma ella tutta dipinta nel viso di vermiglio e natural colore, non già per vergogna che ella avesse, ma per sdegno e ira della raccontata favola, con tai parole contra il Trivigiano si mosse:

– Signor Benedetto, io mi credevo che voi foste piú piacevole e piú parteggiano delle donne di quello che siete, ma, sí come io posso comprendere per la favola recitata da voi, le siete molto contrario. Il che dammi aperto indizio voi esser stato oltraggiato d'alcuna, che era men discreta nelle dimande sue. Ma non dovevate per ciò le altre cosí vilmente biasmare, perciò che, quantunque tutte noi siamo d'una stessa massa fabricate,[2] nientedimeno, sí come ogni giorno si vede, una è piú aveduta e piú gentilesca che l'altra. Cessate adunque di piú travagliarle, perciò che se elle vi piglieranno a sdegno, e' vostri suoni e canti poco vi valeranno.

– [33] Io – rispose il Trivigiano – non fei questo per oltreggiare alcuna né per vendicarmi con parole di lei, ma per dar ammaestramento alle altre, che dopo me si mariteranno, di esser piú destre e piú moderate con e' mariti loro.

– Ma sia come si voglia – disse la signora Vicenza –, poco me ne curo, e meno queste altre donne si pensano. Ma acciò che io non paia col mio silenzio tenere la parte de gli uomini ed esser contraria alle donne, intendo di raccontarne una che vi sarà di ammaestramento non picciolo –.

E fatta la convenevole riverenza cosí a dire incominciò.

1. *i crestuti ... giorno*: cfr. SANNAZARO, *Arcadia*, V 9: « e 'l cristato gallo col suo canto salutò il vicino giorno ».

2. *quantunque ... fabricate*: cfr. *Dec.*, IV I 39: « tu vedrai noi d'una massa di carne tutti la carne avere ».

NOTTE SECONDA, FAVOLA V[1]

[1] *Messer Simplicio di Rossi s'innamora in Giliola, moglie di Ghirotto Scanferla contadino, e trovato dal marito in casa, vien sconciamente battuto e pisto,*[2] *e a casa se ne torna.*

[2] Negare non si può, vezzose donne, che Amore per sua natura gentil non sia,[3] ma rade volte ci concede glorioso e felice fine. Sí come avenne a messer Simplicio di Rossi innamorato, il quale credendosi godere la persona da lui cotanto amata, si partí da lei carico di tante busse, quanto[4] mai uomo potesse portare. Il che saravvi apertamente noto, se alla mia favola, che ora raccontarvi intendo, benigna audienza, sí come è di costume vostro, presterete.

[3] Nella villa[5] di Santa Eufemia,[6] posta sotto Camposanpietro, territorio della celebre e famosa città di Padova, già gran tempo fa abitava Ghirotto Scanferla, uomo per contadino assai ricco e potente, ma sedizioso e partiggiano,[7] e aveva per moglie una giovane, Giliola per nome chiamata, la quale per femina di villa era da tutti bellissima riputata. Di costei caldamente s'innamorò Simplicio[8] di Rossi citta-

1. La fortuna di questa novella nella tradizione popolare è attestata da un racconto portoghese in T. Braga, *Contos tradicionaes do povo portuguez*, Porto, Magalhães e Maniz, 1883, 2 voll., n. 116. Per i motivi cfr. Rotunda, K1218.1.5 (*Importunate suitor enticed in sack and beaten by husband*).

2. *pisto*: percosso.

3. *Amore ... sia*: cfr. Lorenzo de' Medici, *Comento de' miei sonetti*, IV 2: « non essendo amore altro che una gentile passione », definizione d'amore già in Andrea Cappellano, *De amore*, III, IV, ecc.

4. *quanto*: avverbio al posto del correlativo accordato.

5. *villa*: borgo rurale.

6. *Santa Eufemia*: piccolo centro rurale, oggi frazione di Camposanpiero (località a ca. 20 km a nord-est di Padova).

7. *partiggiano*: fazioso.

8. *Simplicio*: un altro nome parlante, come chiarirà lo stesso Straparola (cfr. 15).

dino padoano.[1] E per che egli aveva la sua casa vicina a quella di Ghirotto, con sua moglie che era gentile, accostumata e bella,[2] per diporto in contado sovente se n'andava. E quantunque la moglie avesse molte condizioni che la facevano grande, nondimeno egli poco di lei si curava. E tanto era dell'amore di Giliola acceso, che né di giorno né di notte non sapeva che fusse riposo alcuno. Questi teneva l'amor suo nascosto nel suo cuore, né osava in maniera alcuna scoprirlo, sí per temenza del marito e per la buona vita di Giliola, sí ancor per non dar scandalo alla prudente moglie.

[4] Aveva messer Simplicio appresso casa una fonte, di cui risorgevano[3] acque sí chiare e sí saporite,[4] che non pur e' vivi, ma ancor e' morti ne arrebbeno potuto bere. Onde che Giliola e mattina e sera, e secondo che le facea bisogno, a la chiara fonte se n'andava e con una secchia di ramo[5] attingeva l'acqua, e a casa la portava. Amor, che veramente a niuno perdona,[6] molto messer Simplicio spronava. Ma pur conoscendo la vita che ella teneva e la buona fama che ne rispondeva, non ardiva di farle motto alcuno, ma solo alle volte con il vederla si nodriva e consolava il cuore. Di che ella non sapeva né mai di tal fatto accorta ci[7] era, perciò che, come femina di buon nome e di buona vita, al marito e alla casa sua e non ad altro attendeva.

[5] Or andando un giorno Giliola alla fonte, sí come era sua usanza, per attingere l'acqua, per aventura in messer

1. *padoano*: padovano (da *Padoa*).

2. *gentile ... bella*: per questo tricolon cfr. BEMBO, *Asolani*, I 2: «perciò che bella e costumata e gentile era molto».

3. *risorgevano*: sgorgavano.

4. *saporite*: piacevoli a bersi.

5. *ramo*: rame. Per il metaplasmo di declinazione, cfr. ROHLFS, 353.

6. *Amor ... perdona*: cfr. *Inf.*, V 103: «Amor, ch'a nullo amato amar perdona».

7. *ci*: si.

Simplicio s'incontrò,[1] al quale ella semplicemente, sí come ogn'altra femina fatto arrebbe, disse:

– Buon giorno messere –; ed egli le rispose:

– Ticco –;[2] pensando con tal parola di doverla intertenere e alquanto domesticare,[3] ma ella, piú oltre non pensando, altro non diceva, ma se ne andava per e' fatti suoi.

[6] Aveva messer Simplicio piú e piú volte data cotal risposta a Giliola che ogni volta che lo vedeva lo salutava, ma ella che della malizia di lui non s'avedeva, col capo basso a casa si ritornava. Continovando adunque in cotal risposta messer Simplicio, venne in animo a Giliola di dirlo a Ghirotto suo marito. [7] Ed essendo un giorno in dolci ragionamenti con esso lui, disse:

– O marito mio, io vi voglio dire una cosa che voi forse ve ne riderete.

– Che cosa? – disse Ghirotto.

– Ogni volta – disse Giliola – che io me ne vado alla fonte per attingere dell'acqua, io trovo messer Simplicio e gli do il buon giorno ed egli mi risponde: «ticco». Io ho piú e piú volte considerata tal parola, né mai mi ho possuto[4] imaginare che si voglia dire «ticco».

– E tu – disse Ghirotto – che gli hai risposto?

– Io – disse Giliola – nulla gli ho mai risposto.

– Ma fa' – disse Ghirotto – che se egli piú ti dice «ticco» che tu gli risponda «tacco», e vedi e attendi bene a quello che egli ti dirà, e non gli risponder altro, ma vientene secondo l'usanza tua a casa –.

[8] Giliola alla solita ora andatasene alla fonte per acqua, trovò messer Simplicio e diègli il buon giorno. Ed egli, se-

1. *in ... s'incontrò*: il verbo è costruito come il latino *incido (in aliquem)*.

2. *Ticco*: la formula forse significa 'con te', come una sorta di malizioso invito.

3. *domesticare*: ingraziare.

4. *possuto*: participio costruito sul tema del presente.

condo l'uso suo, «ticco» le rispose. E Giliola, replicando sí come il suo marito ammaestrata l'aveva, disse:

– Tacco –.

Allora messer Simplicio, tutto invagito[1] e pensando che ella de l'amor suo se ne fusse aveduta e imaginandosi di averla a' suoi comandi, prese alquanto di ardire e disse:

– Quando vengo? –

Ma Giliola, sí come il marito imposto le aveva, niente rispose, e ritornata a casa e addimandata dal marito come andata era la cosa, disse che ella fatto aveva tanto quanto egli le aveva ordinato, e che messer Simplicio detto le aveva «quando vengo?», e che ella altro non gli aveva risposo.

[9] Ghirotto, che era uomo astuto quantunque contadino fusse e agevolmente comprendeva le parole di messer Simplicio, tra sé molto si turbò e imaginòsi quelle parole importar altro che infilzar perle al scuro,[2] e disse alla moglie:

– Se tu vi torni piú ed egli ti dica «quando vengo?», rispondeli «questa sera», e ritorna a casa e lascia far a me –.

[10] Venuto adunque il giorno seguente, Giliola secondo l'usanza sua andò per cavare l'acqua della fonte e trovò messer Simplicio che con sommo desiderio l'aspettava e dissegli:

– Buon giorno messere –.

A cui messer Simplicio rispose:

– Ticco –.

Ed ella a lui disse:

– Tacco –.

Ed egli a lei:

– Quando vengo? –

1. *invagito*: invaghito. Palatalizzazione settentrionale: cfr. «giotto, agi» (I 2 3 e II 3 20).

2. *infilzar ... scuro*: provare un'impresa senza conoscere bene le cose (cfr. *GDLI*: *infilzare gli aghi al buio*). Quindi le parole di Simplicio erano state strategicamente pronunziate con un fine ben preciso.

– In questa sera – Giliola rispose.

Ed egli:

– In questa sera sia – disse.

[11] Ritornata Giliola adunque a casa, disse al marito:

– Io ho operato tanto quanto imposto mi avete.

– E che ti ha egli risposto? – disse Ghirotto.

– In questa sera sia – disse Giliola.

Ghirotto, che già avea carico lo stomaco d'altro che di lasagne e di maccheroni,[1] disse:

– Giliola, andiamo a misurare dodeci[2] sacchi di biada perché io voglio fingere di andare al molino, e venendo messer Simplicio, fagli accoglienze e ricevilo onoratamente. E fa' che tu abbi apparecchiato uno sacco vuoto appresso quelli che pieni saranno di biada, e come tu sentirai ch'io sia giunto a casa, fa' che egli entri nel sacco apparecchiato e si nascondi, e poscia lascia l'impaccio a me.

– [12] E' non vi son in casa tanti sacchi che siano al numero che voi volete – disse Giliola.

Disse allora Ghirotto:

– Manda la Cia vicina nostra da messer Simplicio e fa' che egli te ne impresti duo, e fa' che gli dica che io gli voglio per andar questa sera al molino –.

E tanto fu fatto.

[13] Messer Simplicio, che ottimamente considerate aveva le parole della Giliola e veduto come ella gli aveva mandato a richieder duo sacchi imprestito, credendo veramente che 'l marito se n'andasse al molino, si trovò il piú felice e il piú contento uomo del mondo, pensando tuttavia che ancor ella fusse del lui, com'egli del lei amore accesa, ma non s'ave-

1. *avea ... maccheroni*: era già adirato, cioè, letteralmente, non aveva lo stomaco pieno di pietanze 'piacevoli'.

2. *dodeci*: per il passaggio *i* > *e* nei numerali cfr. I. Bonomi, *Una grammatichetta italiana per Giovanna d'Austria sposa di Francesco de' Medici (1565)*, in « ACME », a. xl 1987, p. 60. Cfr. anche *tredeci*.

deva il poverello di ciò che era ordito e tramato contra lui, perciò che forse piú cautamente sarebbe proceduto di quello che egli fece. Messer Simplicio, che nel cortile aveva molti buoni caponi, ne prese duo e de gli migliori e mandòli per lo suo valletto a Giliola, commettendoli che gli facesse cucinare, ché verrebbe la sera a lei secondo l'ordine dato.

[14] Venuta la bugia[1] notte, messer Simplicio nascosamente di casa si partí e alla casa di Ghirotto se n'andò, e da Giliola fu graziosamente ricevuto. Vedendo allora messer Simplicio i sacchi pieni della biada e credendo che 'l marito fusse andato al molino, disse a Giliola:

– Dove è Ghirotto? io credevo che oramai egli fusse al molino, ma vedendo i sacchi ancor qui in casa, non so che dirmi –.

[15] Rispose Giliola:

– Messer Simplicio, non vi ramariccate né abbiate punto di paura ché il tutto[2] passerà bene. Sapiate che nell'ora di vespro venne qui a casa suo cognato e gli disse come la sorella sua era molto gravata da una contínova febbre e che la non vederebbe dimane. Onde egli montato a cavallo, se ne è partito per vederla innanzi che la moia –.

Messer Simplicio, che ben semplice chiamar si poteva, credendo ciò esser il vero, s'achetò.

[16] Mentre che Giliola s'affaticava di cuocere i caponi e apparecchiare la mensa, ecco che Ghirotto suo marito sopragiunse nel cortile, e avendolo Giliola sentito e fingendo di esser addolorata, disse: – Ahi, miseri noi, che siamo morti! –; e senza metter indugio alcuno, ordinò che messer Simplicio entrasse nel sacco, che ivi vuoto era rimaso; ed entra-

1. *bugia*: buia (cfr. I 3 34).
2. *il tutto*: sintagma diffuso nella lingua di *koinè* settentrionale (cfr. P.V. Mengaldo, *La lingua del Boiardo lirico*, Firenze, Olschki, 1963, p. 152), ma attestato anche nel pieno Cinquecento (cfr. Piotti, p. 130). È frequente anche nelle *Piacevoli notti*.

tovi dentro, quantunque non molto volontieri v'intrasse, accostò il sacco con messer Simplicio dietro a gli altri sacchi che erano pieni di biada e aspettò che 'l marito venisse in casa. [17] Venuto Ghirotto in casa e veduta la mensa apparecchiata e i caponi che nella pentola ci cucinavano, disse alla moglie:

– Che vuol dire questa sontuosa cena che parata mi hai? –

A cui Giliola rispose:

– Io pensavo che voi doveste ritornare stanco e lasso a casa ancor che mezza notte fusse, e acciò che voi poteste rifocilarvi alquanto e mantenervi nelle fatiche che di contínovo fate, io vi ho voluto apparecchiare alcuna cosa di sostanza a cena.

– Per mia fé – disse Ghirotto – che tu hai fatto gran bene, perciò che mal disposto mi trovo e non vedo l'ora di cenare e andarmene a riposare, acciò che domattina per tempo io possi girmene al molino. Ma prima che noi se n'andiamo a cena, io voglio che noi vediamo se gli sacchi apparecchiati per andar al molino sono al peso e giusti –.

[18] E accostatosi a gli sacchi li cominciò prima annomerare,[1] e trovòli tredeci, e fingendo di non averli bene annomerati, da capo li tornò a raccontare,[2] e ritrovandoli pur tredeci, disse alla moglie:

– Giliola, e che vuol dire che gli sacchi sono tredeci? e pur ne abbiamo apparecchiati solamente dodeci, e dove viene questo? –

A cui ella rispose:

Io so che quando noi insaccassimo[3] la biada, gli sacchi

1. *annomerare*: contare (forma prostetica).

2. *raccontare*: elencare.

3. *insaccassimo*: insaccammo. Desinenza analogica della prima persona plurale del perfetto ben attestata nella lingua settentrionale del Quattrocento e che prolunga la sua vita, certo sostenuta dal dialetto, oltre il Cinquecento (cfr. Piotti, p. 118, e relativa bibliografia).

erano dodeci, ma come sia aggiunto il terzo decimo, io non ve lo so dire –.

[19] Messer Simplicio, che nel sacco ci stava e ben sapeva che erano tredeci, che cosí per lui non fussero stati! stavasi cheto e tra se stesso dicendo pater nostri bassi, maladiceva lei e lo suo amore e sé che fidato se n'era,[1] e se uscire delle sue mani avesse potuto, volontieri si sarebbe fuggito, e quasi piú temeva il scorno assai che 'l danno. Ma Ghirotto, che 'l sacco ben conosceva, lo prese e lo strassinò fino fuori de l'uscio, che astutamente aveva fatto lasciare aperto, e questo perché, dandogli delle busse, avesse campo largo di uscire del sacco e fuggirse[2] alla buona ventura. Aveva preso Ghirotto un bastone nodoso a tal effetto apparecchiato, e lo incominciò sí fattamente pistare, che non gli rimase membro che tutto pisto e rotto non fusse, e poco mancò che morto non rimanesse. [20] E se non fusse stata la moglie che, per pietà o per temenza del marito che bandito non fusse, glielo tolse di mano, facilmente ucciso l'arrebbe. Partitosi adunque Ghirotto e abbandonata l'impresa, messer Simplicio se ne uscí del sacco e cosí mal trattato a casa se n'andò, parendoli di aver Ghirotto col bastone sempre alle spalle.[3] E messosi in letto, stette molti giorni innanzi che riaver si potesse. Ghirotto fra questo mezzo con la sua Giliola a costo di messer Simplicio avendo ben cenato, se ne andò a riposare.

[21] Passati alquanti giorni, la Giliola andando alla fonte, vide messer Simplicio che passeggiava nella loggetta della sua casa e con allegro viso lo salutò dicendo:

1. *maladiceva … se n'era*: cfr. *Dec.*, VII 7 38: « Anichino, il quale la maggior paura che avesse mai avuta avea e che quanto potuto avea s'era sforzato d'uscire delle mani della donna e centomilia volte lei e il suo amore e sé, che fidato se n'era, avea maladetto ».

2. *fuggirse*: fuggirsi. In posizione enclitica persiste nelle *Piacevoli notti* l'oscillazione tra forme pronominali atone e toniche, queste ultime influenzate dal dialetto.

3. *parendoli … spalle*: come Carlo da Rimini (cfr. II 3 13).

– Ticco –.

Ma messer Simplicio, che ancor sentiva le battiture per tali parole ricevute, altro non le rispose fuor di questo:

> Né piú buon dí, né piú ticco, né tacco,
> donna, ché non m'avrai piú nel tuo sacco.[1]

[22] Il che udendo Giliola, si tacque e arrossita ritornòsi a casa. E messer Simplicio cosí stranamente trattato mutò pensiero e alla moglie, che quasi in odio aveva, con maggior cura e amorevolezza attesse,[2] odiando le altrui, acciò che piú non gli avenisse ciò che per lo adietro avenuto gli era.

[23] Già era finita la favola da Vicenza raccontata, quando le donne ad una voce dissero:

– Se 'l Trivigiano ha mal trattate le donne con la sua favola, parimente Vicenza con la sua peggiormente ha mal trattato gli uomini, lasciando messer Simplicio per le ricevute busse tutto franto e pisto –.[3]

E percioché tutti ridevano, chi l'una cosa e chi l'altra dicendo, la Signora comandò che oramai si mettesse termine alle tante risa e che Vicenza con lo enimma l'ordine seguise. La quale, vedendosi quasi vittoriosa della ingiuria fatta dal Trivigiano alle donne, in tal guisa il suo enimma incominciò:

> [24] Mi vergogno di dir qual nome m'abbia
> sí son aspra al toccar, rozza al vedere,
> gran bocca ho senza denti o rosse labbia,[4]

1. *Né piú ... sacco*: cfr un canto popolare raccolto dal Ferraro in *Canti popolari della bassa Romagna*, n. 15 (nella « Rivista di letteratura popolare », a. I 1877, p. 67), nel quale si narra pure di un amante chiuso nel sacco dalla moglie infedele; questa al sopraggiungere del marito esclama: « O bel meschin, glie chi il marito caro. / Como hem mei da fer un tric tracco? / E lía presta al lo butò nel sacco ».

2. *attesse*: attese.

3. *franto e pisto*: percosso e pieno di contusioni.

4. *labbia*: labbra.

negro d'intorno e piú presso al sedere;
l'ardor spesso mi mette entro tal rabbia,
che fammi gittar spuma a piú potere.
Certo son cosa sol da vil fantesca
ch'ognun a suo piacer dentro mi pesca.

[25] Non si potevano gli uomini dalle risa astenere, quando videro le donne ponersi il capo in grembo[1] e sorridere alquanto. Ma la Signora, a cui l'onestà molto piú che la disonestà aggradiva, guattò con rigido e turbato viso[2] Vicenza e dissele:

– Se io non avesse rispetto a questi gentiluomini, io ti farei conoscere quello che importa il sozzo e disonesto dire, ma per questa fiata ti sia perdonato e fa' che ne l'avenire tal cosa o simil piú non t'intervenga, perché sentiresti ciò che vale e puole la mia signoria –.

[26] Vicenza, tutta arrossita come mattutina rosa e vedendosi sí sconciamente improperare, prese alquanto d'ardimento e in tal guisa rispose:

– Signora mia, se io avesse detto parola veruna che offendesse l'orecchie vostre e di queste onestissime madonne, io veramente sarei degna non pur di riprensione, ma di aspro castigo.[3] Ma perché le parole mie sono state semplici e pure, non meritano questa acra riprensione. E che questo sia il vero, la interpretazione dell'enimma, malamente da voi inteso e considerato, dimostrerà la innocenza mia. Lo enimma adunque altro non significa, eccetto che la pentola, che d'ogn'intorno è nera, e dal fuoco fieramente riscaldata bolle e gitta d'ogni parte la spuma. Ella ha la bocca grande ed è senza denti e tutto ciò che dentro se gli pone abbraccia

1. *le donne ... grembo*: cfr. Boccaccio, *Ninfale fiesolano*, 387: « ma, per vergogna, in grembo il capo pose ».

2. *con rigido ... viso*: cfr. *Dec.*, iv 2 2: « il re con rigido viso ».

3. *io veramente ... castigo*: cfr. *Dec.*, x 8 53: « diceva lui degno non solamente di riprensione ma d'aspro gastigamento ».

e ogni vil fantesca dentro vi pesca, quando si minestrano[1] le vivande a' patroni quando desnino[2] o cenano –.

[27] Intesa l'onesta interpretazione dello enimma, tutti gli uomini e parimente le donne molto commendorono Vicenza, e falsamente dalla Signora esser stata ripresa la giudicorono. E perciò che l'ora era molto tarda[3] e già incominciava la rosseggiante aurora[4] scoprirsi, la Signora senza altra iscusazione fare della sua ammonizione, licenziò la brigata, comandando a tutti che nella sera seguente sotto pena della disgrazia sua ognuno piú per tempo al concistorio si riducesse.

IL FINE DELLA SECONDA NOTTE

1. *si minestrano*: si servono.
2. *desnino*: pranzano.
3. *perciò ... tarda*: cfr. *Dec.*, II Concl. 2: « avendo la reina riguardato che l'ora era omai tarda ».
4. *rosseggiante aurora*: cfr. Boccaccio, *Filocolo*, III 72 10: « la rosseggiante aurora ».

[1] *Delle favole ed enimmi di messer Giovanfrancesco Straparola da Caravaggio*

NOTTE TERZA

[2] Già la sorella del sole, potente nel cielo, nelle selve e ne gli oscuri abissi,[1] con scema ritondità teneva mezzo il cielo,[2] e già l'occidente orizonte aveva coperto il carro di Febo, e le erratice[3] stelle d'ogni parte fiammeggiare[4] si vedevano,[5] e gli vaghi augelli, lasciati i soavissimi lor canti e il tra loro guerreggiare, ne' suoi cari nidi sopra e' verdi rami[6] chetamente si riposavano, quando le donne e parimente i gioveni la terza sera nel luogo usato si raunorono al favoleggiare. [3] Ed essendo tutti secondo i lor ordini postissi[7] a sedere, la signora Lucrezia comandò che 'l vaso come prima[8] portato fusse, e messevi[9] dentro il nome di cinque damigelle, le quali in quella sera secondo che le fusse dato per

1. *Già la ... abissi*: cfr. Sannazaro, *Arcadia*, x 29: « e la moltiforme Luna potente nel cielo e negli oscuri abissi ».

2. *scema ... cielo*: cfr. Boccaccio, *Filocolo*, ii 47 1: « Già Febea con iscema ritondità tenea mezzo il cielo ». – *scema*: calante.

3. *erratice*: erranti. Cfr. Gherardi, *Paradiso degli Alberti*, ii 22: « stelle fisse ed erratice ». Il sintagma è anche nella *Nova Scientia* di N. Tartaglia (cfr. Piotti, p. 91).

4. *stelle ... fiammeggiare*: cfr. *Canz.*, cxxvii 58-59: « gir per l'aere sereno stelle erranti, / et fiammeggiar fra la rugiada e 'l gielo »; e cfr. ancora Sannazaro, *Arcadia*, iv 4: « non altrimente che le chiare stelle sogliono nel sereno e limpido cielo fiammeggiare ».

5. *l'occidente ... si vedevano*: cfr. Boccaccio, *Filocolo*, v 3 3: « E già l'occidentale orizonte avea ricoperto il carro della luce, e le stelle si vedeano ».

6. *verdi rami*: cfr. *Dec.*, ii Intr. 2: « e gli uccelli su per li verdi rami cantando piacevoli versi ».

7. *postissi*: postisi.

8. *come prima*: come le precedenti sere.

9. *messevi*: vi mise. Perfetto rafforzato analogico da ricondurre ad ascendenza dialettale (cfr. Piotti, p. 118).

sorte avessero l'una dopo l'altra ordinatamente a favoleggiare. La prima adunque che uscí del vaso fu Cateruzza; la seconda Arianna; la terza Lauretta; la quarta Alteria; la quinta Eritrea. [4] Indi la Signora comandò che 'l Trivigiano il liuto prendesse e il Molino la viola e tutti gli altri carolassino,[1] menando il Bembo la carola. Finito il ballo, e posto silenzio alla dolce lira e chetate le sante corde[2] del concavo liuto, la Signora a Lauretta impose che una canzonetta cantasse. La quale desiderosa di ubidire e sodisfare alla sua Signora, prese per mano le altre compagne, e unitesi insieme e fatta la debita riverenza, con chiare e sonore voci cantorono la seguente canzone:[3]

[5] Signor, mentre ch'io miro nel bel viso,
nel qual mi regge amore,
nasce da be' vostri occhi un tal splendore,
ch'apertamente veggio il paradiso.[4]
Cosí consenton dopo il desir mio
le lagrime, i sospir che 'n vano spargo
e l'immenso e celato mio martire,
ch'io corro a quel estremo ultimo vargo[5]
che fa sovente che me stesso oblio
e fammi l'alma tant'alto salire,

1. *il liuto ... carolassino*: riproduce la scena di *Dec.*, I Intr. 106-7: « Dioneo preso un liuto e la Fiammetta una viuola, cominciarono soavemente una danza a sonare; per che la reina con l'altre donne insieme co' due giovani presa una carola, con lento passo, mandati i famigliari a mangiare, a carolar cominciarono; e quella finita, canzoni vaghette e liete cominciarono a cantare ».

2. *sante corde*: cfr. *Par.*, XV 4-5: « silenzio puose a quella dolce lira, / e fece quïetar le sante corde ».

3. *canzone*: stanza di canzone con il seguente schema rimico: AbBACDED-CEfF.

4. *Signor ... paradiso*: cfr. *Dec.*, V Concl. 17: « Mosse da' suoi begli occhi lo splendore / che pria la fiamma tua nel cor m'accese, / per li miei trapassando; / e quanto fosse grande il tuo valore, / il bel viso di lei mi fé palese; / il qual imaginando, / mi senti' gir legando / ogni vertú e sottoporla a lei, / fatta nuova cagion de' sospir miei ».

5. *vargo*: 'varco', con *-g-* come nel dialetto veneziano (cfr. BOERIO, s.v.).

che 'n voi veggio per sorte
servata la mia vita e la mia morte.

[6] Da poi che Lauretta con le compagne dimostrò col tacere la sua canzone esser giunta al fine, la Signora, nel chiaro viso di Cateruzza guardando, disse che alle favole della presente notte desse cominciamento. La quale arrossita alquanto e poscia sorridendo un poco cominciò in questa guisa.

NOTTE TERZA, FAVOLA I[1]

[1] *Pietro pazzo per virtú d'un pesce chiamato tonno da lui preso e da morte campato divenne savio e piglia Luciana, figliuola di Luciano re, in moglie, che prima per incantesmo di lui era gravida.*

[2] Io trovo, amorevoli donne, sí nelle istorie antiche come nelle moderne, che l'operazioni d'un pazzo, mentre che egli impazzisse,[2] o naturali o accidentali che elle siano, li riusciscono molte volte in bene. Per tanto mi è venuto nell'animo di raccontarvi una favola d'un pazzo, il quale mentre che impazziva, per una sua operazione savio divenne e per moglie ebbe una figliuola d'un re, sí come per lo mio ragionare potrete intendere.

[3] Nell'isola di Capraia posta nel mare Ligustico,[3] la quale Luciano re signoreggiava, fu già una povera vedovella, Isotta[4] per nome chiamata. Costei aveva un figliuolo pescatore, ma per sua disaventura era matto e tutti quelli che lo conoscevano Pietro pazzo lo chiamavano. Costui ogni dí se n'andava a pescare, ma tanto gli era la fortuna nemichevo-

1. È la nota e diffusa fiaba di « mezz'uomo », che fu ripresa da Basile (I 3: *Peruonto*) e poi ebbe una lunga e fortunata tradizione, come attestano varie versioni popolari (cfr. Calvino, *Fiabe*, n. 34: *Il dimezzato*). Thompson, pp. 107-8, ritiene che questa fiaba sia particolarmente diffusa nel sud Europa e probabilmente d'origine italiana. Il motivo del pesce fatato che in cambio della libertà è disposto a soddisfare ogni richiesta è anche in un racconto di Cornazano, *De proverbiorum origine*, VIII (*Se ne accorgerebbe gli orbi*), ripreso anche da Aloise Cinzio de' Fabrizi, *Per fina li orbi sene accorgeriano*. Per i motivi cfr. Rotunda, B175.2 (*Magic tunny grateful*); B375.1.1 (*Grateful fish grants mad hero his wish: to impregnate a princess*); B540 (*Animal rescuer*); B470 (*Helpful fish*); L113.1.3 (*Mad fisherman as hero*); N732.3 (*Parents accidentally meet daughter who has survived their attempts to drown her*); S301 (*Children abandoned*); T513.1 (*Conception through another's wish*).

2. *impazzisse*: impazzisce.

3. *Ligustico*: ligure (dal lat. *ligusticus*).

4. *Isotta*: nome della tradizione del ciclo bretone.

le,[1] che nulla prendeva, e ogni volta che egli ritornava a casa, essendo ancora piú di mezzo miglio lontano dalla stanza, si metteva sí fortemente a gridare, che tutti quelli che erano nell'isola agevolmente udire lo potevano; e lo suo gridare era tale:

– Madre, conche, conchette, secchie, secchiette, mastelle, mastellette, ché Pietro è carico di pesce! –

[4] La povera madre dando fede alle parole del figliuolo e credendo ciò che egli diceva esser il vero, il tutto apparecchiava. Ma giunto che egli era alla madre, il pazzo la scherniva e beffava, traendo di bocca la lingua lunga piú d'un gran sommesso.[2] Aveva questa vedovella la casa sua dirimpetto del palazzo di Luciano re, il quale aveva una figliuola di dieci anni molto leggiadretta e bella, alla quale, per esser unica figliuola, impose il nome suo e Luciana l'addimandava.[3] Questa tantosto che sentiva Pietro pazzo dire «Madre, conche, conchette, secchie, secchiette, mastelle, mastellette, ché Pietro ha preso molto pesce», coreva alla finestra e di ciò pigliava tanto trastullo e solaccio,[4] che alle volte dalle risa si sentiva morire. Il pazzo, che ridere dismisuratamente la vedeva, molto si sdegnava e con parole non convenevoli la villaneggiava.[5] Ma quanto piú il pazzo con villane parole l'oltreggiava, tanto piú ella, come e' morbidi[6] fanciulli fanno, ne rideva e giuoco n'apprendeva.

[5] Continovando adunque Pietro di giorno in giorno la sua pescaggione e scioccamente ripetendo alla madre le sopradette parole, avenne che 'l poverello un giorno prese un

1. *nemichevole*: avversa.

2. *sommesso*: la lunghezza del pugno col pollice alzato (cfr. *Dec.*, VIII 9 85, e SACCHETTI, *Il Trecentonovelle*, XCII 5).

3. *l'addimandava*: la chiamava. Il nome Luciana è nel *Morgante* (figlia di Marsilio).

4. *solaccio*: sollazzo, divertimento.

5. *villaneggiava*: svillaneggiava.

6. *morbidi*: teneri (in giovane età).

grande e grosso pesce, da noi tonno per nome chiamato. Di che egli ne sentí tanta allegrezza che 'l se ne andava saltolando e gridando per lo lito:

– Cenerò pur con la mia madre, cenerò pur con la mia madre –; e andava tai parole piú volte replicando.

[6] Vedendosi il tonno preso e non potendo in modo alcuno fuggire, disse a Pietro pazzo:

– Deh, fratello mio, pregoti per cortesia che vogli di tal prigionia liberarmi e donarmi la vita. Deh, caro fratello, e che vuoi tu far di me? come mangiato tu m'avrai, qual altro beneficio di me conseguir ne potrà? ma se tu da morte mi camperai, forse ad alcun tempo agevolmente io ti potrei giovare –.

[7] Ma il buon Pietro, che aveva piú bisogno di mangiare che di parole, voleva pur al tutto ponerselo in spalla e portarselo a casa per goderselo allegramente con la madre sua ch'ancor ella molto bisogno ne aveva. Il tonno non cessava tuttavia di caldamente pregarlo, offerendogli di dargli tanto pesce quanto egli desiderava avere. E appresso questo li promise di concedergli ciò che egli gli addimanderebbe. Pietro che, quantunque pazzo fusse, non aveva di diamante il cuore,[1] mosso a pietà contentò[2] da morte liberarlo. E tanto con e' piedi e con le braccia lo spinse, che lo gittò nel mare. Allora il tonno, vedendo aver ricevuto sí gran beneficio, non volendo dimostrarsi ingrato, disse a Pietro:

– Ascendi nella tua navicella e col remo e con la persona pieghela tanto da l'un de' lati, che l'acqua vi possi entrare –.

[8] Montato Pietro in nave e fattala star curva e pendente da uno lato sopra il mare, tanta copia de pesci vi entrò, che ella stette in grandissimo pericolo di sommergersi. Il che vedendo Pietro, che niente stimava il pericolo, assai se n'allegrò, e presone tanto quanto in collo ne poteva portare,

1. *non aveva ... cuore*: per questa metafora cfr. II 2 25.
2. *contentò*: accondiscese.

verso casa tolse il camino; ed essendo non molto lontano dall'abitazione, cominciò secondo la lui usanza[1] ad alta voce gridare:

– Conche, conchette, secchie, secchiette, mastelle, mastellette, ché Pietro ha pigliato di molto pesce! –

[9] La madre, che pensava come prima[2] esser derisa e beffata, movere non si voleva. Ma pur il pazzo nel grido piú altamente continovava. Laonde la madre, temendo che egli non facesse qualche maggior pazzia, se gli vasi preparati non trovasse, ogni cosa apparecchiò. Agiunto Pietro a casa e veduta dalla madre tanta copia di bellissimo pesce, ella tutta si rallegrò, laudando Iddio che egli una volta aveva pur avuta buona ventura.

[10] La figliuola del re avendo udito Pietro altamente gridare, era corsa alla finestra e lo deleggiava e scherniva, ridendosi fortemente delle parole sue. Il poverello non sapendo altro che fare, acceso d'ira e di furore, corse al lito del mare e ad alta voce chiamò il tonno che aiutare lo dovesse. Il tonno udita la voce e conosciutala di cui era, s'appresentò alla riva del mare, e messo il capo fuori delle salse onde, lo addimandò che cosa egli comandava. A cui il pazzo disse:

– Altro per ora non voglio se non che Luciana, figliuola di Luciano re, gravida si trovi –.

Il che in meno d'un levar d'occhi fu essequito tanto quanto egli comandato aveva.

[11] Non passorono molti giorni e mesi che 'l verginal ventre cominciò crescere alla fanciulla, che ancora il duodecimo anno tocco[3] non aveva, e vedevansi segni evidentissimi di donna gravida. La madre della fanciulla questo vedendo, molto addolorata rimase, non potendosi persuadere che

1. *la lui usanza*: forma di genitivo non rara nelle *Piacevoli notti*. Cfr. I I 22.
2. *come prima*: come in precedenza, come le altre volte.
3. *tocco*: raggiunto. Aggettivo verbale usato come participio passato debole della coniugazione in *a*. Cfr. ROHLFS, 627.

una fanciulla di undeci anni, che ancora i segni di donna non dimostrava, ingravidar si potesse. E pensando che piú tosto ella fusse, sí come suol avenire, in qualche infirmità incurabile caduta, volse [1] che dalle donne esperte fusse veduta; le quali diligentemente e con secreto modo avendola considerata, giudicorono indubitamente la fanciulla esser gravida. [12] La reina non potendo un tanto ignominioso eccesso sofferire, con Luciano re suo marito lo volse communicare. Il che inteso dal re, da cordoglio volse morire. E fatta la debita inquisizione [2] con ogni onesto e secreto modo se 'l si poteva scoprire chi era stato colui che la fanciulla violata aveva, né potendo cosa alcuna intendere, per non restare con sí vituperoso scorno, voleva occoltamente ucciderla. [13] Ma la madre, che teneramente amava la figliuola, pregò il re che la riserbasse [3] fino a tanto che ella parturiva e poi facesse quello che piú gli aggradiva.[4] Il re, che pur le era padre, mosso a compassione della fanciulla, che unica figliuola gli era, al voler materno s'achetò.[5]

[14] Venuto il tempo del parto, la fanciulla parturí un bellissimo bambino, e perciò che era di somma bellezza, non puoté il re sofferire che ucciso fusse, ma comandò alla reina che sino all'anno allattare e ben nodrire lo facesse.

[15] Essendo il bambino pervenuto al termine de l'anno e crescendo in tanta bellezza che non vi era un altro che se gli potesse agguagliare, parve al re di fare una isperienza se colui di cui era figliuolo si potesse trovare. Laonde il re fece fare un publico bando per tutta la città, che chiunque della sua età il decimoquart'anno passava, dovesse, sotto pena di esserli il capo spiccato dal busto, appresentarsi a sua maestà,

1. *volse*: volle. Perfetto sigmatico ammesso anche dal Bembo, *Prose*, III 34.
2. *inquisizione*: indagine.
3. *riserbasse*: risparmiasse.
4. *aggradiva*: piaceva.
5. *s'achetò*: si rassegnò.

portando nelle mani un frutto o un fiore over altra cosa che potesse dar campo[1] al fanciullo di potersi commovere. Secondo il comandamento del re tutti vennero al palazzo portando chi un frutto chi un fiore e chi l'una e chi l'altra cosa in mano, e passavano dinanzi al re, e dopo secondo i loro ordini sedevano.

[16] Avenne che andando un giovene al palazzo, sí come gli altri facevano, s'abbatté in Pietro pazzo e dissegli:

– Dove vai Pietro? perché non vai al palazzo come gli altri, e ubidir al comandamento del re? –

A cui Pietro rispose:

– E che vuoi tu ch'io faccia fra tanta brigata? non vedi tu che io sono povero, nudo, né ho pur una veste da coprirmi, e tu vuoi ch'io mi ponga fra tanti signori e corteggiani? questo non farò già io –.

Disse allora il giovene burlando:

– Vieni meco e io ti darò una veste; e chi sa che il fanciullo non possi esser tuo? –

[17] Andatossene[2] adunque Pietro a casa del giovene, li fu data una veste, la quale presa e di quella vestitosi, se n'andò in compagnia del giovene al palazzo, e asceso su per le scale, si puose dietro un uscio del palazzo che appena d'alcuno poteva esser veduto. Essendo adunque tutti appresentati al re, dopo messissi[3] a sedere, il re comandò che 'l bambino in sala fusse portato, pensando che, ivi ritrovandosi il padre, le viscere paterne si commoverebbono. [18] La balia prese il fanciullo in braccio e in sala lo portò, dove tutti lo accarecciavano, dandogli chi un frutto chi un fiore e chi l'una e chi l'altra cosa, ma il bambino tutti con mano li ricusava. La balia, ch'or quinci or quindi passeggiava per la sala, una volta verso l'uscio del palazzo trascorse, e subito il fanciullo ri-

1. *dar campo*: dare possibilità, permettere.
2. *Andatossene*: andatosene.
3. *messissi*: messisi.

dendo con la testa e con tutta la persona sí fieramente[1] si piegò, che quasi uscí fuori delle braccia della balia. Ma ella, non avedendosi di cosa alcuna, scorreva per tutto. Ritornata la balia da capo a l'uscio, il fanciullo faceva la maggior festa in quel luogo del mondo, sempre ridendo e dimostrando l'uscio col dito. [19] Il re, che già si accorgeva de gli atti che faceva il fanciullo, chiamò la balia e addimandòla chi era dietro l'uscio. La balia, che altro non pensava, rispose esservi un mendico. Onde fattolo chiamare e venire a la sua presenza, conobbe il re che egli era Pietro pazzo. Il fanciullo, che gli era vicino, aperte le braccia se gli aventò al collo e strettamente lo abbracciò. [20] Il che vedendo il re, doglia sopra doglia li crebbe e data buona licenza a tutta la brigata, deliberò che Pietro con la figliuola e con il bambino al tutto morisse. Ma la reina, che prudentissima era, molto saviamente considerò che, se costoro nel cospetto del re fussero decapitati e arsi, gli sarebbe non picciolo vituperio e scorno. E però persuase al re[2] che ordinasse una botta,[3] la maggior che far si potesse, e tutta tre dentro rinchiusi, la botte nel mare gittasse, lasciandogli, senza che loro tanto affanno sentissino, andare alla buona ventura. Al re tale arricordo[4] molto piacque, e ordinata la botte e messili tutta tre dentro con una cesta di pane e uno fiasco di buona vernazza[5] e con uno barile de fichi per lo fanciullo, nell'alto mare la fece gittare, pensando che giungendo in qualche scoglio, si dovesse rompere e annegare.

[21] Ma la cosa altrimenti successe di ciò che 'l re e la reina pensato avevano.[6] La vecchiarella madre di Pietro inten-

1. *fieramente*: con slancio.

2. *persuase al re*: il verbo è costruito col dativo come in latino.

3. *botta*: botte (metaplasmo di declinazione, per il quale cfr. Rohlfs, 353). Questa forma si alterna nella novella con « botte ».

4. *arricordo*: consiglio.

5. *vernazza*: vernaccia (esito assibilato settentrionale).

6. *Ma la ... avevano*: l'espressione ricorda un modulo decameroniano: cfr. *Dec.*, v 2 13: « Ma tutto altrimenti adivenne che ella avvisato non avea ».

dendo il caso strano del figliuolo, tutta addolorata e dalla vecchiezza gravata, in pochi giorni se ne morí. Essendo adunque la misera Luciana nella botta da procelose onde molto combattuta,[1] né vedendo sole né luna, dirottamente piangeva la sua sciagura, e non avendo latte di attasentare[2] il fanciullo che sovente piangeva, alle volte gli dava de' fichi e in tal modo lo addormentava. Ma Pietro nulla curandosi, ad altro non attendeva se non al pane e alla vernazza. [22] Il che veggendo Luciana disse:

– Pietro, oimè! tu vedi come io per te la pena innocentemente patisco, e tu insensato ridi, mangi e bevi, né punto consideri al[3] commune[4] pericolo –.

A cui egli rispose:

– Questo ci è avenuto non già per colpa mia, ma per cagione tua che continovamente mi deridevi e berteggiavi. Ma sta di buon animo – disse – ché tosto usciremo d'affanni.

– Io – disse Luciana – mi penso che tu dica il vero che tosto usciremo d'affanni percioché la botta si rupperà sopra qualche sasso e noi sí annegheremo –.

Allora Pietro disse:

– Tacci, ché io ho un secreto, il quale se tu sapesi, molto ti maraviglieresti e forse ti rallegreresti.

– E che secreto hai tu – disse Luciana – che solevar ci potesse e di tanto travaglio ni[5] traesse?

1. *onde molto combattuta*: cfr. *Canz.*, XXVI 2: « nave da l'onde combattuta et vinta ».

2. *attasentare*: far tacere.

3. *consideri al*: nell'italiano antico il verbo ha spesso il complemento indiretto (cfr. AGENO, p. 51).

4. *commune*: è la forma preferita dallo Straparola (« comune » con una sola -*m*- è solo a I 3 7; esistono poi pochi casi di « comuni » e « comunalmente »). Il FORTUNIO nelle *Regole* II preferisce questa forma con la doppia *m* « dal latino non difforme ». E cfr. ACARISIO, *Vocabolario*: « per essere da latini per m, doppio scritto, cosí da noi si scrive [...] benché alcuni cosí latini come volgari il scrivono per semplice m ».

5. *ni*: ci (dialettale).

– [23] Io ho un pesce – disse Pietro – il quale fa ciò che io gli comando e non preterirebbe[1] cosa alcuna, se egli credesse perder la vita, e fu quello che t'ingravidò.

– Questa è una buona cosa – disse Luciana – quando cosí fusse. Ma come si addimanda il pesce? – disse Luciana.

A cui rispose Pietro:

– Egli s'addimanda tonno.

– Ma fa' che egli mi dia la tua auttorità – disse Luciana – imponendogli che tanto essequisca quanto io gli dirò.

– Sia fatto – disse Pietro – il tuo volere –.

[24] E incontanente[2] chiamò il tonno e commessegli che quanto ella gli imponeva, tanto egli facesse. La giovane, avuta la potestà di comandare al tonno, subito li comandò che egli gittasse la botte sopra uno de' piú belli e piú securi scogli, che sotto l'imperio del padre suo si trovasse. Dopo, che operasse sí, che Pietro di sozzo e pazzo divenisse il piú bello e il piú saggio uomo che allora nel mondo si trovasse. E non contenta di ciò, ancora volse che sopra il scoglio fabricasse un ricchissimo palazzo con logge e con sale e con camere bellissime, e che di dietro avesse uno giardino lieto e riguardevole, copioso de alberi che producano gemme e preciose perle; in mezzo del quale sia una fontana di acqua freddissima e una volta de preciosi vini.[3] Il che senza indugio fu largamente essequito.

[25] Il re e la reina, arricordandosi esser sí miseramente della figliuola e del bambino privi e pensando come le loro

1. *preterirebbe*: tralascerebbe (latinismo).

2. *incontanente*: subito.

3. *palazzo ... vini*: cfr. *Dec.*, I Intr. 90: « Era il detto luogo sopra una piccola montagnetta, da ogni parte lontano alquanto alle nostre strade, di varii arbuscelli e piante tutte di verdi fronde ripiene piacevoli a riguardare; in sul colmo della quale era un palagio con bello e gran cortile nel mezzo, e con logge e con sale e con camere, tutte ciascuna verso di sé bellissima e di liete dipinture raguardevole e ornata, con pratelli da torno e con giardini maravigliosi e con pozzi d'acque freschissime e con volte di preziosi vini ».

carni fusseno già divorate da' pesci, forte si ramariccavano, né mai si trovavano allegri né contenti. E stando amendue in questo affanno e cordoglio, determinorono, per reffrigerare[1] alquanto i passionati[2] lor cuori, di andarsene in Gerusalemme e ivi visitare la Terra Santa; e preparata una nave e guarnita di ciò che le conveneva, montorono in nave e si partirono, e con prospero e favorevole vento navigorono.

[26] Non s'erano appena cento miglia scostati da l'isola Capraia, che videro dalla lunga un ricco e superbo palazzo alquanto rilevato dal piano,[3] sopra un'isoletta posto. E perché era molto vago e al dominio loro soggetto, lo volsero vedere. E accostatosi[4] all'isolotto, fecero scala[5] e giú di nave smontorono. Non erano ancora aggiunti al palazzo che Pietro pazzo e Luciana figliuola del re li conobbero, e scesi giú delle scale gli andorono incontra e con strette accoglienze benignamente i[6] ricevettero. Ma il re e la reina, perciò che erano tutti trasformati, non i conobbero. [27] Entrati adunque nel vago palazzo, minutamente lo videro e molto lo commendorono, e scesi giú per una scaletta secreta, andorono nel giardino, il quale al re e alla reina tanto piacque che giurorono a' giorni suoi non averne veduto un altro che piú li piacesse. In mezzo del bel giardino eraci un albero, che sopra un ramo aveva tre pomi d'oro, e il guardiano per espresso comandamento di Luciana i custodiva che involati non fussero. Ma, non so come, il piú bello, non avedendosi il re, occoltamente[7] nel seno gli fu posto. [28] E volendosi partir il re, disse il guardiano a Luciana:

1. *reffrigerare*: sollevare da pensieri angosciosi, confortare.
2. *passionati*: turbati, sconvolti, angosciati.
3. *alquanto ... dal piano*: in posizione assai elevata.
4. *accostatosi*: mancato accordo del participio.
5. *fecero scala*: approdarono. Cfr. I 4 15.
6. *i*: forma pronominale di terza plurale molto diffusa al Nord, come sostiene Rohlfs, 462. Cfr. anche poco oltre «i conobbero», «i custodiva».
7. *occoltamente*: occultamente, di nascosto (con una sfumatura misteriosa).

– Signora, uno de' tre pomi, e il piú bello, ci manca, né posso sapere chi involato l'abbia –.

Allora Luciana al guardiano commesse che ad uno ad uno tutti diligentemente cercasse, perché non era cosa di farsene poco conto. Il guardiano, poi che ebbe ben cercato e ricercato ognuno, a lei ritornò e dissele che non si trovava. Il che intendendo, Luciana finse di molto turbarsi, e voltatasi al re, disse:

– Sacra maestà, mi perdonarete se ancor voi sarete cercato, perciò che il pomo d'oro che ci manca è di sommo valore e molto piú l'apprecio che ogni altra cosa –.

[29] Il re, che non sapeva la trama,[1] pensando che in lui tal error non fusse, arditamente la veste si scinse e subito il pomo in terra caddé.[2] Il che vedendo il re, tutto suspeso e stupefatto rimase, non sapendo come in seno venuto gli fusse. Luciana, vedendo allora tal cosa, disse:

– Signor mio, noi vi abbiamo carezzato e onorato molto, facendovi quelle accoglienze e onori che degnamente meritate, e voi in guidardone delle accoglienze, senza saputa nostra ne involate del giardino i frutti. Molto mi pare che verso di noi grande ingratitudine mostrate –.

[30] Il re, che di ciò era innocente, molto s'affaticava in farle credere che egli il pomo involato non avesse. Luciana, veggendo che omai era convenevole tempo di scoprirsi e dar a conoscere al padre l'innocenza sua, con viso lagrimoso disse:

– Signor mio, sapiate che io sono quella Luciana la quale infelicemente generaste e con Pietro pazzo e col fanciullo a morte crudelmente dannaste. Io sono quella Luciana, vostra unica figliuola, la quale senza aver conosciuto uomo alcuno pregna trovaste. Quest'è il fanciullo innocentissimo senza peccato da me conceputo –: e appresentògli il fanciullo.

1. *trama*: macchinazione.
2. *caddé*: esito geminato di « cadé », con il quale alterna nelle *Piacevoli notti*. Mi sembra opportuno dunque rispettare l'accento.

– Quest'altro è Pietro pazzo, il quale per virtú d'un pesce chiamato tonno sapientissimo divenuto, fabricò l'alto e superbo palazzo. Costui fu quello che senza che voi ve n'avedeste vi puose il pomo d'oro in seno. Costui fu quello di cui non con stretti congiungimenti, ma con incantesmi gravida divenni. E sí come voi dell'involato pomo d'oro siete innocente, cosí parimente della gravedanza[1] io ne fui innocentissima –.

Allora tutti d'allegrezza piangendo s'abbracciorono insieme e gran festa si fecero. [31] E passati alcuni dí montorono in nave e a Capraia ritornorono, dove fu fatta grandissima festa e trionfo. E il re fece Pietro Luciana sposare e come suo genero il pose in tal stato, che egli onoratamente e in consolazione lungo tempo visse. E il re venendo al fine della sua vita, del regno suo erede il constituí.

[32] La favola da Cateruzza raccontata piú e piú volte indusse l'altre donne a lagrimare. Ma poi che conobbero quella aver avuto buono e felice termine, tutte sommamente si rallegrorono, rendendo al Signore quelle grazie che potevano maggiori.[2] La Signora, che già vedeva la favola esser finita, a Cateruzza impose che l'ordine seguisse. La quale non stette a bada, ma lietamente e con buon animo lo suo enimma[3] cosí incominciò:

1. *gravedanza*: 'gravidanza', con *-e-* in protonia mediana riconducibile ad un'area dialettale (cfr. Piotti, p. 69).

2. *rendendo … maggiori*: cfr. *Dec.*, I 7 26: « rendutegli quelle grazie le quali poté maggiori ».

3. *lo suo enimma*: il collegamento tra questo enigma (la cattura del bue selvatico) e la novella (incentrata sulla pazzia del protagonista) smaschera la fonte utilizzata dallo Straparola. Cfr. *Fiore di virtú* di anonimo padano, verosimilmente bolognese, del primo Trecento: « Et puose appropriar & assimiliar el vitio dela pacia al bove salvatico che a in odio ogni cosa rossa per natura. Si che quando li caciatori il voleno piliare si vestino de rosso & si vano dove usa il buove salvatico e subito lo buove per la gran volunta che lui non si pensa & non si guarda niente: ma con furore li corre apresso: & li caciatori sil fugino & si ascondeno drieto uno arbore che hanno apostato: e lo buove credendo an-

[33] Un dietro a un tronco sta vestito a rosso,
e or s'asconde or scopre, e ha una picca.[1]
Quattro portan correndo un grande e grosso,
e duo pungenti nel gran tronco ficca.
Un ch'è nascosto vien fuori d'un fosso
e con gran fretta dietro se gli spicca.
Dieci l'atterran qual pazzo e poltrone:
questo chi lo indivina è gran barone.[2]

[34] Fu non senza grandissimo piacere di tutta la brigata ascoltato[3] lo arguto enimma da Cateruzza graziosamente raccontato. E quantunque le donne diversamente lo interpretassino, non però fu alcuna di loro che diè meglio al segno[4] della vaga Lauretta, la quale sorridendo disse:

– Lo enimma proposto da questa nostra amorevole sorella altro non può dimostrare se non il bove salvatico, il quale ha quattro piedi che 'l porta;[5] vedendo il drappo rosso, come pazzo impetuosamente corre a ferirlo, e credendo percuoterlo, ficca i duo pungenti, che sono le duo corna, ne l'albero e indi non le può trarre. Dopo il cacciatore, che sta nascosto dentro il fosso, si scopre e con dieci l'atterra, cioè con dieci dita de due mani –.

[35] Cataruzza[6] per la vera resoluzione dell'enimma tutta

dare a dosso a gli caciatori va a ferire con le corne fortemente in lalbore con tanta furia che caza le corne per tal modo in larboro che non puo retirare fora: & alhora li caciatori vanno sopra & loccideno » (Venezia, Sessa, 1518).

1. *picca*: asta terminante con una punta acuta di ferro.

2. *Un dietro … barone*: per la fortuna di alcuni elementi di questo enigma cfr. un indovinello popolare antico raccolto in Rua, *Di alcune stampe*, p. 452 n. 15. E cfr. anche un testo marchigiano in « Archivio per lo studio delle tradizioni popolari », a. I 1882, p. 404 (dove sono segnalate numerose altre versioni)

3. *Fu … ascoltato*: cfr. Sannazaro, *Arcadia*, VII 1: « Venuto Opico a la fine del suo cantare, non senza gran diletto da tutta la brigata ascoltato ».

4. *diè … segno*: colpí meglio il bersaglio, metafora per 'indovinare'.

5. *porta*: terza singolare per la terza plurale. È uno dei tratti che contraddistinguono i dialetti settentrionali.

6. *Cataruzza*: nelle *Piacevoli notti* compare in misura minore anche questa

rossa divenne, perciò che ella credeva che niuna altra si trovasse che lo risolvesse, ma a gran lunga si trovò ingannata, perciò che Lauretta non era men saputa di lei. La Signora, che vedeva che le compagne crescevano in parole, l'impose silenzio e comandò ad Arianna che ad una dilettevole favola desse principio.[1] La quale vergognosamente cosí incominciò.

forma con assimilazione vocalica che si alterna con la ben piú diffusa « Cateruzza ».

1. *La Signora ... principio*: cfr. *Dec.*, VII 9 2: « Tanto era piaciuta la novella di Neifile, che né di ridere né di ragionar di quella si potevano le donne tenere, quantunque il re piú volte silenzio loro avesse imposto, avendo comandato a Panfilo che la sua dicesse ».

NOTTE TERZA, FAVOLA II[1]

[1] *Dalfreno re di Tunisi ha duo figliuoli, l'uno Listico e l'altro Livoretto chiamato, dapoi per nome detto Porcarollo; e finalmente Bellisandra, figliuola di Attarante re di Damasco, in moglie ottiene.*

[2] Poco non fa lo saggio nocchiero che, balestrato da invidiosa e scapigliata fortuna[2] e fra duri e acuti scogli spinto, drizza a sicuro e riposato porto l'affannata navicella.[3] Il che avenne a Livoretto, figliuolo del gran re di Tunisi, il quale dopo molti non pensati pericoli,[4] gravosi affanni[5] e lunghe fatiche, calcata con l'altezza dell'animo suo la miseria della fortuna,[6] a maggior stato pervenne e il regno del Cairo in

1. È una fiaba molto diffusa nella tradizione popolare e di essa si conoscono numerose versioni segnalate da Cosquin, n. 73 (to. ii pp. 294-303) e n. 3 (to. i pp. 44-49). Ma cfr. anche per l'Italia *Novelline popolari italiane*, pubblicate ed illustrate da D. Comparetti, vol. i, Roma-Torino-Firenze, Loescher, 1875; Pitrè, *Fiabe Novelle e Racconti*, n. 34; *Tradizioni popolari abruzzesi raccolte da* G. Finamore, vol. i. *Novelle* (parte prima), Lanciano, Carabba, 1882, n. 11, e A. De Nino, *Usi e costumi abruzzesi*, vol. iii. *Fiabe*, Firenze, Barbera, 1883, n. 39. Il motivo della liberazione della principessa e quello del cavallo fatato sono molto diffusi, come conferma anche Calvino, *Fiabe*, n. 6, che riporta una versione ligure (*Corpo-senza-l'anima*), la quale nella prima parte ha punti di contatto con questa fiaba dello Straparola, mentre nella seconda ricorda la vicenda di Fortunio (cfr. iii 4). Per gli animali riconoscenti e soccorritori, motivo presente anche nei cantari (*Gismirante*), cfr. Thompson, pp. 89 sgg., e per il cavallo fatato, pp. 97-98. Per i motivi cfr. Rotunda, B149.1, B172.5, B181, B181.6, B211.3, B360, B401, B451.3, B470, B501, B548.2.1, B563, D1865.1, D2120, E80, H335, H911, H926, H1321.1, K1848.2, T323.2.

2. *scapigliata fortuna*: furiosa tempesta.

3. *affannata navicella*: metonimia. Cfr. *Canz.*, lxxx 37-39: « Signor de la mia fine et de la vita, / prima ch'i' fiacchi il legno tra li scogli / drizza a buon porto l'affannata vela ».

4. *molti ... pericoli*: cfr. *Dec.*, v 6 3: « e a gran fatiche e a istrabocchevoli e non pensati pericoli ».

5. *gravosi affanni*: cfr. *Canz.*, cccliii 5: « se, come i tuoi gravosi affanni sai ». Ma cfr. anche Boccaccio, *Filocolo*, i 21 7: « sostennero gravosi affanni ».

6. *calcata ... fortuna*: cfr. *Dec.*, ii 7 23: « con altezza d'animo propose di calcare la miseria della sua fortuna ».

pace godé, sí come per la presente favola, che raccontarvi intendo, agevolmente intender potrete.

[3] In Tunisi, città regia ne' liti dell'Affrica, fu non gran tempo fa un famoso e possente[1] re, Dalfreno[2] per nome chiamato, il quale avendo per moglie una graziosa e accorta[3] donna, di lei ebbe duo figliuoli savi, virtuosi e ubidienti al padre, de' quali il maggiore Listico, il minore Livoretto si nominava. Questi fratelli per decreto regale e approbata[4] usanza al regno paterno succedere non potevano, perciò che la successione solamente alle femine di ragione[5] aspettava. [4] Laonde il re veggendosi per sua mala sorte di figliuole privo ed esser in tale età di non poterne piú avere, si ramariccava molto, e infinita passione e cordoglio ne sentiva. E tanto piú perché s'imaginava che dopo la morte sua sarebbeno mal veduti e peggio trattati[6] e con grandissimo loro scorno del regno miseramente scacciati. [5] E dimorando l'infelice re in questi dolorosi pensieri né sapendo trovar rimedio che solevar il potesse, voltòsi alla reina, che sommamente amava, e le disse:

– Madama, che debbiam far noi di questi nostri figliuoli, dapoi che ogni podestà[7] di lasciarli del regno eredi ni[8] è per la legge e per l'antica usanza apertamente tolta? –

[6] A cui la prudente reina all'improviso rispose:

– Sacra maestà, a me parrebbe che voi essendo de molti e infiniti tesori potente, li mandaste altrove dove conosciuti

1. *famoso e possente*: cfr. *Morgante*, IX 51 2: « Orlando nostro famoso e possente ».

2. *Dalfreno*: questo nome è nei *Reali di Francia* e nell'*Aspramonte*.

3. *graziosa e accorta donna*: cfr. *Orlando innamorato*, III I 50: « una dama graziosa e accorta ».

4. *approbata*: convalidata, riconosciuta universalmente come valida.

5. *di ragione*: secondo il diritto, legittimamente.

6. *mal ... trattati*: il modulo per assonanza ricorda *Dec.*, II 6 31: « mal vestiti e peggio calzati », che Straparola utilizzerà a XIII 12 6.

7. *podestà*: potere.

8. *ni*: ci.

non fussero, dandogli quantità di gioie e di danari grandissima, ché forse, la grazia d'alcun signore trovando, li fiano cari e in modo alcuno non patiranno. E quando pur patisseno, che Iddio nol voglia, almeno non si saprà di cui sono figliuoli. I[1] sono giovini, vaghi d'aspetto, apparenti in vista,[2] animosi e atti ad ogni magnanima e alta impresa. Né vi è re né principe né signore che per li privilegi dalla natura a lor concessi, non gli amino e tenghino cari –.

[7] Piacque molto a Dalfreno la risposta della sapiente reina, e chiamati a sé Listico e Livoretto, li disse:

– Figliuoli, da noi vostro padre molto diletti, perché dopo la morte nostra vi è tolta ogni speranza di questo regno, non già per vizio vostro né per disonesti costumi, ma perché cosí determina la legge e l'antica usanza, per esser voi non femine ma uomini dalla potente natura e da noi prodotti, noi e la madre vostra, per utile e comodo di l'uno e l'altro di voi, abbiamo presa deliberazione di mandarvi altrove con gioie, gemme e danari assai, acciò che venendovi alcun orrevole partito, potiate con onor vostro la vita sostentare. E però voi vi contentarete di quanto è il desiderio nostro –.

[8] Il proponimento del re assai piacque a Listico e a Livoretto, e non vi fu di minor contento di quello che fu al re e alla reina, perciò che l'uno e l'altro di loro di veder cose nuove[3] e gustare i piaceri del mondo sommamente desiderava. La reina, sí come è general costume di donne, che piú teneramente il minor che 'l maggior figliuolo amava, chiamatolo da parte, dègli[4] un schiumante e bellicoso cavallo,

1. *I*: per questa terza persona plurale del pronome personale cfr. ROHLFS, 448.

2. *apparenti in vista*: di bell'apparenza.

3. *l'uno ... nuove*: cfr. BOCCACCIO, *Filocolo*, V 13 1: « Quivi vaghi di vedere cose nuove », e *Dec.*, X 5 12: « vaga di veder cose nuove ».

4. *dègli*: gli diede.

sparso di macchie, di picciol capo e di sguardo animoso, e oltre le belle fatezze che egli avea, era tutto affatato;[1] di tal cosa Livoretto minor figliuolo era consapevole. Presa adunque la benedizzione i figliuoli da i lor parenti,[2] e tolti i tesori, celatamente insieme si partirono.

[9] Avendo piú giorni cavalcato né trovato luoco che di contentamento li fusse, si contristorono molto. Onde Livoretto a Listico disse:

– Noi finora abbiam cavalcato insieme, né cosa alcuna di valor degna operato abbiamo; però parmi, quando ancora a te fusse a piacere, che l'uno da l'altro si separasse e ciascuno da per sé per sua ventura andasse –.[3]

[10] Il che piacque ad ambe duo e strettamente abbracciatisi insieme e basciatisi, tolsero l'uno da l'altro commiato; e Listico, di cui poi nulla si seppe, verso l'Occidente indrizzò il camino, e Livoretto col suo affatato palafreno verso l'Oriente prese il viaggio.

[11] Avendo Livoretto cavalcato per gran spazio di tempo, e senza utile alcuno veduto assai del mondo, e già consumate le gioie, danari e tesori datigli da l'amorevole padre fuor che 'l fatato cavallo, finalmente aggiunse al Cairo, regia città dell'Egitto, la quale allora signoreggiava il soldano, Danebruno[4] chiamato, uomo astuto e potente di ricchezze e di stato, ma de anni molto carico.[5] Questi quantunque vecchio fusse, nondimeno era caldamente acceso dell'amore di Bellisandra,[6]

1. *affatato*: fatato, dotato di virtú magiche. Con *a-* prostetica (diffusa al Nord) e raddoppiamento.

2. *parenti*: genitori (latinismo).

3. *si separasse ... andasse*: congiuntivi imperfetti incoerenti con la normale *consecutio temporum*. L'imperfetto congiuntivo in luogo del presente è frequente in Masuccio Salernitano, e in genere in scrittori meridionali (cfr. AGENO, pp. 321-25).

4. *Danebruno*: questo nome è nei *Reali di Francia* e nell'*Aspramonte*.

5. *de anni molto carico*: per questa espressione cfr. *Dec.*, V 9 4: « d'anni pieno ».

6. *Bellisandra*: questo nome è nel *Mambriano*.

figliuola di Attarante[1] re di Damasco, e alla città si era accampato e postole aveva assedio per acquistarla, acciò che o per amore o per forza egli la avesse per moglie. Ma ella avendo persentita la vecchiezza e bruttura del soldano, aveva al tutto determinato piú tosto se medesima uccidere, che prenderlo per marito.

[12] Livoretto adunque giunto al Cairo ed entrato nella città, quella tutta circuí,[2] e rimirandola d'ogni parte, molto la comendò, e vedendosi aver discipata[3] tutta la sustanzia sua adempiendo tutti gli appetiti suoi, ne l'animo propose di non dipartirsi di là se prima con alcuno per servidore non era acconcio.[4] E andatosene verso il palazzo, vide nella corte del soldano molti sanzachi,[5] mamalucchi[6] e schiavi. A' quali addimandò se nella corte del signore era bisogno di servidor alcuno, ché egli volontier gli servirebbe. E fulli risposto di no. [13] Ma ricordandosi uno di loro che nella corte facea bisogno d'uno che attendesse a' porci, lo richiamò e adimandòlo se attenderebbe a' porci. Ed egli gli rispose che sí.[7] E fattolo scendere giú del cavallo, alla stalla de' porci lo menò. E addimandatolo come era il suo nome, gli rispose aver nome Livoretto. Ma da tutti fu chiamato il Porcarollo,[8] ché cosí nome gli imposero. [14] Acconciosi[9] adunque Livo-

1. *Attarante*: nome preso a prestito dai *Reali di Francia*.
2. *tutta circuí*: girò tutta la città in lungo e in largo.
3. *discipata*: dissipata.
4. *acconcio*: sistemato.
5. *sanzachi*: sangiacchi, governatori civili e militari, a capo di un sangiaccato (suddivisione amministrativa dei territori dell'impero turco). Forma assibilata di tipo settentrionale. È termine attestato fin dal Quattrocento (cfr. Trovato, p. 345).
6. *mamalucchi*: casta di schiavi turchi, trasformatasi in regolare milizia, che assunse grande potere in Egitto a partire dal XIII secolo.
7. *rispose che sí*: cfr. Trovato, p. 345: in Boccaccio si trova solo « rispose che volentieri » contro « r. del sí / di sí / di no »; ess. trecenteschi di *che sí*, *che no* dopo verbi di dire nel *GDLI*, s.v. *che* cong.
8. *Porcarollo*: nome parlante con suffisso diminutivo.
9. *acconciosi*: sistematosi. Participio passato.

retto, ora nominato Porcarollo, nella corte del soldano, a niuna altra cosa attendeva che a far e' porci grassi, e tanta era la sollecitudine e diligenza sua, che quello che uno altro in spazio di sei mesi faceva, egli in termine di duo mesi aveva pienamente ispedito.[1] Vedendo gli sanzachi, mamalucchi e schiavi in costui tanta sofficienza, persuasero al signore che altro ufficio darvi dovesse, perciò che la diligenza sua in sí basso e vil servigio esser non meritava. Laonde per ordine del soldano fulli imposta la cura di attendere a' cavalli, e accresciuto li fu il salario. Di che egli ne ebbe maggior contentezza, perciò che attendendo a gli altri, meglio poteva governar lo suo. [15] E postosi a tal impresa, con la streggia[2] sí fattamente gli streggiava, nettava e abbelliva, che i lor mantelli non altrimenti che veluto parevano. E fra gli altri eravi un roncino[3] assai vago, giovine e animoso, e per le sue bellezze diligentemente gli attendeva e ammaestrava, e in tal maniera l'ammaestrò che, oltre che si maneggiava d'ogni parte, il s'inchinava, danzava, e quanto egli era alto si levava da terra, distendendo nell'aria calci che risembravano saette. I mamalucchi e schiavi, vedendo le valentigie[4] del cavallo, stavano ammirativi[5] e cose fuor di natura li parevano. Onde determinorono di raccontare il tutto al soldano, acciò che delle prodezze del Porcarollo alcuno diporto prendere ne potesse. [16] Il soldano, che nella vista era malinconoso, sí per lo soverchio amore[6] come per l'estrema vecchiezza,[7] nulla o poco di diporto si curava, ma carico d'amorosi pensieri, a niente altro che alla diletta amante

1. *ispedito*: sbrigato. Con *i-* prostetica.

2. *streggia*: striglia (in veneziano *stregia*: cfr. Boerio, s.v.). Cfr. anche il verbo *streggiava*.

3. *roncino*: ronzino, cavallo di minor pregio.

4. *valentigie*: prodezze.

5. *ammirativi*: pieni di ammirazione.

6. *soverchio amore*: cfr. *Dec.*, III 6 46: « per soverchio amore che io vi porto ».

7. *estrema vecchiezza*: cfr. *Dec.*, IV 1 44: « se tu nella tua estrema vecchiezza ».

pensava. Pur i mamalucchi e schiavi tanto fecero e dissero che 'l soldano una mattina per tempo alla finestra si puose e vide tutte quelle prodezze e leggiadrie che 'l Porcarollo col suo cavallo faceva, e vedendolo di piacevole aspetto e di persona ben formato e trovando vie piú di ciò che udito aveva, li parve molto mal fatto, e di ciò si ramariccava assai, che a sí vil ufficio come al governo di bestie deputato fusse. Onde pensando e ripensando all'alta e nascosa virtú dell'attilato[1] giovine e vedendo nulla mancarli, tra se stesso dispose di rimoverlo da sí vil essercizio e farlo a maggior grado salire; e fattolo chiamare a sé, disseli:

– Porcarollo, per lo innanzi non alla stalla come prima, ma alla mensa mia attenderai, facendomi la credenza[2] di tutto quello che in mensa appresentato mi fia –.

[17] Il giovane adunque constituito pincerna[3] del soldano, con tanto magistero e arte l'ufficio suo faceva, che non che al soldano, ma anche a tutti ammirazione rendeva. Di che tra mamalucchi e schiavi nacque tanta invidia e odio, che vedere appena il potevano, e se 'l timor del signore stato non fusse, già di vita l'arrebbono privo. Ma acciò che il miserello venisse in disgrazia del signore e che 'l fusse o ucciso o scacciato in eterno essilio,[4] un stratagema astutamente s'imaginorono.[5] [18] Imperciò che, essendo la mattina uno de' schiavi nominato Chebur al servigio del soldano, disse:

– Non ti ho io, signor, da dir una buona nuova?

– E che? – disse il soldano.

– Il Porcarollo, il quale Livoretto per propio nome si

1. *attilato*: elegante (cfr. II I 29).

2. *facendomi la credenza*: assaggiandomi. Cfr. BOCCACCIO, *Filocolo*, II 28 9: « fate che in alcun modo o cane o altra bestia faccia la credenza, acciò che altra persona non ne morisse ».

3. *pincerna*: coppiere (latinismo: dal lat. tardo *pincerna -ae*).

4. *eterno essilio*: cfr. *Dec.*, I I 5: « eterno essilio ».

5. *s'imaginorono*: escogitarono.

chiama, non si vanta niuno altro che lui esser bastevole[1] di dare la figliuola di Attarante, re di Damasco, nella tua balia?

– E come è possibil questo? – disse il soldano.

A cui Chebur:

– Possibil è, signor. E se a me nol credi, addimanda a' mamalucchi e a gli altri schiavi, nella cui presenza piú d'una volta di ciò s'ha dato il vanto, e se io t'inganno, agevolmente comprender lo potrai –.

[19] Il soldano, avuta prima di questo da tutti piena certezza, chiamò a sé Livoretto e dimandollo se vero era quello che di lui apertamente si diceva. Il giovane, che di tal cosa nulla sapeva, il tutto negò. Onde il soldano acceso d'ira e di sdegno[2] disse:

– Va' e non piú tardare, e s'in termine di giorni trenta non opererai sí che io abbia Bellisandra, figliuola di Attarante re di Damasco, nel mio potere, il capo dal busto ti sarà diviso –.

[20] Il giovanetto udito il fiero proponimento del signore, tutto dolente e sconsolato rimase, e partitosi dalla sua presenza, alla stalla ritornò. Il cavallo fadato,[3] veduto che ebbe il suo patrone sí mesto e che calde lagrime da gli occhi continovamente spargeva, voltatosi a lui disse:

– Deh, patrone, che hai tu che sí passionato[4] e addolorato ti veggio? –

[21] Il giovane, tuttavia piangendo e fortemente sospirando, li raccontò dal principio sino alla fine ciò che dal soldano gli era commesso. Ma il cavallo crolando il capo e facendo segno di risa, il confortò alquanto dicendogli che nulla temesse, perciò che ogni cosa gli verebbe a bene. Indi li disse:

1. *bastevole*: in grado, capace.

2. *acceso d'ira e di sdegno*: abbinamento comune; cfr., per es. *Orlando inn.*, I 22 33: « de ira e de sdegno tutto quanto acceso ».

3. *fadato*: fatato. Sonorizzazione, di tipo settentrionale, della dentale.

4. *passionato*: turbato.

– Torna al soldano e digli che egli ti faccia una patente lettera direttiva[1] al suo general capitano, che ora all'assedio di Damasco si trova, commettendoli[2] con espresso comandamento che, tantosto che veduta e letta arrà la patente sigillata del suo maggior sigillo, dall'assedio si rimova, dandoti danari, vestimenta e arme, acciò che alla magnanima impresa animosamente andar tu possi. E se per aventura nel viaggio persona over animal alcuno, di qualunque condizione esser si voglia,[3] ti chiedesse servigio alcuno fa' che tu lo servi né, per quanto hai cara la vita tua, cosa che ti addimanda le[4] negherai. [22] E se uomo alcuno comperare mi volesse, dili che me venderai, addimandandoli però prezzo ingordo,[5] acciò che dal mercato si rimova. Ma se fussero donne che mi volessero, faralli tutti quelli piaceri che far si puolono,[6] lasciandole la libertà di toccarmi il capo, la fronte, gli occhi, l'orecchie, le groppe e ciò che le sarà a grado, perciò che senza farle oltraggio e noia alcuna lascerommi maneggiare –.

[23] Il giovanetto tutto allegro ritornò al soldano e chieseli la patente lettera e ciò che 'l fadato cavallo ricordato gli aveva. E ottenuto il tutto, montò sopra il detto cavallo e verso Damasco prese il camino, non senza però grandissima allegrezza di mamalucchi e schiavi, i quali per l'ardente invidia[7] ed estremo odio che li portavano, tenevano per certo che egli piú vivo al Cairo tornar non dovesse. [24] Or avendo

1. *patente lettera direttiva*: documento pubblico, munito del sigillo dello Stato, che contiene una manifestazione pubblica delle volontà del sovrano.

2. *commettendoli*: ordinandogli.

3. *qualunque ... si voglia*: per il riflessivo in questa costruzione cfr. Ageno, p. 152.

4. *le*: gli.

5. *ingordo*: eccessivo. Cfr. *Dec.*, VIII 10 61: « disse che già per pregio ingordo non lascerebbe ».

6. *puolono*: possono. Per questo presente analogico cfr. Rohlfs, 547.

7. *ardente invidia*: cfr. Boccaccio, *Comedia delle ninfe fiorentine*, XXXVIII 109: « l'ardente invidia ».

piú e piú giorni Livoretto cavalcato, giunse ad un'acqua alla sponda della quale nell'estremità era un fettore, che, da non so che, causava che quasi approssimare non si poteva, e ivi un pesce semimorto giaceva. Il pesce veduto che ebbe il giovanetto, li disse:

– Deh, gentil cavaliere, liberami per cortesia, ti prego, da questo lezzo, perciò che, sí come tu vedi, io sono quasi di vita privo –.

[25] Il giovane ricordevole[1] di ciò che 'l suo cavallo detto gli aveva, giú di quello disceso, dal luogo che sí fortemente putiva fuori lo trasse, e con le propie mani lavandolo lo nettò. Il pesce, rese prima le debite grazie al giovanetto, disse:

– Prendi del dorso mio le tre squame maggiori e tienglie[2] appresso te, e quando bisogno arrai d'aiuto alcuno, poneralle sopra la riva del fiume, ché io incontanente verrò a te e porgerotti subito soccorso –.

[26] Livoretto prese le squame, e gittato lo sguizante pesce nelle chiare acque, rimontò a cavallo, e tanto cavalcò che trovò un falcone pellegrino che dal mezzo[3] in giú era nell'acque gelato, né in maniera alcuna mover si poteva; il quale veduto il giovane disse:

– Deh, leggiadro giovanetto, prendi pietà di me e trammi di questo ghiaccio in cui avolto mi vedi, ch'io ti prometto, se di tanta sciagura mi scampi, di porgerti aiuto, se a tempo alcuno soccorso ti bisognasse –.

[27] Il giovane da compassione e da pietà vinto,[4] benignamente lo soccorse, e vibrato un coltellino[5] che nella vagina[6] della spada teneva, con la punta l'indurato ghiaccio tan-

1. *ricordevole*: memore.
2. *tienglie*: tienile. La forma ha una *-e* finale epitetica.
3. *mezzo*: parte centrale del corpo.
4. *da compassione ... vinto*: cfr. *Dec.*, IV I 56: « da compassion vinte ».
5. *vibrato un coltellino*: dato con forza un colpo col coltellino.
6. *vagina*: guaina (latinismo).

to batté, che d'ogni parte lo spezzò, e preso il falcone, se lo pose in seno, acciò che alquanto riscaldare si potesse. Il falcone ritornato in sé e rivocate le smarrite forze,[1] molto il giovane ringraziò e in premio di tanto beneficio quanto ricevuto aveva, le diede due penne che sotto l'ala sinistra teneva, pregandolo che per suo amore conservar le dovesse, perciò che occorrendoli bisogno alcuno di aiuto e tollendo le due penne e ficcandole nella sponda del fiume, subito gli verrebbe in soccorso; e questo detto, a volo se ne gí.

[28] Il giovane continovando il suo viaggio finalmente all'essercito del soldano aggiunse, dove trovato il capitano che fieramente la città batteva, a lui s'avicinò e la patente lettera gli appresentò. Il capitano veduta e letta la lettera, subito dall'assedio si levò e al Cairo con tutto lo essercito ritornò.

[29] Il giovanetto veduta la partenza del capitano, la mattina seguente molto per tempo soletto entrò nella città di Damasco e ad una osteria s'alloggiò, e vestitosi di uno bello e ricco vestimento tutto coperto di care e preciose gioie che facevano invidia al sole, e salito sopra il suo fatato cavallo, in piazza al real palazzo se ne gí, dove con tanta destrezza e attitudine quello maneggiò, che ciascuno stavasi attonito a pensare non che a riguardarlo.

[30] Bellisandra, figliuola del re, la quale lo strepito del tumultuante popolo desta aveva, si levò di letto, e postasi ad uno verone, che tutta la piazza signoreggiava, vide il leggiadro giovane e la bellezza e prontezza del suo gagliardo e feroce cavallo, e non altrimenti di quello si accese che arrebbe fatto un giovane d'una bellissima damigella. [31] E andatasene al padre, sommamente il pregò che per lei comperare lo volesse, perciò che vedendolo sí leggiadro e bello, era di esso fieramente invaghita. Il padre per sodisfacimento della

1. *rivocate ... forze*: cfr. *Dec.*, II 6 68: « in sé le smarrite forze ebbero rivocate ».

figliuola, che teneramente amava, mandò uno de' baroni a dimandare il giovane se gli aggradiva a contanti vender il cavallo, imponendoli convenevole pregio,[1] perciò che l'unica figliuola del re è[2] di quello fieramente innamorata. [32] Il giovane li rispose non esservi cosa sí pregiata e degna che pagare il potesse e dimandòli maggior quantità di danari che non valeva il paterno regno. Il re inteso l'immoderato pregio, chiamò la figliuola e disselе:

– Figliuola mia, per uno cavallo e per contentamento tuo del regno privare non mi voglio, però abbi pacienzia e vivi allegramente ché di uno altro piú bello e migliore provederemo noi –.

[33] Ma Bellisandra piú accendendosi dell'amor del cavallo, maggiormente il padre pregava che di quello la contentasse: costa e vaglia ciò che vuole. Dopo molti preghi, vedendo la figliuola non poter commovere il padre ch'in ciò la compiacesse, partitasi da lui e andatasi alla madre, come disperata, quasi morta nelle braccia della madre caddé.[3] La pietosa madre, veduta la figliuola di color smarrita, dolcemente la confortò, pregandola che ramariccare non si dovesse ché, partito che fusse il re, ambedue anderebbeno al giovanetto e mercarebbeno[4] il cavallo; – E forse, per esser donne, ne averemo[5] miglior mercato –.

[34] La figliuola udite le dolci parole della diletta madre, alquanto si raddolcí, e partito che fu il re, la madre per un messaggero tostamente mandò a dir al giovane che venisse al palazzo e insieme menasse il suo cavallo; il quale, intesa l'imbasciata, molto si rallegrò e alla corte se n'andò; e addi-

1. *convenevole pregio*: cfr. *Dec.*, II 4 29: « a convenevole pregio vendendole ».

2. *è*: il presente può giustificarsi con un passaggio dal discorso indiretto al discorso diretto. Questo passaggio si verifica anche piú avanti: cfr. 33.

3. *caddé*: cfr. *Dec.*, II 6 66: « quasi morta nelle braccia del figliuolo ricadde ».

4. *mercarebbero*: mercanteggerebbero. Voce dotta dal lat. *mercari.*

5. *averemo*: futuro non sincopato ben documentato nella lingua settentrionale quattro-cinquecentesca (PIOTTI, p. 117, e relativa bibliografia).

mandatoli dalla madre quanto pregiava[1] il suo cavallo, perciò che la figliuola sua di averlo desiderava molto, alla reina in tal guisa rispose:

– Madama, se voi mi donaste ciò che avete al mondo, la figliuola non potrebbe per via di vendita avere il mio cavallo, ma in dono sí, quando che[2] accettarlo le piacesse.[3] Ma prima che in dono ella lo prenda, voglio che bene lo guatta e maneggia, percioché è piacevole e destro e agevolmente sopra di sé salir si lascia –.

[35] E sceso giú del cavallo pose la figliuola in sella e tenendo il freno del cavallo la addestrava e reggeva. Non era appena un tratto di pietra[4] allontanata la figliuola dalla madre, che 'l giovane si puose in groppa del suo cavallo, e tenendo gli sproni stretti a' fianchi, tanto lo punse che uno ucello che vola per l'aria rassembrava nel fuggire. La damigella smarrita cominciò gridare:

– O malvagio, disleale e traditore! dove mi meni, cane figliuolo di cane? –

Ma nulla le giovava il gridare né veruno era che le desse soccorso né con parole la confortasse.

[36] Era già aggiunta la damigella sopra la riva d'un fiume, quando prese un bellissimo anello che nel dito tenea e quello celatamente trasse nell'acqua.

[37] Aveva cavalcato il giovane molte giornate, quando finalmente giunse al Cairo con la damigella, e giunto che egli

1. *pregiava*: valutava.

2. *quando che*: la congiunzione *che* viene usata a rafforzare il valore congiunzionale dell'avverbio, secondo una modalità corrente nel Cinquecento e con una documentazione nella tradizione letteraria precedente, anche per il sostegno del dialetto (cfr. Piotti, p. 136, e relativa bibliografia).

3. *Madama ... piacesse*: cfr. *Dec.*, III 5 7: « Il Zima udendo ciò, gli piacque e rispose al cavaliere: "Messer, se voi mi donaste ciò che voi avete al mondo, voi non potreste per via di vendita avere il mio pallafreno, ma in dono il potreste voi avere, quando vi piacesse, con questa condizione" ».

4. *tratto di pietra*: per questa unità di misura cfr. II 2 20.

fu, subito la presentò al soldano, il quale vedendola bella, leggiadra e pura, molto si rallegrò e con grate accoglienze la ricevette. Già era vicina l'ora del dormire, quando essendo ambe duo in una camera non meno ornata che bella, disse la damigella al soldano:

– Signor, non pensate che mai mi pieghi a gli amorosi desideri vostri, se prima non fate che questo iniquo e malvagio trovi l'anello che nel fiume mi caddé; e trovato e resomelo, sarò sempre arrendevole a' vostri piaceri –.

[38] Il soldano, che era infiammato dello amore della afflitta damigella, non volse contristarla, ma subito comandò a Livoretto che l'anello trovasse, e non trovandolo, lo minacciò di darli la morte. Livoretto vedendo che 'l comandamento del soldano stringeva[1] e che non bisognava contravenir al suo volere, molto dolente si partí; e andatosene alla stalla, dirottamente piangeva, essendo fuori d'ogni speranza di poterlo trovare. Il cavallo veduto il patrone addolorato e dirottamente lagrimare, l'addimandò che cosa egli aveva che cosí fieramente lagrimava, e inteso il tutto, li disse:

– Ahi, poverello, taci! Non ti soviene ciò che ti disse il pesce? apri adunque l'orecchie alle mie parole e fa' quanto io ti dirò. Ritorna al soldano e chiedeli ciò che ti fa mestieri e vatene sicuramente e non dubitare –.

[39] Il giovane fece né piú né meno che 'l suo cavallo ordinato gli aveva, e andatosene al fiume, in quel luogo dove varcò con la damigella, pose le tre squame del pesce nella verde riva. Il pesce guizante per le chiare e lucide onde,[2] or quinci or quindi saltolando, tutto lieto e giocondo se gli appresentò, e trattosi di bocca il caro e precioso anello in ma-

1. *stringeva*: incalzava.
2. *chiare ... onde*: cfr. Sannazaro, *Arcadia*, III 1-2: « Sovra una verde riva / di chiare e lucide onde ».

no glielo diè, e prese le sue tre squame, nell'onde s'attuffò. Il giovane avuto l'anello, subito il dolore in allegrezza converse, e senza indugio alcuno al soldano ritornò; e fatta la debita riverenza, nel suo cospetto l'anello alla damigella appresentò. [40] Il soldano vedendo che la damigella aveva avuto il precioso anello, sí come ella desiderava ed era il voler suo, incominciò a farle tenere e amorose carezze e losingarla, volendo che ella quella notte giacesse nel letto con esso lui. Ma il soldano s'affaticò in vano, perciò che la damigella li disse:

– Non pensate, signor mio, con vostre finte losinghe ora ingannarmi, ma giurovi che di me piacer alcuno non prenderete, se prima questo rio e falso ribaldone, che col suo cavallo m'ha ingannata, l'acqua della vita non mi porta –.

[41] Il soldano, che disdire all'amata donna non voleva, anzi con ogni suo sforzo cercava di compiacerle, chiamò Livoretto e strettamente[1] sotto pena del capo gli impose che l'acqua della vita recare le dovesse.

Il giovane de l'impossibile dimanda molto si dolse e acceso d'ira dentro e di fuori ardeva, ramaricandosi forte che 'l signor il suo ben servire e le sue tante sustenute fatiche, non senza grandissimo pericolo della vita sua, sí miseramente guidardonasse. Ma il soldano tutto infiammato d'amore per sodisfare alla diletta donna,[2] senza mutare altro consilio, volse che al tutto l'acqua della vita le trovasse.

[42] E partitosi dal signore e andatosene secondo il solito alla stalla, maladiceva l'empia sua fortuna, tuttavia dirottamente piangendo. Il cavallo vedendo il duro[3] pianto del patrone e vedendo i gravi lamenti disse:

– Che hai tu patrone che sí forte ti crucii? ti è sopragiun-

1. *strettamente*: rigorosamente.

2. *sodisfare alla diletta donna*: per questa costruzione indiretta del verbo non rara in Straparola cfr. AGENO, p. 49.

3. *duro*: disperato.

ta cosa alcuna? acquetati alquanto ché ad ogni cosa si trova rimedio fuor ch'alla morte –.[1]

E intesa la cagione del dirotto pianto, dolcemente lo racconfortò, riducendoli a memoria quello che già li aveva detto il falcone che egli liberò dal freddo ghiaccio, e l'onorato dono delle due penne. [43] Il giovane miserello ricordatosi pienamente il tutto, montò a cavallo, e presa una ampolla di vetro ben avenchiata,[2] attacossela alla cinta e cavalcò là dove il falcone fu liberato; e piantate le due penne nella sponda del fiume, come li fu già ricordato, subito apparve il falcone e addimandòli di che egli bisogno aveva. A cui rispose Livoretto:

– Dell'acqua della vita –.

[44] Allora disse il falcone:

– Deh, cavaliere, egli è cosa impossibile che tu mai ne prenda, perciò che ella è guardata e diligentemente custodita da duo fieri leoni e altretanti dragoni, i quali di contínovo ruggino e miseramente divorano tutti quelli che per prenderne s'avicinano. Ma in ricompensamento del beneficio già da te per me ricevuto, prendi l'ampolla che dallato[3] tieni e annodala sotto la mia ala destra, e non ti partire costà fin che io non ritorno a te –.

[45] E fatto tanto quanto per lo falcone gli fu imposto, levossi da terra con la annodata ampolla e volò colà dove era l'acqua della vita, ed empiuta nascosamente l'ampolla, al giovane ritornò e appresentògliela, e prese le sue due penne, a volo si levò.

1. *ad ogni ... morte*: frase proverbiale. Cfr. Gherardi, *Paradiso degli Alberti*, iv 196: « Tu doveresti pure sapere che a ogni cosa ha rimedio eccetto ch'alla morte ». E cfr. Fortini, *Giornate*, ix 50: « Cavatevi pure tutte le voglie: che da la morte in fuore a ogni cosa è rimedio ». E anche Bandello, *Novelle*, i 16 (vol. i p. 186): « al tutto, eccetto che a la morte, rimedio si può dare ».

2. *avenchiata*: stretta.

3. *dallato*: di fianco.

[46] Livoretto tutto giolivo per lo ricevuto liquore, senza far dimoranza alcuna,[1] frettolosamente al Cairo ritornò, e appresentatosi al soldano, che con Bellisandra sua amata donna in dolci ragionamenti si stava, l'acqua della vita a lei con somma letizia diede. La quale poscia che ebbe ricevuto il vital liquore, fu dal soldano ne gli amorosi piaceri sollecitata molto. [47] Ma ella costante come forte torre da impetuosi venti conquassata,[2] non vi volse in maniera alcuna consentire, se prima a Livoretto cagionevole[3] de sí fatta vergogna con le propie mani la testa dal busto non gli spiccava. Il soldano inteso il fiero proponimento della cruda damigella, in modo alcuno compiacere non le voleva, perciò che li pareva sconvenevole molto che in premio delle sue tante fatiche il giovane crudelmente decapitato fusse. Ma la perfida e scelerata donna, perseverando nel suo mal volere, prese un coltello ignudo e con intrepido e viril[4] animo in presenza del soldano il giovane ferí nella gola, e non essendovi alcuno che avesse ardire di prestargli aiuto, in terra morto caddé. [48] Non contenta di questo la malvaggia damigella gli spiccò il capo dal busto,[5] e minuzzate le sue carni e fratti[6] li nervi e rotte le dure ossa e fatte come minuta polvere, prese una conca di ramo[7] non picciola e a poco a poco dentro vi gittò la tritta e minuzzata carne, componen-

1. *senza ... alcuna*: senza alcuna esitazione, subito.

2. *come ... conquassata*: cfr. *Purg.*, v 14-15: « sta come torre ferma, che non crolla / già mai la cima per soffiar di venti ».

3. *cagionevole*: colpevole. In toscano il termine è collegato a *malanno*, e significa 'di salute malferma, delicato' (cfr. *Dec.*, v 6 9). Invece nell'antico milanese (Bonvesin) significa 'colpevole' ed è in relazione col significato peggiorativo di *cagione*, e con *cagionare*, *accagionare*, 'incolpare, apporre una colpa' (cfr. AGENO, p. 284).

4. *intrepido e viril*: cfr. PETRARCA, *Triumphus Fame*, III 73: « Vidi Anaxarco intrepido e virile ».

5. *gli ... busto*: cfr. *Dec.*, IV 5 16: « gli spiccò dallo 'mbusto la testa ».

6. *fratti*: ridotti in pezzi.

7. *ramo*: rame. Metaplasmo di declinazione.

dola insieme con l'ossa e nervi,[1] non altrimenti che sogliono fare le donne un pastone di fermentata pasta. [49] Impastata che fu la minuzzata carne e ben unita con le tritte ossa e nervi, la donna fece una imagine molto superba[2] e quella con l'ampolla dell'acqua della vita spruzzò, e incontanente il giovane da morte a vita risuscitato, piú bello e piú leggiadro che prima divenne. [50] Il soldano già invecchiato, veduta la maravigliosa prova e lo miracolo grande, tutto attonito e stupefatto rimase, e desideroso molto di ringiovenirsi, pregò la damigella che sí come ella fatto aveva al giovane, cosí ancora a lui far dovesse. La damigella non molto lenta ad ubidire il comandamento del soldano, prese l'acuto coltello che del giovenil sangue era bagnato ancora, e postali la mano sinistra sopra il cavezzo[3] e quello forte tenendo, nel petto un mortal colpo li diede; indi gettollo giú d'una finestra dentro una fossa delle profonde mura del palazzo, e in vece di ringiovenirlo come il giovanetto, lo fece cibo de' cani, e cosí il misero vecchio finí la vita sua.

[51] La damigella onorata e temuta da tutti per la maravigliosa opera e inteso il giovane esser figliuolo di Dalfreno re di Tunisi e Livoretto veramente chiamarsi, scrisse al vecchio padre, dandoli notizia dell'avenuto caso nella persona sua, pregandolo instantissimamente[4] che alle nozze al tutto si dovesse trasferire. Dalfreno, intesa la felice nuova del figliuolo del quale mai piú non aveva avuta novella alcuna, ebbe grandissima allegrezza, e messosi in punto, al Cairo se n'andò, dove da tutta la città onorevolmente fu ricevuto, e fra pochi giorni con sodisfacimento di tutto il popolo fu Bellisandra da Livoretto sposata. [52] E sua legittima sposa

1. *tritta ... nervi*: cfr. *Morgante*, XV 44: « e trita lor le carni, i nervi e l'ossa ». – *tritta*: geminazione ipercorretta.
2. *superba*: bella.
3. *cavezzo*: capo. Dal lat. *capitium*, 'estremità', deriv. da *caput -itis* ('capo').
4. *instantissimamente*: con molta insistenza.

diventata, con molto trionfo e fausto[1] signor del Cairo fu constituito, nel qual lungo tempo il regno pacificamente governò e tranquillamente godé. Dalfreno fra pochi giorni, tolta buona licenza dal figliuolo e dalla nuora, a Tunisi sano e salvo se ne ritornò.

[53] Finita che ebbe Arianna la sua compassionevole favola,[2] acciò che l'incominciato ordine si osservasse, messe[3] mano ad uno enimma e cosí disse:

[54] Un picciol corpo nasce d'un gran fuoco
e ha la pelle di grossa pallude;
l'alma che non dovrebbe occupar luoco
è d'un brodo gentil ch'entro si chiude.
Questo ch'or vi racconto vi par giuoco,
ma cose vere son, d'error ignude;
la gonna c'ha di festa è di bombaso,[4]
chi ben gli vuol, dentro li dà del naso.

[55] Con grandissima attenzione stettero tutti quanti ad ascoltare l'ingenioso enimma di Arianna e piú volte il fecero replicare, ma non fu veruno de sí acuto ingegno che intender lo potesse. Allora la vaga Arianna risolvendolo disse:

– Signori, il mio enimma altro non dimostra se no la zucchetta[5] dall'acqua rosata,[6] la quale ha il corpo di vetro e dall'ardente fornace viene. Ella ha la pelle di pallude, cioè la coperta di paglia, e l'alma che dentro stassi è l'acqua rosata.

1. *fausto*: fasto (dallo sp. *fausto*, 'pompa esteriore', deriv. dal lat. *fastus* 'fasto', con l'incrocio di *faustus*, 'fausto'). Per questo iberismo cfr. P. Bongrani, « *La pompa e 'l fausto di Lodovico* ». *Note per un ispanismo quattro-cinquecentesco*, in « Lingua Nostra », a. LI 1990, pp. 33-40.

2. *compassionevole favola*: per questo sintagma cfr. I 4 40.

3. *messe*: mise (cfr. III Intr. 3).

4. *bombaso*: cotone (voce dialettale veneziana in Boerio, s.v.). In un inventario di beni mobili e immobili di Camillo Folengo nipote di Teofilo (Mantova 1563) troviamo: « due casse di noce [...] cum dentro una libra e mezza in circa de bombaso filato a torno » (cfr. Trovato, p. 207).

5. *zucchetta*: ampolla.

6. *acqua rosata*: acqua profumata con essenza di rose.

La gonna, cioè la veste con la quale è circondata, è il gottone,[1] e chiunque la vede, la prende in mano e sotto il naso per odorare la pone –.

[56] Erassi[2] già del suo enimma ispedita Arianna, quando Lauretta, che appresso lei sedeva, conobbe che a lei toccava il dover dire. Laonde senza aspettare che dalla Signora imposto le fusse, in tal guisa cominciò a parlare.

1. *gottone*: tonfano, bicchierone (voce dialettale veneziana: cfr. Boerio, s.v. *goton*).

2. *Erassi*: 'erasi', enclisi della particella pronominale (secondo la cosiddetta legge Tobler-Mussafia) e raddoppiamento. Nello Straparola permangono ancora sporadici esempi di questa "regola" già incrinata sul finire del Quattrocento (cfr. Piotti, p. 138).

NOTTE TERZA, FAVOLA III[1]

[1] *Biancabella, figliuola di Lamberico marchese di Monferrato, viene mandata dalla matrigna di Ferrandino re di Napoli ad uccidere. Ma gli servi le troncano le mani e le cavano gli occhi, e per una biscia viene reintegrata, e a Ferrandino lieta ritorna.*

[2] È cosa laudevole e necessaria molto che la donna, di qualunque stato e condizione esser si voglia, nelle sue operazioni usi prudenza, senza la quale niuna cosa ben si governa.[2] E se una matrigna, della quale ora raccontarvi intendo, con modestia usata l'avesse forse altrui credendosi uccidere, non sarebbe stata per divino giudicio uccisa d'altrui, sí come ora intenderete.

[3] Regnava, già gran tempo fa, in Monferrato un marchese potente di stato e di ricchezze, ma de figliuoli privo, e Lamberico per nome si chiamava. Essendo egli desideroso molto di avergliene, la grazia da Iddio gli era denegata.[3]

1. Alcuni motivi di questa fiaba, come la persecuzione della fanciulla e le mani mozzate, si ritrovano nelle sacre rappresentazioni quattrocentesche di santa Uliva e di Stella, e cosí il motivo della donna-serpe è nella *Ponzela Gaia*. Si tratta di motivi che hanno incontrato un notevole successo nella novellistica da Chaucer (*Man of Law's Tale*) a una novella del *Pecorone* (x 1) al Basile (iii 2: *La Penta mano-mozza*), per i quali cfr. Thompson, pp. 177-78, tipo 706, e p. 180, tipo 710; e cfr. anche Calvino, *Fiabe*, n. 12 (che rielabora Comparetti, op. cit., n. 25). Il motivo dei capelli della fanciulla che, pettinati, producono perle e gioielli è, invece, in un'altra fiaba del Basile (iv 7: *Le doie pizzelle*), ma poi si ritroverà in molte versioni popolari (cfr. Calvino, *Fiabe*, n. 71: *Uliva*). Per l'esame di altre versioni e riscontri cfr. Cosquin, n. 35 (to. ii pp. 44-46); e per una versione bretone molto simile a quella di Straparola, soprattutto nella parte iniziale, cfr. *Contes populaires de Basse-Bretagne par* F.M. Luzel, Paris, Maisonnueve & Larose, 1887, ii pp. 341-48. Cfr., infine, Rotunda, B178, B211.14, D491, B511.1.2, D391, D1337.3, D1337.10.1, D1454.1.2, D1500.1.4, D2161.3.1, D2193, D2194, K512.2.4, K1855, Q414.0.5.1, S31, T552.2.

2. *È cosa ... governa*: cfr. Boccaccio, *Filocolo*, v 92 17: « Laudevole cosa e necessaria molto nei principi è la prudenzia, senza la quale niuno regno bene si governa ».

3. *denegata*: negata.

[4] Avenne un giorno che, essendo la marchesana in uno suo giardino per diporto, vinta dal sonno a' piedi d'uno albero s'addormentò, e cosí soavemente dormendo venne una biscia piccioletta, e accostatasi a lei e andatasene sotto e' panni suoi, senza che ella sentisse cosa alcuna, nella natura[1] entrò, e sottilissimamente[2] ascendendo, nel ventre della donna si puose, ivi chetamente dimorando. [5] Non stette molto tempo che la marchesana con non picciolo piacere e allegrezza di tutta la città s'ingravidò, e giunta al termine del parto, parturí una fanciulla con una biscia che tre volte l'avinchiava il collo.[3] Il che vedendo le comari che allevavano,[4] si paventarono molto. Ma la biscia senza offesa alcuna dal collo della bambina disnodandosi, e serpendo la terra,[5] e distendendosi, nel giardino se n'andò. [6] Nettata e abbellita che fu la bambina nel chiaro bagno e involta nelli bianchissimi pannicelli, a poco a poco incominciò scoprirsi una collana d'oro sottilissimamente[6] lavorata, la quale era sí bella e sí vaga, che tra carne e pelle non altrimenti traspareva di ciò che soglino fare le preciosissime cose fuori d'un finissimo cristallo.[7] E tante volte le circondava il collo, quante la biscia circondato le aveva. La fanciulla, a cui per la bellezza Biancabella fu posto il nome, in tanta virtú e gentilezza cresceva, che non umana ma divina pareva.

[7] Essendo già Biancabella venuta alla età di dieci anni,

1. *natura*: organo genitale femminile.
2. *sottilissimamente*: in modo impercettibile.
3. *l'avinchiava il collo*: le stringeva strettamente il collo.
4. *le comari che allevavano*: le levatrici.
5. *serpendo la terra*: strisciando per terra.
6. *sottilissimamente*: con grande maestria. Collari e catene d'oro facevano parte della simbologia medievale, specialmente amorosa (cfr. la nota di BRANCA a p. 538 della sua ed. del *Decameron*).
7. *non ... cristallo*: cfr. *Dec.*, VI Concl. 30: « il quale non altramenti li lor corpi candidi nascondeva che farebbe una vermiglia rosa un sottil vetro »; e cfr. SANNAZARO, *Arcadia*, VIII 30: « non altrimenti che se di purissimo cristallo stato fusse, i secreti del translucido fondo manifestava ».

ed essendosi posta ad uno verone[1] e avendo veduto il giardino di rose e vaghi fiori tutto pieno, si volse verso la balia che la custodiva e le dimandò che cosa era quello, che piú per lo adietro veduto non aveva. A cui risposo fu essere uno luogo della madre chiamato giardino, nel quale alle volte ne prende[2] diporto. Disse la fanciulla:

– Io la piú bella cosa non vidi giamai e volontieri dentro v'anderei –.

[8] La balia presala a mano, nel giardino la menò, e separatasi alquanto da lei, sotto l'ombra d'un fronzuto faggio si puose a dormire, lasciando la fanciulla prendere piacere per lo giardino. Biancabella tutta invaghita del dilettoso luogo, andava or quinci or quindi raccogliendo fiori, ed essendo omai stanca a l'ombra d'un albero si puose a sedere. [9] Non s'era appena la fanciulla rassettata[3] in terra, che sopragiunse una biscia e accostòsi a lei. La quale Biancabella vedendo, molto si paventò, e volendo gridare, le disse la biscia:

– Deh, taci e non ti movere, né aver pavento, perciò che ti sono sorella e teco in un medesimo giorno e in uno stesso parto nacqui, e Samaritana[4] per nome mi chiamo. E se tu sarai ubidiente a' miei comandamenti, farotti beata, ma altrimenti facendo, verrai la piú infelice e la piú scontenta donna, che mai nel mondo si trovasse. Va' adunque senza timore alcuno e dimani fati recare nel giardino duo vasi, de' quai l'uno sia di puro latte pieno e l'altro d'acqua rosata finissima,[5] e poi tu sola senza compagnia alcuna a me te ne verrai –.

1. *verone*: per un balcone che si affaccia sul giardino cfr. anche Bembo, *Asolani*, I 4: « ad un verone pervennero, il quale da una parte delle sale piú remota sopra ad un bellissimo giardino del palagio riguardava ».

2. *prende*: passaggio dal discorso indiretto al discorso diretto, costruzione non rara nelle *Piacevoli notti*.

3. *rassettata*: seduta.

4. *Samaritana*: nome non raro nella Venezia dei tempi dello Straparola, come attestano i necrologi conservati presso l'Archivio di Stato.

5. *acqua rosata finissima*: purissima acqua profumata con essenza di rose. Cfr. III 2 55.

[10] Partita la biscia, levossi la fanciulla da sedere e andossene alla balia, la qual ritrovò ch'ancora riposava, e destatala e con esso lei senza dir cosa alcuna, se n'andò in casa.

[11] Venuto il giorno seguente ed essendo Biancabella con la madre in camera sola, assai nella vista sua malanconosa le parve.[1] Laonde la madre le disse:

– Che hai tu Biancabella che star sí di mala voglia ti veggio? tu eri allegra e festevole e ora tutta mesta e dolorosa mi pari –.

A cui la figliuola rispose:

– Altro non ho io se non che io vorrei duo vasi, i quali fussero nel giardino portati, uno de' quai fusse di latte e l'altro di acqua rosata pieno.

– E per sí picciola cosa tu ti ramarichi, figliuola mia? – disse la madre – non sai tu che ogni cosa è tua –.

[12] E fattisi portar duo bellissimi vasi grandi uno di latte e l'altro d'acqua rosata, nel giardino li mandò. Biancabella, venuta l'ora secondo l'ordine con la biscia dato, senza esser d'alcuna damigella accompagnata se n'andò al giardino, e aperto l'uscio, sola dentro si chiuse, e dove erano gli vasi a sedere si puose. [13] Non si fu sí tosto posta Biancabella a sedere che la biscia se le avicinò e fecela immantenente[2] spogliare, e cosí ignuda nel bianchissimo latte entrare, e con quello da capo a piedi bagnandola e con la lingua lingendola,[3] la nettò per tutto dove difetto alcuno parere le potesse. Dopo tratta fuori di quel latte, nell'acqua rosata la pose, dandole un odore che a lei grandissimo refrigerio prestava. [14] Indi la rivestí, comandandole espressamente che tacesse e che a niuna persona tal cosa scoprisse, quantunque il padre o la madre fusse. Perciò che voleva che niuna altra donna si trovasse che a lei in bellezza e in gentilezza agguagliar

1. *nella vista ... parve*: nell'aspetto le sembrò malinconica.
2. *immantenente*: subito.
3. *lingendola*: leccandola (dal lat. *lingere*).

si potesse. E addotatala[1] finalmente d'infinite virtú, da lei si partí.

[15] Uscita Biancabella del giardino, ritornò a casa e vedutala la madre sí bella e sí leggiadra ch'ogn'altra di bellezza e leggiadria avanzava, restò sopra di sé e non sapea che dire. Ma pur la dimandò come aveva fatto a venire in tanta estremità[2] di bellezza. Ed ella non sapere le rispondeva. Tolse allora la madre il pettine per pettinarla e per conciarle[3] le bionde trezze, e perle e preciose gioie le cadevano dal capo; e lavateglie[4] le mani, uscivano rose, viole e ridenti[5] fiori di vari colori con tanta soavità de odori che pareva che ivi fusse il paradiso terrestre. [16] Il che vedendo la madre, corse a Lamberico suo marito e con materna allegrezza li disse:

– Signor mio, noi abbiamo una figliuola la piú gentile, la piú bella e la piú leggiadra che mai natura facesse.[6] E oltre la divina bellezza e leggiadria che in lei chiaramente si vede, da gli capelli suoi escono perle, gemme e altre preciosissime gioie, e dalle candide mani, o cosa ammirabile!, vengono rose, viole e d'ogni sorte fiori che rendono a ciascuno che la mira soavissimo odore. Il che mai creduto non arrei se con e' propi occhi veduto non l'avesse –.

[17] Il marito, che per natura era incredulo e non dava sí agevolmente piena fede alle parole della moglie, di ciò se ne rise e la berteggiava; pur fieramente[7] stimolato da lei, volse vedere che cosa ne riusciva. E fattasi venire la figliuola alla sua presenza, trovò vie piú di quello che la moglie detto

1. *addotatala*: dotatala.
2. *estremità*: perfezione.
3. *conciarle*: acconciarle.
4. *lavateglie*: lavatele. Forma con *gli* al posto di *le* ed *-e* finale epitetica.
5. *ridenti*: nel pieno rigoglio della fioritura, con riferimento alla freschezza, all'intensità e alla vivacità dei colori.
6. *la piú ... facesse*: cfr. *Dec.*, IV 4 5: « era una delle piú belle creature che mai dalla natura fosse stata formata ».
7. *fieramente*: ostinatamente.

gli aveva. Il perché in tanta allegrezza divenne, che fermamente giudicò non esser al mondo uomo, che di congiungersi con esso lei in matrimonio degno fusse.

[18] Era già per tutto l'universo divolgata la gloriosa fama della vaga e immortal bellezza di Biancabella: e molti re, principi e marchesi da ogni parte concorrevano, acciò che il lei amore acquistassino e in moglie l'avessino. Ma niuno di loro fu di tanta virtú che avere la potesse, perciò che ciascuno di loro in alcuna cosa era manchevole.

[19] Finalmente sopragiunse Ferrandino[1] re di Napoli, la cui prodezza e chiaro nome risplendeva come il sole tra le minute stelle, e andatosene al marchese gli dimandò la figliuola per moglie. Il marchese vedendolo bello, leggiadro e ben formato e molto potente e di stato e di ricchezze, conchiuse le nozze, e chiamata la figliuola, senza altra dimoranza[2] si toccorno la mano e basciorono.

[20] Non fu sí tosto contrato il sponsalizio che Biancabella si ramentò delle parole che Samaritana sua sorella amorevolmente dette l'avea, e discostatasi dal sposo e fingendo di voler fare certi suoi servigi, in camera se n'andò, e chiusasi dentro, sola per uno usciolo[3] secretamente entrò nel giardino. E con bassa voce cominciò chiamare Samaritana. Ma ella non piú come prima se le appresentava. [21] Il che vedendo Biancabella molto si maravigliò, e non trovandola né veggendola in luogo alcuno del giardino, assai dolorosa rimase, conoscendo ciò esser avenuto per non esser lei stata ubidiente a' suoi comandamenti. Onde ramaricandosi tra se stessa, ritornò in camera e aperto l'uscio si pose a sedere appresso il suo sposo che lungamente aspettata l'aveva.

[22] Or finite le nozze, Ferrandino la sua sposa a Napoli trasferí, dove con gran pompa e glorioso trionfo e sonore

1. *Ferrandino*: il nome del re è preso dalla dinastia aragonese.
2. *senza altra dimoranza*: subito.
3. *usciolo*: piccola porta.

trombe fu da tutta la città orrevolmente ricevuto. Aveva Ferrandino matrigna con due figliuole sozze[1] e brutte, e desiderava una di loro con Ferrandino in matrimonio copulare.[2] Ma essendole tolta ogni speranza di conseguir tal suo desiderio, se accese contra di Biancabella di tanta ira e sdegno, che non pur veder, ma sentire non la voleva, fingendo però tuttavia d'amarla e averla cara.

[23] Volse la fortuna che il re di Tunisi fece un grandissimo apparecchiamento per terra e per mare por mover guerra a Ferrandino, non so se questo fusse per causa della presa moglie over per altra cagione, e già col suo potentissimo essercito era penetrato nelle confine[3] del suo reame. Laonde fu dibisogno[4] che Ferrandino prendesse l'arme per difensione del regno suo e raffrontasse il nimico. Onde messossi[5] in punto di ciò che li faceva mistieri e raccomandata Biancabella, che gravida era, alla matrigna, col suo essercito si partí.

[24] Non passorono molti giorni che la malvagia e proterva matrigna deliberò Biancabella far morire, e chiamati certi suoi fidati servi, li comise che con esso lei andar dovessino in alcun luoco per diporto, e indi non si partisseno se prima da loro uccisa non fusse, e per certezza della morte sua le recassino qualche segno. [25] Gli servi pronti al mal fare furono ubidienti alla signora, e fingendo di andare ad uno certo luogo per diporto, la condussero ad uno bosco, dove già di ucciderla si preparavano, ma vedendola sí bella e sí graziosa, gli venne pietà e uccidere non la volsero, ma le spiccorono ambe le mani dal busto e gli occhi di capo le

1. *sozze*: sgraziate.
2. *copulare*: unire.
3. *confine*: confini. Per il genere femminile cfr. ROHLFS, 392.
4. *fu dibisogno*: fu necessario (*dibisogno*: aggettivo in forma avverbiale derivato dalla locuzione *di bisogno*).
5. *messossi*: messosi.

trassero, portandogli alla matrigna per manifesta certezza che uccisa la avevano. Il che vedendo l'empia e cruda matrigna, paga e molto lieta rimase. [26] E pensando la scelerata matrigna di mandar ad effetto il suo maligno proponimento, seminò per tutto il regno che le due figliuole erano morte, una di contínova febbre, l'altra per una postema vicina al cuore ch'affoccata l'aveva,[1] e che Biancabella per lo dolore della partita del re disperso aveva un fanciullo,[2] e sopragiunta le era una terzana febbre[3] che molto la distruggeva, e che vi era piú tosto speranza di vita che temenza di morte. Ma la malvagia e rea femina in vece di Biancabella tenea nel letto del re una delle sue figliuole, fingendo lei esser Biancabella da febbre gravata.

[27] Ferrandino, che l'essercito del nimico aveva già sconfitto e disperso, a casa si ritornava con glorioso trionfo, e credendosi ritrovare la sua diletta Biancabella tutta festevole e gioconda, la trovò che macra, scolorita e disforme[4] nel letto giaceva. [28] E accostatosi ben a lei e guattatala fiso nel volto e vedutala sí distrutta, tutto stupefatto rimase, non potendosi in modo alcuno imaginare che ella Biancabella fusse; e fattala pettinare, in vece di gemme e preciose gioie, che dalle bionde chiome solevano cadere, uscivano grossissimi pedocchi[5] che ogni ora la divoravano; e dalle mani, che[6] ne uscivano rose e odoriferi fiori, usciva una lordura e uno succidume[7] che stomacava chi le stava appresso. Ma la scelerata donna lo confortava e li diceva questa cosa

1. *per... l'aveva*: cfr. *Dec.*, IV 6 33: « alcuna posta vicina al cuore gli s'era rotta, che affogato l'avea ». – *postema*: ascesso. – *affoccata*: soffocata.

2. *disperso ... fanciullo*: aveva abortito.

3. *terzana febbre*: febbre ricorrente.

4. *disforme*: brutta.

5. *pedocchi*: conservazione della *-e-* protonica come in latino (*pediculus*).

6. *che*: da cui. Per quest'uso del pronome relativo cfr. F. AGENO, *Particolarità nell'uso antico del relativo*, in « Lingua Nostra », a. XVII 1956, pp. 4-7.

7. *succidume*: sporcizia.

avenire per la lunghezza della infirmità che tali effetti produce.

[29] La misera adunque Biancabella con le mani monche e cieca d'ambi gli occhi nel luoco solingo e fuor di mano solletta in tanta afflizzione si stava, chiamando sempre e richiamando la sorella Samaritana che aiutare la dovesse; ma niuno vi era che le rispondesse se non la risonante Eco[1] che per tutta l'aria si udiva. [30] Mentre che la infelice donna dimorava in cotal passione, vedendosi al tutto priva di umano aiuto, ecco entrare nel bosco un uomo attempato molto,[2] benigno d'aspetto e compassionevole assai. Il quale udita che ebbe la mesta e lamentevol[3] voce, a quella con le orecchi accostatosi e pian piano con piedi avicinatosi, trovò la giovane cieca e monca delle mani, che della sua dura sorte fieramente si ramaricava. [31] Il buon vecchio vedutala, non puoté sofferire che tra bronchi, dumi e spini rimanesse, ma vinto da paterna compassione, a casa la condusse e alla moglie la raccomandò, imponendole strettissimamente[4] che di lei cura avesse. E voltatosi a tre figliuole, che tre lucidissime stelle parevano, caldamente le comandò che compagnia tenere le dovessino, carezzandola[5] a tutt'ore e non lasciandole cosa veruna mancare. La moglie, che piú cruda era che pietosa, accesa di rabbiosa ira[6] contra il marito, impetuosamente si volse e disse:

– Deh, marito, che volete voi che noi faciamo di questa femina cieca e monca non già per le sue virtú ma per guidardone de' suoi benemeriti? –

1. *la risonante Eco*: cfr. Sannazaro, *Arcadia*, viii 45: « e chi mi ascolta, altro che la risonante Eco? »

2. *un uomo ... molto*: come il vecchio incontrato dall'Agnolella nella selva: cfr. *Dec.*, v 3 21: « e quivi trovò un buono uomo attempato molto con una sua moglie che similmente era vecchia ».

3. *lamentevol*: lamentosa.

4. *strettissimamente*: molto rigorosamente.

5. *carezzandola*: tenendola cara.

6. *accesa ... ira*: cfr. *Dec.*, x 3 11: « in rabbiosa ira acceso ».

A cui il vecchiarello con sdegno rispose:

– Fa' ciò che io ti dico, e s'altrimenti farai non mi aspettar a casa –.

[32] Dimorando adunque la dolorosa Biancabella con la moglie e le tre figliuole e ragionando con esso loro di varie cose e pensando tra se stessa alla sua sciagura, pregò una delle figliole che le piacesse pettinarla un poco. Il che intendendo la madre, molto si sdegnò, perciò che non voleva in guisa alcuna che la figliuola divenisse come sua servitrice. Ma la figliuola, piú che la madre pia, avendo a mente ciò che comesso le aveva il padre e vedendo non so che uscire dall'aspetto di Biancabella che dimostrava segno di grandezza in lei, si scinse il grembiale di buccato[1] che dinanzi teneva, e stesolo in terra, amorevolmente la pettinava. [33] Né appena cominciato aveva pettinarla che delle bionde trezze scaturivano perle, rubini, diamanti e altre preciose gioie. Il che vedendo la madre, non senza temenza tutta stupefatta rimase, e l'odio grande che prima le portava in vero amore converse. [34] E ritornato il vecchiarello a casa, tutte corsero ad abbracciarlo, rallegrandosi molto con esso lui della sopragiunta ventura a tanta sua povertà. Biancabella si fece recare una secchia d'acqua fresca e fecesi lavare il viso e i monchi, dalli quali, tutti vedendo, rose, viole e fiori in abondanzia scaturivano. Il perché non umana persona, anzi divina la reputorono tutti.

[35] Avenne che Biancabella deliberò di ritornare al luogo dove fu già dal vecchiarello trovata. Ma il vecchiarello, la moglie e le figliuole, vedendo l'utile grande che di lei n'apprendevano, l'accarezzavano e instantemente[2] la pregava-

1. *grembiale di buccato*: anche Cisti fornaio aveva « un grembiule di bucato innanzi sempre » (*Dec.*, VI 2 11). – *grembiale*: grembiule (dal lat. tardo *gremialis*). – *buccato*: forma con raddoppiamento ipercorretto della velare sorda.

2. *instantemente*: con insistenza. Cfr. *Dec.*, IV 5 10: « domandandone ella molto instantemente ».

no che in modo alcuno partire non si dovesse, allegandole molte ragioni acciò che rimovere la potessino. Ma ella salda nel suo volere volse al tutto partirsi, promettendoli tuttavia di ritornare. Il che sentendo, il vecchio senza indugio alcuno al luoco dove trovata l'aveva la ritornò. Ed ella al vecchiarello impose che si partisse e la sera ritornasse a lei, che ritornerebbe con esso lui a casa.

[36] Partitosi adunque il vecchiarello, la sventurata Biancabella cominciò andare per la selva, Samaritana chiamando, e le strida e i lamenti andavano sino al cielo. Ma Samaritana, quantunque appresso le fusse né mai abbandonata l'avesse, rispondere non le voleva. La miserella vedendosi spargere le parole al vento, disse:

– Che debbo io piú fare al mondo dopo ch'io son priva de gli occhi e delle mani e mi manca finalmente ogni soccorso umano? –

[37] E accesa da uno furore che la tolleva fuor di speranza della sua salute,[1] come disperata si voleva uccidere. Ma non avendo altro modo di finir la sua vita, prese il camino verso l'acqua, che poco era lontana per attuffarsi, e giunta in su la riva già per entro gittarsi, udí una tonante voce[2] che diceva:

– Ahimè, non fare né voler di te stessa esser omicida! riserba la tua vita a miglior fine –.

[38] Allora Biancabella per tal voce smarrita, quasi tutti i capelli addosso si sentí arricciare.[3] Ma parendole conoscere la voce, prese alquanto d'ardire e disse:

– Chi sei tu che vai errando per questi luochi e con voce dolce e pia ver me ti dimostri?[4]

1. *la ... salute*: le faceva perdere la speranza della sua salvezza.

2. *tonante voce*: cfr. *Orlando inn.*, II 28 16: « E quel rispose con voce tonante ».

3. *quasi ... arricciare*: cfr. *Dec.*, I Intr. 59: « e quasi tutti i capelli adosso mi sento arricciare ».

4. *con voce ... dimostri*: cfr. *Canz.*, CCVI 17-18: « né mai piú dolce o pia / ver' me si mostri, in atto od in favella ».

– Io sono – rispose la voce – Samaritana tua sorella, la quale tanto instantemente chiami –.

Il che udendo, Biancabella con voce da fervidi singolti[1] interrotta le disse:

– Ah, sorella mia, aiutami ti prego, e se io dal tuo consiglio scostata mi sono, perdono ti chiedo, perciò che errai, ti confesso il fallo mio, ma l'error fu per ignoranza, non per malizia, ché se per malizia stato li fusse, la divina providenza non l'arrebbe lungo tempo sustenuto –.

[39] Samaritana udito il compassionevole lamento e vedutala cosí mal trattata, alquanto la confortò, e raccolte certe erbucce di maravigliosa virtú e postele sopra gli occhi e giungendo due mani alle braccia, immantinente la risanò. Poscia Samaritana, deposta giú la squalida scorza di biscia, una bellissima giovanetta rimase.

[40] Già il sole nascondeva gli suoi foglienti rai[2] e le tenebre della notte cominciavano apparire, quando il vecchiarello con frettoloso passo giunse alla selva e trovò Biancabella che con un'altra ninfa sedeva. E miratala nel chiaro viso, stupefatto rimase, pensando quasi che ella non fusse. Ma poi che conosciuta l'ebbe, le disse:

– Figliuola mia, voi eravate sta mane cieca e monca, come siete voi cosí tosto guarita? –

Rispose Biancabella:

– Non già per me, ma per virtú e cortesia di costei che meco siede, la quale mi è sorella –.

E levatesi ambe due da sedere con somma allegrezza insieme con il vecchio se n'andorono a casa, dove dalla moglie e dalle figliuole furono amorevolmente ricevute.

[41] Erano già passati molti e molti giorni quando Samaritana, Biancabella e il vecchiarello con la moglie e con le tre

1. *singolti*: singulti, singhiozzi.

2. *foglienti rai*: cfr. *Orlando furioso*, I 19 3-4, dove però il sintagma ha un valore metaforico: «i fulgenti rai / del nuovo sol».

figliuole andorono alla città di Napoli per ivi abitare, e veduto un luogo vacuo che era al dirimpetto del palazzo del re, ivi si posero a sedere, e venuta la buia notte, Samaritana, presa una vergella[1] di lauro in mano, tre volte percosse la terra dicendo certe parole, le quali non furono appena fornite di dire,[2] che scaturí un palazzo, il piú bello e il piú superbo che si vedesse giamai.

[42] Fattosi Ferrandino re la mattina per tempo alla finestra, vide il ricco e maraviglioso palazzo e tutto attonito e stupefatto[3] rimase. E chiamata la moglie e la matrigna lo vennero a vedere. Ma ad esse molto dispiacque, perciò che dubitavano che alcuna cosa sinistra non le avenisse. [43] Stando Ferrandino alla contemplazione del detto palazzo e avendolo d'ogni parte ben considerato, alzò gli occhi e vide per la finestra d'una camera due matrone che di bellezza facevano invidia al sole.[4] E tantosto che l'ebbe vedute, gli venne una rabbia al cuore per ciò che li parve una di loro la sembianza di Biancabella tenere. E addimandòle chi fussero e donde venisseno. A cui fu risposo che erano due donne fuoruscite e che venivano di Persia con il loro avere per abitare in questa gloriosa città. E addimandate se grato averebbeno che da lui e dalle sue donne visitate fussero, gli risposero che caro le sarebbe molto, ma che era piú convenevole e onesto che elle, come suddite, andassero a loro, che elle, come signore e reine, venissero a visitarle.

[44] Ferrandino, fatta chiamare la reina e l'altre donne, con esso loro, ancor che ricusassino di andare, temendo forte la loro propinqua roina, se ne girono al palazzo delle due

1. *vergella*: verghetta.
2. *fornite di dire*: finite di pronunciare.
3. *attonito e stupefatto*: cfr. MASUCCIO SALERNITANO, *Il Novellino*, VI 26: « quale attonita e stupefatta de tale accidente stava ».
4. *facevano ... sole*: cfr. *Canz.*, CLVI 5-6: « et vidi lagrimar que' duo bei lumi, / ch'àn fatto mille volte invidia al sole ».

matrone, le quali con benigne accoglienze e onesti modi onoratissimamente le ricevettero, mostrandogli le ampie logge, le spaziose sale e ben ornate camere, le cui mura erano d'alabastro[1] e porfido fino, dove si vedevano figure che vive parevano. [45] Veduto che ebbero il pomposo palazzo, la bella giovane, accostatasi al re, dolcemente lo pregò che si degnasse con la sua donna di voler un giorno con esso loro desinare. Il re, che non aveva il cuor di pietra[2] ed era di natura magnanimo e liberale, graziosamente tenne lo invito.[3] E rese le grazie dell'onorato accetto[4] che le donne fatto gli avevano, con la reina si partí e al suo palazzo ritornò.

[46] Venuto il giorno del deputato[5] invito, il re, la reina e la matrigna regalmente vestite e accompagnate da diverse matrone andorono ad onorare il magnifico prandio[6] già lautamente apparecchiato. E data l'acqua alle mani,[7] il siniscalco misse[8] il re e la reina ad una tavola alquanto piú eminente, ma propinqua alle altre; dopo fece tutti gli altri secondo il loro ordine sedere e a gran agio e lietamente tutti desinarono. [47] Finito il pomposo prandio e levate le mense, levòsi Samaritana in piedi, e voltatasi verso il re e la reina, disse:

– Signor, acciò che noi non stiamo nell'ocio avolti, qualcuno propona[9] alcuna cosa che sia di piacere e contento –.

1. *le cui ... d'alabastro*: cfr. *Orlando inn.*, III I 41: « gionsero al castello [...] le mura ha de alabastro ». Ma cfr. anche *Mambriano*, I 46 1-2: « Ciascuna porta sette gradi avea / tutti composti d'alabastro fino ».

2. *che ... pietra*: cfr. BOCCACCIO, *Filocolo*, III 65 7: « E certo se non fosse che io non ho il cuore di pietra ».

3. *tenne lo invito*: accettò l'invito. Cfr. *Dec.*, III 7 84: « e essi liberamente, dalla sua fé sicurati, tennero lo 'nvito ». Cfr. anche *Dec.*, X 9 13.

4. *accetto*: accoglienza.

5. *deputato*: fissato.

6. *prandio*: pranzo (latinismo).

7. *e data ... desinarono*: per questa scena cfr. *Dec.*, X 9 25.

8. *misse*: mise. Perfetto rafforzato analogico da ricondurre ad ascendenza dialettale (cfr. PIOTTI, p. 118). Cfr. anche poco oltre (52): *messevi*.

9. *propona*: proponga.

Il che tutti confirmarono esser ben fatto. Ma non vi fu però veruno che proponere ardisse. Onde vedendo Samaritana tutti tacere, disse:

– Dopo che niuno si move a dire cosa alcuna, con licenza di vostra maestà, farò venire una delle nostre donzelle che ci darà non picciolo diletto –.

[48] E fatta chiamare una damigella, che Silveria per nome si chiamava, le comandò che prendesse la cetra in mano e alcuna cosa degna di laude e in onore del re cantasse. La quale ubidientissima alla sua signora,[1] prese la cetra e fattasi al dirimpetto del re con soave e dilettevol voce, toccando col plettro le sonore corde, ordinatamente li raccontò l'istoria di Biancabella, non però mentovandola[2] per nome; e giunta al fine de l'istoria, levossi Samaritana e addimandò al re qual convenevole pena, qual degno supplicio meriterebbe colui che sí grave eccesso avesse commesso. [49] La matrigna, che pensava con la pronta e presta risposta il difetto suo coprire, non aspettò che 'l re rispondesse, ma audacemente disse:

– Una fornace fortemente accesa sarebbe a costui poca pena a quella che egli meriterebbe –.

[50] Allora Samaritana, come bragia di fuoco nel viso avampata, disse:

– E tu sei quella rea e cruda femina per la cui cagione fu tanto errore commesso. E tu malvagia e maladetta con la propia bocca te stessa ora dannasti –.

E voltatasi Samaritana al re, con allegra faccia gli disse:

– Questa è la vostra Biancabella. Questa è la vostra moglie da voi cotanto amata. Questa è colei senza la quale voi non potevate vivere –.

1. *La quale ... signora*: cfr. *Dec.*, II 7 2: « per la qual cosa egli, che ubidientissmo era ».

2. *mentovandola*: nominandola.

[51] E in segno della verità, comandò alle tre dongelle, figliuole del vecchiarello, che in presenza del re le pettinassino i biondi e crespi capelli, da i quali, come è detto di sopra, ne[1] uscivano le care e dilettevoli gioie, e dalle mani scaturivano mattutine rose e odorosi fiori. E per maggior certezza dimostrò al re il candidissimo collo di Biancabella intorniato da una catenella di finissimo oro,[2] che tra carne e pelle naturalmente come cristallo traspareva. [52] Il re conosciuto che ebbe per veri indici e chiari segni lei esser la sua Biancabella, teneramente cominciò a piangere e abbracciarla. E indi non si partí che fece accendere una fornace e la matrigna e le figliuole messevi dentro. Le quali tardi pentute del peccato suo la loro vita miseramente finirono. Appresso questo, le tre figliuole del vecchiarello orrevolmente furono maritate, e Ferrandino re con la sua Biancabella e Samaritana lungamente visse, lasciando dopo sé eredi legittimi nel regno.

[53] Aveva la favola di Lauretta piú volte commosse le compagne a lagrimare, ma essendo quella già compiuta, la Signora le impose che 'l cominciato ordine seguisse e il suo enimma proponesse. Ed ella non aspettando altro comandamento dalla Signora, cosí graziosamente disse:

[54] Passa per mezzo d'un fiorito prato
una superba e cruda damigella.
La coda ha piana, il capo rilevato,
veloce è ne l'andar e molto snella;
ha l'occhio acuto e 'l tocco poco grato,
qua e là move la lingua e non favella;
lunga e sottil è molto e berettina:[3]
ben è saggio colui che l'indivina.

1. *ne*: ripresa pleonastica dopo l'incidentale (forma frequente nelle *Piacevoli notti*).
2. *finissimo oro*: cfr. SANNAZARO, *Arcadia*, V 1: « finissimo oro ».
3. *berettina*: di colore bigio, cinereo.

[55] Attentamente tutti stettero ad ascoltare lo arguto enimma della festevole Lauretta, la quale vedendo quello rimanere irresolubile disse:

– Donne mie care, per non tenervi a bada e per non fastidire le menti vostre già tutte turbate per la compassionevole favola da me raccontata, dirovvi, se vi è in piacere, con brevità la resoluzione. La damigella altro non è se non la biscia, la quale andando per i prati col capo erto e con la coda bassa, paventa con l'acuto occhio tutti che la vedono –.[1]

[56] Ognuno si maravigliò forte che nella compagnia non si trovasse alcuno che sapesse risolver lo enimma da Lauretta risolto. Ma andatasene al suo luogo a sedere, la Signora fece cenno ad Alteria che a dire incominciasse. Ed ella levatasi da sedere fece una riverenza, e alla sua favola diede cominciamento.

1. *tutti ... vedono*: consueta ellissi del dimostrativo.

NOTTE TERZA, FAVOLA IV[1]

[1] *Fortunio per una ricevuta ingiuria dal padre e dalla madre putativi si parte e vagabondo capita in uno bosco, dove trova tre animali da i quali per sua sentenzia è guidardonato, indi entrato in Polonia giostra e in premio Doralice, figliuola del re, in moglie ottiene.*

[2] Egli è un motto che tra volgari[2] è non poco frequentato[3] ne' ragionamenti loro: non scherzar che 'l doglia,[4] né motteggiar del vero,[5] perciò che chi ode, vede e tace, altri non nuoce e vive sempre in pace.[6]

[3] Fu adunque nell'estreme parti di Lombardia un uomo chiamato Bernio, il quale, quantunque de' beni della fortuna abondevole non fusse, non però d'animo e di cuore a gli altri inferiore si riputava. Costui prese per moglie una valorosa e gentilesca donna nominata Alchia, la quale avenga che di bassa condizione fusse, era però dotata d'ingegno e di laudevoli costumi, e tanto amava il marito quanto un'al-

1. Il motivo della gratitudine degli animali ottenuta con l'equo giudizio sulla spartizione del bottino è presente in molte fiabe popolari, come ricorda Calvino, *Fiabe*, n. 6: *Corpo-senza l'anima*. Per l'analisi di molte versioni di questa fiaba cfr. anche Cosquin, n. 15 (to. I pp. 170-77) e n. 50 (to. II pp. 130-31); e per una versione bretone cfr. Luzel, op. cit., II pp. 381-418. Il motivo che forma l'introduzione della novella – un bastardo abbandona la casa dove è stato allevato, perché gli si rinfaccia la sua origine – ricorre sovente nelle leggende popolari: cfr. *Gesta romanorum*, cap. CCXXI (*De nativitate sancti Laurencii*). Per i motivi cfr. Rotunda, B81.10, B392, B500, D113.1, D152.2, D186, D385, D641.1, D642, F813.1.1, F813.1.2, F813.1.3, F910, H1211, K501, M411.1.2, M434, Q556.3.

2. *tra volgari*: presso il popolo.

3. *frequentato*: ripetuto.

4. *che 'l doglia*: tanto da provocare dolore.

5. *non ... vero*: per il proverbio cfr. *Mambriano*, XLV 110 1-2: « O fio d'Amon, non motteggiar col vero, / rispose Astolfo, e non scherzar che doglia ». Ma cfr. anche Aretino, *Sei giornate*, 200 15-16: « atienti al proverbio il qual dice "non motteggiar del vero e non ischerzar che dolga" ».

6. *chi ode ... pace*: cfr. *Proverbi veneti*, p. 274: « chi ascolta, varda e tase, sa viver in pase ».

tra che trovar si potesse giamai. Essi molto desideravano figliuoli, ma la grazia da Iddio non gli era concessa, perciò che l'uomo piú delle volte non sa quello che addimandando piú li convenga. [4] Stando ambe duo in questo desiderio e veggendo la fortuna essergli al tutto contraria, costreti dal lungo desio deliberorono di prenderne uno e per propio e legittimo figliuolo tenerlo e nudricarlo. E andatisene una mattina per tempo a quel luogo dove sono i teneri fanciulli dalli loro padri abbandonati e addocchiatone uno che piú bello e piú vezzoso[1] de gli altri li parve, quello presero e con molta diligenza e disciplina fu da loro accostumatamente nudrito.[2]

[5] Avenne che, come piacque a colui che l'universo regge e ogni cosa a suo bel grado tempra e ammollisse, Alchia s'ingravidò, e pervenuto il tempo del parto, parturí un figliuolo che tutto somigliava al padre. Di che l'uno e l'altro ne ebbe incredibile allegrezza, e Valentino nome gli imposero. Il fanciullo ben nudrito e allevato cresceva e in virtú e in costumi, e tanto amava il fratello, Fortunio[3] chiamato, che quando egli era senza di lui, da doglia si sentiva morire.

[6] Ma la discordia d'ogni ben nimica, vedendo il loro fervido e caldo amore e non potendo omai sofferire tanta tra loro amorevolezza, un giorno se interpose e operò sí che gli suoi frutti acerbi assaggiare incominciorono. Imperciò che scherzando tra loro un giorno, sí come è usanza de' fanciulli, ed essendo per lo giuoco riscaldati alquanto e non potendo Valentino patire che Fortunio nel giuoco li fusse superiore, in tanta rabbia e furore[4] venne che piú volte bastardo

1. *piú vezzoso*: cfr. Boccaccio, *Ninfale fiesolano*, 405: « Il fantin era sí vezzoso e bello ».

2. *accostumatamente nudrito*: educato di buoni costumi.

3. *Fortunio*: nella fiaba lorenese (n. 50 in Cosquin) segnalata nella nota introduttiva il protagonista porta lo stesso nome del personaggio dello Straparola: *Fortuné*.

4. *in tanta ... furore*: espresione comune. Cfr. per es. *Morgante*, xi 103 2: « tanto fu l'ira, la rabbia, e 'l furore ».

e nato di vil femina li disse. [7] Il che udendo Fortunio e di ciò maravigliandosi molto, assai si turbò, e voltosi[1] verso Valentino, li disse:

– Come? sono io bastardo? –

E Valentino con parole tra' denti non morte,[2] seco tuttavia contrastando, animosamente lo confermò. Laonde Fortunio oltre modo dolente dal giuoco si partí, e andatosene alla putativa madre, dolcemente la dimandò se di lei e di Bernio era figliuolo. A cui Alchia rispose che sí. E accortasi che Valentino con ingiuriose parole oltreggiato l'aveva, quello fortemente minacciò, giurando di malagevolmente castigarlo. [8] Fortunio per le parole d'Alchia suspicò,[3] anzi tenne certo che egli suo figliuolo legittimo non fusse; pur piú volte assaggiare[4] la volse, s'egli era suo vero figliuolo, e di saperlo al tutto deliberò. Onde Alchia, vedendo l'ostinato volere di Fortunio e non potendo da tal importunità rimoverlo, li confirmò lui non esser vero suo figliuolo, ma nudrito in casa per amor d'Iddio e per alleviamento de' peccati suoi e del marito. Queste parole al giovane furono tante coltellate al cuore e li crebbero doglia sopra doglia. [9] Or essendo senza misura dolente, né sofferendogli il cuore se medesimo con alcuna violenza uccidere,[5] determinò di uscire al tutto di casa di Bernio, ed errando per lo mondo tentare se la fortuna ad alcun tempo li fusse favorevole. [10] Alchia, veduta la volontà di Fortunio ogni or piú pronta, né vedendo modo né via di poterlo rimovere dal suo duro[6] proponimento, tutta accesa d'ira e di sdegno, dielli la male-

1. *voltosi*: voltatosi.

2. *con ... morte*: pronunciate con vivacità (Guglielminetti).

3. *suspicò*: ebbe il sospetto.

4. *assaggiare*: tentare.

5. *né sofferendogli ... uccidere*: cfr. *Dec.*, v 2 9: « e non sofferendole il cuore di se medesima con alcuna violenza uccidere ».

6. *duro*: ostinato. Cfr. *Dec.*, III 7 29: « il mio duro proponimento si sarebbe piegato ».

dizzione, pregando Iddio che se gli avenisse per alcun tempo di cavalcare[1] il mare, ei fusse dalla sirena non altrimenti inghiottito che sono le navi dalle procellose e gonfiate onde marine. Fortunio, dall'impetuoso vento del sdegno e dal furor de l'ira tutto spinto, né intesa la maledizzione materna, senza altro conchiedo[2] prendere, da' parenti[3] si partí e indriciò verso Ponente il suo camino.

[11] Passando adunque Fortunio or stagni or valli or monti e altri alpestri e salvatici luochi, finalmente una mattina tra sesta e nona[4] giunse ad uno folto e inviluppato bosco,[5] e dentro entratovi, trovò il lupo, l'aquila e la formica che per la cacciaggione di già un preso cervo fuor di modo si rimbeccavano e in partirlo[6] in maniera alcuna convenire non si potevano. [12] Stando adunque i tre animali in questo duro contrasto, né volendo l'uno cedere a l'altro, al fine in tal guisa pattegiorono che 'l giovane Fortunio, che allora eravi sopragiunto, dovesse la loro lite difinire,[7] dando a ciascuno di loro la parte che li paresse piú convenevole. E cosí tutta tre rimasero contenti, promettendo l'uno a l'altro d'aquetarsi e in maniera alcuna non contravenire alla difinitiva sentenza, quantunque ella fusse ingiusta. [13] Fortunio preso volontieri l'assonto[8] e con ogni maturità considerata la loro condizione, in tal guisa la preda divise: al lupo, come ani-

1. *cavalcare*: solcare.
2. *conchiedo*: congedo.
3. *parenti*: genitori, in questo caso per adozione (latinismo).
4. *tra sesta e nona*: tra mezzogiorno e il primo pomeriggio (ma per approssimazione perché non si sa la stagione in cui è ambientata la vicenda). Anticamente infatti si usava suddividere il giorno in quattro periodi di tre ore ciascuno, indicati come terza, sesta, nona e vespro, la cui corrispondenza con l'orario attuale variava in base al sorgere del sole, e quindi alle stagioni, poiché il computo del tempo partiva dall'alba.
5. *inviluppato bosco*: cfr. BOCCACCIO, *Filocolo*, III 36 1: « inviluppato bosco ».
6. *partirlo*: dividerlo.
7. *difinire*: comporre.
8. *l'assonto*: l'incarico. Forma con mancanza di anafonesi.

mal vorace e addentato molto,[1] in guidardone della durata fatica, assignò tutte l'ossa con la macilente[2] carne; a l'aquila, uccello rapace e di denti privo, per rimunerazione sua, in cibo offerse le interiora col grasso che la carne e l'ossa circonda; alla granifera[3] e solecita formica, per essere manchevole di quella potenza che al lupo e a l'aquila è dalla natura concessa, per premio della sostenuta fatica, le tenere cervella concesse. [14] Del grave[4] e ben fondato giudizio ciascuno di loro rimase contento, e di tanta cortesia quanta ei usata gli aveva, come meglio puotero e seppero il ringraziorono assai. E perciò che la ingratitudine tra gli altri vizii è sommamente biasmevole,[5] tutta tre concordi volsero che 'l giovane non si partisse se prima da ciascuno di loro non era per lo ricevuto servigio ottimamente guidardonato. Il lupo adunque in riconoscimento del passato giudicio disse:

– Fratello, io ti do questa virtú, che ogni volta che 'l tuo desiderio sarà di divenire lupo, e dirai fuss'io lupo, incontanente di uomo in lupo tu ti trasformerai, ritornando però a tuo bel grado nella tua forma prima –.

E in tal maniera fu altresí da l'aquila e dalla formica beneficiato.

[15] Fortunio tutto allegro per lo ricevuto dono, rendute prima quelle grazie ch'ei seppe e puoté, chiese da loro commiato e si partí, e tanto caminò che aggiunse a Polonia,[6] città nobile e popolosa, il cui imperio teneva Odescalco, re molto potente e valoroso, il quale aveva una figliuola

1. *addentato molto*: fornito di buona dentatura. – *addentato*: settentrionalismo fonetico (cfr. Trovato, p. 343).

2. *macilente*: la carne magra attorno alle ossa.

3. *granifera*: epiteto ovidiano (*Met.*, vii 638, e *Ars am.*, i 94-95) ripreso nell'*Hypnerotomachia Poliphili*, xviii 15: « la granifera formica ».

4. *grave*: ponderato.

5. *perciò... biasmevole*: cfr. *Dec.*, Proem. 7: « E per ciò che la gratitudine [...] è sommamente da commendare e il contrario da biasimare ».

6. *Polonia*: è città anche nei *Reali di Francia*.

Doralice[1] per nome chiamata, e volendola onorevolmente maritare, aveva fatto bandire un gran torniamento[2] nel suo regno, né ad alcuno intendeva in matrimonio copularla, se non a colui che della giostra fusse vincitore. E molti duchi, marchesi e altri potenti signori erano già da ogni parte venuti per far l'acquisto del precioso premio; e della giostra omai era passato il primo giorno e uno saracino sozzo e contrafatto[3] di aspetto, strano di forma e nero come pece, di quella superiore[4] appareva. [16] La figliuola del re, considerata la diformità e lordura[5] del saracino, ne sentiva grandissimo dolore che ei ne fusse dell'onorata giostra vincente,[6] e messassi la vermiglia guancia sopra la tenera e delicata mano,[7] s'attristava e ramaricava, maladicendo la sua dura e malvaggia sorte, bramando prima il morire, che de sí sformato[8] saracino moglie venire.[9]

[17] Fortunio, entrato nella città e veduta l'onorevol pompa e il gran concorso de' giostranti e intesa la causa di sí glorioso trionfo, s'accese d'ardentissimo desiderio di mostrare quanto era il suo valore nel torniamento. Ma perciò che era

1. *Doralice*: nome della tradizione dei poemi cavallereschi (*Orlando innamorato*) già utilizzato per la protagonista femminile della novella I 4.

2. *torniamento*: torneo.

3. *sozzo e contrafatto*: brutto e deforme.

4. *superiore*: il migliore.

5. *diformità e lordura*: bruttezza e ripugnanza.

6. *giostra vincente*: cfr. per una situazione analoga *Liombruno*, I 33 7-8: «Ivi era un saracin tanto possente, / che della giostra quasi era vincente».

7. *messassi ... mano*: per questo gesto cfr. *Orlando innamorato*, I 2 25: «Ed io, come dolente feminella, / tengo la guancia posata alla mano, / e sol me aiuto lacrimando in vano». – *messassi*: messasi.

8. *sformato*: brutto.

9. *moglie venire*: la preoccupazione della principessa ricorda quella della donzella del cantare *Bel Gherardino*, II 43 1-4: «Veggendo la donzella che il soldano / gli altri baron di prodezza avanzava, / pensando aver per marito un pagano, / nella sua mente forte dubitava». Si noti inoltre il modulo in rima (*morire ... venire*), caro alla tradizione canterina e non raro nelle *Piacevoli notti*.

privo di tutte quelle cose che a' giostranti si convengono, dolevasi molto. E stando in questo ramarico e alzando gli occhi al cielo, vide Doralice figliuola del re che ad una superba[1] finestra appoggiata ci stava, la quale da molte vaghe e generose matrone circondata, non altrimenti pareva che 'l vivo e chiaro sole tra le minute stelle. [18] E sopragiunta la bugia[2] notte e andatisene tutti a i loro alloggiamenti, Doralice mesta si ridusse sola in una cameretta non meno ornata che bella,[3] e stando cosí solinga con la finestra aperta, ecco Fortunio, il quale, come vide la giovane, fra sé disse:

– Deh, ché non sono io aquila? –

[19] Né appena egli aveva fornite[4] le parole che aquila divenne, e volato dentro della finestra e ritornato uomo come prima, tutto giocondo, tutto festevole[5] se le appresentò. La poncella vedutolo tutta si smarrí, e sí come da famelici cani lacerata fusse, ad alta voce cominciò gridare. Il re, che non molto lontano era dalla figliuola, udite l'alte grida, corse a lei, e inteso che nella camera era un giovane, tutta la zambra[6] ricercò, e nulla trovando, a riposare se ne tornò; perciò che il giovane fattosi aquila per la finestra si era fuggito. [20] Né fu sí tosto il padre postosi a riposare, che da capo la poncella si mise ad alta voce gridare, perciò che il giovane come prima a lei presentato s'aveva. Ma Fortunio, udito il grido della giovane e temendo della vita sua, in una formica si cangiò e nelle bionde trezze della vaga donna si nascose. Odescalco corso a l'alto grido della figliuola e nulla vedendo, contra di lei assai si turbò e acramente minacciòla che se

1. *superba*: alta.

2. *bugia*: buia.

3. *cameretta ... bella*: cfr. *Morgante*, II 20 1: « le camere eran tutte ornate e belle ».

4. *fornite*: finite di pronunciare.

5. *festevole*: festoso.

6. *zambra*: camera (dal fr. *chambre* con assibilazione iniziale. Secondo il *DEI* è voce diffusa nell'Italia settentrionale).

ella piú gridava, egli le farebbe un scherzo[1] che non le piacerebbe, e tutto sdegnato si partí, pensandosi che ella avesse veduta[2] nella sua imaginativa uno di coloro che per suo amore erano stati nel torniamento uccisi. [21] Il giovanetto sentito del padre il ragionamento e veduta la lui[3] partenza, la spoglia di formica dispose,[4] e nel suo bel esser primo fece ritorno. Doralice vedendo il giovane, subitamente si volse gittare giú del letto[5] e gridare, ma non puoté, perciò che il giovane le chiuse con una delle mani la bocca, e disse:

– Signora mia, io non sono qui venuto a torvi l'onore e l'aver vostro, ma per racconfortarvi ed esservi umilissimo servitore. Se voi piú gridarete, una di due cose averrà: o che il vostro chiaro nome e buona fama fie guasta o che voi sarete cagione della mia e vostra morte. E perciò, signora del cuor mio, non vogliate ad un tempo macchiare l'onor vostro e mettere a pericolo di amendue la vita –.

[22] Doralice mentre Fortunio diceva tai parole, piangeva e si ramaricava molto, né poteva in maniera alcuna patire il paventoso assalto. Ma Fortunio vedendo il perturbato animo della donna, con dolcissime parole che arrebbeno spezzato un monte, tanto disse e tanto fece che addolcí l'ostinata voglia della donna, la quale vinta dalla leggiadria del giovane, con esso lui si pacificò. E vedendo il giovane di bellissimo aspetto, robusto e delle membra sue ben formato, e ripensando tra se stessa alla bruttura del saracino, molto si doleva che egli dovesse della giostra esser vincitore e parimente della sua persona possessore. [23] E mentre che ella seco ragionava, le disse il giovane:

1. *scherzo*: azione offensiva come punizione.

2. *avesse veduta*: mancato accordo del participio, non isolato nelle *Piacevoli notti*. Probabile concordanza con *imaginativa*: fantasia, immaginazione.

3. *la lui*: per questa forma di genitivo cfr. Rohlfs, 630.

4. *dispose*: depose.

5. *subitamente … del letto*: tutta la sequenza è una riscrittura di *Dec.*, III 6 43-49.

– Damigella, se io avesse il modo, volontieri io giostrerei, e dammi il cuore[1] che della giostra sarei vincitore –.

A cui rispose la donzella:

– Quando cosí fusse, niun altro che voi sarebbe della persona mia signore –.

E vedendolo tutto caldo e ben disposto a tal impresa, di danari e di gioie infinite l'accomodò.[2] Il giovane allegramente presi i danari e le gioie, addimandòla qual abito piú le sarebbe a grado che egli si vestisse. A cui rispose:

– Di raso bianco –.

E sí come ella divisò,[3] cosí egli fece.

[24] Fortunio adunque il giorno seguente, guarnito di rilucenti arme coperte d'una sopraveste di raso bianco, di finissimo oro e sottilissimi intagli ricamata, montò sopra un possente e animoso cavallo coperto di colore del cavaliere, e senza esser d'alcuno conosciuto, in piazza se ne gí. Il popolo già raunato al famoso spettacolo, veduto il prode cavaliere isconosciuto con la lanza[4] in mano per giostrare, non senza gran maraviglia e come smemorato,[5] incominciò fiso a riguardarlo, e ciascuno diceva:

– Deh, chi è costui che sí leggiadro e sí pomposo si rappresenta in giostra e non si conosce? –

[25] Fortunio nell'ordinata sbarra[6] entrato, al suo rivale fece motto che entrasse, e amenduo, abbassate le nodose lance, come scatenati leoni si scontrorono, e sí grave[7] fu del giovanetto il colpo nella testa che 'l saracino toccò del cavallo le groppe, e non altrimenti che un vetro battuto ad un

1. *dammi il cuore*: sento di avere il coraggio.
2. *l'accomodò*: lo forní.
3. *divisò*: stabilí.
4. *lanza*: lancia (forma assibilata settentrionale).
5. *smemorato*: confuso.
6. *sbarra*: recinto.
7. *grave*: violento.

muro,[1] nella nuda terra morto rimase. E quanti quel giorno in giostra ne incontrò, tanti furono da lui valorosamente abbattuti. Stavasi la damigella tutta allegra e con ammirazione grandissima intensamente il riguardava, e tra se stessa ringraziava Iddio che dalla servitú del saracino l'avea deliberata,[2] e pregando[3] Iddio li desse la vittoriosa palma.

[26] Giunta la notte e chiamata Doralice a cena, non gli vi volse andare,[4] ma fattisi portare certi delicati cibi e preciosi vini, finse non aver allora appetito di mangiare, ma facendole bisogna al tardo sola mangerebbe.[5] E chiusasi sola in camera e aperta la finestra, l'affezzionato amante con sommo desiderio aspettò; e ritornatosi come la notte precedente, ambeduo insieme lietamente cenorono. Dapoi Fortunio l'addimandò come dimane vestire si dovrebbe. Ed ella a lui:

– Di raso verde, tutto di argento e oro finissimo riccamato, e altresí il cavallo –.

E il tutto fu tostamente la mattina isequito.[6]

[27] Appresentatosi adunque in piazza il giovanetto all'ordinato[7] termine, nel torniamento entrò e se il giorno avanti il suo gran valore aveva dimostrato, nel sequente vie piú quello dimostrò.[8] E la delicata donzella giustamente esser sua ognuno ad una voce affirmava.

[28] Venuta la sera, la damigella tra sé tutta gioconda, tutta gioiosa e allegra finse quello istesso che nella precedente

1. *non altrimenti ... muro*: cfr. *Dec.*, II 4 17: « non altramenti che un vetro percosso a un muro ».

2. *deliberata*: liberata.

3. *e pregando*: gerundio coordinato con un precedente modo finito. Il soggetto è sempre Doralice che prega Dio affinché aiuti Fortunio nella sua impresa.

4. *non ... andare*: non volle andare da lui.

5. *ma facendole ... mangerebbe*: ma se le fosse venuto l'appetito, avrebbe cenato da sola piú tardi.

6. *isequito*: eseguito.

7. *ordinato*: stabilito.

8. *vie ... dimostrò*: dimostrò molto di piú il suo valore.

notte simolato aveva. E chiusassi[1] in camera e aperta la finestra, il valoroso giovane aspettò e con esso lui agiatamente cenò. E addimandatala da capo di che vestimento nel sequente giorno addobar si dovesse, li rispose:

– Di raso cremesino[2] tutto riccamato d'oro e di perle, e altresí la sopraveste del cavallo sarà in tal guisa guarnita, perciò che in tal maniera sarò ancor io vestita.[3]

– Donna – disse Fortunio – se dimane per aventura io fussi alquanto piú tardo de l'usato nel venir in giostra, non ve ne maravigliate perciochè non senza causa tarderò la venuta mia –.

[29] Venuto il terzo giorno e l'ora del giostrare, tutto il popolo il termine del glorioso trionfo con grandissima allegrezza aspettava, ma niuno de' giostranti, per la smisurata fortezza del prode cavaliere incognito, ardiva di comparere. E la dimoranza del cavaliere troppa[4] lunga non pur al popolo generava sospetto grandissimo, ma ancora alla donzella, quantunque della dimora ne fusse consapevole. E vinta da interno dolore, non se ne avedendo alcuno, quasi tramortita caddé. Ma poi che ella sentí Fortunio avicinarsi alla piazza, gli smarriti spiriti comminciorno a ritornare a' loro luochi. [30] Era Fortunio d'un ricco e superbo drappo vestito, e la coperta del suo cavallo d'oro finissimo tutta dipinta di lucenti rubini, di smeraldi, di zafiri e di grossissime perle, le quali secondo il giudicio universale un stato valevano. Giunto in piazza il valoroso Fortunio, tutti ad alta voce gridavano:

1. *chiusassi*: chiusasi.

2. *cremesino*: rosso acceso. I tre colori – bianco, verde e rosso – rimandano alla tradizione dei cantari. Cfr. *Bel Gherardino*, II 30 1-2: « Poi gli donòe tre veste di zendado, / una verde, una bianca, una vermiglia ».

3. *guarnita ... vestita*: espressione in rima che rimanda allo stile dei cantari.

4. *troppa*: avverbio di quantità accordato secondo una consuetudine dell'antica lingua settentrionale (cfr. PIOTTI, p. 110).

– Viva, viva il cavaliere incognito! –;[1] e con un spesso e festoso batter de mani fischiavano.

[31] Ed entrato nella sbarra sí coraggiosamente si portò,[2] che mandati tutti sopra la nuda terra, della giostra ebbe il glorioso trionfo. E sceso giú del potente cavallo, fu da i primi e da i maggiori della città sopra i loro omeri sollevato, e con sonore trombe e altri musici stromenti, con grandissimi gridi che givano insino al cielo, alla presenza del re incontanente lo portorono. E trattogli l'elmo e le relucenti arme, il re vide un vago giovanetto, e chiamata la figliuola, in presenza di tutto il popolo con grandissima pompa la fece sposare, e per un mese contínovo tenne corte bandita.[3]

[32] Essendo Fortunio con la diletta moglie un certo tempo dimorato e parendogli sconvenevole e cosa vile il star ne l'ocio avolto raccontando[4] l'ore sí come fanno quelli che sciocchi sono e di prudenza privi, determinò al tutto di partirsi e andarsene in luochi dove il suo gran valore fusse apertamente conosciuto. E presa una galea e i molti tesori che 'l socero[5] gli aveva donati e tolta da lui e dalla moglie buona licenza, sopra la galea salí. [33] Navigando adunque Fortunio con prosperi e favorevoli venti, aggiunse nell'Atlantico mare, né fu guari piú di dieci miglia entrato nel detto mare che una sirena, la maggiore che mai veduta fusse, alla galea s'accostò e dolcemente cominciò a cantare. Fortunio, che in un lato della galea col capo sopra l'acqua per ascoltare dimorava, s'addormentò e cosí dormendo fu dalla sirena

1. *Viva ... incognito!*: espressione cara ai cantari. Cfr., per es., *Bel Gherardino*, II 38 2: « viva il cavalier vermiglio! », e II 46 4: « viva il franco cavaliere! ».

2. *si portò*: si comportò.

3. *tenne corte bandita*: dette ospitalità sontuosa e magnifica con banchetti e intrattenimenti vari. Cfr. per es. BANDELLO, *Novelle*, I 22 (vol. I p. 291): « tutta la settimana il re tenne corte bandita ».

4. *raccontando*: contando.

5. *socero*: forma monottongata, sostenuta dal modello latino (*socer -eri*).

diglutito,[1] la quale attuffatasi nelle marine onde se ne fuggí.

[34] I marinai, non potendolo soccorrere, scoppiavano da dolore, e tutti mesti e sconsolati la galea di bruni panni[2] copersero, e all'infelice e sfortunato Odescalco fecero ritorno, raccontandogli l'orribile e lagrimoso caso che nel mare gli era sopravenuto. Dil[3] che il re e Doralice e tutta la città, grandissimo dolore sentendo, di neri panni si vestiro.

[35] Avicinatasi già l'ora del parto, Doralice un bellissimo bambino parturí, il quale vezzosamente in molte delicatezze nudrito, alla età di duo anni pervenne. E considerando la mesta e addolorata Doralice sé esser priva del suo diletto e caro sposo né esservi piú speranza alcuna di poterlo riavere, nell'alto e viril animo suo propose di voler al tutto, ancor che 'l re consentire non le volesse, mettersi in mare alla fortuna e la sua ventura provare. [36] E fatta mettere in punto[4] una galea ben armata e di gran vantagio[5] e presi tre pomi a maraviglia lavorati, di quali l'uno era di auricalco,[6] l'altro d'argento e il terzo di finissimo oro, tolse licenza dal padre e in galea col bambino montò, e date le vele al prosperevole vento[7] ne l'alto mare entrò. La mesta donna cosí navigando con tranquillo mare, ordinò alli marinai che dove lo sposo suo dalla sirena fu inghiottito, in quel luoco condurre la dovessero. Il che fu essequito.

[37] Aggiunta adunque la nave al luogo dove lo sposo fu dalla sirena diglottito, il bambino cominciò dirottamente a

1. *diglutito*: inghiottito.
2. *di bruni panni*: in segno di lutto e dolore secondo un *topos* letterario (cfr. le vele nere di Teseo, di Tristano e Isotta, ecc.).
3. *Dil*: del. Cfr. I 5 10.
4. *mettere in punto*: allestire, armare.
5. *di gran vantagio*: cfr. *Dec.*, IV 3 17: « una saettia [...] armarono di gran vantaggio ».
6. *auricalco*: ottone (latinismo).
7. *date... vento*: sintagma comune. Cfr., ad es. BOCCACCIO, *Filocolo*, IV 80 1: « E montati sopra la nave, renderono le vele a' prosperevoli venti ».

piangere, e non potendolo la madre per modo alcuno attasentare,[1] prese il pomo di auricalco e al fanciullo lo diede. Il quale seco giuocando fu dalla sirena veduto, ed ella accostatasi alla galea e solevando alquanto la testa dalle schiumose onde, disse alla donna:

– Donna, donami quel pomo, perciò che di quello io sono innamorata molto –.

A cui la donna rispose non volerglielo donare, perciò che del figliuolino era il trastullo.

– Se ti sarà in piacere di donarlomi – disse la sirena – e[2] io ti mostrerò lo sposo tuo insino al petto –.

Il che ella intendendo e desiderando molto di vedere lo sposo suo, cortesemente glielo donò. E la sirena in ricompenso del caro dono, sí come promesso le aveva, il marito sino al petto le mostrò, e attuffattasi nell'onde, non si lasciò piú allora vedere. [38] Alla donna, che ogni cosa attentamente veduto aveva, crebbe maggior desiderio di vederlo tutto, e non sapendo che fare né che dire, col suo bambino si confortava. Al quale da capo piangendo, acciò che s'attasentasi, la madre il pomo d'argento diede. Ma essendo per aventura dalla sirena veduto, alla donna lo richiese in dono. Ma ella stringendosi nelle spalle e vedendo che 'l era il trastullo del fanciullo, di donarglielo ricusava. A cui disse la sirena:

– Se tu mi donerai il pomo che è vie piú bello dell'altro, io ti prometto di dimostrarti il tuo sposo sino alle ginocchia –.

[39] La povera Doralice, desiderosa di veder piú avanti il suo diletto sposo, pospose l'amore del fanciullo e lietamente gli lo donò, e la sirena, attesa[3] la promessa, nell'onde s'attuffò. La donna tutta tacita e sospesa stavasi a vedere né alcun partito per liberare da morte il suo marito prender sa-

1. *attasentare*: far tacere.
2. *e*: paraipotassi.
3. *attesa*: mantenuta.

peva, ma toltosi in braccio il bambino che tuttavia[1] piangeva, con esso lui si consolava alquanto. Il fanciullo ricordatosi del pomo con cui sovente giuocava, si mise in sí dirotto pianto, che fu la madre da necessità costretta[2] dargli il pomo d'oro. [40] Il quale veduto dall'ingordo pesce e considerato che sopra gli altri duo era bellissimo, parimenti le fu richiesto in dono, e tanto disse e tanto fece che la madre contra il voler del fanciullo glielo concesse. E per che la sirena le aveva promesso di far vedere lo sposo suo intieramente tutto, per non mancar della promessa, s'avicinò alla galea, e sollevato alquanto il dorso, apertamente glielo mostrò. [41] Fortunio vedendosi fuori delle onde e sopra il dorso della sirena in libertà, tutto giolivo, senza interponere indugio alcuno, disse: – Deh, fuss'io un'aquila! –; e questo detto subito aquila divenne, e levatosi a volo, sopra l'antenna della galea agevolmente salí e ivi, tutti i marinai vedendo, abbasso disceso, nella propia sua forma ritornò; e prima la moglie e il bambino, indi la marinerezza[3] strettamente abbracciò e basciò. [42] Allora tutti allegri del ricoperato sposo, al regno paterno fecero ritorno, e giunti nel porto, le trombe, le naccare, i tamburi e gli altri stromenti cominciorono sonare. Il re, questo udendo, si maravigliò e sospeso attese quello che ciò volesse dire. Ma non stette guari che venne il noncio e annonciò al re come Fortunio suo genero con la diletta sua figliuola era aggiunto. E smontati di galea, tutti se ne andorono al palazzo dove con grandissima festa e trionfo furono ricevuti.

[43] Dopo alcuni giorni Fortunio, andatosene a casa e fattosi lupo, Alchia sua matrigna e Valentino suo fratello per la ricevuta ingiuria divorò, e ritornato nella primiera forma e

1. *tuttavia*: sempre, continuamente.

2. *da necessità costretta*: cfr. *Dec.*, I 1 18: « da necessità costretto ».

3. *marinerezza*: ciurma, equipaggio (voce dialettale veneziana: *marinaressa*, 'moltitudine di marina', dal lat. tardo *marinaricia*).

asceso sopra il suo cavallo, al regno del suo suocero fece ritorno, dove con Doralice sua cara e diletta moglie per molti anni in pace con grandissimo piacere de ciascuna delle parti insieme si goderono.

[44] Appena che Alteria aveva posto fine alla lunga e compassionevole sua favola, che[1] la Signora le impose che con lo enimma procedesse. La quale tutta festevole con lieto viso cosí disse:

[45] Molto lontan da queste nostre parti
alberga un animal crudo e gentile.
Naturalmente tiene in sé due parti:
l'una inumana, l'altra feminile.
Vaga è molto al veder, mostra d'amarti
ma dispietata è, forte e inumile;
canta soave[2] e nel cantar produce
oggetto tal ch'a morte l'uom conduce.

[46] Udito che fu il degno e notabile enimma da Alteria proposto, diversi diversamente lo interpretavano, quando una cosa quando un'altra dicendo, ma niuno fu ch'aggiungesse al segno.[3] Onde vedendo la vaga Alteria il lei enimma irrosolubile rimanere, umanamente disse:

– Altro non è, signori miei, il vero sentimento[4] del nostro proposto enimma, se non la lusinghevole sirena, la qual dimora nelle onde marine, ed è uno animale molto dilettevole a vedere, perciò che egli tiene il volto, il petto, il corpo e le braccia d'una vaga damigella, e tutto il resto di squamoso pesce, ed è molto crudele. Canta soavemente e con il canto addormenta i marinai e addormentati gli sommerge –.

1. *Appena che ... che*: ripresa del *che* congiunzione.
2. *soave*: soavemente.
3. *aggiungesse al segno*: colpisse il bersaglio (metafora per 'indovinare'). Cfr. III I 34.
4. *sentimento*: senso, significato.

[47] Intesa la saggia e arguta risoluzione della graziosa Alteria, tutti universalmente la comendorono e ingeniosa la riputorono. Ma ella con chiaro viso levatasi, tutti ringraziò della grata audienza che prestata le avevano e, inchinatasi, al suo luogo se ne gí a sedere; né appena erasi assisa che la Signora ad Eritrea impose che l'ordine seguisse. La quale arrossita come mattutina rosa[1] la sua favola cosí incominciò.

1. *arrossita ... rosa*: formula consueta nelle *Piacevoli notti*. Cfr., ad es., Proem. 13.

NOTTE TERZA, FAVOLA V[1]

[1] *Isotta, moglie di Lucaferro di Albani da Bergomo,*[2] *credendo con astuzia gabbare Travaglino, vaccaro di Emilliano suo fratello, per farlo parer buggiardo, perde il poder del marito, e torna a casa con la testa d'un toro dalle corna dorate tutta vergognata.*

[2] Tanta è la forza della infalibile verità,[3] che secondo che manifesta la divina scrittura, piú facil cosa sarebbe che il cielo e la terra finisse che la verità mancasse.[4] E di tanto privilegio è la verità, secondo che scriveno i savi del mondo, che ella del tempo e non il tempo di lei trionfa. E sí come l'oglio posto nel vase[5] sta sopra de l'acqua, cosí la verità sta sopra la bugia. Né debbe alcuno di questo mio cominciamento prendere ammirazione, perciò che io il fei mossa dalla sceleragine di una malvagia femina, la quale credendosi con sue false lusinghe inducere un povero giovane a dir la bugia, lo indusse a dire la verità, ed ella come trista femina svergognata rimase, sí come vi racconterò con questa mia favola, la quale spero che a tempo e luogo vi sarà piú tosto profittevole[6] che dannosa.

[3] In Bergomo, valorose donne, città antica della Lom-

1. Un racconto vicino a questa novella si trova in *Gesta romanorum*, cap. CXI (*De custodia et circumspectione habenda ad gregem commissum*). Poco probabile invece il rapporto con un racconto del libro dei *Quaranta Viziri* segnalato dal Rua. Questa fiaba si conserva nella tradizione popolare orale, come conferma una versione catanese trascritta da CALVINO, *Fiabe*, n. 187: *Massaro Verità*, e cfr. anche PITRÈ, *Fiabe, Novelle e Racconti*, n. 78. Per altri riscontri cfr. CRANE, op. cit., p. 360. Per i motivi cfr. ROTUNDA, N25 (*Wager on truthfulness of servant*).

2. *Bergomo*: per la vocale postonica cfr. il latino *Bergomum*.

3. *infalibile verità*: cfr. *Vita nuova*, XXIX 3: « secondo la infallibile veritade ». E cfr. *Dec.*, I 2 3: « infallibile verità ».

4. *secondo ... mancasse*: probabile parafrasi di *Lc.*, 21 33: « caelum et terra transibunt verba autem mea non transient ».

5. *vase*: vaso. Terza declinazione come in latino.

6. *profittevole*: utile.

bardia, fu, non è già gran tempo, un uomo ricco e potente, il cui nome era Pietromaria di Albani. Costui aveva duo figliuoli, l'uno de' quai Emilliano, l'altro Lucaferro[1] si chiamava. Appresso questo egli aveva duo poderi dalla città non molto lontani, de' quai l'uno chiamavasi Ghorèm e l'altro Pedrènch.[2] [4] I duo fratelli, cioè Emilliano e Lucaferro,[3] morto Pietromaria suo padre, tra loro divisero i poderi, e a Emilliano per sorte toccò Pedrènch e a Lucaferro Ghorèm. Aveva Emilliano un bellissimo gregge di peccore e uno armento di vivaci giuvenchi[4] e una mandra di fruttifere[5] vacche, de' quali era mandriale Travaglino,[6] uomo veramente fedele e leale; né per quanto egli aveva cara la vita sua arebbe detta una bugia e con tanta diligenza custodiva l'armento e la mandra sua, che non aveva pare. [5] Teneva Travaglino nella mandra delle vacche molti tori, tra' quai ve n'era uno molto vago a vedere, ed era tanto grato ad Emilliano, che d'oro finissimo gli aveva fatte dorare le corna, né mai Travaglino andava a Bergomo, che Emilliano non gli addimandasse del suo toro dalle corna d'oro.

[6] Ora avenne che trovandosi Emilliano a ragionamento con Lucaferro suo fratello e con alcuni suoi domestici,[7] sopragiunse Travaglino, il quale fece cenno ad Emilliano di voler con esso lui favellare. Ed egli levatosi dal fratello e da

1. *Lucaferro*: il nome è preso dai *Reali di Francia* (Lucafero).

2. *Ghorèm ... Pedrènch*: Straparola potrebbe alludere a due località attualmente identificabili in Gorle e Pedrengo a pochi chilometri da Bergamo, in direzione est.

3. *cioè ... Lucaferro*: non rare nelle *Piacevoli notti* queste informazioni pleonastiche, visto che già in precedenza lo scrittore ci aveva informati sui nomi dei protagonisti. Analogamente pleonastica la ripetizione: « Pietromaria suo padre ».

4. *giuvenchi*: conservazione della protonica *-u-* come in latino (*iuvencus*).

5. *fruttifere*: prolifiche. Cfr. SANNAZARO, *Arcadia*, X 11: « capre fruttifere ».

6. *mandriale Travaglino*: mandriano, guardiano. – *Travaglino*: secondo RUA, *Tra antiche fiabe e novelle*, p. 98, è nome non ignoto al teatro popolare.

7. *domestici*: amici.

gli amici, andossene là dove era Travaglino e lungamente ragionò con esso lui. E perciò che Emilliano piú fiate aveva fatto questo atto di lasciare gli amici e parenti suoi[1] e girsene a ragionare con un mandriale, Lucaferro non poteva in maniera alcuna questa cosa patire. [7] Laonde un giorno acceso d'ira e di sdegno, disse ad Emilliano:

– Emilliano, io mi maraviglio molto di te che tu faci[2] maggior conto d'uno vaccaro e d'uno furfante, che di uno tuo fratello e di tanti tuoi cordiali amici. Imperciò che non pur una volta, ma mille, se tante si può dire, tu ne hai lasciati nelle piazze e ne' giuochi come bestie che vanno al macello[3] e tu ti sei accostato a quel grosso[4] e insensato Travaglino, tuo famiglio, per ragionare con esso lui, che 'l par che tu abbi a fare le maggior facende del mondo, e nondimeno non vagliono una brulla –.[5]

[8] Rispose Emilliano:

– Lucaferro, fratello mio, non bisogna che sí fieramente tu ti accorocci[6] meco, rimproverando Travaglino con disoneste parole, perciò che egli è giovane da bene ed emmi molto caro, sí per la sofficienza[7] sua, sí anche per la lealtà che egli usa verso me, sí ancora perché in lui è una special e singolar virtú, che per tutto l'aver del mondo ei non direbbe una parola che bugiarda fusse. E oltre ciò egli ha molte altre condizioni per le quali io lo tengo caro, e però non ti maravigliare se io lo accareccio[8] e hollo grato –.

1. *gli amici ... suoi*: omissione dell'articolo davanti al termine successivo al primo di una sequenza nominale coordinata (cfr. Piotti, p. 130).

2. *faci*: faccia.

3. *come ... macello*: cfr. Masuccio Salernitano, *Il Novellino*, vi 18: « a guisa de bestia che va al macello ».

4. *grosso*: zotico.

5. *non vagliono una brulla*: non valgono nulla. *Brulla* è voce dialettale veneziana (*brula*) che significa 'giunco'. Cfr. Trovato, p. 344.

6. *accorocci*: corrucci.

7. *sofficienza*: capacità, abilità.

8. *accareccio*: tengo caro.

[9] Udite queste parole, a Lucaferro crebbe maggior sdegno, e cominciò l'uno e l'altro moltiplicare in parole e quasi venir alle arme. E perché, sí come è detto di sopra, Emilliano sommamente commendava il suo Travaglino, disse Lucaferro ad Emilliano:

– Tu lodi tanto cotesto tuo vaccaro di sofficienza, di lealtà e di verità; e io ti dico che egli è il piú insofficiente, il piú sleale e il piú bugiardo uomo che mai creasse la natura; e mi offero di fartelo vedere e udire che in tua presenza egli ti dirà la bugia –.

[10] E fatte molte parole tra loro, finalmente posero pegno i loro poderi, concordi in questo modo, che, se Travaglino dirà la bugia, il podere di Emilliano sia di Lucaferro, ma se non sarà trovato in bugia, il podere di Lucaferro di Emilliano sia. E di questo, chiamato uno notaio, fecero uno stromento publico[1] con tutte quelle solenità[2] che in tal materia si richiegono.[3]

[11] Partitosi l'uno da l'altro, e già passata la loro ira e sdegno, Lucaferro cominciò pentirsi del pegno che egli aveva messo e dello stromento per man di notaio pregato,[4] e di tal cosa tra se stesso si ramaricava molto, dubitando forte di non restare senza podere col quale e sé e la famiglia sua sostentava. [12] Or essendo a casa Lucaferro e vedendolo la moglie, che Isotta[5] si chiamava, sí malinconioso stare e non sapendo la cagione, dissegli:

– O marito mio, che avete voi che cosí mesto e malinconioso vi veggio? –

A cui rispose Lucaferro:

1. *stromento publico*: atto notarile, documento.

2. *solenità*: formalità giuridiche.

3. *richiegono*: verbo derivato da un presente analogico *chieggo* (*chiego*), per il quale cfr. ROHLFS, 535.

4. *pregato*: rogato. Vocabolo tecnico utilizzato in formule notarili.

5. *Isotta*: nome della tradizione dei romanzi bretoni. Cfr. anche III I.

– Taci per tua fé, e non mi dar maggior noia di quello che io ho –.

Ma Isotta, desiderosa di saperlo, tanto seppe fare e dire che dal marito il tutto intese. Laonde voltatasi col viso allegro verso lui disse:

– È adunque cotesto il pensiero per cui tanto affanno e tanto ramaricamento vi ponete? state di buon animo ché a me basta il cuore[1] di far sí che non che una, ma mille bugie fiano da Travaglino al suo patrone dette.

[13] Il che intendendo Lucaferro assai contento rimase. E perché Isotta chiaramente sapeva che 'l toro dalle corna d'oro ad Emilliano suo cugnato[2] era molto caro, ella sopra di quello fece il disegno. E vestitasi molto lascivamente e licatasi[3] il viso, soletta uscí di Bergomo e andossene a Pedrènch, dove era il podere di Emilliano, ed entrata in casa, trovò Travaglino che faceva del caso[4] e delle ricotte, e salutatolo disse:

– Travaglino mio, io sono qui venuta per visitarti e per bere del latte e mangiare delle ricotte teco.

– [14] Siate la ben venuta – disse Travaglino – la mia patrona –; e fattala sedere, parecchiò[5] la mensa e reccò del caso pecorino e altre cose per onorarla. E perché egli la vedeva sola e bella e non consueta venir a lui, stette suspeso molto e quasi non si poteva persuadere che ella fusse Isotta moglie del fratello del suo patrone. Ma pur, perciò che piú volte veduta l'aveva, la carecciava[6] e onorava molto, sí come a

1. *a me ... cuore*: sono capace, sono in grado.

2. [illegible] protonica come nei dialetti settentrionali. Cfr. il veneziano *cugnà* in Boerio, s.v.

3. *licatasi*: imbellettatasi (dal veneziano *licar*: cfr. Boerio, s.v.).

4. *caso*: cacio (dal lat. *caseus*). La tendenza all'assibilazione settentrionale è in questo caso rafforzata dal latino.

5. *parecchiò*: apparecchiò. Forma aferetica (in veneziano *parechiar*: cfr. Boerio, s.v.).

6. *carecciava*: trattava con riguardo.

tanta donna quanto ella era conveniva. Levata da mensa Isotta e vedendo Travaglino affaticarsi nel far il caso e le ricotte, disse:

– O Travaglino mio, voglio ancor io aitarti a far del caso –. Ed egli:

– Quello che a voi aggrada, signora – rispose.

[15] E senza piú dir altro, alciatesi le maniche sino al cubito,[1] scoperse le bianche, morbide e ritondette braccia che candida neve parevano, e con esso lui fieramente si affaticava a far il caso, e sovente li dimostrava il poco rilevato petto,[2] dove dimoravano due popolline che duo pometti parevano.[3] E oltre di ciò astutamente tanto approssimava il suo colorito viso a quello di Travaglino, che quasi l'uno con l'altro si toccava.

[16] Era Travaglino, quantunque fusse di vacche custode, uomo piú tosto astuto che grosso. E vedendo i portamenti della donna che dimostravano il lei lascivo amore, andava con parole e con sguardi intertenendola, fingendo tuttavia di non intendersi di cose amorose. Ma la donna, credendo lui del suo amore esser acceso, sí fieramente di lui se innamorò, che in stroppa tenere[4] non si poteva. [17] E quantunque Travaglino se n'avedesse del lascivo amore della donna, non però osava dirle cosa alcuna, temendo sempre di non perturbarla e offenderla. Ma la già infiammata donna, accortasi della pocagine[5] di Travaglino, dissegli:

– Travaglino, qual è la causa che cosí pensoso ti stai e non

1. *cubito*: gomito (dal lat. *cubitus*).

2. *il poco ... petto*: cfr. *Dec.*, v 1 9: « lodando [...] sommamente il petto, poco ancora rilevato ».

3. *due ... parevano*: l'immagine dei « pomi » è diffusa nel Boccaccio. Cfr., per es.: *Teseida*, xii 61: « e 'l petto poi un pochetto eminente / de' pomi vaghi per mostranza tondi ». – *due popolline*: cfr. ii 2 28.

4. *in stroppa tenere*: tenere legata. La « stroppa » è la ritorta con cui i boscaioli legano le fascine, le legne e simili (TB).

5. *pocagine*: timidezza.

ardissi meco parlare? ti sarebbe per aventura venuto alcuno desiderio di me? guatta bene e non tenere il tuo voler nascosto, perciò che te stesso offenderesti, e non me che sono a' tuoi piaceri e comandi –.

[18] Il che udendo, Travaglino molto si rallegrava e faceva sembiante di volerle assai bene. La sciocca donna, vedendolo già del suo amore acceso e parendole già esser tempo di venire a quello ch'ella desiderava, in tal maniera gli disse:

– Travaglino mio, io vorrei da te uno gran piacere, e quando me lo negasti,[1] direi ben certo che poco conto facesti dell'amor mio, e forse saresti cagione della roina, anzi della morte mia –.

A cui rispose Travaglino:

– Io sono disposto, signora, di ponere per amor vostro la propia vita non che la robba, e avenga che voi cosa dificile mi comandaste, nondimeno l'amore che io vi porto e voi verso me dimostrate, facilima[2] la farebbe –.

[19] Allora Isotta preso maggiore ardire disse a Travaglino:

– Se tu mi ami, come io credo e parmi di vedere, ora lo conoscerò.

– Comandate pur, signora mia – rispose Travaglino – ché apertamente lo vederete.

– Altro da te non voglio – disse Isotta – se non il capo del toro dalle corna d'oro e tu disponi poi di me come ti piace –.

[20] Questo udendo Travaglino tutto stupefatto rimase, ma vinto dal carnale amore[3] e dalle lusinghe della impudica donna, rispose:

– Altro non volete da me, signora mia? non che il capo, ma il busto e me stesso pongo nelle mani vostre –.[4]

1. *negasti*: negassi.

2. *facilima*: facilissima (latinismo).

3. *carnale amore*: cfr. Boccaccio, *Corbaccio*, 6: « io fortissimamente sopra gli accidenti del carnale amore cominciai a pensare ». Cfr. anche ivi, 76: « concupiscibile e carnale amore ».

4. *non che ... vostre*: espressione che forse parafrasa scherzosamente un luo-

[21] E questo detto, prese alquanto d'ardire e abbracciò la donna e seco consumò gli ultimi doni d'amore. Dopo Travaglino, troncato il capo del toro e messolo in una sacchetta, ad Isotta il presentò. La qual, contenta sí per lo desiderio adempito sí anche per lo piacere ricevuto, con piú corna che podere a casa se ne ritornò.

[22] Travaglino, partita che fu la donna, tutto sospeso rimase e cominciò pensare molto come fare dovesse per iscusarsi della perdita del toro dalle corna d'oro, che tanto ad Emilliano suo patrone piaceva. Stando adunque il misero Travaglino in sí fatto tormento d'animo, né sapendo che si fare o dire, al fine imaginòsi di prendere uno ramo di albero rimondo[1] e quello vestire di alcuni suoi poveri panni e fingere che egli fusse il patrone e isperimentare come far dovesse quando sarebbe nel cospetto di Emilliano. [23] Acconciato adunque il ramo d'albero in una camera con la biretta in testa e con gli vestimenti in dosso, usciva Travaglino fuori de l'uscio della camera e dopo dentro ritornava e quel ramo salutava, dicendo:

– Bon giorno patrone –.

E a se stesso rispondendo diceva:

– Ben venga Travaglino e come stai? che è de' fatti tuoi, che già piú giorni non ti hai lasciato[2] vedere?

– Io sto bene – rispondeva egli – e sono stato occupato assai che non puoti[3] venire a voi.

– E come sta il toro da le dorate corna? – diceva Emilliano.

Ed egli rispondeva:

– Signore, il toro è stato nel bosco da' lupi divorato.

go evangelico (cfr. *Io.*, 13 9: « dicit ei Simon Petrus: Domine non tantum pedes meos sed et manus et caput »).

1. *rimondo*: privo di foglie.

2. *non ti hai lasciato*: consueta estensione dell'ausiliare *avere*.

3. *puoti*: perfetto analogico forse a partire da *puoté*.

– E dove è la pelle e il capo con le corna dorate? – diceva il patrone.

E qui restava né piú sapeva che dire, e addolorato ritornava fuori. [24] Dopo se ne ritornava dentro la camera e da capo diceva:

– Iddio vi salvi patrone.

– Ben ci venga Travaglino; come vanno e' fatti nostri e come sta il toro dalle dorate corna?

– Io sto bene, signore, ma il toro un giorno mi uscí della mandra, e combattendo con gli altri tori, fu da quelli sí sconciamente trattato, che ne morí.

– Ma dove è il capo e la pelle? –

Ed egli non sapeva piú che rispondere. [25] Questo avendo fatto piú volte Travaglino, non sapeva trovar iscusazione che convenevole fusse. [26] Isotta, che già era ritornata a casa, disse al marito:

– Come farà Travaglino se egli si vorrà iscusare con Emilliano suo patrone della morte del toro dalle corna d'oro che tanto gli aggradiva, che non li pianti qualche menzogna? vedete la testa che meco ho recata in testimonianza contra lui quando dicesse la bugia –.

Ma non li raccontò come gli aveva fatte due corna maggiori di quelle d'uno gran cervo. Lucaferro veduta la testa del toro, molto si rallegrò pensando della questione essere vincitore, ma il contrario, come di sotto intenderete, gli avenne.

[27] Travaglino avendo fatte piú proposte e risposte con l'uomo di legno, non altrimenti che se stato fusse il propio patrone con cui parlasse, e non vedendo niuna di loro riuscire secondo il desiderio suo, determinò senza altro pensamento di andare al patrone, intravenga ciò che si voglia. [28] E partitosi e andatosene a Bergomo, trovò il patrone e quello allegramente salutò. A cui reso il saluto, disse:

– E che è dell'anima tua, Travaglino, che già sono passati

tanti giorni che non se' stato qui, né si ha avuto novella alcuna di te? –

Rispose Travaglino:

– Signore, le molte occupazioni mi hanno intertenuto.

– E come sta il toro dalle corna dorate? – disse Emilliano.

[29] Allora Travaglino, tutto confuso e venuto nel viso come bragia di fuoco, voleva quasi iscusarsi e occultare la verità. Ma perché temeva di mancare dell'onor suo, prese ardimento e cominciò la istoria de Isotta e li raccontò a punto per punto tutto quello che egli aveva fatto con esso lei e il successo[1] della morte del toro. Emilliano, questo intendendo, tutto stupefatto rimase. [30] Onde per aver Travaglino detta la verità, fu tenuto uomo veridico e di buona estimazione, ed Emilliano restò vittorioso del podere, e Lucaferro cornuto, e la ribalda Isotta, che credeva altrui gabbare, gabbata e vergognata rimase.

[31] Finita la essemplare favola, ciascuno dell'onesta compagnia sommamente biasmorono[2] la sfrenata Isotta e grandemente commendorono Travaglino, ridendo tuttavia della sciocca e inonesta femina che sí vilmente si aveva sottomessa ad uno vaccaro: ma ci fu cagione la sua innata e pestilenziosa avarizia.[3] E perché ad Eritrea mancava lo suo enimma proponere, la Signora riguardandola nel viso, sembianti li fé che l'ordine già incominciato non pretermettesse.[4] Ma ella senza far alcuna indugia,[5] cosí disse:

1. *successo*: caso, accaduto.

2. *ciascuno ... biasmorono*: per il verbo al plurale e il soggetto indefinito rappresentato da un pronome con valore collettivo cfr. ROHLFS, 642. Nelle *Piacevoli notti* predomina comunque totalmente la costruzione con accordo singolare.

3. *femina ... avarizia*: riprende un *topos* della letteratura paremiologica; e cfr. BOCCACCIO, *Elegia di madonna Fiammetta*, I II 6: « L'avarizia, nelle femine innata ». Per il sintagma cfr. *Dec.*, I 6 9: « pistilenziose avarizie ».

4. *pretermettesse*: tralasciasse.

5. *indugia*: indugio. Voce non rara nell'italiano antico (dal lat. *indutiae -arum*).

[32] Un capo veggio star per mezzo il cullo
e star il cullo a suo bel agio in terra.
Una c'ha forza piú d'un forte mullo
sta cheta e 'l capo con le due l'afferra.
Duo che la guardan ne prendon trastullo
e 'l capo ognor piú presso se gli serra.
Dieci, chi su chi giú, poi la zamberla:[1]
è bella cosa certo da vederla.

[33] Se della favola risero le donne, non menor trastullo presero dello enimma. E non essendo veruno che interpretare lo sapesse, disse Eritrea:

– Il mio enimma altro, signori, non significa se no colui che dietro ad una vacca giace e quella munge. Imperciò che egli mungendola, tiene il suo capo appresso il cullo della vacca e il cullo del mongitore[2] a suo bel agio riposa in terra. Ella è paziente ed è ritenuta da uno che·lla munge e guardata da duo occhi e maneggiata da due mani e dieci dita che le tirano il latte –.

[34] Piacque molto a tutti l'ingenioso enimma e la sua dichiarazione. Ma perché ogni stella era già del ciel nascosa, se non quella ch'ancor luce nella biancheggiante aurora,[3] comandò la Signora che ciascuno infina[4] alla seguente sera a suo piacere se n'andasse a riposare, imponendo sotto pena della disgrazia sua che ciascuno al bel ridotto ritornare dovesse.

IL FINE DELLA TERZA NOTTE

1. *zamberla*: maneggia (Guglielminetti). È tratto settentrionale la terza singolare al posto della terza plurale (cfr. III I 34).
2. *mongitore*: forma con mancanza di anafonesi.
3. *quella ... aurora*: Lucifero (il pianeta Venere nelle sue apparizioni mattutine). Cfr. *Dec.*, VII Intr. 2: « Ogni stella era già delle parti d'oriente fuggita, se non quella sola la qual noi chiamiamo Lucifero che ancora luceva nella biancheggiante aurora ».
4. *infina*: desinenza dialettale in *-a*.

[1] *Delle favole ed enimmi di messer Giovanfrancesco Straparola da Caravaggio*

NOTTE QUARTA

[2] Già il biondo Apollo[1] con l'infiammato carro[2] aveva lasciato questo nostro emispero,[3] e tuffattosi nelle marine onde,[4] se ne ito a gli antipodi; e quelli che la terra zappavano, già stanchi per lo molto lavorare, messi giú i concupiscibili appetiti,[5] dolcemente nel letto riposavano, quando la onesta e onorevole compagnia a l'usato suo luogo lietamente si ridusse. [3] E poscia che le donne e gli uomini ebbero insieme ragionato e riso alquanto, la signora Lucrezia, imposto il silenzio a tutti, ordinò che 'l vaso aureo le fusse portato e con la propia mano il nome di cinque damigelle scrisse, e posti i loro nomi nel vaso, chiamò il signor Vangelista, comandandoli che ad uno ad uno del vaso li traesse, acciò che a cui la volta del favoleggiare in quella notte toccava, chiaramente si potesse sapere. Il signor Vangelista, levatosi da sedere e lasciati i dolci ragionamenti che egli faceva con Lo-

1. *biondo Apollo*: cfr. PETRARCA, *Triumphus cupidinis*, I 154: « 'l biondo Apollo ». Apollo è tradizionalmente biondo in relazione alla sua origine di dio solare.

2. *Già ... carro*: cfr. GHERARDI, *Paradiso degli Alberti*, II 62: « Già era l'ora che 'l figliuolo di Latona co·lle venti sue ancille, l'altre quatro aspettando, per lo nostro emisperio gl'infiamati suoi carri guidava per potersi attuffare nelle magiori onde di Spagna ».

3. *Apollo ... emispero*: cfr. BOCCACCIO, *Filocolo*, I 41 8: « quando Febo lasciò il nostro emisperio sanza luce ».

4. *Apollo ... onde*: cfr. *Filocolo*, V 95 4: « e ben che Febo co' suoi cavalli si tuffi nelle onde di Speria »; e *Teseida*, X 89 1-3: « Nove fiate s'era dimostrato / il sole e altrettante sotto l'onde / d'Esperia s'era co' carri tuffato ».

5. *concupiscibili appetiti*: brame amorose che destano concupiscenza. Cfr. *Dec.*, III 1 4: « i disagi tolgano del tutto a' lavoratori della terra i concupiscibili appetiti ».

dovica, ubidientissimo andò alla Signora, e inginocchiatosi a' piedi, riverentemente pose la mano nel vaso e di Fiordiana trasse il primo nome, indi di Vicenza, dopo di Lodovica; e appresso loro, d'Isabella e di Lionora vennero fuori i nomi. [4] E innanzi che al novellare si desse principio, la Signora comandò che 'l Molino e il Trivigiano prendessero i loro liuti e una cantilena cantassero. I quali, non aspettando altro comandamento, accordorono i loro stromenti e la seguente canzone lietamente cantorono:[1]

[5] Quando fra tante donne il vago sole
che mi dà morte e vita
muove gli ardenti suoi splendidi rai
di lei piú bella, Amor, non vidi mai.
Dico, felice è in vita
non chi la vede pur, ma chi parole
d'angelico intelletto
l'ode formar con la sua santa bocca:
grazia che forse a pochi oggi dí tocca.
O me ben nato, se d'un tanto oggetto
e ben cosí perfetto
degno per sua mercé qua giú mi sia,
e veggia il fin de la speranza mia.

[6] La canzone fu diligentemente ascoltata e commendata da tutti. Ma vedendo la Signora che ella al suo fine era già pervenuta, comandò a Fiordiana, a cui la prima favola della quarta notte toccava, che mettesse mano ad una, e l'ordine dell'incominciato trastullo seguisse.[2] La quale non men desiderosa di dire che di ascoltare,[3] in cotal maniera a dire incominciò.

1. *canzone ... cantorono*: stanza isolata di canzone con il seguente schema rimico: AbCCbAdEEDdFF.

2. *l'ordine ... seguisse*: cfr. *Dec.*, I 2 2: « l'ordine dello incominciato sollazzo seguisse ».

3. *La quale ... ascoltare*: cfr. SANNAZARO, *Arcadia*, IV 3: « Ma io, che non men desideroso di sapere chi questa Amaranta si fusse che di ascoltare ».

NOTTE QUARTA, FAVOLA I[1]

[1] *Ricardo, re di Tebe, ha quattro figliuole, delle quali una va errando per lo mondo e di Costanza Costanzo fassi chiamare, e capita nella corte di Cacco, re della Bettinia, il quale per molte sue prodezze in moglie la prende.*

[2] Vaghe e vezzose donne, la favola da Eritrea nella precedente sera raccontata[2] mi ha sí di vergogna punto il cuore, che quasi me ne sono restata in questa sera di favoleggia-

1. Il tema della regina che s'innamora del figliastro o di un giovane cortigiano e, respinta, si vendica è largamente attestato nell'antica letteratura indiana e in quella classica greco-romana. Particolare fortuna esso ebbe piú tardi nella tradizione medievale (cfr. per es. *Dec.*, II 8) e, quindi, nella novellistica popolare, dove si sono aggiunti particolari nuovi, come il travestimento della ragazza in abiti maschili e la rivelazione del suo sesso da parte di un personaggio misterioso. Straparola si inserisce in questo filone narrativo combinandolo con altri elementi di diversa provenienza. Infatti una delle rivelazioni di Chiappino, che poi porterà allo scioglimento della vicenda, si può trovare già presente nell'*Istoria di Merlino* tradotta dal francese e pubblicata nel 1480 (cfr. in partic. pp. 100-2). Ma cfr. anche l'originale francese *Roman de Merlin* di Robert de Borron e un altro romanzo in prosa su Merlino in *Merlin, Roman en prose du XIIIe siècle*, pub. avec la mise en prose du poème de Merlin de Robert de Borron d'après le manuscript appartenant à M. Alfred H. Huth, par G. Paris et J. Ulrich, Paris, Didot, 1886, quest'ultimo assai vicino alla novella di Straparola non solo nel suo complesso, ma anche in alcuni particolari come quello del riso. Per un interessante esemplare novellistico simile nella prima parte a questa novella cfr. la *Novella del Fortunato*, Livorno, Vigo, 1869 (e vd. Nota al testo), pubblicata dal Papanti nell'Ottocento, ma a detta dell'editore trascritta da una stampa del XVI secolo. A dimostrazione della vitalità dei motivi e della loro sopravvivenza nella tradizione orale si può considerare che questa fiaba ha riscontri con una versione messinese (cfr. *Sicilianische Märchen*, a cura di L. Gonzenbach, Leipzig, Engelmann, 1870, n. 9), una versione spagnola (cfr. A.M. Espinosa, *Cuentos populares españoles*, Madrid 1946-1947, III pp. 57-66) (I ed. Palo Alto [Ca], Stanford Univ., 1926), una versione abruzzese (cfr. De Nino, op. cit., n. 23), un'altra versione abruzzese (cfr. Finamore, op. cit., n. 5); e una fiaba bretone (cfr. Luzel, op. cit., II pp. 314-40). Cfr., inoltre, Thompson, p. 89 (tipo 514). Per i motivi cfr. Rotunda, B24.1, B130, H911, H931, K776, K1837, L50, L52, Q412.0.2, U119.1, U119.1.1, U119.1.2.

2. *favola ... raccontata*: è la novella di Travaglino (III 5).

re. Ma l'osservanza che io porto alla nostra Signora e la riverenza che io ho a questa orrevole e grata compagnia mi stringe e inanima[1] a raccontarne una. La quale quantunque cosí bella non sia come quella raccontata da lei, pur la raccontarò. E intenderete come una poncella generosa di animo e di alto valore, a cui fu nelle sue opere molto piú favorevole la fortuna che la ragione, volse piú tosto diventar serva che avilire la sua condizione, e dopo la gran servitú, di re Cacco moglie divenuta, rimase paga e contenta, sí come nel discorso del mio ragionamento comprenderete.

[3] In Tebe, nobilissima città dell'Egitto, ornata de publici e privati edifici, ubertosa di biancheggianti biade, copiosa di freschissime acque e abondevole di tutte quelle cose che ad una gloriosa città si convengono, regnava ne' passati tempi un re, Ricardo per nome chiamato, uomo saputo, di profonda scienza[2] e di alto valore.[3] Costui desideroso di aver eredi, prese per moglie Valeriana, figliuola di Marliano, re di Scozia, donna nel vero compiuta,[4] bella di forma e graziata molto, e di lei generò tre figliuole, ornate di costumi, leggiadre e belle come mattutine rose. L'una delle quali Valenzia, l'altra Dorotea, la terza Spinella si nominava. [4] Vedendo Ricardo Valeriana sua moglie esser in termine di non poter avere piú figliuoli, e le tre figliuole esser in età di dover aver marito, determinò tutta tre onoratissimamente maritare e dividere il regno suo in tre parti, assegnandone una a ciascheduna delle figliuole, e ritenendo per sé tanto quanto

1. *inanima*: stimola.

2. *profonda scienza*: cfr. *Dec.*, III 4 7: « giovane e bello della persona e d'aguto ingegno e di profonda scienza ».

3. *alto valore*: cfr. *Dec.*, I 5 5: « era il marchese di Monferrato, uomo d'alto valore ».

4. *compiuta*: perfetta. Cfr. *Dec.*, II 9 8: « avere una donna per moglie la piú compiuta di tutte quelle virtú che donna o ancora cavaliere in gran parte o donzello dee avere ».

fusse bastevole per la sustentazione[1] e di sé e della famiglia e corte sua. E sí come egli seco deliberato aveva, cosí alla deliberazione seguí l'effetto. [5] Maritate adunque che furono le figliuole in tre potentissimi re di corona,[2] l'una in lo re di Scardona,[3] l'altra nel re d'i Gotti,[4] la terza nel re di Scitia,[5] ed assignata a ciascheduna di loro la terza parte del suo reame per dote, e ritenuta per sé una parte assai piccioletta, la quale al bisogno suo maggiore li prestasse soccorso, viveva il buon re con Valeriana sua diletta moglie onestamente e in pacifico stato.

[6] Avenne che, dopo non molti anni, la reina, di cui il re non aspettava piú prole, se ingravidò, e giunta al parto, parturí una bellissima bambina, la quale dal re fu non meno ben veduta e accareciata[6] che furono le tre prime. Ma dalla reina non molto ben veduta e accettata, non già perché odio le portasse, ma per esser tutto il regno in tre parti diviso, né vedersi modo di poterla sofficientemente[7] maritare; né però la volse trattare da meno di figliuola. Ma datala ad una sofficiente[8] balia, strettamente[9] le impose che di lei somma cura avesse, amaestrandola e dandole quelli gentili e lodevoli costumi che ad una bella e leggiadretta giovane si convengono. [7] La giovanetta, che per nome Costanza si chiamava, cresceva di dí in dí e in bellezze e in costumi, né vi

1. *sustentazione*: sostentamento (latinismo).

2. *re di corona*: cfr. *Orlando inn.*, I I 4: « un gran re di corona ». È espressione diffusa anche nei cantari.

3. *Scardona*: in Dalmazia. Città di origine illirica, poi centro romano assai importante. Storicamente fu sottomessa ai Veneziani a partire dal 1411; la dominazione turca (1527-1684) ridusse la città in condizioni miserande.

4. *re d'i Gotti*: con « Goti » si indicavano i popoli che abitavano la parte meridionale della Svezia. Qui, come in II I 3 (« d'i Angle »), si è letta come preposizione articolata la forma *di* della stampa.

5. *Scitia*: territorio a nord del mar Nero.

6. *accareciata*: trattata con premura e amorevolezza.

7. *sofficientemente*: in modo consono al suo stato e alla sua dignità.

8. *sofficiente*: abile, capace.

9. *strettamente*: rigorosamente.

era dimostrata cosa alcuna dalla savia maestra, che ella ottimamente non apprendesse. Costanza, essendo pervenuta alla età di dodeci anni, aveva già imparato riccamare, cantare, sonare, danzare e fare tutto quello che ad una matrona onestamente si conviene. Ma non contenta di ciò, tutta si diede a gli studi delle buone lettere, le quali con tanta dolcezza e diletto abbracciava, che non pur il giorno, ma anche la notte in quelle consumava, afforciandosi[1] sempre di trovare cose che fussero molto isquesite.[2] [8] Appresso questo, non come donna, ma come valente e ben disposto uomo all'arte militare si diede, domando cavalli, armeggiando e giostrando, e il piú delle volte rimaneva vincitrice e portava il trionfo, non altrimenti di quello che fanno i valorosi cavalieri d'ogni gloria degni. Per le quali tutte cose, e ciascheduna da per sé, era Costanza dal re e dalla reina e da tutti tanto amata, che non v'era termine al loro amore.

[9] Essendo adunque Costanza in età perfetta e non avendo il re piú stato né tesoro di poterla in alcun potente re orrevolmente maritare, molto tra sé si ramaricava: e questa cosa con la reina sovente conferiva. Ma la prudentissima reina, che considerava le virtú della figliuola esser tali e tante che ella non aveva donna che a lei si potesse agguagliare, rimaneva contenta molto e con dolci e amorevoli parole confortava il re che stesse chetto e punto non dubitasse, perché alcuno potente signore, acceso del lei amore per le sue degne virtú, non si disdegnerebbe di prenderla per moglie senza dote.

[10] Non passò gran tempo che la figliuola fu richiesta per moglie da molti valorosi signori, tra' quai vi fu Brunello,[3] fi-

1. *afforciandosi*: sforzandosi. Settentrionalismo fonetico (cfr. Trovato, p. 343).

2. *isquesite*: ricercate, singolari. Con *i-* prostetica ed *-e-* protonica come nella forma veneziana (*squesito* in Boerio, s.v.).

3. *Brunello*: nome della tradizione dei poemi cavallereschi (*Orlando innamorato*, *Orlando furioso*).

gliuolo del gran marchese di Vivien. Laonde il re insieme con la reina chiamò la figliuola, e postisi in una camera a sedere, disse il re:

– Costanza, figliuola mia diletta, ora è venuto il tempo di maritarti e noi ti abbiamo trovato per marito un giovane che sarà di tuo contento. Egli è figliuolo del gran marchese di Vivien, nostro molto domestico, il cui nome è Brunello, giovane vago, aveduto e di alto valore, le cui prodezze sono già divolgate per tutto il mondo. Ed egli a noi altro non richiede se non la buona grazia nostra e la dilicata persona tua, la quale egli stima piú che ogni stato e tesoro. Tu sai, figliuola mia, che per la povertà nostra non ti potiamo piú altamente maritare. E però tu rimarrai contenta di tanto quanto è il voler nostro –.

[II] La figliuola, che savia era e d'alto legnaggio vedevasi nata, attentamente ascoltò le parole del padre, e senza porre alcuna distanza di tempo, in tal guisa gli rispose:

– Sacra corona, non fa di bisogno [1] che io mi distenda in parole in dar risposta alla degna vostra proposta, ma solo dirovvi ciò che la materia ricerca. E prima io vi rendo quelle grazie che per me si puolono maggiori del buon animo e affezzione che voi avete verso di me, cercando di darmi marito da me non richieduto. Dopo, con ogni riverenza e summissione [2] parlando, io non intendo di degenerare alla progenie de' miei antecessori, che ad ogni tempo sono stati famosi e chiari, né voglio avilire la corona vostra, prendendo per marito colui che è inferiore a noi. Voi, padre mio diletto, avete generato quattro figliuole, delle quali tre avete onoratissimamente maritate in tre potenti re, dandole [3] grandissimo tesoro e stato, e me, che fui sempre ubidiente a voi e a gli precetti vostri, volete sí bassamente in matrimonio co-

1. *non fa di bisogno*: non è necessario.
2. *summissione*: sottomissione (latinismo: *submissio -onis*).
3. *dandole*: dando loro.

pulare?[1] Laonde, conchiudendo, dico che mai io non sono per prendere[2] marito se io come l'altre tre sorelle non avrò un re convenevole alla persona mia –.

[12] E preso commiato dal re e dalla reina, non senza loro profondissime[3] sparger di lagrime, e montata sopra uno potente cavallo, sola di Tebe si partí e prese il camino verso quella parte dove la fortuna la guidava.[4]

[13] Cavalcando adunque Costanza alla ventura, mutossi il nome e di Costanza, Costanzo[5] si fece chiamare, e passati diversi monti, laghi e stagni, vide molti paesi e udí vari lenguaggi e considerò le loro maniere e i costumi de' popoli, li quali la loro vita non come uomini ma come bestie guidavano.

[14] E finalmente un giorno nell'ora del tramontar del sole giunse ad una celebre e famosa città, chiamata Costanza, la quale allora signoreggiava Cacco, re della Bettinia,[6] ed era capo della provinzia. Ed entratovi dentro, cominciò contemplare gli superbi palazzi, le dritte e spaziose strade, i correnti e larghi fiumi, i limpidi e chiari fonti, e approssimatosi alla piazza, vide l'ampio e alto palazzo del re, le cui colonne erano di finissimi marmi, porfidi e serpentini,[7] e alzati gli occhi alquanto in su, vide il re che stava sopra un verone, che tutta la piazza signoreggiava, e trattosi il capello[8] di capo, riverentemente lo salutò. [15] Il re, vedendo il

1. *copulare*: unire (latinismo).
2. *io ... prendere*: forma perifrastica di futuro, non rara nello Straparola.
3. *profondissime*: concordato con « lagrime ».
4. *dove ... guidava*: cfr. *Orlando inn.*, II 8 34: « E come lo guidava la fortuna ».
5. *Costanzo*: nell'*Istoria di Merlino* citata nella nota introduttiva, il re d'Inghilterra si chiama Constanzo. Il nome è comunque diffuso nella tradizione cavalleresca (*Morgante*, *Orlando innamorato*, *Reali di Francia*).
6. *Bettinia*: Bitinia (regione della Turchia asiatica, sul mar Nero).
7. *serpentini*: marmi grigi chiazzati di nero, con tonalità tendenti al verde. Cfr. *Orlando furioso*, XLII 74 1-2: « Di serpentin, di porfido le dure / pietre fan de la porta il ricco volto ».
8. *capello*: cappello.

giovanetto sí leggiadro e vago, il fece chiamare e venire alla presenza sua. Giunto che egli fu dinanzi al re, addimandòlo donde egli veniva e che nome era il suo. Il giovane con allegra faccia rispose che egli veniva da Tebe, persequitato dalla invidiosa e instabile fortuna, e che Costanzo era il nome suo; e desiderava volontieri accostarsi con alcuno gentiluomo da bene, servendolo con quella fede e amore che servire si dee. Il re, a cui molto piaceva l'aspetto del giovanetto, disse:

– Già che tu porti il nome della mia città, io voglio che tu stie[1] nella mia corte, niuna altra cosa facendo che attendere alla persona mia –.

Il giovane, che altra cosa non desiderava maggiore, primieramente ringraziò il re e dopo accettòlo per signore, offerendosi in tutto quello che per lui si potesse parato.

[16] Essendo adunque Costanzo in forma d'uomo a gli servigi del re, con tanta leggiadria lo serviva, che ognuno che lo vedeva, attonito e stupefatto rimaneva. La reina, che di Costanzo gli elegantissimi gesti, le laodevoli maniere[2] e prudentissimi costumi veniva considerando, piú attentamente cominciò riguardarlo e del suo amore sí caldamente s'accese[3] che ad altro che a lui dí e notte non pensava;[4] e con dolci e amorosi sguardi sí fieramente lo balestrava[5] che non che lui, ma ogni dura pietra e saldo diamante intenerito avrebbe. In cotal guisa adunque amando la reina Costan-

1. *stie*: stia.

2. *laodevoli maniere*: sintagma decameroniano. Cfr., per es., *Dec.*, II 2 35: « egli era grande della persona e bello e piacevole nel viso e di maniere assai laudevoli ».

3. *La reina ... s'accese*: come la regina di Francia verso il conte d'Anguersa in *Dec.*, II 8 7: « gli pose gli occhi addosso e, con grandissima affezione la persona di lui e' suoi costumi considerando, d'occulto amore ferventemente di lui s'accese ». Poco dopo (17) Straparola userà l'espressione « affezzione amorosa ».

4. *ad ... pensava*: iperbole frequente nelle *Piacevoli notti*, per la quale cfr. *Dec.*, III 8 5: « della quale esso sí ferventemente s'innamorò, che a altro non pensava né dí né notte ».

5. *balestrava*: lanciava occhiate di desiderio (cfr. I 5 7).

zo, niuna altra cosa tanto desiderava quanto di ritrovarsi con esso lui.

[17] E venuto un giorno il convenevole tempo di ragionar seco, l'addimandò se a lei servire gli fusse a grado. Perciò che servendola, oltre il guidardone che egli riceverebbe, non solamente da tutta la corte ben veduto sarebbe, ma anche appreciato e sommamente riverito. Costanzo, avedutosi che le parole che uscivano da la bocca della reina procedevano non da buon zelo[1] che ella avesse, ma da affezzione amorosa, e considerando che per esser donna non poteva saziare la sua sfrenata e ingorda voglia, con chiaro viso umilmente cosí rispose:

– Madama, tanta è la servitú che io ho col signor mio e marito vostro, che mi parebbe fare a lui grandissima villania, quando io mi scostassi dalla ubidienza e voler suo. Però per iscusato voi, signora, mi averete se a' vostri servigi pronto e apparato non mi trovarete, perciò che al mio signore fino alla morte di servire intendo, pur che gli aggradisca il mio servire –; e presa licenza si partí.

[18] La reina, che ben sapeva che la dura querce con un solo colpo non si atterra,[2] piú e piú volte con molta astuzia e arte s'ingegnò di tirare il giovane a gli servigi suoi. Ma egli costante e forte come alta torre da impetuosi venti battuta,[3] nulla si moveva. Il che vedendo la reina, l'ardente e caldo amore in sí acerbo e mortal odio converse,[4] che piú non lo poteva guattare. E desiderosa della morte sua, giorno e notte pensava come da gli occhi se lo potesse rimovere, ma temeva fortemente il re, che sommamente l'amava e caro lo teneva.

1. *buon zelo*: cfr. *Dec.*, Concl. dell'autore 22: « buon zelo ».

2. *la dura ... atterra*: cfr. *Dec.*, VII 9 17: « Lusca, tu sai che per lo primo colpo non cade la quercia », proverbio assai diffuso fin dall'antichità (*multis ictibus deiicitur quercus*).

3. *come ... battuta*: per questa similitudine cfr. III 2 47.

4. *l'ardente ... converse*: cfr. *Dec.*, VIII 7 40: « il lungo e fervente amor portatole subitamente in crudo e acerbo odio trasmutò ».

[19] Regnava nella provinzia della Bettinia una spezie di uomini, i quali dal mezzo[1] in su tenevano la forma di creatura umana, ancor che le loro orecchie e corna di animale fusseno. Ma dal mezzo in giú avevano le membra di pelosa capra, con un poco di coda torta a guisa di coda di porco, e nominavansi satiri, i quali sconciamente[2] danneggiavano i villaggi, i poderi e gli uomini del paese, e il re desiderava molto di averne uno vivo in sua balia, ma non vi era alcuno a cui bastasse il cuore di prenderne uno e al re appresentarlo. Laonde la reina col mezzo loro s'imaginò di dare a Costanzo la morte, ma non le venne fatto, perciò che l'ingannatore sovente rimane sotto a' piedi dello ingannato,[3] cosí permettendo la divina providenza e la somma giustizia. [20] La falsa reina, che chiaramente sapeva il desiderio del re, ragionando un giorno con esso lui di varie cose, tra l'altre disse:

– Signor mio, non sapete voi che Costanzo, vostro fidelissimo servitore, è sí potente e sí forte, che gli basta l'animo senza l'altrui aiuto prendere un satiro e a voi appresentarlo vivo? Il che essendo cosí, sí come io intendo, voi poterete agevolmente isperimentare e ad una ora adempire il voler vostro, ed egli come potente e forte cavaliere conseguire un trionfo che gli sarà di perpetua fama –.

[21] Piacquero molto le parole dell'astuta reina al re, il quale subito fece chiamare Costanzo e tai parole li disse:

– Costanzo, se tu mi ami sí come tu dimostri e ciascuno il crede, intieramente adempirai e' miei desiri, e tu la vera gloria ne porterai. Tu dei[4] sapere che non è cosa in questo

1. *mezzo*: vita.

2. *sconciamente*: rovinosamente.

3. *l'ingannatore ... ingannato*: cfr. *Dec.*, II 9 3: « suolsi tra' volgari spesse volte dire un cotal proverbio: che lo 'ngannatore rimane a piè dello 'ngannato », ripreso alla fine della stessa novella (75), ma presente anche in SACCHETTI, *Il Trecentonovelle*, XVIII 11: « spesse volte l'ingannatore rimane a piede de l'ingannato ».

4. *dei*: 'devi'; con dileguo della *-v-* intervocalica (cfr. ROHLFS, 215).

mondo che io piú brami e desideri che avere uno satiro in mia balia. Onde essendo tu potente e gagliardo, non è uomo in questo regno che meglio mi possa contentare che tu. Però amandomi come mi ami, non mi negherai questa dimanda –.

[22] Il giovane, che conosceva la cosa altrove procedere che dal re, non volse contristarlo, ma con piacevole e lieto viso disse:

– Signor mio, questo e altro mi potete comandare. E quantunque le forze mie siano deboli, non però resterò di sodisfare al desiderio vostro, ancora che nella morte io dovessi incapare. Ma prima che io mi ponga alla pericolosa impresa, voi signor mio, ordinarete che al bosco dove abitano i satiri sia condotto uno vaso grande con la bocca larga e che non sia minore di quello in cui le serventi con il liscio [1] nettano le camiscie e altri panni di lino; appresso questo vi si porterà una botte non picciola di buona vernaccia,[2] della migliore e della piú potente che si possi trovare, con doi [3] sacconi di bianchissimo pane –.

[23] Il re incontanente essequí tutto quello che Costanzo aveva divisato. E andatosene Costanzo al bosco, prese uno secchio di ramo [4] e incominciò attingere fuori della botte la vernaccia, ponendola nel doglio ivi vicino, e preso il pane e fattolo in pezzi, parimenti nel doglio di vernaccia pieno lo pose. Indi salí sopra una ben frondata [5] arbore, aspettando quello che ne poteva avenire. [24] Appena che 'l giovane Costanzo era asceso sopra de l'albero che [6] gli satiri, che già

1. *liscio*: liscivia, ranno (in veneziano *lissia*: cfr. Boerio, s.v.).
2. *vernaccia*: vino spesso nominato anche nel *Decameron*.
3. *doi*: forma dialettale del numerale.
4. *ramo*: rame. Metaplasmo di declinazione (cfr. II 5 4).
5. *frondata*: fronzuta, ricca di fronde. Il successivo *arbore* è femminile come in latino.
6. *Appena che ... che*: ripresa della congiunzione (uso non raro in Straparola).

avevano sentito l'odore del fumoso[1] vino, cominciorono appresentarsi al doglio e ne tolsero una corpacciata[2] non altrimenti che fanno i famelici lupi nelle mandre delle peccorelle venuti;[3] e poscia che ebbero empiuto la loro ventraglia[4] e furono a bastanza satolli, si misero a dormire, e sí alta e profondamente[5] dormivano, che tutti gli streppiti del mondo non gli arebbono allora destati. Il che vedendo Costanzo, scese giú de l'albero, e accostatosi ad uno, lo legò per le mani e per gli piedi con una fune che seco recata aveva, e senza esser d'alcuno sentito, lo pose sopra il cavallo e via lo condusse.

[25] Cavalcando adunque il giovane Costanzo con il satiro strettamente legato, all'ora del vespro aggiunse ad una villa[6] non molto lontana dalla città, e avendo il bestione già padita[7] la ebbriezza, si risvegliò, e come se dal letto si levasse, cominciò sbadagliare,[8] e guattandosi d'intorno, vide un padre di famiglia che con molta turba accompagnava un fanciulletto morto alla sepoltura. Egli piangeva e messere lo prete, che le essequie faceva, cantava. Di che lo satiro se ne

1. *fumoso*: generoso, che ha un'alta gradazione alcolica. E cfr. SANNAZARO, *Arcadia*, V 21: « e duo di fumoso e nobilissimo vino »; ARIOSTO, *Satire*, I 49: « E il vin fumoso ». Cosí chiamava Tibullo il falerno (« fumosos [...] falernos »: II I 27).

2. *tolsero una corpacciata*: fecero una scorpacciata. Cfr. SACCHETTI, *Il Trecentonovelle*, CLXXVII II: « ebbe fatto sí grande corpacciata ».

3. *non altrimenti ... venuti*: per la similitudine cfr. BOCCACCIO, *Ninfale fiesolano*, 63 1-3: « Quali sanza pastor le pecorelle, / assalite dal lupo e spaventate, / fuggon or qua or là, le tapinelle »; e anche MASUCCIO SALERNITANO, *Il Novellino*, XXIX 8: « como famelico lupo s'abbattesse in alcuna smarrita piecora da la gregge ».

4. *ventraglia*: ventraia. Cfr. *Orlando inn.*, I 23 17: « giú per le coste insieme alla ventraglia ». Per questo ipercorrettismo cfr. TROVATO, p. 344.

5. *alta e profondamente*: coppia di avverbi coordinata con un unico suffisso comune.

6 *villa*: villaggio.

7. *padita*: smaltita (*patita* con sonorizzazione di tipo settentrionale della dentale).

8. *sbadagliare*: assimilazione vocalica.

sorrise alquanto. [26] Poscia entrato nella città e aggiunto nella piazza, vide il popolo che attentamente mirava un povero giovane che era sopra la forca per esser dal carnefice impiccato. Di che lo satiro maggiormente se ne rise. [27] E giunto che fu al palazzo, ognuno cominciò far segno d'allegrezza e gridare: – Costanzo! Costanzo! – Il che vedendo l'animale vie piú fortemente mandò fuori le risa. [28] E pervenuto Costanzo al cospetto del re e della reina e delle sue damigelle, appresentòli lo satiro, il quale se per a dietro rise, ora furono sí grandi le risa sue, che tutti che ivi erano presenti ne presero non picciola maraviglia. Vedendo il re che Costanzo aveva adempiuto il desiderio suo, tanta affezzione le[1] pose quanta mai ebbe patrone a servitore alcuno; ma ben doglia sopra doglia alla reina crebbe, la quale con sue parole credendo distruggere Costanzo, il puose in stato maggiore.

[29] E non potendo la scelerata sofferire il tanto bene che di lui ne vedeva riuscire, s'imaginò un nuovo inganno, il qual fu questo,[2] perciò che ella sapeva che il re era consueto andarsene ogni mattina alla pregione dove il satiro dimorava e per suo trastullo il tentava che egli parlasse, ma il re non ebbe mai tanta forza di farlo parlare. [30] Onde andatasene al re, disse:

– Monsignor lo re, piú e piú volte siete andato all'albergo del satiro e vi siete affaticato per farlo ragionare con esso voi per prenderne trastullo, né mai la bestia ha voluto favellare; che volete piú star a rompervi il cervello? sapiate, se Costanzo vorrà, tenete per certo che egli è sofficiente a farlo ragionare e rispondere sí come meglio li parerà –.

[31] Il che intendendo il re, immantenente fece Costanzo a sé venire, e appresentatosi, gli disse:

1. *le*: gli.

2. *il qual fu questo*: costruzione a destra non rara nelle *Piacevoli notti*. Cfr. I 2 26.

– Costanzo, io mi rendo certo che tu sai quanto piacere ne prenda del satiro da te preso, ma mi doglio che egli mutolo sia e non vogli alle dimande mie in modo alcuno rispondere. Se tu vorrai, sí come io intendo, fare il debito tuo, non dubito che egli parlerà.

– [32] Signor mio – rispose Costanzo – se lo satiro è mutolo, che ne posso io? darli la loquela non è ufficio umano, ma divino. Ma se l'impedimento della lingua procedesse non da vicio naturale overo accidentale, ma da dura ostinazione di non voler rispondere, io mi sforzerò a piú potere di far sí che egli parli –.

[33] E andatosi insieme col re alla prigione del satiro, gli recò ben da mangiare e meglio da bere e dissegli:

– Mangia Chiappino –,[1] perciò che cosí gli aveva imposto nome, ed egli lo guattava e non rispondeva.

– Deh, parla Chiappino, ti prego, e dimmi se quel capone ti piace e quel vino ti diletta –.

Ed egli pur taceva. [34] Vedendo Costanzo l'ostinata voglia, disse:

– Tu non mi vuoi rispondere Chiappino? tu veramente fai il tuo peggio, perciò che io ti farò morire in prigione da fame e da sete –.

Egli lo guattava con occhio torto. Disse allora Costanzo:

– Rispondemi Chiappino, ché se tu, come spero, meco parlerai, io ti prometto di cotesto luoco liberarti –.

Chiappino, che attentamente ascoltava il tutto, intesa la liberazione, disse:

– E che vuoi tu da me?

– Hai tu ben mangiato e bevuto secondo il voler tuo? – disse Costanzo.

1. *Chiappino*: per questo nome cfr. Calmo, *Rodiana*, ii 105: « Mo a' te dirè, mi: tutti i matti l'ha lome Zane e tutte le biestie l'ha lome Martin, aççetto l'orso che ha lome Chiappin, e l'aseno Rigo [...] ah ah ah! ». E cfr. anche *Mambriano*, xvii 43; e Folengo, *Baldus*, xxiv 162.

– Sí – rispose Chiappino.

– [35] Ma dimmi, ti prego per cortesia – disse Costanzo – che avevi tu che ridevi quando noi eravamo per strada e vedevamo un fanciullo morto alla sepultura portare? –

A cui rispose Chiappino:

– Io me ne risi non del morto fanciullo, ma del padre, di cui il morto non era figliuolo, che piangeva, e del prete, di cui egli era figliuolo, che cantava. Il che significò che la madre del morto fanciullo era adultera del prete.[1]

– [36] Piú oltre io vorrei intendere da te, Chiappino mio, qual cagione ti mosse a maggior riso quando noi ci giungessimo alla piazza?

– Io mi mossi al riso – rispose Chiappino – ché mille ladroni, che hanno rubbato migliaia di fiorini al publico e meritano mille forche, ci stavano a guattare in piazza un miserello che era alla forca condotto e aveva solamente involato dieci fiorini per sostentamento forse e di sé e della famiglia sua.

– [37] Appresso questo, dimmi di grazia – disse Costanzo – quando aggiungemmo al palazzo, perché piú fortemente ridesti?

– Deh, non mi astringer piú a ragionare ora, ti prego –, disse Chiappino –; ma va' e ritorna dimane che io ti risponderò e dirotti cose che tu forse non pensi –.

Il che udendo Costanzo, disse al re:

– Partiansi, che dimane faremo ritorno e intenderemo ciò che egli voglia dire –.

Partitisi adunque il re e Costanzo, ordinarono che fusse dato a Chiappino ben da mangiare e da bere, acciò che meglio potesse ciarlare.

[38] Venuto il giorno sequente ambe duo ritornorono a

1. *Il che ... prete*: spiegazione pleonastica (fenomeno non raro in Straparola).

Chiappino e il trovorono che come un grasso porco soffiava e roncheggiava.[1] Accostatosi Costanzo appresso a lui, piú volte ad alta voce lo chiamò. Ma Chiappino, che era ben pasciuto, dormiva e nulla rispondeva. [39] Costanzo perlungato[2] uno dardo, che in mano teneva, tanto lo punse, che egli si risentí, e destato che egli fu, l'addimandò:

– Or su, dí, Chiappino, quello che eri[3] ne promettesti. Perché giunti che noi fummo al palazzo sí forte ridesti? –

A cui rispose Chiappino:

– Tu lo sai molto meglio che io, perciochè tutti gridavano «Costanzo, Costanzo» e nondimeno sei Costanza –.

[40] Il che il re in quel punto non intese quello che Chiappino volesse inferire.[4] Ma Costanzo, che 'l tutto aveva compreso, acciò che Chiappino piú oltre non procedesse, gli troncò la strada, dicendo:

– Ma quando innanzi al re e alla reina fosti, che causa ti mosse a dover oltre misura ridere? –

A cui rispose Chiappino:

– Io fieramente me ne ridei perché il re e ancor tu credete che le damigelle, che alla reina serveno, siano damigelle, e nondimeno la maggior parte loro damigelli sono –; e poi si tacque.

[41] Il re questo intendendo, stette alquanto sopra di sé, nulla però dicendo, e partitisi dal silvestre satiro con il suo Costanzo del tutto chiarir si volse. E fatta la isperienza trovò Costanzo esser femina e non uomo, e le damigelle bellissimi giovani, sí come Chiappino raccontato gli aveva. E in quello instante il re fece accendere un grandissimo fuoco in mezzo della piazza, e presente tutto il popolo fece la reina

1. *roncheggiava*: russava (frequentativo di *roncare*, dal lat. *rhonco, as, are*). E cfr. Boerio, s.v., il veneziano *ronchizar*.

2. *perlungato*: calato giú.

3. *eri*: ieri (lat. *heri*).

4. *inferire*: significare.

con tutti li damigelli arrostere.[1] [42] E considerata la lodevole lealtà e franca fede di Costanza e vedendola bellissima, in presenza de tutti e' baroni e cavallieri la sposò. E inteso di cui era figliuola, molto si rallegrò; e mandati gli ambasciatori a Ricardo re e a Valeriana sua moglie e alle tre sorelle, come ancor Costanza era maritata in un re, tutti ne sentirono quella letizia che sentire si debbe. [43] E cosí Costanza, nobile e generosa, in guidardone del suo ben servire reina rimase, e con Cacco re lungamente visse.

[44] Già era venuta al fine la favola da Fiordiana raccontata, quando la Signora fece motto che lo enimma seguisse. La qual sdegnosetta alquanto non già per natura ma per accidente, cosí disse:

[45] Doma un spirto gentil due fier leoni
e sopra il dorso lor ferma sua sede.
Quattro a canto ritien gran parangoni,[2]
prudenza, carità, fortezza e fede.
In destra il brando, dolce e grata a' buoni,
amara a' tristi, e nuda di mercede.
Discordia in lei né iniquità non regna;
chi questa abbraccia, è d'ogni lode degna.

[46] Fu da tutti sommamente commendato il dotto enimma dalla sagace Fiordiana raccontato, e chi in un modo e chi in un altro lo interpretorono. Ma non vi fu veruno che dirittamente lo intendesse, perciò che le loro isposizioni deviavano molto dal vero. Il che vedendo Fiordiana, arditamente disse:

– Signori, vi affaticate in darno, perciò che il mio enimma altro non significa se non l'infinita ed equale giustizia, la quale come spirto gentile doma e raffrena i fieri e famelici

1. *arrostere*: metaplasmo di coniugazione.
2. *parangoni*: 'paragoni, punti di riferimento nel giudizio', come chiarirà la spiegazione dell'enigma. Forma con epentesi.

leoni, cioè gli indomiti e superbi uomini, e sopra di loro ferma e stabilisse[1] la sua sede, tenendo nella destra mano la tagliente spada; e accompagnata da quattro virtú, cioè dalla prudenza, dalla carità, dalla fortezza e dalla fede, è soave e dolce a' buoni e acerba e amara a' tristi –.

[47] Terminata che fu la vera interpretazione dello enimma, a tutti sommamente aggradita, la Signora impose alla graziosa Vicenza che una favola secondo l'ordine dicesse. Ed ella di ubidire desiderosa cosí disse.

1. *stabilisse*: stabilisce.

NOTTE QUARTA, FAVOLA II[1]

[1] *Erminione Glaucio ateniense prende Filenia Centurione per moglie, e divenuto di lei geloso l'accusa in giudicio, e per mezzo d'Ippolito suo innamorato vien liberata, ed Erminione condannato.*

[2] Non sarebbe, graziose donne, al mondo stato il piú dolce, il piú dilettevole né 'l piú felice che trovarsi in servitú d'Amore,[2] se non fusse l'amaro frutto[3] della subita gelosia,[4] fugatrice de gli assalti di Cupidine,[5] insidiatrice dell'amorose donne, diligentissima investigatrice della loro morte.[6] Laonde mi si para davanti una favola, che vi doverà molto piacere, perciò che per quella poterete agevolmente comprendere il duro e infelice fine che fece un gentiluomo ateniense, il quale con la sua fredda gelosia[7] credette la moglie per man di giustizia finire, ed egli al fine conden-

1. Questa favola deriva da una novella narrata da Carminiano nei canti xv e xvi del *Mambriano*. Al leone che inghiotte gli spergiuri, v'è sostituito un serpente, che si contenta di troncar loro una mano, forse per suggestione di un'antica tradizione virgiliana, in cui l'accertamento della verità era affidato a un meraviglioso serpente di metallo che troncava la mano agli spergiuri. La vicenda aveva comunque dato argomento anche a un poemetto popolare piú antico, conservato in un codice (probabilmente della prima metà del sec. XV) della Comunale di Perugia (cfr. la recensione di S. Prato all'ed. Rua delle *Novelle del Mambriano*, in « Zeitschrift für Volkskunde », a. II 1889, pp. 8-9). Per i motivi cfr. Rotunda, H251.1, J1142.3, K1342, K1513, K1521.2, K1521.4, K1521.5, K1818.3.

2. *Non ... Amore*: per questo esordio cfr. l'incipit del xxxi canto dell'*Orlando furioso*.

3. *amaro frutto*: cfr. Boccaccio, *Filocolo*, III 27 1: « chi potrebbe o credere o pensare che la tua dolce radice producesse sí amaro frutto come è gelosia ».

4. *subita gelosia*: cfr. Bembo, *Asolani*, I 30.

5. *gelosia ... Cupidine*: cfr. *Filocolo*, III 24 9: « O antica madre [gelosia], sollecitissima fugatrice degli scelerati assalti di Cupido ».

6. *gelosia ... morte*: cfr. *Dec.*, VII 5 3: « per ciò che i gelosi sono insidiatori della vita delle giovani donne e diligentissimi cercatori della lor morte ».

7. *fredda gelosia*: cfr. *Filocolo*, III 24 1: « cercò le case della fredda Gelosia ».

nato e morto rimase. Il che giudico che vi sarà caro udire, perciò che, se io non erro, penso ch'ancor voi innamorate siete.[1]

[3] In Atene, antiquissima città della Grezia,[2] ne' passati tempi domicilio e recetacolo[3] di tutte le dottrine, ma ora per la sua ventosa[4] superbia totalmente rovinata e distrutta, ritrovavasi un gentiluomo, messer Erminione[5] Glaucio per nome chiamato, uomo veramente grande ed estimato assai nella città e ricco molto, ma povero d'intelletto. Perciò che essendo oramai attempato e attrovandosi senza figliuoli, deliberò de maritarsi e prese per moglie una giovanetta chiamata Filenia, figliuola di messer Cesarino Centurione, nobile di sangue, di maravigliosa bellezza[6] e d'infinite virtú dotata; né vi era nella città un'altra che a lei pareggiar si potesse.[7] [4] E perciò che egli temeva per la sua singolar bellezza non fusse sollecitata da molti e cadesse in qualche ignominioso difetto per lo quale poi ne fusse dimostrato a dito,[8] pensò di porla in una alta torre nel suo palazzo, non lasciando che da alcuno fusse veduta. E non stette molto che il povero vecchio, senza sapere la cagione, divenne di lei tanto geloso, che appena di se stesso si fidava.

[5] Avenne pur che nella città si trovava un scolare cretense, giovane di età, ma sacente[9] e aveduto molto, e da tutti

1. *Il che ... siete*: cfr. *Dec.*, V 1 2: « il che, se io non erro, per ciò che innamorate credo che siate, molto vi dovrà esser caro ».

2. *Grezia*: Grecia.

3. *recetacolo*: rifugio (latinismo: *receptaculum*).

4. *ventosa*: boriosa.

5. *Erminione*: nome preso a prestito dal *Morgante* o dai *Reali di Francia*.

6. *nobile ... bellezza*: cfr. *Dec.*, IX 2 5: « v'era una giovane di sangue nobile e di maravigliosa bellezza dotata ».

7. *né vi era ... si potesse*: cfr. *Dec.*, V 5 6: « La quale crescendo divenne bellissima giovane quanto alcuna altra che allora fosse nella città ».

8. *fusse dimostrato a dito*: fosse fatto notare per scherno. Cfr. BOCCACCIO, *Filostrato*, V 60: « d'esser talvolta dimostrato a dito ».

9. *sacente*: saccente, scaltro, accorto.

per la sua gentilezza e leggiadria assai amato e riverito, il quale per nome Ippolito si chiamava, e innanzi che ella prendesse marito, lungo tempo vagheggiata l'aveva, e appresso questo teneva stretta domestichezza[1] con messer Erminione, il quale non meno l'amava se figliuolo li fusse. [6] Il giovanetto essendo alquanto stanco di studiare e desideroso di ricoverare gli spiriti lassi, di Atene si partí e andatosene in Candia[2] ivi per un spazio di tempo dimorò, e ritornato ad Atene trovò Filenia che maritata era. Di che egli fu oltre misura dolente,[3] e tanto piú si doleva, quanto che si vedeva privo di poterla a suo bel grado vedere; né poteva sofferire che sí bella e vaga giovanetta fusse congiunta in matrimonio con sí bavoso e isdentato vecchio.[4]

[7] Non potendo adunque l'innamorato Ippolito piú pazientemente tollerare gli ardenti stimoli e acuti strali d'Amore, se ingegnò di trovare qualche secreto modo e via, per la quale egli potesse adempire i suoi desiri. Ed essendogliene molti alle mani venuti, ne scelse prudentissimamente uno che piú giovevole li pareva. Imperciò che, andatosene alla bottega di uno legnaiuolo suo vicino, gli ordinò due casse assai lunghe, larghe ed erte[5] d'una medesima misura e qualità, sí che l'una da l'altra agevolmente non si poteva conoscere. [8] Dopo se ne gí da messer Erminione, e infingendosi aver bisogno di lui, con molta astuzia le[6] disse queste parole:

– Messere Erminione mio, non meno di padre da me amato e riverito sempre, se non mi fusse noto l'amore che

1. *domestichezza*: familiarità. Cfr. *Dec.*, III 4 7: « col quale frate Puccio prese una stretta dimestichezza ».

2. *Candia*: città sulla costa settentrionale dell'isola di Creta.

3. *oltre misura dolente*: cfr. *Dec.*, VIII 7 112: « oltre misura dolente ».

4. *bavoso ... vecchio*: cfr. BOCCACCIO, *Corbaccio*, 161-62: « Niuno vecchio bavoso [...] alla bocca sdentata e bavosa ».

5. *erte*: alte.

6. *le*: gli.

voi mi portate, io non ardirei con tanta baldanza richiedervi servigio alcuno, ma perciò che hovvi trovato sempre amorevole verso me, non dubitavi[1] punto di non poter ottenere da voi ciò che l'animo mio brama e desidera. Mi occorre di andare fino nella città di Frenna[2] per alcuni miei negozii importantissimi, dove starò fin a tanto che saranno ispediti.[3] E perché in casa non ho persona di cui fidare mi possa, per esser alle mani di servitori e fantesche de' quai non mi assicuro molto, io vorrei, tuttavia se vi è a piacere, di porre appresso voi una mia arca piena delle piú care cose che io mi trovi avere –.

[9] Messer Erminione, non avedendosi della malizia del scolare, li rispose che era contento, e acciò che la[4] fusse piú sicura, la metterebbe nella camera dove egli dormiva. Di che lo scolare li rese quelle grazie, le quali egli seppe e puoté le maggiori, promettendoli di tal servigio tenere perpetua memoria, e appresso questo sommamente lo pregò che si dignasse di andare fino alla casa sua per mostrargli quelle cose che nell'arca aveva riservate.

[10] Andatosene adunque messer Erminione alla casa d'Ippolito, egli vi dimostrò una arca piena di vestimenti, di gioie e di collane di non poco valore. Indi chiamò uno de' suoi serventi, e dimostratolo a messer Erminione, le disse:

– Ogni volta, messer Erminione, che questo mio servente verrà a torre l'arca, prestaretegli quella fede come se egli fusse la persona nostra –.

[11] Partitosi messer Erminione, Ippolito si pose nell'altra arca, che era simile a quella delle vestimenta e gioie, e chiusosi dentro, ordinò al servente che la portasse là dove

1. *dubitavi*: dubitai (con epentesi; cfr. ROHLFS, 339).
2. *Frenna*: non sono riuscito a identificare questa città.
3. *ispediti*: sbrigati.
4. *la*: per questa forma soggettiva proclitica non rara nello Straparola cfr. ROHLFS, 446.

egli sapeva. Il servente, che del fatto era consapevole, ubidientissimo al suo patrone, chiamò uno bastaggio,[1] e messagliela in su le spalle, la reccò nella torre dove era la camera in cui messer Erminione la notte con la moglie dormiva.[2]

[12] Era messer Erminione uno de' primai[3] della città, e per esser uomo ricco molto e assai potente, gli avenne che per l'auttorità che egli teneva li fu bisogno contra la sua voglia di andare per alquanti giorni fino ad uno luogo addimandato porto Pireo,[4] lontano per spazio de venti stadi dalla città di Atene, per assettare[5] certe liti e diferenze che tra' cittadini e quelli del contado vertivano.[6]

[13] Partitosi adunque messer Erminione mal contento per la gelosia che dí e notte lo premeva, e avendo il giovane nell'arca chiuso piú volte udita la bella donna gemere, rammaricarsi e piangere maladicendo la sua dura sorte e l'ora e 'l punto[7] che ella si maritò in colui che era distruttore della sua persona, aspettò l'opportuno tempo che ella s'addormentasse. E quando li parve che ella era nel suo primo sonno, egli uscí dell'arca e al letto s'avicinò e disse:

– Destati, anima mia, che io sono il tuo Ippolito –.

[14] Ed ella destata, vedendolo e conoscendolo, perciò che era il lume acceso, volse gridare. Ma il giovane, messa la mano alla sua bocca, non la lasciò gridare, ma quasi lagrimando disse:

1. *bastaggio*: facchino.

2. *Il servente ... dormiva*: anche Ambruogiuolo in *Dec.*, II 9, utilizza lo stratagemma di [illegible] nella camera della moglie di Bernabò chiuso in una cassa (il seguito, però, è differente).

3. *primai*: piú importanti, piú eminenti.

4. *porto Pireo*: il celebre porto di Atene, oggi città dell'Attica a pochi km. da Atene. La distanza riportata da Straparola si deve ritenere approssimativa.

5. *assettare*: comporre, risolvere.

6. *vertivano*: cambio di vocale tematica (*e* > *i*) nell'imperfetto indicativo.

7. *maladicendo ... punto*: per questa formula cfr. II 2 15.

– Taci, cuor mio, non veditu[1] ch'io sono Ippolito, amante tuo fedele, che senza di te il viver mi è noioso? –

[15] Achetata alquanto la bella donna e considerata la qualità del vecchio Erminione e del giovane Ippolito, di tal atto non rimase scontenta, ma tutta quella notte giacque con esso lui in amorosi ragionamenti, biasmando gli atti e i gesti del peccorone marito, e dando ordine di potersi alcuna volta ritrovarsi insieme. Venuto il giorno, il giovane si rinchiuse nell'arca e la notte se ne usciva fuori a suo piacere, e giaceva con esso lei.

[16] Erano già passati molti e molti giorni quando messer Erminione sí per lo incomodo che pativa sí anche per la rabbiosa gelosia che di contínovo lo cruciava, assettò le diferenze di quel luogo e ritornòsi a casa.

[17] Il servente d'Ippolito, che inteso aveva la venuta di messer Erminione, non stette molto che se ne andò a lui, e per nome del suo patrone chieseli l'arca, la quale, secondo l'ordine tra loro dato, graziosamente da lui li fu ristituita, ed egli preso un bastaggio a casa se la reccò. Uscito Ippolito de l'arca, andò verso piazza dove s'abbatté in messer Erminione, e abbracciatisi insieme, del ricevuto servigio come meglio puoté e seppe[2] cortesemente lo ringraziò, offerendoli e sé e le cose sue sempre a' suoi comandi paratissime.

[18] Ora avenne che standosi messer Erminione nel letto una mattina con la moglie piú del solito a giacere, se li rappresentorono nel pariete innanzi a gli occhi certi sputi che erano assai alti e lontani molto da lui. Onde acceso dalla gran gelosia che egli aveva, molto si maravigliò e tra se stesso cominciò sottilmente a considerare se gli sputi erano

1. *veditu*: forma enclitica frequente nei dialetti settentrionali (cfr. Rohlfs, 453).

2. *come... seppe*: cfr. *Dec.*, II 2 36: « quanto poté e seppe ». È modulo frequente nelle *Piacevoli notti*.

suoi, overo d'altrui, e poi che egli ebbe ben pensato e ripensato, non vi puoté mai cadere nell'animo[1] che egli fatti gli avesse. Laonde temendo forte di quello che gli era avenuto, si voltò contra la moglie e con turbata faccia le disse:

– Di cui sono quei sputi sí alti? quelli non sono sputi di me, io mai non gli sputai, certo che tradito mi hai –.[2]

[19] Filenia allora sorridendo di ciò, li rispose:

– Avete voi altro che pensare? –

Messer Erminione, vedendola ridere, molto piú se infiammò e disse:

– Tu ridi! ah rea femina che tu se', e di che ti ridi?

– Io mi rido – rispose Filenia – della vostra sciocchezza –.

[20] Ed egli pur tra se stesso si rodeva, e volendo isperimentare se tant'alto poteva sputare, ora tossendo e ora raccagnando[3] si afforciava[4] col sputo di aggiungere al segno, ma in vano si affaticava, perciò che lo sputo tornava indietro e sopra il viso li cadeva e tutto lo impiastracciava. Avendo questo il povero vecchio piú volte isperimentato, sempre a peggior condizione si ritrovava. Il che vedendo conchiuse per certo dalla moglie esser stà[5] gabbato; e voltatosi a lei, le disse la maggior villania che mai a rea femina si dicesse.[6] E se non fusse stato il timore di se stesso,[7] in quel punto con le propie mani uccisa l'arrebbe, ma pur si astenne volendo

1. *cadere nell'animo*: convincersi. Cfr. *Dec.*, II 6 48: « caddegli nell'animo ».

2. *sputai ... hai*: modulo in rima non raro nelle *Piacevoli notti*.

3. *raccagnando*: scatarrando. Cfr. *DELI*, s.v., *raccare*: « nel linguaggio dei marinai, vomitare per il mal di mare », da una base onomat. *rakk-*, ampiamente diffusa in tutto il dominio galloromanzo, ma anche nei dial. it., in questo, come in altri significati ('espettorare', 'avere la diarrea', ecc.). Cfr. anche *DEI*, s.v. *racà*, « dial. comasco [...] sputare ».

4. *si afforciava*: si sforzava.

5. *stà*: stato (settentrionalismo).

6. *le ... dicesse*: cfr. *Dec.*, IX 2 13: « incominciò a dirle la maggior villania che mai a femina fosse detta ».

7. *E ... se stesso*: per questo sentimento e per le conseguenti scelte cfr. il comportamento di Rinaldo de' Pugliesi in *Dec.*, VI 7.

piú tosto proceder per via della giustizia che bruttare le mani nel suo sangue.[1]

[21] Onde non contento di questo, ma di sdegno e d'ira pieno, al palagio se ne andò, e ivi produsse innanzi al podestà contra la moglie una accusazione di adulterio commesso. Ma perché il podestà non poteva condannarla se prima non era osservato lo statuto, mandò per lei per diligentemente essaminarla.

[22] Era in Atene un statuto in somma osservanza, che ciascaduna donna di adulterio dal marito accusata fusse posta a' piedi della colonna rossa, sopra la quale giaceva un serpe; indi se le dava il giuramento se fusse vero che l'adulterio avesse commesso. E giurato che ella aveva, erale di necessità che la mano in bocca del serpe ponesse, e se la donna il falso giurato aveva, subito il serpe la mano dal braccio le spiccava, altrimenti rimaneva illesa.

[23] Ippolito, che già aveva persentita la querela esser data in giudicio e che il podestà aveva mandato per la donna che comparesse a far sua difesa, acciò che non incorresse ne i lacci della ignominiosa morte,[2] incontanente da persona astuta e che desiderava camparle[3] la morte, depose le sue vestimenta e certi stracci da pazzo si mise in dosso, e senza che da alcuno fusse veduto, uscí di casa e al palagio come pazzo se ne corse, facendo di contínovo le maggior pazzie del mondo. [24] Mentre che la sbirraglia[4] del podestà menava la giovane al palagio, concorse tutta la città a vedere come la cosa riusciva;[5] e il pazzo spingendo or questo or quello si fece tanto innanzi che puose le braccia al collo alla di-

1. *bruttare ... sangue*: rendersi colpevole di uxoricidio.
2. *lacci ... morte*: cfr. *Dec.*, VI 7 3: « lacci di vituperosa morte ».
3. *camparle*: evitarle.
4. *sbirraglia*: corpo di guardia.
5. *concorse ... riusciva*: anche in *Dec.*, VI 7 18: « eran quivi [...] quasi tutti i pratesi concorsi ».

sconsolata donna e un saporoso[1] bascio le diede, ed ella che aveva le mani dietro avinte, dal bascio non si puoté difendere. Giunta adunque che fu la giovane innanzi al giudizio, le disse il podestà:

– Filenia, come tu vedi, qui è messer Erminione, tuo marito, e duolsi di te che abbi comesso l'adulterio, e per ciò addimanda che io secondo lo statuto ti punisca, e però tu giurerai se 'l peccato che ti oppone il tuo marito è vero –.[2]

[25] La giovane, che astuta e prudentissima era, animosamente giurò che niuno di peccato l'aveva tocca[3] se non il suo marito e quel pazzo che v'era presente. Giurato che ebbe Filenia, i ministri della giustizia la condussero al serpe, al quale presentata la mano di Filenia in bocca, non le fece nocumento[4] alcuno, perciò che aveva confessato il vero, che niuno altro di peccato se non il marito e il pazzo tocca l'aveva.

[26] Veduto questo il popolo e i parenti, che erano venuti a vedere l'orrendo spettacolo, innocentissima la giudicorono e gridavano che messer Erminione tal morte meritava quale la donna patire doveva. Ma perché egli era nobile e di gran parentato e de' maggiori della città, non volse il podestà, come la giustizia permetteva, che fusse publicamente arso, ma pur,[5] per non mancare del debito suo, lo condannò in una pregione, dove in breve spazio di tempo se ne morí. [27] E cosí miseramente finí messer Erminione la sua rabbiosa gelosia, e la giovane da ignominiosa morte si disviluppò.[6] Dopo non molti giorni Ippolito, presala per sua legittima moglie, seco molti anni felicemente visse.

1. *saporoso*: sensuale, appassionato.
2. *Filenia ... vero*: la domanda riprende le parole del podestà in *Dec.*, VI 7 12.
3. *tocca*: toccata.
4. *nocumento*: danno (latinismo: dal lat. tardo *nocumentum*).
5. *ma pur*: ma solo.
6. *da ignominiosa ... disviluppò*: cfr. *Dec.*, VI 7 3: « ma sé de' lacci di vituperosa morte disviluppò ».

[28] Finita la favola dalla prudente Vicenza raccontata e alle donne molto piacciuta, la Signora le impose che l'ordine dello enimma seguisse. La qual alzato il piacevole e polito[1] viso, in vece di canzone cosí disse:

[29] Con sviserato[2] amor, speme e desio
nasce una fiera macra e scolorita;
e 'n un bel volto mansueto e pio[3]
com'ellera si serpe a tronco ordita;
si pasce di cordoglio acerbo e rio
e va di panno brun sempre vestita.
Vive in affanno e cresce nel dolore,
miser chi cade in un sí grande errore.[4]

[30] Qui impose fine Vicenza al suo enimma, il quale da diversi diversamente fu interpretato, ma niuno fu de sí saputo ingegno che l'intendesse. Il che vedendo Vicenza, prima trasse un focoso sospiro, indi con chiaro viso cosí disse:

– Altro non è il mio proposto enimma che la fredda gelosia, la quale macilente[5] e scolorita con Amore ad un medesimo tempo nacque e abbraccia gli uomini e le donne come l'amichevole ellera il caro tronco. Costei di cordoglio si pasce, perciò che il geloso sempre in affanno vive. Veste di bruno per esser il geloso di contínovo malenconico –.

[31] Questa dechiarazione molto piacque a tutti e specialmente alla signora Chiara, il cui marito ingelosiva di lei. Ma

1. *polito*: bello, grazioso.

2. *sviserato*: sviscerato.

3. *mansueto e pio*: sintagma non raro nelle *Sacre rappresentazioni del Quattrocento*. Cfr. per es. *La rappresentazione di Santa Uliva*, 201: « mansueto e pio ».

4. *Con ... errore*: per questo enigma cfr. Boccaccio, *Filocolo*, III 27 1-5, brano già citato all'inizio a proposito della gelosia: « Ma essa ferocissima, cosí come l'ellera gli olmi cinge, cosí ogni tua potenza ha circundata, e intorno a quella è sí radicata che impossibile sarebbe oramai a sentire te sanza lei [...]. Ella, magrissima, scolorita nel viso, d'oscuri vestimenti vestita, igualmente ogni persona con bieco occhio riguarda ».

5. *macilente*: emaciata (latinismo: da *macilentus*, deriv. da *macer*, 'magro').

acciò che niuno non s'avedesse ciò esser detto per lui, la Signora comandò che alle risa si ponesse silenzio e che Lodovica, a cui toccava di favoleggiare la volta, desse principio, la qual cosí cominciò.

NOTTE QUARTA, FAVOLA III[1]

[1] *Ancilotto re di Provino prende per moglie la figliuola d'un fornaio e con lei genera tre figliuoli, i quali essendo persequitati dalla madre del re, per virtú d'un'acqua, d'un pomo e d'un uccello vengono in cognizione del padre.*

[2] Io ho sempre inteso, piacevoli e graziose donne, l'uomo esser il piú nobile e il piú valente animale che mai la natura creasse,[2] perciò che Iddio lo creò alla imagine e alla similitudine sua e volse che egli signoreggiasse e non fusse signoreggiato. E per questo si dice l'uomo esser animal perfetto e di maggior perfezzione che ogni altro animale, perché tutti, non eccettovando[3] anche la femina, sono sottoposti all'uomo.[4] Di qua procede che malagevolmente fanno coloro che con astuzia e arte procurano la morte di sí degno animale. E non è maraviglia se questi tali, mentre che si sforzano di da-

1. Secondo Thompson, pp. 178-80 (tipo 707), questa è una delle otto-dieci trame piú conosciute del mondo e di essa esistono moltissime versioni (414 quelle segnalate) in tutti i continenti; lo studioso nota che la piú antica versione conosciuta è quella delle *Piacevoli notti*. Alla novella dello Straparola si rifà *La Princesse Belle-Étoile et le Prince Cheri* di Madame d'Aulnoy (cfr. *Contes des Fées*, i ed. 1698). Il Gozzi ne fece una delle sue fiabe teatrali (*L'augellino Belverde*). Per le versioni moderne cfr. Calvino, *Fiabe*, n. 87: *L'Uccel bel verde* (versione fiorentina). Per altre versioni che continuano piú o meno fedelmente la fiaba dello Straparola cfr. anche Gonzenbach, op. cit., n. 5; Comparetti, op. cit., n. 30; Pitrè, *Fiabe, Novelle e Racconti*, n. 36. Per altri riscontri cfr. anche Crane, op. cit., pp. 17-25 e 325 sgg. Il motivo della sposa perseguitata dalla suocera è anche in una novella del *Pecorone* (x 1: dove la madre del re fa credere al figlio che la sposa invece di due fanciulli maschi ha partorito due bertuccini). Per i motivi cfr. Rotunda, B172.1, B211.9, B450, B453, D231, D1454.1.2, D1646.2, H911, H931, H1211, H1321.4, H1323.4, H1331.1.4, K335.1.7, K2115, K 2212, L102, L113.2, L162, N201, R131.2, S51, S141, S314, S322.6, S446.

2. *Io ho ... creasse*: cfr. *Dec.*, ii 9 15: « Io ho sempre inteso l'uomo essere il piú nobile animale che tra' mortali fosse creato da Dio, e appresso la femina ».

3. *non eccettovando*: non escludendo (forma con epentesi).

4. *Io ho ... uomo*: per questo esordio cfr. Boccaccio, *Corbaccio*, 189-90.

re ad altrui la morte, in quella disavedutamente[1] incorreno, sí come fecero quattro donne, le quali credendosi altrui uccellare, al fine esse uccellate rimasero[2] e miseramente finirono la vita loro,[3] sí come per la presente favola, che ora raccontare intendo, agevolmente comprenderete.

[3] In Provino,[4] città assai famosa e regale, si trovorono ne' passati tempi tre sorelle vaghe d'aspetto, gentili di costumi e di maniere accorte, ma basse di legnaggio, perciò che erano figliuole di uno maestro Rigo fornaio,[5] che di contínovo nel forno l'altrui pane coceva. L'una delle quali Brunora, l'altra Lionella e la terza Chiaretta si chiamava.

[4] Essendo un giorno tutta tre queste giovanette nel giardino, di cui a maraviglia si dilettavano, passò per quindi Ancilotto re, che per suo diporto con molta compagnia se n'andava alla caccia. Brunora, che era la maggior sorella, vedendo sí bella e orrevole compagnia,[6] disse alle sorelle Lionella e Chiaretta:

– Se io avessi il maestro di casa[7] del re per mio marito, mi do sto[8] vanto, che io con un bicchiere di vino saziarei tutta la sua corte.

– [5] E io – disse Lionella – mi do sta lode, che se io avessi

1. *disavedutamente*: incautamente.

2. *credendosi ... rimasero*: cfr. *Dec.*, III 5 3: « mentre altrui si credono uccellare, dopo il fatto sé da altrui essere stati uccellati conoscono ».

3. *miseramente ... loro*: cfr. BOCCACCIO, *Filocolo*, II 70 4: « con grieve doglia finí il siniscalco miseramente la sua vita ardendo ».

4. *Provino*: Provins. Appartiene alla geografia dei *Reali di Francia*.

5. *Rigo fornaio*: questo nome per un fornaio forse non fu scelto a caso, se si pensa che poco prima della pubblicazione delle *Piacevoli notti* incontrarono un certo successo le *Canzonette de mistro Rigo forner*, Venezia, Bindoni, 1547. Inoltre, in un necrologio del 9 maggio 1532, si registra la morte di un maestro Rigo forner, della parrocchia di Santa Sofia, già ammalato da otto giorni (cfr. Archivio di Stato di Venezia, Provveditori alla Sanità, Necrologi, registro 795).

6. *bella e orrevole compagnia*: cfr. *Dec.*, X 10 54: « di menar bella e onorevole compagnia con seco ».

7. *maestro di casa*: maggiordomo.

8. *sto*: questo (per la sua attestazione al Nord cfr. ROHLFS, 493).

il secretissimo cameriere del re per marito, farei tanta tela con un fuso del mio filo, che di bellissime e sottilissime camiscie fornirei tutta la sua corte.

– [6] E io – disse Chiaretta – mi lodo di questo, che se io avessi il re per mio marito, gli farei tre figliuoli in un medesimo parto duo maschi e una femina, e ciascuno di loro arrebbe i capelli giú per le spalle annodati e meschi [1] con finissimo oro e una collana al collo e una stella in fronte –.

[7] Queste parole furono udite da uno de' corteggiani, il quale subito corse al re e precisamente li raccontò ciò che le fanciulle avevano insieme detto. Il re inteso cotal tenore, le fece a sé venire e ad una ad una le interrogò che detto avevano insieme quando erano nel giardino. A cui tutta tre con somma riverenza ordinatamente replicorono ciò avevano detto. Il che ad Ancilotto re molto piacque. E indi non si partí che 'l maestro di casa Brunora prese per moglie e il cameriere Lionella ed egli la Chiaretta. E lasciato l'andare alla caccia, tutti ritornorono a casa, dove furono fatte le pompose nozze.

[8] Queste nozze assai dispiacquero alla madre del re, perciò che, quantunque la fanciulla fusse vaga d'aspetto, formosa di viso, leggiadra della persona e avesse un ragionare di dolcezza pieno, non però era convenevole alla grandezza e alla potenza del re per esser feminella vile, abietta [2] e di minuta gente; né poteva in maniera alcuna la madre patire che uno maestro di casa e uno cameriere fussero detti cognati del re suo figliuolo. Onde tanto crebbe l'odio alla suocera contra la nuora, che quasi non la poteva sentire non che vedere, ma pur per non contristare il figliuolo, teneva l'odio nel petto nascosto.[3]

1. *meschi*: intrecciati.
2. *abietta*: spregevole, ignobile.
3. *l'odio ... nascosto*: cfr. *Morgante*, XXIV 9: « e l'odio che nel petto avea sepolto ».

[9] Avenne, sí come piacque a colui che 'l tutto regge, che la reina s'ingravidò. Il che fu di sommo piacere al re, il quale con grandissima allegrezza aspettava di vedere la gentil prole de' figliuoli che gli erano stà promessi da lei. [10] Al re, dopo alquanti dí, accadette[1] di cavalcare nell'altrui paese e ivi per alcuni giorni dimorare, e per ciò la reina e li figliuoli, che di lei nasceranno, alla attempata madre instantissimamente[2] raccomandò. La quale, quantunque la nuora non amasse né vedere la volesse, nondimeno di averne buona cura al figliuolo largamente promise. [11] Partito adunque il re e andatosene al suo viaggio, la reina parturí tre figliuoli, duo maschi e una femina, e tutta tre, sí come la reina quando era poncella[3] al re aveva promesso, avevano i capegli annodati e sparsi giú per le spalle, con una vaga catenella al collo e con la stella nella fronte. [12] La proterva e maligna madre del re, priva di ogni caritativa pietà e accesa di pernizioso e mortal odio, tantosto che nacquero i cari bambini, deliberò, senza il perfido proponimento mutare, de fargli al tutto morire, acciò che di loro mai si sappesse novella e la reina in disgrazia del re venisse. Appresso questo, perché Chiaretta era reina e signoreggiava il tutto, era nasciuta tra le due sorelle una tanta invidia contra di lei quanta nascere potesse giamai, e con sue astuzie e arti continovamente s'ingegnavano di metterla in maggior odio della insensata madre.

[13] Avenne che nel tempo che la reina parturí, nacquero in corte ancora tre cani bottoli,[4] duo maschi e una femina, i quali erano stellati in fronte e uno signaluzzo di gorghiera[5]

1. *accadette*: accadde (per il passato remoto in *-etti* cfr. ROHLFS, 577).
2. *instantissimamente*: con grande insistenza.
3. *poncella*: pulcella, vergine.
4. *bottoli*: botoli, cani di piccola taglia, per natura vili e ringhiosi. Forma con raddoppiamento ipercorretto della dentale.
5. *gorghiera*: gorgiera, collare. Forma con velare per ipercorrettismo.

in torno al collo tenevano. Mosse le due invidiose sorelle da diabolico spirito, presero i tre cani bottoli che la madre poppavano e portorongli all'empia suocera, e fatta la debita riverenza, le dissero:

– Noi sapiamo, madama, che la vostra altezza poco ama e ha cara la sorella nostra, e meritamente, perciò che ella è di bassa condizione, e non conviene al vostro figliuolo e nostro re una donna de sí vilissimo sangue come ella è. E però sapendo noi il voler vostro, siamo qui venute e vi abbiamo recati tre cani bottoli che nacquero con la stella in fronte, acciò che abbiamo il parer vostro –.

[14] Questo molto piacque alla suocera e s'imaginò d'appresentargli alla nuora che ancora non sapeva quello aveva parturito e dirle come quelli erano i bambini di lei nasciuti. E acciò che tal cosa non si scoprisse, la mala vecchia ordinò alla comare [1] che alla reina dir dovesse i fanciulli che parturiti aveva esser stati tre cani bottoli. La suocera adunque parimenti e le sorelle della reina e la comare se n'andorono a lei e dissero:

– Vedi, o reina, l'opera del tuo bel parto, riserbalo acciò che quando il re verrà, possa il bel frutto vedere –.

[15] E dette queste parole, la comare le puose i cagnolini allato,[2] confortandola tuttavia che non si disperasse perché alle volte queste cose tra persone d'alto affare suoleno avenire.

[16] Aveva già ciascheduna delle scelerate femine adempiuto ogni suo reo e malvagio proponimento e sola una cosa si restava, che a gli innocentissimi fanciulli dessero acerba morte. Ma a Dio non piacque che del propio sangue si bruttasino le mani,[3] ma fatta una cassetta e ben incerata di tena-

1. *comare*: levatrice.
2. *allato*: di fianco.
3. *del ... mani*: si rendessero colpevoli di infanticidio.

ce pece[1] e messi e' fanciulli dentro e chiusi, la gittorono nel vicino fiume e a seconda dell'acqua la lasciorono andare. [17] Iddio giusto che non pate[2] che l'innocente sangue patisca, mandò sopra la sponda del fiume un monaio,[3] Marmiato per nome chiamato, il quale veduta la cassetta, la prese e aperse e dentro vi trovò i tre bambini che ridevano. E perciò che erano molto belli, pensò che fussero figliuoli di qualche gran matrona, la quale per vergogna del mondo avesse commesso sí fatto eccesso. Onde renchiusa la cassetta e postasella[4] in spalla, se n'andò a casa e disse alla moglie, che Gordiana si chiamava:

– Guatta, moglie mia, ciò che ritrovai nella riva del fiume, io te ne faccio un dono –.

[18] Gordiana veduti i fanciulli, graziosamente gli ricevette e non altrimente che se fussero del suo corpo nati, li nudrí; a l'uno de' quai puose nome Acquirino, all'altro Fluvio, per esser stà ritrovati nelle acque, e alla bambina Serena.

[19] Ancilotto re stavasi allegro, sempre pensando di trovare al suo ritorno tre belli figliuoli, ma la cosa non gli avvenne sí come ei pensava, perciò che l'astuta madre del re, tantosto che s'accorse il figliuolo al palazzo avicinarsi, gli andò incontro e dissegli la sua cara moglie, in vece di tre figliuoli, tre bottoli cani aver parturito. E menatolo nella camera, dove l'addolorata moglie per lo parto giaceva, gli dimostrò e' cagnolini che allato teneva. E avenga che la reina dirottamente piangesse, negando tuttavia avergli parturiti, nientedimeno l'invidiose sorelle confermavano esser il ve-

1. *ben ... pece*: anche il racconto del ritrovamento di Mosè da parte della figlia del faraone contempla questo particolare (cfr. *Es.*, 2 3; Guglielminetti).

2. *pate*: ammette, tollera.

3. *monaio*: mugnaio. Trovato, p. 344, giudica questa voce un compromesso toscano-settentrionale, o meglio un toscanismo artificiale (contro il settentrionale *monaro* e il fiorentino *mugnaio*).

4. *postasella*: postasela.

ro tutto quello che aveva detto la vecchia madre. Il che udendo il re molto si turbò e quasi da dolore in terra caddé; ma poscia che egli rivenne alquanto, stette gran pezza tra il sí e 'l no suspeso e al fine diede piena fede alle parole materne. [20] E perché la misera reina era pazientissima e con forte animo sofferiva la corteggiana invidia, venne al re pietà di farla morire, ma comandò che fusse posta sotto il luoco dove si lavano le pentole e le scutelle[1] e che per suo cibo fussero le immondicie e le carogne che giú della fetente e sozza scaffa[2] cadevano.

[21] Mentre che l'infelice reina dimorò in quel puzzolente luogo, nudrendosi de immondizie, Gordiana moglie di Marmiato monaio parturí un figliuolo, al quale puose nome Borghino e quello con li tre amorevolmente allevò. Aveva Gordiana per usanza ogni mese di troncare a gli tre fanciulli gli annodati e lunghi capelli, da i quali molte preciose gioie e grosse e bianche perle cadevano. Il che fu cagione che Marmiato, lasciata la vilissima impresa di macinare, presto ricco divenne, e Gordiana e i tre fanciulli e Borghino molto largamente vivendo amorevolmente godevano.

[22] Già erano venuti e' tre fanciulli alla giovenil età, quando persentiro[3] che di Marmiato monaio e di Gordiana figliuoli non erano, ma trovati in una cassettina che giú per lo fiume scorreva. Laonde molto si ramaricorono, e desiderosi di provare sua ventura, chiesero da loro buona licenza e si partirono. Il che non fu di contentamento di Marmiato e Gordiana, perciò che si vedevano privare del tesoro che usciva dalle bionde loro chiome e della loro stellata fronte.

[23] Partitisi adunque da Marmiato e da Gordiana l'uno e

1. *scutelle*: scodelle (latinismo).
2. *scaffa*: pila dell'acquaio (voce veneziana: cfr. Boerio, s.v. *scafa*).
3. *persentiro*: si accorsero.

l'altro fratello con la sorella e fate molte lunghe giornate,[1] per aventura tutta tre aggiunsero in Provino, città d'Ancilotto re suo padre, e ivi presa una casa a pigione, insieme abitorono, nudrendosi del tratto[2] delle gemme, delle gioie e delle pietre preciose che dal capo gli cadevano.

[24] Avenne che il re un giorno, andando per la terra[3] con alcuni suoi corteggiani spasseggiando, a caso indi passò dove dimoravano i duo fratelli e la sorella, i quali non avendo ancora veduto né conosciuto il re, discesero giú dalle scale e andorono all'uscio, e trattisi di testa il capuccio e inchinate le ginocchia e il capo, riverentemente il salutorono. Il re che aveva l'occhio d'un falcone pellegrino, gli guattò fiso nel viso e vide che ambe duo tenevano una dorata stella nella fronte e subito gli venne una rabbia al cuore che quelli giovani suoi figliuoli fussero. [25] E fermatosi, dissegli:

– Chi siete voi e di donde venete? –

Ed elli umilmente risposero:

– Noi sian[4] poveri forastieri venuti ad abitare in cotesta città –.

Disse il re:

– Piacemi molto, e come vi chiamate? –

A cui l'uno disse:

– Acquirino –.

L'altro disse:

– Mi chiamo Fluvio.

– E io – disse la sorella – mi addimando Serena –.

Disse allora il re:

– Per cortesia tutta tre a desinare con esso noi dimane vi invitiamo –.

1. *giornate*: cammino che normalmente si compie in un giorno. In questo caso Straparola allude a lunghe tappe giornaliere. – *fate*: fatte.

2. *tratto*: ricavato.

3. *terra*: città.

4. *sian*: siamo. Per questa desinenza di prima persona plurale, rara in Straparola, cfr. Rohlfs, 530. Cfr. anche oltre: *dobbian* (37).

I giovani alquanto arrossiti non potendo denegare l'onestissima dimanda, accettorono lo invito.

[26] Il re ritornato al palagio disse alla madre:

– Madama, oggi andando a diporto vidi per aventura duo leggiadri giovanetti e una vaga poncella, e tutta tre avevano una dorata stella nella fronte, che, se io non erro, paiono quelli che dalla reina Chiaretta mi furono già promessi –.

Il che udendo la sceleste[1] vecchia, se ne sorrise alquanto, ma pur le fu una coltellata che le trappassò il cuore. [27] E fatasi chiamare la comare, che i fanciulli allevati[2] aveva, secretamente le disse:

– Non sapete voi, comare mia cara, che i figliuoli del re viveno e sono piú belli che mai? –

A cui rispose la comare:

– Com'è possibil questo? non s'affocorono[3] nel fiume? e come lo sapete voi? –

A cui rispose la vecchia:

– Per quanto che io posso comprendere per le parole del re, i[4] viveno e del vostro aiuto ci è dibisogno[5] molto, altrimenti tutte stiamo in pericolo di morte –.

Rispose la comare:

– Non dubitate punto, madama, ché io spero di operar sí che tutta tre perirano –.

[28] E partitasi la comare, subito se n'andò alla casa di Acquirino, Fluvio e Serena, e trovata Serena sola, la salutò e fece seco molti ragionamenti, e dopo che ebbe lungamente ragionato con esso lei, le disse:

1. *sceleste*: scellerata (latinismo). Cfr. Masuccio Salernitano, *Il Novellino*, II 6: « de uno sceleste occulto e ribaldo frate ».

2. *comare ... allevati*: la levatrice che aveva fatto nascere i tre neonati.

3. *affocorono*: affogarono.

4. *i*: per questa terza persona plurale del pronome personale cfr. Rohlfs, 448.

5. *è dibisogno*: è necessario. Cfr. III 3 23.

– Avresti per aventura, figliuola mia, dell'acqua che balla? –

A cui rispose Serena che no.

– Deh, figliuola mia – disse la comare – quante belle cose vederesti se tu ne avesti,[1] perciò che bagnandoti il viso, diventeresti assai piú bella di ciò che sei –.

Disse la fanciulla:

– E come potrei io fare per averne? –

Rispose la comare:

– Manda i tuoi fratelli a ricercarla che la ritroveranno, per ciò che dalle parti nostre non è molto lontana –.

E detto questo si partí.

[29] Ritornati Acquirino e Fluvio a casa, Serena fatasi all'incontro, li pregò che per amor suo dovesino con ogni solecitudine cercare che la avesse di questa preciosa acqua che balla. Fluvio e Acquirino facendosene beffe, ricusavano di andare, perciò che non sapevano dove che[2] tal cosa si trovasse. Ma pur astretti[3] dalle umili preghiere della diletta sorella, presero una ampolla e insieme si partirono.

[30] Avevano e' duo fratelli per una strada piú miglia cavalcato, quando giunsero ad uno chiaro e vivo fonte dove una candida colomba si rifrescava.[4] La quale messo giú ogni spavento, disse:

– O giovanetti, che andate voi cercando? –

A cui Fluvio rispose:

– Noi cerchiamo quella preciosa acqua, la quale, come si dice, balla.

1. *avesti*: avessi.
2. *dove che*: la congiunzione *che* viene usata a rafforzare il valore congiunzionale dell'avverbio, secondo una modalità corrente nel Cinquecento e con una documentazione nella tradizione letteraria precedente, anche per il sostegno del dialetto (cfr. Piotti, p. 136, e relativa bibliografia).
3. *astretti*: obbligati.
4. *si rifrescava*: si dissetava.

– O miserelli – disse la colomba – e chi vi manda a tore[1] tal acqua? –

A cui rispose Fluvio:

– Una nostra sorella –.

Disse allora la colomba:

– Certo voi ve n'andate alla morte, perciò che vi si trovano molti velenosi animali, che vedendovi subito vi divoreranno. Ma lasciate questo carico a me, ché io sicuramente ve ne porterò –.

[31] E presa l'ampolla che i giovanetti avevano e annodatala sotto l'ala destra, si alzò a volo, e andatassene[2] là dove era la delicata acqua ed empiuta l'ampolla, ritornò alli giovani che con sommo desiderio l'aspettavano. Ricevuta l'acqua e rese le debite grazie alla colomba, e' giovani ritornorono a casa e a Serena sua sorella l'acqua appresentorono, imponendole espressamente che piú non gli comandasse cotai servigi, perciò che erano stati in pericolo di morte.

[32] Ma non passaro[3] molti dí che 'l re da capo vide i giovanetti, a' quai disse:

– E perché avendo voi accettato lo invito, non veneste[4] ne' passati giorni a desinare con esso noi? –

A cui riverentemente risposero:

– Gli urgentissimi negozii, sacra corona, ne sono stati primiera cagione –.

Allora disse il re:

– Vi aspettiamo domattina senza fallo al prandio[5] con noi –.

I giovani si escusorono.

1. *tore*: prendere. Qui forma monottongata che si alterna con *tuore*.
2. *andatassene*: andatasene.
3. *passaro*: terza persona plurale del perfetto con la desinenza fiorentina e poetica (*-aro*). Il Ruscelli, *Commentarii*, p. 224, ne condanna l'uso nella prosa: « Ma [...] di finirli in ARO, non usan mai le prose ».
4. *veneste*: veniste (con scambio della vocale tematica).
5. *prandio*: pranzo (latinismo).

[33] Ritornato il re al palazzo, disse alla madre che aveva ancora veduti i giovanetti stellati in fronte. Il che udendo la madre, tra se stessa molto si turbò e da capo fece chiamare la comare e secretamente il tutto le raccontò, pregandola che dovesse proveder al soprastante pericolo. La comare la confortò e dissele che non dovesse temere, perciò che la farebbe sí che in maniera alcuna non saranno piú veduti.

[34] E partitasi dal palazzo, alla casa della fanciulla se ne gí, e trovatala sola, l'addimandò se quell'acqua che balla ancora avuta aveva. A cui la fanciulla rispose che sí, ma non senza grandissimo pericolo della vita delli fratelli suoi.

– Ma ben io vorrei – disse la comare – che tu figliuola mia avesti il pomo che canta, perciò che tu non vedesti mai il piú bello, né gustasti il piú soave e dolce canto –.

Disse la fanciulla:

– Io non so come poterlo avere, perciò che i fratelli non voranno andare a trovarlo, perché sono stati piú in pericolo di morte che in speranza di vita.

– I ti hanno pur recata l'acqua che balla – disse la vecchia – non però sono morti. Sí come adunque ti hanno portata l'acqua, cosí parimenti ti porteranno il pomo –.

E tolta licenza si partí.

[35] Non era appena partita la comare che Acquirino e Fluvio aggiunsero a casa, e Serena li disse:

– Io, fratelli miei, vorrei volontieri vedere e gustare quel pomo che sí dolcemente canta. E se non fate sí che io l'abbia, pensate in breve di vedermi di vita priva –.

Il che intendendo Fluvio e Acquirino, molto la ripresero, affermandole che per lei non volevano andare in pericolo di morte, sí come per lo a dietro fatto avevano. Ma pur tanti furono e' dolci prieghi[1] di Serena congiunti con quelle calde la-

1. *dolci prieghi*: cfr. Boccaccio, *Filocolo*, iv 14 6: «i dolci prieghi».

grime[1] che dal cuore venivano, che Acquirino e Fluvio si disposero al tutto di contentarla, che che avenire ne dovesse.

[36] Laonde montati a cavallo, si partirono e tanto cavalcorono che giunsero ad una ostaria, ed entrativi dentro, addimandorono l'oste se egli per aventura saprebbe insignargli il luogo dove ora si trova il pomo che dolcemente canta. Risposo[2] gli fu de sí, ma che andare non vi potevano, per ciò che il pomo era in un vago e dilettevole giardino in guardia e in governo d'un mortifero animale, il quale con le aperte ali, quanti al giardino s'avicinano, tanti ne uccide.

– [37] Ma come dobbian far noi – dissero i giovani – imperciò che deliberato abbiamo di averlo al tutto? –

Rispose l'oste:

– Se voi farete ciò che io vi dirò, arrete il pomo né temerete la velenosa fiera e men la morte. Prendete adunque questa veste tutta di specchi coperta e l'uno di voi si la ponga indosso, e solo cosí vestito entri nel giardino di cui trovarete l'uscio aperto, e l'altro resti fuori del giardino, e in modo alcuno non si lasci vedere. Ed entrato che egli sarà nel giardino, l'animale subito gli verrà all'incontro, e vedendosi se stesso ne gli specchi, incontenenti morto in terra caderà; e andatosene a l'albero del cantante pomo, quello umanamente[3] prenderà, e senza guardarsi a dietro, fuori del giardino uscirà –.

[38] I giovani molto ringraziorono l'oste, e partitissi,[4] quanto gli disse l'oste tanto operorono, e avuto il pomo alla sorella lo portorono, essortandola che piú a sí pericolose imprese strengere[5] non li dovesse.

1. *calde lagrime*: cfr. BOCCACCIO, *Elegia di madonna Fiammetta*, II 2 7: « le calde lagrime ».

2. *Risposo*: risposto (participio forte: cfr. ROHLFS, 625).

3. *umanamente*: delicatamente.

4. *partitissi*: partitisi.

5. *strengere*: forma con mancanza di anafonesi. Negli esiti che riguardano

[39] Passati dopo alquanti giorni, il re vide i giovanetti, e fatigli a sé chiamare, li disse:

– Qual è stata la cagione che secondo l'ordine dato non siete venuti a desinare con esso noi? –

A cui rispose Fluvio:

– Non per altra cagione, signore, ci siamo restati di venire se non per le diverse occupazioni che ci hanno intertenuti –.

Disse il re:

– Nel giorno sequente vi aspettiamo, e fate sí che in maniera alcuna non ne mancate –.

A cui rispose Acquirino che, potendosi da certi suoi[1] negozii sviluppare, molto volontieri vi verrebbono.

[40] Ritornato al palazzo il re, disse alla madre che ancor veduti aveva i giovanetti e che li stavano fitti nel cuore, pensando sempre a quelli che Chiaretta promessi gli aveva, e che non poteva co l'animo riposare sino attanto che non venissero a desinare con esso lui. La madre del re, udendo tai parole, si trovò in maggior travaglio che prima, dubitando forte che scoperta non fusse. E cosí dogliosa e affannata, mandò per la comare e dissele:

– Io mi credevo, comare mia, che i fanciulli oggimai fussero spenti[2] e che di loro non si sentisse novella alcuna, ma ei vivono e noi ci stiamo in pericolo di morte. Provedete adunque a i casi nostri, altrimenti noi tutte periremo –.

[41] Rispose la comare:

– Alta madama, state di buon animo e non vi perturbate

le vocali palatali, la mancanza di anafonesi risulta piú rara, con evidente asimmetria rispetto agli esiti da *u* (cfr., per la situazione nel Cinquecento, Piotti, p. 63).

1. *suoi*: loro. Aggettivo possessivo secondo modalità non sconosciute alla lingua letteraria e ai dialetti, ma sostenute soprattutto dal modello latino (cfr. Piotti, p. 105).

2. *spenti*: uccisi.

perché io farò sí che di me voi vi loderete e di loro novella alcuna piú non sentirete –.

[42] E tutta indignata e di furor piena si partí e andòsene alla fanciulla, e datole il buon giorno, l'addimandò se 'l pomo che canta avuto aveva. A cui rispose la fanciulla che sí. Allora l'astuta e sagace comare disse:

– Pensa, figliuola mia, di non aver cosa veruna se non hai anche una cosa vie piú bella e piú legiadra che le doe[1] prime.

– E che è cotesta cosa, madre mia, cosí legiadra e bella che voi mi dite? – disse la giovane.

A cui la vecchia rispose:

– L'ugel bel verde, figliuola mia, il quale dí e notte ragiona e dice cose maravigliose. Se tu lo avesti in tua balia, felice e beata ti potresti chiamare –.

E dette queste parole, si partí.

[43] Non furono sí tosto i fratelli a casa venuti che Serena gli affrontò e pregòli che una sol grazia non le negassino. E adimandatala che grazia era quella che ella voleva, rispose:

– L'ugel bel verde –.

[44] Fluvio, il quale era stato al contrasto della velenosa fiera e che di tal pericolo si ricordava, a pieno le ricusava di voler andare. Ma Acquirino, quantunque piú volte ancora egli ricusato gli avesse, pur finalmente mosso dalla fraternevole pietà e dalle calde lagrime che Serena spargeva, unitamente deliberorono di contentarla,[2] e montati a cavallo, piú giornate cavalcarono e finalmente giunsero ad un fiorito e verdeggiante prato in mezzo del quale era un'altissima e ben fronzuta arbore[3] circondata da varie figure marmoree

1. *doe*: due. Forma dialettale del numerale (cfr. M. VITALE, *La lingua della cancelleria visconteo-sforzesca nel Quattrocento*, Varese-Milano, Ist. Editoriale Cisalpino, 1953, p. 90).

2. *Acquirino ... contentarla*: il periodo presenta un anacoluto.

3. *arbore*: cfr. IV I 23.

che vive parevano, e ivi appresso scorreva un ruscelletto che tutto il prato rigava. [45] E sopra di questo albero l'ugel bel verde saltando di ramo in ramo si trastullava, proferendo parole che non umane, ma divine parevano. Smontati i giovani de gli lor palafreni e lasciatili a suo bel grado pascersi nel prato, s'accostorono alle figure di marmo, le quali subito che i giovani toccorono, statue di marmo ancora eli[1] divennero.

[46] A Serena, che molti mesi aveva con desiderio aspettati Fluvio e Acquirino suoi diletti fratelli, parve di avergli omai perduti e non vi esser piú speranza di rivedergli. Onde stando ella in tale ramaricamento e l'infelice morte de' fratelli piangendo, determinò tra se stessa di provare sua ventura, e ascesa sopra un gagliardo cavallo, in viaggio si pose, e tanto cavalcò che aggiunse al luogo dove l'ugel bel verde sopra un ramo d'un fronzuto albero dolcemente parlando dimorava. [47] Ed entrata nel verde prato, subito conobbe i palafreni delli fratelli che di erbuzze si pascevano, e girando gli occhi or quinci or quindi, vide li fratelli conversi in due statue che la loro effigie tenevano; di che tutta stupefatta rimase. E scesa giú del cavallo e avicinatasi a l'albero, stese la mano e a l'ugel bel verde puose le mani adosso. Il quale poi che di libertà privo si vide, di grazia le dimandò che lo lasciasse andare e non tenerlo,[2] ché a tempo e luogo di lei si ricorderebbe. A cui Serena rispuose non volerle[3] in modo alcuno compiacere, se prima gli suoi fratelli al suo primo esser restituti non erano. [48] Allora disse lo ugello:[4]

1. *eli*: forma dialettale del pronome personale soggetto di terza plurale (cfr. Rohlfs, 440).

2. *e non tenerlo*: non rara nelle *Piacevoli notti*, cosí come nell'italiano antico, la coordinazione tra un infinito e una precedente proposizione secondaria esplicita (cfr. Ageno, pp. 393-99).

3. *volerle*: volergli. Consueto scambio pronominale.

4. *ugello*: forma settentrionale con sonorizzazione e scempiamento della palatale (cfr. in tutta la novella *ugel*).

– Guattami sotto l'ala sinistra e troverai una penna assai piú dell'altre verde, con certi segni gialli per dentro, prendila e vatene alle statue e con la penna toccavi gli occhi ché, tantosto che tocchi gli arrai, nel primo stato[1] che erano i fratelli ritorneranno vivi –.

[49] La giovane alzatagli l'ala sinistra, trovò la penna come l'uccello detto le aveva, e andatasene alle figure di marmo, quelle ad una ad una con la penna toccò, e subito di statue uomini divennero. Veduti adunque nella pristina forma i fratelli ritornati, con somma allegrezza gli abbracciò e basciò. [50] Avendo allora Serena avuto lo desiderato intento suo, da capo l'ugel bel verde pregò la donna di grazia che lo lasciasse in libertà, promettendole che, se tal dono li concedeva, di giovarle[2] molto, se in alcun tempo si trovasse aver bisogno del suo soccorso. Serena non contenta di questo, rispose che mai lo liberarebbe fino attanto che non trovassino chi è il padre e la madre loro, e che tal carico dovesse pazientemente sopportare.

[51] Era già nasciuta una gran discordia tra loro per lo avuto augello, ma dopo molti combattimenti, di commune consenso fu lasciato appresso la donna, la quale con non picciola solecitudine lo custodiva e caro lo teneva. Avuto adunque l'ugel bel verde, Serena e i fratelli montorono a cavallo e a casa contenti si ritornorono.

[52] Il re, che sovente passava davanti la casa di giovanetti, non vedendogli, assai si maravigliava e addimandati gli vicini che era avenuto di loro, gli fu risposo che non sapevano cosa alcuna e che era molto tempo che non erano stà veduti.

1. *primo stato*: cfr. *Dec.*, II 8 1: « nel primo stato ritornato ».

2. *promettendole che ... di giovarle*: costrutto solito nel Boccaccio e diffuso fino a tutto il Cinquecento: i verbi opinativi, deliberativi, ecc., pur reggendo il *che* e il congiuntivo, quando erano separati dall'altro verbo da un inciso condizionale o causale, conservavano il *che* immediatamente seguente, ma dopo l'inciso ponevano spesso l'altro verbo all'infinito con *di*. Cfr. *Dec.*, II 2 5: « diliberarono che, come prima tempo si vedessero, di rubarlo ».

[53] Ora essendo ritornati, non passorono duo giorni che furono veduti dal re, il quale gli addimandò che era stato di loro che sí lungo tempo non si avevano lasciati vedere. A cui rispose Acquirino che alcuni strani accidenti che gli erano occorsi erano stati la cagione, e se non erano andati da sua maestà, sí come ella voleva ed era il desiderio suo, le chiedevano perdono e volevano emendare ogni suo fallo. [54] Il re sentito il loro infortunio e avutane compassione grande, non si partí di là, che tutta tre gli volse al palagio a desinare seco. Acquirino tolta celatamente l'acqua che balla, Fluvio il pomo che canta e Serena l'ugel bel verde, con il re lietamente entrorono nel palagio e si puosero sedere a mensa.

[55] La maligna madre e l'invidiose sorelle, vedendo sí bella figliuola e sí leggiadri e politi[1] giovanetti i cui begli occhi risplendevano come vaghe stelle, ebbero sospetto grande e passione non picciola sentirono nel cuore. Acquirino fornito[2] il desinare, disse al re:

– Noi vogliamo innanzi che si leva la mensa far vedere a vostra maestà cose che le piaceranno molto –; e presa una tazza d'argento e postavi dentro l'acqua che balla, sopra la mensa la pose.

[56] Fluvio suo fratello, messa la mano in seno, estrasse il pomo che canta e appresso l'acqua lo mise. Serena, che in grembo teneva l'ugel bel verde, non fu tarda a ponerlo sopra la mensa. Quivi il pomo cominciò un soavissimo canto e l'acqua al suono del canto cominciò maravigliosamente ballare. Di che il re e i circostanti ne sentivano tanto piacere che dalle risa non si potevano astenere. Ma affanno e sospizzione[3] non picciola crebbe allora alla nequitosa[4] madre

1. *politi*: affascinanti.
2. *fornito*: finito.
3. *sospizzione*: latinismo (*suspicio -onis*). È forma ipercorretta con geminazione della *-z-*.
4. *nequitosa*: malvagia, scellerata. Cfr. anche poco oltre: *nequizia* (57).

e alle sorelle, perciò che dubitavano forte della vita sua. [57] Finito il canto e il ballo, l'ugel bel verde cominciò parlare e disse:

– O sacro re, che meritarebbe colui che di duo fratelli e di una sorella la morte procurata avesse? –

A cui l'astuta madre del re primamente rispose:

– Non altro che 'l fuoco –; e parimente tutte le altre cosí risposero. E allora l'acqua che balla e il pomo che canta alciorono la voce dicendo:

– Ahi, falsa madre di nequizia piena, te stessa la tua lingua condanna! e voi malvagie e invidiose sorelle con la comare a tal supplicio insieme dannate sarete –.

[58] Il che udendo, il re rimase tutto suspeso. Ma l'ugel bel verde, seguendo il suo parlare, disse:

– Sacra corona, questi sono i tre tuoi figliuoli che sommamente hai desiderati. Questi sono i tuoi figliuoli che nella fronte la stella portano. E la loro innocentissima madre è quella che sino a questa ora è stata ed è sotto la fettente scaffa –.

[59] E fatta trarre la infelice reina del puzzolente luogo, orrevolmente la fece vestire, e vestita che fu, venne alla presenza del re, la quale, quantunque lungo tempo fusse stata prigione[1] e mal trattata, nondimeno fu perservata[2] nella primera bellezza, e in presenza de tutti l'ugel bel verde raccontò il caso dal principio sino alla fine come era processo. E allora conoscendo il re il successo[3] della cosa, con molte lagrime e singulti strettamente abbracciò la moglie e i cari figliuoli. E l'acqua che balla, il pomo che canta e l'ugel bel verde, lasciati in abbandono, in un punto insieme disparvero.

[60] E venuto il giorno seguente, il re comandò che in

1. *prigione*: prigioniera.
2. *perservata*: preservata (scambio di prefisso).
3. *successo*: svolgimento.

mezzo della piazza fusse un grandissimo fuoco acceso, indi ordinò che la madre e le due sorelle e la comare, in presenza de tutto il popolo, fussero senza compassione alcuna abbruggiate.[1] E il re poi con la cara moglie e con gli amorevoli figliuoli lungo tempo visse, e maritata la figliuola onorevolmente, lasciò li figliuoli del regno unichi eredi.

[61] Finita la favola da Lodovica raccontata e molto alle donne piaciuta, la Signora le comandò che all'ordine andasse dietro. Ed ella senza indugio il suo enimma propose cosí dicendo:[2]

[62] Sovra il superbo monte di Ghiraldo,
cinto di forte siepe d'ogn'intorno,
un vidi star con occhio di ribaldo,
quando piú scalda il sol del tauro il corno.[3]
La spoglia ha di finissimo smiraldo:
ragiona, ride e piange tutto il giorno.
Il tutto detto v'ho, restammi il nome:
vorrei saper da voi com'egli nome.[4]

[63] Varii furono gl'intelleti[5] sopra il proposto enimma né fu alcuno ch'aggiungesse al desiato segno, se non la piacevole Isabella, la quale tutta allegra con giocondo viso disse:

– L'enimma di Lodovica altro non vuol significare se non il papagallo, che sta nella gabbia chiusa di ferri che è la siepe, ed è verde come lo smiraldo, e tutto il giorno ragiona –.

Udita la ingeniosa interpretazione de l'oscuro enimma da tutti sommamente comendata, Lodovica, che si persua-

1. *abbruggiate*: bruciate, arse. Forma prostetica con sonorizzazione di tipo settentrionale della palatale.

2. *enimma ... dicendo*: per questo enigma cfr. un indovinello della cinquecentina Riccardiana pubblicato in Rua, *Di alcune stampe*, p. 461 (è il n. 126).

3. *quando ... corno*: quando il sole è nella costellazione del Toro. Cfr. *Morgante*, IX 2 6: «era nel tempo che piú scalda il Tauro». E Folengo, *Baldus*, XII 1: «Tempus erat quando sol Tauri cornua scaldat».

4. *nome*: ha nome (dal verbo denominale *nomare*).

5. *intelleti*: interpretazioni.

deva che niun'altra sapesse risolverlo, si ammutí. [64] Ma poscia che ella depose il vermiglio colore, si volse verso Isabella, a cui il luoco della quarta favola toccava, e disse:

– Isabella, mi doglio non già che io sia scontenta d'ogni vostro onore, ma perché io mi veggio inferiore a queste altre nostre compagne, le quali saviamente hanno interpretati i loro enimmi senza l'altrui isposizione. Ma tenetevi certa che se io potrò rendervi il contracambio, non starò a dormire –.

Isabella, che tutta giuliva,[1] rispose:

– Farete molto bene, signora Lodovica. Ma chi ha la prima non va senza –.[2]

[65] La Signora, che vedeva moltiplicare le parole, impose ad ambedue silenzio, dopo comandò ad Isabella che con una favola l'ordine seguisse, la quale allegramente cosí incominciò.

1. *giuliva*: gioiva (dal verbo *giulivare*).
2. *chi ... senza*: per il proverbio cfr. *Orlando inn.*, II 29 64: « chi coglie de prima, non va senza ».

NOTTE QUARTA, FAVOLA IV[1]

[1] *Nerino, figliuolo di Gallese re di Portogallo, innamorato di Genobbia, moglie di maestro Raimondo Brunello fisico, ottenne l'amor suo e in Portogallo la conduce, e maestro Raimondo di cordoglio ne muore.*

[2] Sono molti, dilettevoli donne, i quali per avere lungo tempo dato opera al studio delle buone lettere si pensano molte cose sapere, e poi o nulla o poco sanno. E mentre questi tali credonsi signare in fronte,[2] a se stessi cavano gli occhi, sí come avvenne ad uno medico molto scienziato[3] nell'arte sua, il quale, persuadendosi di altrui uccellare, fu non senza suo grave danno ignominiosamente uccellato,[4] sí come per la presente favola, che raccontarvi intendo, poterete pienamente comprendere.

[3] Gallese, re di Portogallo, ebbe un figliuolo, Nerino[5]

1. È la rielaborazione di una novella del *Pecorone* di SER GIOVANNI FIORENTINO (I 2), novella che incontrò una certa fortuna nel Cinquecento, visto che la si trova anche in FORTINI, *Giornate*, VI, in G. FORTEGUERRI (VI) e in A.F. DONI (LXXXIX). La piú antica versione occidentale di questo racconto è stata riconosciuta da E. GORRA (*Una commedia elegiaca nella novellistica occidentale*, in ID., *Raccolta di studi critici*, Firenze 1901, pp. 165-74) nel poemetto latino *Miles gloriosus*. Tuttavia è opportuno segnalare che, nonostante l'affinità tematica, la novella dello Straparola risulta piuttosto indipendente dagli altri testi ricordati, e in particolare differisce dalla prolissa narrazione del Fortini. Secondo G. ZANETTI, *Del novelliero italiano*, Venezia, Pasquali, 1754, questa novella fornisce lo spunto a Molière per la commedia *L'École des Femmes*. Per la sua fortuna in Inghilterra cfr. GARGANO, op. cit. Per i motivi cfr. ROTUNDA, F1041.1.3 (*Heart broken from sorrow*); T371.1 (*Boy is denied sight of all women except his mother and his nurse until he is eighteen*).

2. *signare in fronte*: esibire la propria cultura. Cfr. ARETINO, *Cortigiana*, II 7: « se le avessero spuntate l'orecchie e segnata in fronte ».

3. *scienziato*: sapiente, dotto.

4. *il quale ... uccellato*: cfr. *Dec.*, III 5 3: « mentre altrui si credono uccellare, dopo il fatto sé da altrui essere stati uccellati conoscono ».

5. *Nerino*: il nome è preso dai *Reali di Francia*.

per nome chiamato, e in tal maniera il fece nudrire[1] che egli, sino attanto che non pervenisse al decimottavo anno della sua età,[2] non potesse vedere donna alcuna, se non la madre e la balia che lo nodricava. Venuto adunque Nerino alla età perfetta,[3] determinò il re di mandarlo in Studio a Padova, acciò che egli imparasse le lettere latine, la lingua e i costumi italiani. E cosí come egli determinò, cosí fece.

[4] Ora essendo il giovane Nerino in Padova e avendo presa amicizia di molti scolari che quottidianamente il corteggiavano, avenne che tra questi v'era un medico, che maestro Raimondo Brunello[4] fisico[5] si nominava, e sovente ragionando tra loro diverse cose, si misero, com'è usanza de' giovani, a ragionare della bellezza delle donne, e chi diceva l'una e chi l'altra cosa. [5] Ma Nerino, perciò che per lo a dietro non aveva veduta donna alcuna, eccetto la madre e la balia sua, animosamente[6] diceva che per suo giudicio non si trovava al mondo donna che fusse piú bella, piú leggiadra e piú attilata[7] che la madre sua. Ed essendone state a lui dimostrate molte, tutte come carogne a comparazione della madre sua reputava. [6] Maestro Raimondo, che aveva una moglie delle belle donne che mai la natura facesse,[8] postasi la gorghiera delle ciance,[9] disse:

– Signor Nerino, io ho veduta una donna di tal bellezza,

1. *nudrire*: educare.

2. *Gallese ... età*: la precauzione paterna e l'età del giovane rimandano alla novelletta di Filippo Balducci (cfr. *Dec.*, IV Intr.).

3. *età perfetta*: maggiore età. Cfr. BOCCACCIO, *Comedia delle ninfe fiorentine*, XXVI 64: « Cupido [...] venuto in perfetta età ».

4. *Raimondo Brunello*: entrambi i nomi sono nell'*Orlando innamorato*. *Brunello* è anche il nome del figlio del marchese di Vivien nella novella IV I.

5. *fisico*: perché studiava ed esercitava le scienze naturali.

6. *animosamente*: con franchezza e sicurezza.

7. *attilata*: elegante. Per questo iberismo cfr. II I 29.

8. *una moglie ... facesse*: per questa formula iperbolica cfr. III 3 16.

9. *postasi ... ciance*: abbandonandosi a dire sciocchezze. *Gorghiera* (vale 'gorgiera', cioè 'collana').

che quando voi la vedeste, forse non la riputareste meno, anzi piú bella della madre vostra –.

[7] A cui rispose Nerino che egli credere non lo poteva che ella fusse piú formosa della madre sua, ma che ben arebbe piacere di vederla. A cui disse maestro Raimondo:

– Quando vi sia a grado di vederla, mi offerisco dimostrarvela.

– Di questo – rispose Nerino – ne sarò molto contento e vi rimarrò ubligato –.

Disse allora maestro Raimondo:

– Poi che vi piace di vederla, verrete domattina nella chiesa del domo,[1] ché vi prometo che la vederete –.

[8] Ed andatosene a casa, disse alla moglie:

– Dimane lievati di letto per tempo e acconciati il capo e fati bella e vestiti onoratissimamente, perciò io voglio che tu vadi nell'ora della messa solenne nel domo ad udir l'ufficio –.

[9] Genobbia, cosí era il nome della moglie di maestro Raimondo, non essendo usa di andare or quinci or quindi, ma la maggior parte si stava in casa a cusere[2] e ricamare, molto di questo si maravigliò, ma perciò che cosí egli voleva ed era il desiderio suo, ella cosí fece: e si mise in punto e conciossi[3] sí fattamente che non donna, anzi dea pareva.

[10] Andatasene adunque Genobbia nel sacro tempio, sí come il marito le aveva imposto, venne Nerino figliuolo del re in chiesa, e veduta Genobbia, tra se stesso bellissima la giudicò. [11] Partita la bella Genobbia, sopragiunse maestro Raimondo, e accostatosi a Nerino disse:

– Or che vi pare di quella donna che ora è partita di chiesa? parvi che ella patisca opposizione alcuna? è ella piú bella della madre vostra?

1. *domo*: il Duomo di Padova. Forma monottongata.

2. *cusere*: cucire. Forma assibilata influenzata dal dialetto veneziano: *cuser* (cfr. Boerio, s.v.).

3. *si mise ... conciossi*: si abbigliò e si acconciò.

– Veramente – disse Nerino – che ella è bella, e la natura piú bella far non la potrebbe. Ma ditemmi[1] per cortesia di cui ella è moglie e dove abita –.

[12] A cui maestro Raimondo non rispose a verso, percioché dirglielo non voleva. Allora disse Nerino:

– Maestro Raimondo mio, se voi non volete dirmi chi ella sia e dove abita, almeno contentatemi di questo, che io un'altra fiata la vegga.

– Bene volontieri – rispose maestro Raimondo. – Dimane verrete qua in chiesa e io farò sí che come oggi la vederete –.

[13] E andatosene a casa, maestro Raimondo disse alla moglie:

– Genobbia, apparecchiati per domattina, ché io voglio che tu vadi a messa nel domo, e se mai tu ti festi bella e pomposamente vestisti, fa' che dimane il facci –.

Genobbia di ciò, come prima, stavassi maravigliosa.[2] Ma per ciò che importava il comandamento del marito, ella fece tanto quanto per lui imposto le fu.

[14] Venuto il giorno, Genobbia riccamente vestita, e vie piú del solito ornata, in chiesa se n'andò. E non stette molto che Nerino venne, il quale veggendola bellissima, tanto del lei amore se infiammò, quanto mai uomo di donna facesse. [15] Ed essendo giunto maestro Raimondo, Nerino lo pregò che egli dir li dovesse chi era costei che sí bella a gli occhi suoi pareva. Ma fingendo maestro Raimondo di aver pressa[3] per rispetto delle pratiche sue, nulla allora dir gli volse, ma lasciato il giovane cuocersi nel suo unto,[4] lietamente si partí. Laonde Nerino alquanto d'ira acceso per lo poco conto che maestro Raimondo aveva mostrato farsi di lui, tra se stesso disse:

1. *ditemmi*: ditemi.
2. *maravigliosa*: meravigliata.
3. *pressa*: fretta (settentrionalismo).
4. *lasciato ... unto*: disinteressatosi del giovane. Cfr. anche IV 5 33.

– Tu non vuoi che io sappi chi ella sia e dove abiti, e io lo sapprò a tuo mal grado –.

[16] E uscito della chiesa, tanto aspettò che la bella donna ancor uscí della chiesa fuori, e fatale riverenza, con modesto modo e volto allegro sino a casa l'accompagnò. Avendo adunque Nerino chiaramente compresa la casa dove ella abitava, cominciò vagheggiarla, né sarebbe passato un giorno che egli non fusse dieci volte passato dinanzi la casa sua.[1] [17] E desiderando di parlar con lei, andava imaginando che via egli potesse tenere per la quale l'onor della donna rimanesse salvo ed egli ottenesse lo intento suo. E avendo pensato e ripensato, né trovando alcun rimedio che salutifero[2] li fusse, pur tanto fantasticò[3] che gli venne fatto di avere l'amicizia d'una vecchiarella, la quale aveva la sua casa all'incontro di quella di Genobbia. E fattile certi presentuzzi e confermata la stretta amicizia, secretamente se ne andava in casa sua.

[18] Aveva la casa di questa vecchiarella una finestra, la quale guardava nella sala della casa di Genobbia, e per quella a suo bel agio poteva vederla andare su e giú per casa, ma non voleva scoprirsi per non darle materia di non lasciarsi piú vedere. Stando adunque Nerino ogni giorno in questo secreto vagheggiamento, né potendo ressistere all'ardente fiamma che gli abbrusciava il cuore, deliberò tra se stesso di scriverle una lettera e gittargliela in casa a tempo che li paresse che 'l marito in casa non fusse. E cosí gliela gittò. E questo egli piú volte fece. [19] Ma Genobbia senza altrimenti leggerla né altro pensando, la gittava nel fuoco e l'abbrusciava. E quantunque ella avesse tal effetto fatto piú fiate,

1. *né sarebbe... sua*: costume degli innamorati, codificato da una lunga tradizione. Cfr., per es., *Dec.*, IV 8 15: « e spiato là dove ella stesse a casa, secondo l'usanza de' giovani innamorati incominciò a passare davanti a lei ».

2. *salutifero*: efficace.

3. *fantasticò*: escogitò una strategia.

pur una volta le parve di apprirgliene una e vedere quello che dentro si conteneva. [20] E apertala e veduto come il scrittore era Nerino figliuolo del re di Portogallo di lei fieramente innamorato, stette alquanto sopra di sé, ma poi considerando alla mala vita[1] che 'l marito suo le dava, fece buon animo e cominciò far buona cera a Nerino, e dato un buon ordine, lo introdusse in casa; e il giovane le raccontò il sommo amore che egli le portava e i tormenti che per lei ogn'ora sentiva e parimenti il modo come fusse di lei innamorato. Ed ella, che bella, piacevole e pietosa era, il suo amore non li negò.

[21] Essendo adunque ambeduo d'un reciproco amore congiunti e stando ne gli amorosi ragionamenti, ecco maestro Raimondo picchiare a l'uscio. Il che Genobbia sentendo, fece Nerino coricarsi sopra il letto, e stese le cortine ivi dimorare sino a tanto che 'l marito si partisse. Entrato il marito in casa, e prese alcune sue cosette, senza avedersene di cosa alcuna si partí. E altresí fece Nerino.

[22] Venuto il giorno sequente ed essendo Nerino in piazza a passeggiare, per aventura passò maestro Raimondo, a cui Nerino fece di cenno che gli voleva parlare, e accostatosi a lui, li disse:

– Messere, non vi ho io da dire una buona novella?

– E che? – disse maestro Raimondo.

– Non so io – disse Nerino – la casa di quella bellissima madonna? e non sono io stato in piacevoli ragionamenti con esso lei? e perciò che il suo marito venne a casa, ella mi nascose nel letto e tirò le cortine, accioché egli vedermi non potesse, e subito si partí –.

[23] Disse maestro Raimondo:

– È possibil questo? –

1. *considerando ... vita*: per la costruzione del verbo con un complemento indiretto non rara in italiano antico cfr. AGENO, p. 51.

Rispose Nerino:

– Possibil è, e il vero, né mai vidi la piú festevole né la piú graziata donna di lei. Se per caso, messere mio, voi andaste a lei, fate che mi raccomandate, pregandola che la[1] mi conservi nella sua buona grazia –.

A cui maestro Raimondo promesse[2] di farlo e di mala voglia da lui si partí. [24] Ma prima disse a Nerino:

– Gli tornarete piú? –

A cui rispose Nerino:

– Pensatel voi –.

E andatosene maestro Raimondo a casa, non volse dir cosa alcuna alla moglie, ma aspettare il tempo di ritrovarli insieme.

[25] Venuto il giorno sequente, Nerino a Genobbia ritornò, e mentre stavano in amorosi piaceri e dilettevoli ragionamenti, venne a casa il marito. Ma ella subito nascose Nerino in una cassa, a rimpetto della quale pose molte robbe che ella sborrava, acciò che non si tarmassino.[3] Il marito fingendo di cercare certe sue cose, gittò sottosopra tutta la casa e guattò sino nel letto, e nulla trovando, con piú riposato animo si partí e alle sue pratiche se n'andò. E Nerino parimenti si partí.

[26] E ritrovato maestro Raimondo, gli disse:

– Signor dottore, non sono io ritornato da quella gentildonna? e la invidiosa fortuna mi ha disconzo[4] ogni piacere, perciò che il lei marito sopragiunse e disturbò il tutto.

– E come facesti? – disse maestro Raimondo.

– Ella – rispose Nerino – aperse una cassa e mi puose

1. *la*: per questa forma soggettiva proclitica non rara nello Straparola, cfr. ROHLFS, 446.

2. *promesse*: promise.

3. *sborrava ... tarmassino*: toglieva la borra affinché non subissero l'azione corrosiva delle tarme.

4. *mi ha disconzo*: mi ha rovinato. Dal verbo *disconciare* (assibilazione settentrionale).

dentro e a rimpetto della cassa puose molte vestimenta che ella governava ché non si tarmassino. Ed egli il letto sottosopra volgendo e rivolgendo, e nulla trovando, si partí –.

Quanto questa cosa tormentosa fusse a maestro Raimondo, pensare il può chiunque ha provato amore.[1]

[27] Aveva Nerino a Genobbia donato un bello e precioso diamante, il quale dentro la ligatura[2] ne l'oro aveva scolpito il capo e nome suo. E venuto il giorno, ed essendo maestro Raimondo andato alle sue pratiche, Nerino fu dalla donna in casa introdotto, e stando con esso lei in piaceri e grati ragionamenti, ecco il marito che ritorna a casa. Ma Genobbia cattivella,[3] aveggendosi della venuta sua, immantenente aperse un scrigno grande che era nella sua camera e dentro lo nascose. [28] E maestro Raimondo entrato in casa, fingendo di cercare certe sue cose, rivolse la camera sottosopra, e nulla trovando né in letto né nelle casse, come sbalordito prese il fuoco e a tutti i quattro cantoni della camera lo pose con determinato animo di abbrusciare la camera e tutto ciò che in quella si conteneva. [29] Già i parieti e le travamenta cominciavano ardere quando Genobbia, voltatasi contra il marito, disse:

– Che vuol dir questo, marito mio? siete forse voi divenuto pazzo? se pur voi volete abbrusciare la casa, brusciatela a vostro piacere, ma in fede mia non abbrusciarete quel scrigno[4] dove sono le scritture che appartengono alla dote mia –; e fati chiamare quattro valenti bastagi,[5] gli fece traere[6] di casa lo scrigno e ponerlo in casa della vicina vecchia-

1. *pensare ... amore*: per espressioni di questo tipo, non rare, cfr., per es. *Dec.*, VII 5 5: « quelle sole il sanno che l'hanno provato ».

2. *ligatura*: montatura.

3. *cattivella*: maliziosetta.

4. *quel scrigno*: uso dialettale dell'aggettivo dimostrativo davanti a *s* implicata (al posto di *quello*). Cfr. PIOTTI, p. 105.

5. *bastagi*: facchini.

6. *traere*: trascinare fuori.

rella, e celatamente lo aprí che niuno se n'avide, e ritornòsene a casa.[1]

[30] L'insensato maestro Raimondo stava pur a vedere si usciva fuori alcuno che non gli piacesse, ma nulla vedeva se non l'insopportabile fumo e ardente fuoco che la casa abbrusciava. Erano già concorsi e' vicini per estinguer il fuoco e tanto si operorono che finalmente lo spensero.

[31] Il giorno sequente Nerino, andando verso il Prato dalla Valle,[2] in maestro Raimondo si abbatté e salutatolo disse:

– Maestro mio, non vi ho io da raccontare una cosa che molto vi piacerà?

– E che? – rispose maestro Raimondo.

– [32] Io – disse Nerino – ho fuggito il piú spaventevole[3] pericolo che mai fuggisse uomo che porti vita. Andai a casa di quella gentil madonna, e dimorando con esso lei in piacevoli ragionamenti, sopragiunse il suo marito, il quale dopo che ebbe rivolta la casa sotto sopra, accese il fuoco e poselo in tutti i quattro cantoni della camera e abbrusciò ciò che era in camera.

– E voi – disse maestro Raimondo – dove eravate?

– Io – rispose Nerino – era nascoso nel scrigno che ella fuori di casa mandò –.

[33] Il che maestro Raimondo intendendo e conoscendo ciò che egli raccontava essere il vero, da dolore e passione si sentiva morire, ma pur non osava scoprirsi perciò che desiderava di vederlo nel fatto. E dissegli:

– Signor Nerino, vi ritornarete voi mai piú? –

A cui rispose Nerino:

– Avendo io scampato il fuoco, di che piú temenza debbo io avere? –

1. *e celatamente ... casa*: cambio di soggetto (Nerino).
2. *Prato dalla Valle*: vasta spianata situata nella città di Padova.
3. *spaventevole*: spaventoso.

Or messi da canto questi ragionamenti, maestro Raimondo pregò Nerino che si dignasse di andare il giorno sequente a desinar seco. Il giovane accettò volontieri l'invito.

[34] Venuto il giorno sequente, maestro Raimondo invitò tutti e' suoi parenti ed e' parenti della moglie e apparecchiò un pomposo e superbo prandio, non già nella casa che era mezza abbrusciata, ma altrove, e comandò alla moglie che ancor ella venesse,[1] ma che non dovesse sedere a mensa, ma che stesse nascosta e preparasse quello che faceva mestieri. [35] Raunati[2] adunque tutti e' parenti e il giovane Nerino, furono posti a mensa e maestro Raimondo con la sua maccaronesca scienza[3] cercò de inebriare Nerino per poter poi fare il parer suo. Laonde avendoli piú volte porto[4] maestro Raimondo il bicchiere pieno di malvatico vino,[5] e avendolo Nerino ogni volta bevuto, disse maestro Raimondo:

– Deh, signor Nerino, raccontate un poco a questi parenti nostri una qualche novelluzza da ridere –.

[36] Il povero giovane Nerino non sapendo che Genobbia fusse moglie di maestro Raimondo, cominciò raccontargli l'istoria, riservando[6] però il nome di ciascuno.

[37] Avenne che uno servente andò in camera dove Genobbia dimorava e dissele:

– Madonna, se voi fosti in un cantone nascosta, voi sentireste raccontare la piú bella novella che mai udeste alla vita vostra, venete vi prego –.

1. *venesse*: venisse. Con scambio della vocale tematica. Cfr. anche poco oltre: *udeste* (37).

2. *Raunati*: radunati (cfr. Rohlfs, 216, per il dileguo di *-d-* intervocalica).

3. *maccaronesca scienza*: sapere pieno di pretese scientifiche, ma in realtà zeppo di strafalcioni e di sciocchezze.

4. *porto*: participio forte in *-to* (cfr. Rohlfs, 623).

5. *malvatico vino*: malvasia.

6. *riservando*: tacendo, tenendo segreto.

[38] E andatasene in un cantone, conobbe che la voce era di Nerino, suo amante, e che l'istoria che egli raccontava a lei perteneva.[1] E da donna prudente e saggia tolse il diamante che Nerino donato le aveva e poselo in una tazza d'argento piena d'una delicata bevanda e disse al servente:[2]

– Prendi questa tazza e recala a Nerino e digli che egli la beva, ché poi meglio ragionerà –.

Il servente presa la tazza, portòla alla mensa, e volendo Nerino bere, disse il servente:

– Pigliate questa tazza, signore, ché meglio ragionarete –.

[39] Ed egli presa la tazza bevé tutto il vino, e veduto e conosciuto il diamante che vi era dentro,[3] lo lasciò andare in bocca, e fingendo di nettarsi la bocca, lo trasse fuori e se lo mise in dito. E accortosi Nerino che la bella donna di cui ragionava era moglie di maestro Raimondo, piú oltre passare non volse, e stimolato da maestro Raimondo e da gli suoi parenti che l'istoria cominciata seguisse, egli rispose:

– E sí e sí cantò il gallo e subito fu dí, e dal sonno risvigliato altro piú non udí –.[4]

[40] Questo udendo e' parenti di maestro Raimondo, e prima credendo che tutto quello che Nerino gli aveva detto

1. *perteneva*: si riferiva.

2. *E da ... servente*: per questo mezzo di riconoscimento cfr. *Dec.*, x 9 103: « [messer Torello] recatosi in mano l'anello che dalla donna nella sua partita gli era stato donato, si fece chiamare un giovinetto che davanti a lui serviva e dissegli ». Si tratta comunque di un espediente che ricorre sovente anche nelle tradizioni cavalleresche.

3. *Ed egli ... dentro*: cfr. *Dec.*, x 9 107: « La quale presala, acciò che l'usanza da lui compiesse, scoperchiatala, se la mise a bocca e vide l'anello ».

4. *E sí e sí ... udí*: espressione con cui si intende interrompere un discorso per non rispondere a domande importune (*GDLI*). Il TB riporta una analoga espressione di G.M. Cecchi: « E poi? E poi cantò il gallo e fu dí ». Il motto di Nerino si trova anche in una fiaba della Piccardia raccolta in *Littérature orale de la Picardie par* E.H. Carnoy, Paris, G.P. Maisonnueve & Larose, 1882, p. 272.

della moglie esser vero, trattorono l'uno e l'altro da grandissimi embriachi.[1]

[41] Dopo alquanti giorni Nerino trovò maestro Raimondo, e fingendo di non sapere che egli fusse marito di Genobbia, dissegli che fra duo giorni era per partirsi, perciò che il padre scritto gli aveva che al tutto tornasse nel suo reame. Maestro Raimondo li rispose che fusse il ben andato.

[42] Nerino messo secreto ordine con Genobbia, con lei se ne fuggí e in Portogallo la trasferrí, dove con somma allegrezza longamente vissero. E maestro Raimondo, andatosene a casa e non trovata la moglie, fra pochi giorni disperato se ne morí.[2]

[43] Questa favola da Isabella raccontata fu alle donne e parimenti a gli uomini carissima, e massimamente che maestro Raimondo del suo male era stato cagione ed eravi avenuto quello che ricercando andava. Ma avendo la Signora di quella la fine udita, fece segno a Lionora[3] che all'ordine andasse dietro. Ed ella non pigra al comandamento della Signora, cosí il suo enimma propose:

[44] Nel mezzo de la notte un leva su
tutto barbuto e mai barba non fé.
Il tempo accenna, né strologo[4] fu;
porta corona, né si può dir re;
né prete e l'ore canta; e ancor piú
calza sproni e cavalier non è.

1. *embriachi*: ubriachi.

2. *disperato ... morí*: questo finale ricorda la conclusione della novella XL del *Novellino* di MASUCCIO SALERNITANO in cui il catalano Genefra rapisce la moglie di Cosmo (cfr. XL 24).

3. *Lionora*: le stampe presentano in questa parte finale confusione nei nomi. Chi racconta questo enigma non è Lionora ma Isabella, come del resto è detto oltre (45). Isabella, infatti, aveva raccontato la novella e, non essendoci altre indicazioni dalla Signora, aveva il compito di proporre l'enigma.

4. *strologo*: astrologo (forma aferetica). Ma cfr. anche il veneziano *strolego* in BOERIO, s.v.

Pasce figliuoli, e moglie in ver non ha:
molto è sottil ch'indovinar lo sa.[1]

[45] Era già al suo termine aggiunto il dotto enimma da Isabella raccontato. E quantunque vari varie cose andassero imaginando, niuno perciò alla verità pervenne, salvo la sdegnosetta Lodovica, la quale, ricordevole[2] del a lei fatto scorno, si levò in piedi e cosí disse:

– Lo enimma di questa nostra sorella altro non dimostra se non il gallo che si leva la notte a cantare ed è barbuto e conosce la mutazione del tempo, avenga che strologo non sia. Porta la cresta in vece di corona e non è re, canta le ore e non è prete. Appresso questo ha gli sproni nelle calcagna, e non ha moglie e gli altrui figliuoli, che sono e' pollicini, pasce –.

[46] Piacque a tutti la isposizione del prudente enimma e massimamente al Capello, il quale disse:

– Signora Lodovica, Isabella[3] vi ha renduto pane per schiacciata,[4] perciò che poco fa con molta agevolezza voi dichiaraste il suo e ora ella ha dichiarito il vostro. E però l'una all'altra non arrà invidia –.

Rispose la pronta Lodovica:[5]

1. *Nel mezzo ... lo sa*: per questo enigma cfr. un testo della cinquecentina Riccardiana in Rua, *Di alcune stampe*, p. 456 (n. 67). La sua fortuna nella tradizione popolare è confermata da un testo abruzzese in De Nino, op. cit., n. 3. Cfr. però anche una versione napoletana in « Giambattista Basile », a. iv 3 (15 marzo 1886), p. 21 (con altri riscontri e varianti); e una versione marchigiana in « Archivio per lo studio delle tradizioni popolari », a. i 1882, p. 407.

2. *ricordevole*: memore.

3. *Signora Lodovica, Isabella*: ancora confusione nelle stampe. In realtà, rispettando la logica della situazione, dovrebbe essere: « Signora Isabella, Lodovica ».

4. *vi ha ... schiacciata*: vi ha ripagato con la stessa moneta. Cfr. Bandello, *Novelle*, i 3 (vol. i p. 55): « Madonna, mio fratello v'ha pur reso pan per ischiacciata ». E anche Aretino, *Cortigiana*, iv 4: « Io t'ho pur renduto pan per ischiacciata ».

5. *Lodovica*: ancora confusione. Chi parla ora è Isabella.

– Signor Bernardo, quando sarà il tempo le renderò gnanf per gnaf –.[1]

[47] Ma acciò che non si moltiplicasse in parole, la Signora ordinò che ognuno tacesse, e voltato il viso verso Lionora a cui l'ultimo ragionamento della presente notte toccava, le impose che donnescamente alla sua favola desse cominciamento, la quale vezzosamente cosí incominciò.[2]

1. *le renderò ... gnaf*: espressione onomatopeica che equivale a 'contraccambiare allo stesso modo' (cfr. poco sopra *pane per schiacciata*).

2. *la quale ... incominciò*: cfr. *Dec.*, III 3 2: « Filomena vezzosamente cosí incominciò a parlare ».

NOTTE QUARTA, FAVOLA V[1]

[1] *Flamminio Veraldo si parte da Ostia e va cercando la morte, e non la trovando, nella vita s'incontra, la qual gli fa vedere la paura e provare la morte.*

[2] Sono molti che con ogni loro studio e diligenza[2] attentamente vanno cercando alcune cose, le quai, dopo che trovate le hanno, non vorebbeno averle trovate,[3] anzi, sí come il demonio l'acqua santa, le fuggono a piú potere.[4] Il che avenne a Flamminio, il quale cercando la morte, trovò la vita che gli fé vedere la paura e la morte provare, sí come per la presente favola poterete intendere.

[3] In Ostia, antica città non molto lontana da Roma, sí come tra volgari si ragiona, fu già un giovane piú tosto sem-

1. Alcuni motivi di questa fiaba (un uomo va in cerca dell'ira di Dio, il capo mozzato e riattaccato non correttamente) si trovano in una novella del ms. Panciatichiano 32 pubblicata da Lo Nigro (ix). Il racconto di Straparola può, comunque, essere iscritto nel gruppo di fiabe del « giovane che voleva imparare che cos'è la paura » (tipo 326), e infatti la sopravvivenza di alcuni elementi nella tradizione popolare è dimostrata da varie versioni italiane raccolte nell'Ottocento come la fiaba *Giovannino senza paura* (cfr. G. Pitrè, *Novelle popolari toscane*, Roma, Soc. Editrice del libro italiano, 1941, n. 39; ma cfr. anche *Le Novelline di Santo Stefano raccolte da Angelo De Gubernatis*, Torino, A.F. Negro, 1869, n. 22; e Calvino, *Fiabe*, n. 1). Un viaggio simile a quello di Flamminio viene raccontato anche in una saga islandese dove il protagonista ricerca la collera. Secondo Thompson, pp. 158 sgg., questa fiaba, pur con le sue numerose varianti, è di origine europea ed è diffusa in tutto il continente (cfr. per es. una versione tedesca con notevoli punti di contatto con quella di Straparola in J.W. Wolf, *Deutsche Hausmärchen*, Göttingen, Dieterich, 1851, n. 10). Per i motivi cfr. Rotunda, E12.2, H1376.2.1, J27, Z113.

2. *con ogni ... diligenza*: cfr. L.B. Alberti, *Libri della famiglia*, prologo 262-63: « investigare con ogni studio e diligenza ».

3. *cercando ... trovate*: cfr. *Dec.*, iii 6 31: « Catella, che cercando andava quello che ella non avrebbe voluto trovare ».

4. *sí come ... a piú potere*: le detestano sopra ogni cosa evitandole con tutti i mezzi a propria disposizione.

plice e vagabondo che stabile e accorto,[1] e Flamminio Veraldo era per nome chiamato. Costui piú e piú volte aveva inteso che nel mondo non era cosa alcuna piú terribile e piú paventosa de l'oscura e inevitabile morte,[2] perciò che ella, non avendo rispetto ad alcuno, o povero o ricco che egli si sia, a niuno perdona. Laonde pieno di maraviglia, tra se stesso determinò al tutto di trovare e vedere che cosa è quello che da' mortali morte s'addimanda. E addobatosi di grossi panni e preso un bastone d'un forte cornio[3] bene afferrato in mano, da Ostia si partí.

[4] Avendo già Flamminio molte miglia caminato, giunse ad una strada, nel cui mezzo vide un calzolaio in una bottega che calzari e uose[4] faceva. Il quale quantunque grandissima quantità de fatti ne avesse, pur in farne de gli altri tuttavia[5] s'affaticava. [5] Flamminio accostatosi a lui disse:

– Iddio vi salvi, maestro –.

A cui il calzolaio:

– Siate il ben venuto, figliuolo mio –.

A cui Flamminio replicando disse:

– E che fate voi?

– Io lavoro – rispose il calzolaio – e stento per non stentare, e pur io stento e mi affatico per far di calzari –.

Disse Flamminio:

– E per far che? voi tanti n'avete, e a che farne piú? –

A cui rispose il calzolaio:

– Per portarli, per venderni[6] per sustentamento e di me

1. *accorto*: assennato. Per quanto riguarda il significato, le due coppie di aggettivi sono costruite chiasticamente.

2. *inevitabile morte*: cfr. Boccaccio, *Elegia di madonna Fiammetta*, II 4 1: « La inevitabile morte, ultimo fine delle cose nostre ».

3. *cornio*: corniolo.

4. *uose*: calzature simili agli stivali (cfr. *Dec.*, VIII 5 12).

5. *tuttavia*: continuamente.

6. *venderni*: venderne (*ni* è dialettale).

e della mia famigliuola, e acciò che quando sarò vecchio mi possi[1] sovenire del danaro guadagnato.

– E poi – disse Flamminio – che sarà?

– Morire – rispose il calzolaio.

– Morire? – replicando disse Flamminio.

– Sí – rispose il calzolaio.

– [6] O maestro mio – disse allora Flamminio – mi sapreste voi dire che cosa è questa morte?

– In vero no – rispose il calzolaio.

– L'avete voi giamai veduta? – disse Flamminio.

A cui rispose il maestro:

– Io né la vidi né vederla né provarla mai vorrei, ché dicessi[2] da tutti ugualmente che ella è una strana e paventosa bestia –.

[7] Allora disse Flamminio:

– Me la sapereste voi almeno insegnare o dirmi dove ella si trovi? per ciò che giorno e notte, per monti, per valli e per stagni la vo cercando, e novella alcuna di lei non posso persentire –.

A cui rispose il calzolaio:

– Io non so dove la stia, né dove ella si trovi, né come fatta sia, ma andatevene piú inanzi ché forse la trovarete –.

[8] Tolta adunque licenza Flamminio e partitosi dal calzolaio, andossene piú oltre, dove trovò uno folto e ombroso bosco, ed entratovi dentro, vide un contadino che aveva tagliate molte legna da brusciare e a piú potere ne andava tagliando. [9] E salutatosi l'uno e l'altro, disse Flamminio:

– Fratello, che vuoi far tu di tante legna? –

A cui il contadino rispose:

– Io l'apparecchio per fare del fuoco questo verno,[3]

1. *possi*: possa. Per la desinenza *-i* del congiuntivo presente cfr. ROHLFS, 555.
2. *dicessi*: si dice.
3. *verno*: inverno (forma aferetica).

quando saranno le nevi, i ghiacci e il bruma[1] malvagio, acciò che io possa scaldare e me e li miei figliuoli, e lo soprabondante vendere per comprare pane, vino, vestimenti e altre cose necessarie per lo viver quottidiano, e cosí passare la vita nostra sino alla morte.

– [10] Deh, per cortesia – disse Flamminio – mi saperesti insegnare dove si trovi questa morte?

– Certamente no – rispose il contadino – perciò che io non la vidi mai, né so dove ella dimori. Io stanzio in questo bosco tutto il giorno e attendo allo essercizio mio e pochissime persone passano per questi luochi e manco[2] ne conosco.

– [11] Ma come potrò far io a trovarla? – disse Flamminio.

A cui il contadino rispose:

– Io non ve lo saprei dire né meno insegnare, ma caminate piú inanzi ché forse in lei vi incapperete –.

[12] E tolta licenza dal contadino si partí e tanto caminò, che giunse ad un luoco dove era un sarto che aveva molte robbe su per le stanghe e uno fondaco di varie e bellissime vestimenta pieno. A cui disse Flamminio:

– Iddio sia con voi, maestro mio –.

A cui lo sarto:

– E con voi sia ancora.

– E che fate voi – disse Flamminio – di sí belle e ricche robbe e sí onorate vestimenta? sono tutte vostre? –

A cui rispose il maestro:

– Alcune sono mie, alcune di mercatanti, alcune di signori e alcune de diverse persone.

– E che ne fanno di tante? – disse il giovane.

A cui lo sarto rispose:

– Le usano in diversi tempi – e mostrandogliele, diceva –

1. *bruma*: freddo intenso del solstizio d'inverno.
2. *manco*: meno.

queste lo state,[1] quelle lo verno, quest'altre da mezzo tempo, e quando l'una e quando l'altra si vesteno.

– E poi che fanno? – disse Flamminio.

– E poi – rispose lo sarto – vanno cosí scorrendo sino alla morte –.

[13] Sentendo nominare Flamminio la morte, disse:

– O dolce mio maestro, mi sapereste voi dire dove si trovi questa morte? –

Rispose lo sarto quasi d'ira acceso e tutto turbato:

– O figliuolo mio, voi andate addimandando le strane cose. Io non ve lo so dire né insegnare dove si trovi, né di lei giamai pur mi penso, e chiunque me ne ragiona di lei, grandemente mi offende, però ragionamo d'altro o partitevi di qua, ché io sono nemico de tai ragionamenti –.

E preso commiato da lui si partí.

[14] Aveva già scorso Flamminio molti paesi, quando aggiunse ad uno luoco deserto e solitario, dove trovò uno eremita con la barba squalida[2] e da gli anni e dal digiuno tutto attenuato:[3] aveva la mente sola alla contemplazione; e pensò che egli nel vero fusse la morte. A cui Flamminio disse:

– Voi siate il ben trovato, padre santo.

– E voi lo ben venuto, il mio figliuolo – rispose lo eremita.

– O padre mio – disse Flamminio – e che fate voi in questo alpestre e inabitabile luogo, privo d'ogni diletto e d'ogni consorzio umano?

– Io mi sto – rispose lo eremita – in orazioni, in digiuni e contemplazioni.

– [15] E per far che? – disse Flamminio.

1. *state*: estate (forma aferetica).

2. *squalida*: sudicia e incolta. Cfr. SANNAZARO, *Arcadia*, VIII 3: « con chiome irsute e con la barba squalida ».

3. *attenuato*: emaciato, dimagrito. Per l'espressione cfr. *Orlando furioso*, II 13 1: « Dagli anni e dal digiuno attenuato ».

– Oh, perché figliuolo mio? per servir a Dio e macerar questa misera carne – disse lo eremita – e far penitenza di tante offese fatte all'eterno e immortal Iddio e al vero figliuolo di Maria, e finalmente per salvar quest'anima peccatrice, acciò che quando verrà il tempo della morte mia, io gliela rendi monda d'ogni difetto. E nel tremendo giorno del giudicio, per grazia del mio redentore, non per meriti miei, mi faccia degno della felice e trionfante patria, e ivi goda i beni di vita eterna alla quale Iddio tutti ci conduchi.

– [16] O dolce padre mio, ditemi un poco – disse Flamminio – se non v'è a noia, che cosa è questa morte e come è fatta ella? –

A cui lo santo padre:

– O figliuolo mio, non ti curar di saperlo, perciò che ella è una terribile e paventosa cosa e s'addimanda da' sapienti ultimo termine de' dolori, tristezza de' felici, desiderio de' miseri e fine estremo delle cose mondane.[1] Ella divide l'amico dall'amico, sepera il padre dal figliuolo e il figliuolo dal padre, spartisse[2] la madre dalla figliuola e la figliuola dalla madre, scioglie il vincolo matrimoniale e a fine disgiunge l'anima dal corpo, e il corpo sciolto dall'anima non può piú operare, ma viene sí putrido e sí puzzolente, che tutti l'abbandonano e come cosa abominevole il fuggono.

– [17] Avetela mai veduta voi, padre mio? – disse Flamminio.

– Ma di no –[3] rispose lo eremita.

– Ma come potrò io fare di vederla? – disse Flamminio.

– Ma se voi desiderate, figliuolo mio – disse lo eremita –

1. *ultimo ... mondane*: cfr. Boccaccio, *Filocolo*, III 37 1: « incominciò a chiamare la morte cosí: – O ultimo termine de' dolori, infallibile avvenimento di ciascuna creatura, tristizia de' felici e disiderio de' miseri, angosciosa morte, vieni a me! ».

2. *spartisse*: spartisce, divide.

3. *Ma di no*: negazione recisa ed energica.

di trovarla, andatevene piú oltre ché voi la trovarete, perciò che l'uomo, quanto piú in questo mondo camina tanto piú s'avicina a lei –.

Il giovane ringraziato ch'ebbe il santo padre e tolta la sua benedizione, si partí.

[18] Continovando adunque Flamminio il suo viaggio, trappassò molte profonde valli,[1] sassose montagne e inospiti[2] boschi, vedendo vari e paventosi animali, dimandando a ciascuno s'egli era la morte. A cui tutti rispondevano non esser lei. [19] Or avendo scorso molti paesi e vedute molte strane cose, finalmente giunse ad una montagna di non picciola altezza, e quella trappassata, discese giú in una oscura e profondissima valle chiusa di alte grotte,[3] dove vide una strana e mostruosa fiera, la quale con suoi gridi faceva ribombare[4] tutta quella valle. [20] A cui Flamminio disse:

– Chi sei tu? ollà? saresti mai tu la morte? –

A cui la fiera rispose:

– Io non sono la morte, ma segui il tuo camino ché tosto la troverai –.

Udita Flamminio la desiderata risposta, molto si rallegrò. [21] Era già il miserello per la lunga fatica e duro strazio per lui sustenuto stanco e semimorto, quando come disperato giunse ad un'ampia e spaziosa campagna, e asceso un dilettevole e fiorito poggetto non molto eminente e remirando or quinci or quindi, vide le mura altissime d'una bellissima città che non era molto lontana, e postosi a caminare con frettoloso passo nel brunire[5] della sera, ad una delle porte pervenne, la quale era adornata di finissimi e bianchi mar-

1. *profonde valli*: cfr. Boccaccio, *Rime*, i 71 1: « L'aspre montagne e le valli profonde ».

2. *inospiti*: selvaggi e inabitabili.

3. *grotte*: rocce, dirupi. Cfr. *Dec.*, ii 9 36: « pervennero in un vallone molto profondo e solitario e chiuso d'alte grotte ».

4. *ribombare*: variante di *rimbombare*.

5. *brunire*: imbrunire.

mi.[1] [22] Ed entratovi dentro, con licenza però del portinaio, nella prima persona che egli s'abbatté, s'incapò in una vecchiarella molto antica e piena di grand'anni, di volto squalida,[2] ed era sí macilente[3] e macra che per la sua macrezza tutte le ossa ad una ad una si arebbono potuto annoverare.[4] Costei aveva la fronte rugosa, gli occhi biecchi, lagrimosi e rossi che la porpora somigliavano, le guanze crespe, le labbra riversate, le mani aspere e callose, il capo e la persona tutta tremante, lo andar suo curvo,[5] e de panni grossi e bruni addobata. [23] Oltre ciò, ella teneva dal lato manco una affilata spada[6] e nella destra mano un grosso bastone, nell'estremità del quale eravi una punta di ferro fatta in vece d'un trimanino[7] sopra del quale alle volte si riposava. Appresso questo ella aveva dietro le spalle una grossissima bolgia[8] nella quale riservava ampolle, vasetti e albarelli[9] tutti pieni di vari liquori, unguenti ed empiastri a diversi accidenti appropriati. [24] Veduta ch'ebbe Flamminio questa vecchia disdentata[10] e brutta, imaginòsi che ella fusse la morte che egli cercando andava, e accostatosi a lei, disse:

1. *finissimi*: preziosissimi. Cfr. GHERARDI, *Paradiso degli Alberti*, V 11: « architravi di finissimi marmi ».

2. *squalida*: pallida. Cfr. F. COLONNA, *Hypnerotomachia Poliphili*, X (p. 128): « una donna grandaeva se praesentoe [...] lacera, squallida, macilente, povera, cum gli ochii ad terra defixi ».

3. *macilente*: emaciata. Con *macra* forma una dittologia sinonimica.

4. *annoverare*: contare. Per una simile immagine, che comunque ricorda i golosi del Purgatorio dantesco, cfr. BOCCACCIO, *Filocolo*, III 24 4: « a' quali per magrezza ogni osso si saria potuto contare ».

5. *Costei ... curvo*: cfr. il ritratto della Gelosia in BOCCACCIO, *Filocolo*, III 24 7; ma cfr. anche *Comedia delle ninfe fiorentine*, XXXII 10-12; senza comunque dimenticare il ritratto della Fame nelle *Metamorfosi* di Ovidio (VIII 801-9).

6. *affilata spada*: per il sintagma cfr. *Orlando inn.*, I 16 47: « che egli ebbe in mano la spada affilata ».

7. *trimanino*: forse intende un tipo di impugnatura fatta a tre mani.

8. *bolgia*: borsa, sacca.

9. *albarelli*: vasetti, barattoli. Cfr. *Dec.*, VII 3 10: « lasciamo stare d'aver le lor celle piene d'alberelli di lattovari ». Cfr. anche *Corbaccio*, 226.

10. *disdentata*: sdentata.

– O madre mia, Iddio vi conservi –.

A cui con chioccia voce[1] la vecchiarella rispose:

– Ancora te, figliuolo mio, Iddio salvi e mantenga.

– Sareste voi per aventura la morte, madre mia? – disse Flamminio.

– [25] No – rispose la vecchiarella – anzi io sono la vita. E sapi che io mi trovo aver qua dentro in questa bolgia, che io porto dietro le spalle, certi liquori e unzioni che, per gran piaga che l'uomo abbi nella persona, io con agevolezza la risano e saldo, e per gran doglia che egli parimenti si senta in picciol spacio d'ora levoli ogni dolore –.

[26] Disse allora Flamminio:

– O dolce madre mia, mi sapreste voi insegnare dove ella si trovi?

– E chi se' tu che cosí instantemente mi dimandi? – disse la vecchiarella.

[27] A cui Flamminio rispose:

– Io sono un giovanetto, che già sono passati molti giorni, mesi e anni che la vo cercando, né mai ho potuto trovare persona in luoco alcuno che me l'abbia saputa insegnare. Laonde se voi siete quella, ditemelo per cortesia per ciò che assai desidero e di vederla e di provarla, acciò che io sapia se ella è cosí diforme[2] e paventosa, sí come è da ciascuno tenuta –.

[28] La vecchiarella, vedendo la sciocchezza del giovane, dissegli:

– Quando ti aggrada, figliuolo mio, farotila vedere quanto ella è brutta e quanto paventosa ancora provare –.

A cui Flamminio:

– O madre mia, non mi tenete piú a bada, omai fate ch'io la veggia –.

[29] La vecchiarella per compiacergli lo fece ignudo spogliare. Mentre che il giovanetto si spogliava, ella certi suoi

1. *con chioccia voce*: con voce rauca e soffocata.
2. *diforme*: brutta.

empiastri a diverse infirmità opportuni incorporò,[1] e preparato il tutto, dissegli:

– Chinati giú, figliuolo mio –.

Ed egli ubidiente s'inchinò.

– Piega la testa e chiudi gli occhi – disse la vecchia; e cosí fece.

[30] Né appena aveva fornito di dire che prese la coltella[2] che dallato teneva e in un colpo il capo gli spiccò dal busto. Dopo presa immantenente la testa e postala sopra il busto, l'impiastracciò di quegli empiastri che preparati aveva e con agevolezza il risanò. [31] Ma come il fatto andasse dir non so: o che fusse per la prestezza della maestra in ritornar il capo al busto, o perché ella astutamente il facesse, la parte della testa posteriore mise nell'anteriore.[3] [32] Onde Flamminio, guattandosi le spalle, le reni e le grosse natiche e scolpite in fuori, che per a dietro vedute non aveva, in tanto tremore e pavento si puose, che non trovava luoco dove celare si potesse, e con dolorosa e tremante voce diceva alla vecchia:

– Oimè, madre mia, ritornatemi com'era prima, ritornatemi per lo amore de Iddio, perciò che io non vidi mai cosa piú diforme né piú paventosa di questa. Deh, removetemi vi prego da questa miseria, nella quale inviluppato mi veggio. Deh, piú non tardate, dolce madre mia, porgetemi soccorso ché agevolmente porgere me lo potete –.

[33] La vecchiarella astuta taceva, fingendo tuttavia di non essersi aveduta del commesso fallo e lasciavalo ramaricarsi e cuocersi nel suo unto.[4] Finalmente avendolo cosí tenuto

1. *incorporò*: amalgamò, mescolò.

2. *coltella*: grosso coltello con lama larga.

3. *la parte ... anteriore*: la trasformazione del personaggio ricorda la pena degli indovini nell'Inferno dantesco (xx).

4. *cuocersi nel suo unto*: non interveniva per aiutare il giovane che si era cacciato nei guai per sua colpa. Cfr. anche iv 4 15.

per spazio di due ore e volendoli rimediare, da capo il fece inchinare, e messa mano alla tagliente spada,[1] la testa gli troncò dal busto. Dopo presa la testa in mano e accostatala al busto e unta con suoi empiastri, nel primo suo esser ritornare il fece. [34] Il giovane vedendosi ridotto nel pristino suo stato, de' suoi panni si rivestí, e avendo veduto la paura e per isperienza provato quanto brutta e paventosa era la morte, senza altro commiato prendere dalla vechiarella, per la piú breve e ispedita via ch'egli seppe e puoté ad Ostia se ne ritornò, cercando per lo innanzi la vita e fuggendo la morte, dandosi a miglior studi di quello che per lo a dietro fatto aveva.

[35] Restava a Lionora proporre il suo enimma, onde tutta festevole cosí disse:

[36] Per un superbo e spazioso prato
di verde erbette[2] e vaghi fiori adorno
passan tre ninfe per divino fato,
né si ferman giamai notte né giorno.
L'una la rocca tien dal manco[3] lato,
l'altra col fuso a' piedi fa soggiorno,
la terza con il brando sta da sezzo[4]
e spesso il debil fil tronca nel mezzo.

[37] Il presente enimma con molta agevolezza fu da tutti inteso, perciò che il superbo e spazioso prato è questo mondo in cui dimoriamo tutti. Le tre ninfe sono le tre sorelle, cioè Cloto, Lachesis e Attropos, le quali secondo la poetica fiz-

1. *spada*: prima aveva usato la coltella.

2. *verde erbette*: l'aggettivo femminile in *-e* tende a generalizzare, anche al plurale, l'uscita in *-e*. Il fenomeno di estrema diffusione nei testi settentrionali (cfr. PIOTTI, p. 90, con ampia bibliografia) e sgradito ai grammatici (cfr. FORTUNIO, *Regole*, p. 5*v*, e RUSCELLI, *Commentarii*, p. 520), era però proprio anche della Toscana e dello stesso fiorentino, dove a partire dal XIV secolo entrò decisamente nell'uso.

3. *manco*: sinistro.

4. *da sezzo*: per ultima.

zione[1] dinotano il principio, il mezzo e il fine della vita nostra: Cloto che tiene la rocca dinota il principio della vita, Lachesis che fila dimostra il tempo che noi viviamo, Attropos che rompe il filo già per Lachesis filato disegna l'inevitabile morte.

[38] Già il vigilante gallo dedicato a Mercurio[2] aveva col suo canto dato segno della vicina aurora, quando la Signora ordinò che al favoleggiare s'imponesse fine e tutti se n'andassero alli loro allogiamenti, ritornando però senza fallo nella sequente sera al concistorio[3] sotto quella pena che a sua signoria piú convenevole parerà.

IL FINE DELLA QUARTA NOTTE

1. *fizzione*: finzione (con assimilazione consonantica).

2. *gallo ... Mercurio*: il gallo è animale sacro a Mercurio. Anche FORTINI, rappresentando Mercurio, dice: « e dinansi al cappello vi era un gallo a llui dedicato » (*Terza giornata de le notti*, Intr. 32).

3. *concistorio*: sala di riunione. Cfr. *Dec.*, VI Intr. 4: « E già l'ora venuta del dovere a concistoro tornare ».

[1] *Delle favole ed enimmi di messer Giovanfrancesco Straparola da Caravaggio*

NOTTE QUINTA

[2] Il sole, bellezza del ridente cielo,[1] misura del volubil tempo e vero occhio del mondo, da cui la cornuta luna[2] e ogni stella riceve il suo splendore, oggimai aveva nascosi i rubicondi e ardenti raggi[3] nelle marine onde, e la fredda figliuola di Latona[4] da risplendenti e chiare stelle intorniata già illuminava le folte tenebre della buia notte, e i pastori, lasciate le spaziose e ampie campagne e le brinose erbette[5] e le fredde e limpid'acque, si erano con il loro gregge tornati a gli suoi usati casamenti, e lassi e stanchi dalle fatiche del giorno, sopra i molli e teneri giunchi profondamente dormivano,[6] quando la bella e onorevole compagnia, posto giú ogni altro pensiero, con frezzoloso[7] passo al concistorio si ridusse. [3] E fatto motto alla Signora che tutti già erano rau-

1. *sole, bellezza ... cielo*: cfr. *Dec.*, x 1 2: « come il sole è di tutto il cielo bellezza e ornamento ». – *ridente cielo*: cfr. Boccaccio, *Filocolo*, v 95 1: « e il cielo tutto ridente porgeva graziose ore ».

2. *cornuta luna*: cfr. Sannazaro, *Arcadia*, x 21: « cornuta luna ».

3. *rubicondi ... raggi*: cfr. ancora *Arcadia*, xii 1: « i rubicondi raggi ». E cfr. ivi, x 29: « ardenti raggi ».

4. *fredda ... Latona*: la luna. Perifrasi tradizionale; cfr., ad es., *Filocolo*, i 15 3: « quattro volte cornuta e altretante tonda s'era mostrata la figliuola di Latona ».

5. *brinose erbette*: cfr. *Filocolo*, i 7 1: « Febo avea già rasciutte le brinose erbe ».

6. *i pastori ... dormivano*: cfr. *Canz.*, l 29-38: « Quando vede 'l pastor calare i raggi / del gran pianeta al nido ov'egli alberga, / e 'nbrunir le contrade d'orïente, / drizzasi in piedi, et co l'usata verga, / lassando l'erba et le fontane e i faggi, / move la schiera sua soavemente, / poi lontan da la gente / o casetta o spelunca / di verdi frondi ingiuncha: / ivi senza pensier' s'adagia et dorme »

7. *frezzoloso*: frettoloso. Voce dialettale veneta (deriv. da *frezza*, 'fretta'). Per l'espressione *frezzoloso passo* cfr. Bembo, *Asolani*, i 28: « correre con frezzolosi passi al nostro male ». Il venetismo si trova anche in edizioni antiche del *Decameron* ed è registrato perfino nei primi vocabolari (cfr. Trovato, p. 344).

nati e tempo era omai di ridursi a favoleggiare, la Signora dalle altre donne onoratissimamente accompagnata, tutta festevole e ridente con lento e tardo passo[1] nella camera del ridotto[2] si venne. E con lieto viso l'amichevole compagnia graziosamente salutata, si mise a sedere, indi comandò che l'auro vaso le fusse recato, e postovi dentro di cinque damigelle il nome, il primo ad Eritrea toccò per sorte, l'altro ad Alteria fu deputato,[3] il terzo a Lauretta destinò la fortuna, il quarto ad Arianna concesse il fato e a Cateruzza l'ultimo luoco diede il cielo per elezzione. [4] Dopo al suono de soavi flauti con lento passo si diedero tutti al carolare e poscia ch'ebbero con festevoli e amorosi ragionamenti carolato alquanto, tre delle damigelle, presa prima buona licenza dalla Signora, la presente canzone soavemente cantorono:[4]

[5] Quando Amor, donna, ad ora ad ora muove
vostro leggiadro e nobile sembiante
e quelle luci sante
ne' quai mia vita e la mia morte prendo,
da quelle viste mansuete e nuove
giungemi al cuor un sí vago pensiero[5]
ch'or mansueto, or fiero
con la speranza e van desir contendo,
e cosí dolcemente allor m'incendo
d'una speme sí ferma e sí sicura
che piú null'altra cura
mi può da l'uso mio far cangiar stato.
Onde ringrazio il dí, natura e 'l cielo
che per mio divin fato
fui preso e impiuto d'un sí dolce zelo.

1. *con lento e tardo passo*: espressione petrarchesca già utilizzata a I 2 35.
2. *camera del ridotto*: sala di incontro della compagnia.
3. *fu deputato*: fu assegnato.
4. *canzone ... cantorono*: stanza di canzone con il seguente schema rimico: ABbCADdCCEeFGfG.
5. *vago pensiero*: cfr. BEMBO, *Asolani*, I 33 30: « ch'io fermo il penser vago in que' begli occhi ».

[6] Da poi che le tre donzelle posero fine all'amorosa canzone che per sospiri da presso l'aere rompea, la Signora fece cenno ad Eritrea, a cui per sorte aveva toccato il primo luogo della presente notte, che a favoleggiare desse cominciamento. La quale vedendo di non potersi iscusare, per non turbare il già principiato ordine, messa da canto ogni perturbazione di animo, cosí a dire incominciò.

NOTTE QUINTA, FAVOLA I[1]

[1] *Guerrino, unico figliuolo di Filippomaria re di Cicilia, libera un uomo salvatico dalla prigione del padre, e la madre per temenza del re manda il figliuolo in essilio. E lo salvatico uomo fatto domestico libera Guerrino da molti e infiniti infortuni.*

[2] Festevoli e graziose donne, ho inteso per fama e anche veduto per isperienza un ben servire altrui, quantunque non si riconosca la persona a cui si serve, piú delle volte ridondare in grandissimo beneficio di colui che fidelmente ha servito. Il che avenne al figliuolo d'un re, il quale avendo liberato un salvatico uomo dalla dura e stretta prigione del padre, egli piú volte da violente morte fu campato[2] da lui, sí come per la presente favola, che raccontarvi intendo, agevolmente intenderete, essortandovi amorevolmente tutte che nel servire non vogliate esser ritrose, perciò che se da colui che ha ricevuto il servigio guidardonate non sarete, almeno Iddio rimuneratore del tutto non lasciarà le fatiche vostre irremunerate,[3] anzi parteciperà con esso voi la sua divina grazia.

[3] Cicilia, donne mie care, sí come a ciascheduna di voi puol esser chiaro, è una isola perfetta e ubertosa,[4] e per anti-

1. La prima parte di questa novella si ritroverà in un racconto popolare bretone in Luzel, op. cit., II pp. 296-313. E cfr. anche E.H. Carnoy, *Contes français*, Paris, Leroux, 1885, n. 8. L'ultima prova stabilita dal re (il riconoscimento di una figlia) è abbastanza frequente nella tradizione popolare (cfr. Pitrè, *Fiabe, Novelle e Racconti*, n. 95, e Comparetti, op. cit., n. 5, novella quest'ultima vicina anche per altri particolari alla seconda parte di questa dello Straparola). Per i motivi cfr. Rotunda, B181, B360, B376, B401, B482, B582.2, D92, D663, D813.2, D1723, F567, F615.2, H162, H310, H335, H511.2, H919.1, H1154.3.1, H1211, Q53.3, T93.1.

2. *campato*: salvato.

3. *nel servire ... irremunerate*: cfr. *Sir.*, 12 2: « benefac iusto et invenies retributionem magnam et si non ab ipso certe a Domino ».

4. *ubertosa*: fertile.

chità tutte le altre avanza, e in essa sono molte città e castella,[1] che molto piú di quello che ella sarebbe l'abbelliscono. [4] Di questa isola ne' passati tempi era signore re Filippomaria, uomo saggio, amorevole e singolare, e aveva per moglie una donna molto gentile, graziosa e bella,[2] e di lei ebbe uno solo figliuolo, Guerrino[3] per nome chiamato. Il re di andare alla caccia vie piú ch'ogni altro signore si dilettava, e perciò che era robusto e forte, tal essercizio molto li conveniva.

[5] Ora avenne che, ritrovandosi in caccia con diversi suoi baroni e cacciatori, vide uscire fuori del folto bosco uno uomo salvatico[4] assai grande e grosso e sí diforme e brutto[5] che a tutti grandissima ammirazione rendeva, e di corporali forze ad alcuno non era inferiore. [6] E messosi in ordine, il re con duo suoi baroni, e de' migliori che ei avesse, animosamente[6] l'affrontò e dopo lungo combattimento valorosamente lo vinse, e preso de sue mani e legato, al palazzo lo condusse, e trovata stanza a lui convenevole e sicura, dentro lo mise, e ben chiuso con fortissime chiavi ordinò che ben custodito e atteso[7] fusse. E perché il re lo aveva sommamente caro, volse che le chiavi rimanessino in custodia della reina, né era giorno che il re per suo trastullo non lo andasse a vedere alla prigione.

[7] Non passorono molti giorni che il re da capo si mise in

1. *castella*: cfr. il cantare *Istoria di tre giovani disperati e di tre fate*, I 2: « per città e castella ».

2. *una donna ... bella*: formula tradizionale, per la quale cfr. BOCCACCIO, *Filocolo*, IV 63 1: « amava una giovane della nostra città bellissima e graziosa, gentile e ricca d'avere e di parenti molto ».

3. *Guerrino*: il nome è nel *Guerrin meschino* e nei *Reali di Francia*.

4. *uomo salvatico*: nel suo commento al *Decameron* Branca fa notare che la maschera dell'uomo selvatico ebbe gran fortuna a Venezia e nel Veneto già a partire dal XIII secolo (p. 501).

5. *diforme e brutto*: dittologia sinonimica non rara nello Straparola.

6. *animosamente*: con coraggio.

7. *atteso*: sorvegliato.

punto per andare alla caccia, e apparecchiate quelle cose che in tal facenda fanno bisogno,[1] con la nobile compagnia si partí, raccomandate però prima le chiavi della prigione alla reina.

[8] Mentre che il re era alla caccia, venne gran voglia a Guerrino, che giovanetto era, di vedere l'uomo salvatico, e andatosene solo con l'arco di cui molto si diletava e con una saetta in mano alla ferriata[2] della prigione dove abbitava il mostro, lo vide e con esso lui incominciò domesticamente[3] ragionare. [9] E cosí ragionando, l'uomo salvatico, che l'accarezzava e losingava, destramente la saetta, che riccamente era lavorata, di mano li tolse. Onde il fanciullo cominciò dirottamente a piangere, né si poteva dalle lagrime astenere, chiedendogli che li dovesse dare la sua saetta. [10] Ma l'uomo salvatico disse:

– Se tu mi vuoi aprire e liberarmi di questa prigione, io ti restituirò il tuo strale, altrimenti non te lo renderò mai –. A cui disse il fanciullo:

– Deh, come vuoi tu che io ti apri e liberi se io non ho il modo di liberarti? –

Allora disse il salvatico uomo:

– Quando ti fusse in piacere di sciogliermi e liberarmi di questo angusto luogo, io bene t'insegnerei il modo, che[4] tosto liberare mi potresti.

– Ma come? – rispose Guerrino – dammi il modo –.

[11] A cui disse il salvatico uomo:

– Va' dalla reina tua madre e quando addormentata la vederai[5] nel merigio, destramente guatta sotto il guancia-

1. *fanno bisogno*: sono necessarie.

2. *ferriata*: inferriata.

3. *domesticamente*: familiarmente.

4. *che*: col quale. Per quest'uso del pronome relativo cfr. F. Ageno, *Particolarità nell'uso antico del relativo*, in «Lingua Nostra», a. xvii 1956, pp. 4-7.

5. *vederai*: futuro non sincopato frequente nelle *Piacevoli notti* e ben documentato nella lingua settentrionale quattro-cinquecentesca.

le, sopra il quale ella riposa, e chetamente, che ella non ti senta, furale le chiavi della prigione e reccale[1] qui e aprimi, ché aperto che tu mi averai, subito ti restituirò il tuo strale. E di questo servizio a qualche tempo forse ti potrò remeritare –.

[12] Guerrino bramoso di avere lo suo dorato strale, piú oltre come fanciullo non si pensò, ma senza indugio alcuno corse alla madre, e trovatala che dolcemente riposava, pianamente le tolse le chiavi e con quelle ritornò al salvatico uomo e dissegli:

– Ecco le chiavi. Se io quinci ti scioglio, va' tanto lontano che di te pur odor alcuno non si senta, perciò che se il padre mio, che è gran maestro di cacce, ti ritrovasse e prendesse, agevolmente uccider ti farrebbe.

– [13] Non dubitar, figliuolo mio – disse il salvatico uomo – che tantosto che aperta arrai la prigione e che disciolto mi veggia, io ti darò la tua saetta, e io me n'andrò sí lontano, che mai piú né da tuo padre né d'altrui sarò accolto –.

Guerrino, che aveva le forze verili,[2] tanto s'affaticò che finalmente aperse la prigione, e l'uomo salvatico resoli la saetta e ringraziatolo molto, si partí.

[14] Era l'uomo salvatico uno bellissimo giovane, il quale per disperazione di non poter acquistare l'amore di colei che cotanto amava, lasciati gli amorosi pensieri e gli urbani solazzi, si era posto tra le boscarice[3] belve, abitando l'ombrose selve e i folti boschi, mangiando l'erbe e bevendo l'acqua a guisa di bestia. Laonde il miserello aveva fatto il pelo grossissimo[4] e la cotica[5] durissima e la barba folta e

1. *reccale*: recale.
2. *verili*: virili, già da uomo adulto. Forma con *-e-* protonica (per questo fenomeno in area settentrionale cfr. Piotti, p. 67).
3. *boscarice*: l'aggettivo è nell'*Arcadia* di Sannazaro. Cfr., per es., « boscarecce astuzie » (ii 4) e « boscarecci canti » (vii 32).
4. *grossissimo*: foltissimo.
5. *cotica*: pelle.

molto lunga, e per gli cibi d'erba, la barba, il pelo e i capelli erano sí verdi divenuti, che era cosa mostruosa a vederlo.

[15] Destata la reina e messa la mano sotto il guanciale per prendere le chiavi che a lato sempre teneva, e non trovandole, molto si maravigliò e ravogliendo[1] il letto sottosopra e nulla trovando, come pazza alla prigione se n'andò, e trovandola aperta e non vedendo l'uomo salvatico, da dolore si sentiva morire, e scorseggiando[2] per lo palazzo or quinci or quindi, addimandava or a questo or a quello chi era stato quel sí temerario e arrogante che gli aveva bastato l'animo[3] di togliere le chiavi della prigione senza sua saputa. A cui nulla sapere tutti rispondevano. [16] E contratosi[4] Guerrino nella madre e vedendola tutta di furore accesa, disse:

– Madre mia, non incolpate veruno dell'aperta prigione, perciò che s'alcuno merita punizione alcuna, io sono quello che la debbo patire perché io sono stato l'apertore –.

La reina ciò udendo, molto maggiormente se ne dolse, temendo che 'l re, venendo dalla caccia, il figliuolo per sdegno non uccidesse, perciò che le chiavi a lei quanto la persona propia raccomandate aveva. [17] Laonde la reina credendo schifare[5] uno picciolo errore, in un altro assai maggiore incorse; perciò che senza mettere indugio alcuno chiamò duo suoi fidelissimi serventi e il figliuolo, e dategli infinite gioie e danari assai e cavalli bellissimi, il mandò alla buona ventura, pregando cordialissimamente li serventi che il suo figliuolo raccomandato gli fusse. [18] Appena che 'l figliuolo era dalla madre partito, che[6] il re dalla caccia al palazzo aggiunse, e sceso giú del cavallo, subito se n'andò alla

1. *ravogliendo*: voltando.
2. *scorseggiando*: correndo.
3. *gli ... l'animo*: aveva osato (cfr. anche poco oltre: *abbia bastato il cuore*, 19).
4. *contratosi*: incontratosi (forma aferetica).
5. *schifare*: schivare, evitare.
6. *appena che ... che*: ripresa del *che* congiunzione.

prigione per vedere l'uomo salvatico, e trovatala aperta e veduto che egli era fuggito, s'accese di tanto furore, che nell'animo suo al tutto propose di uccidere colui, che di cotal errore era stato cagione. [19] E andatosene alla reina, che in camera mesta ci stava, l'addimandò chi era stato colui sí sfacciato, sí arrogante e sí temerario che gli abbia bastato il cuore d'aprire la prigione e dar causa[1] che l'uomo salvatico fuggisse. La reina con tremante e debole voce rispose:

– Non vi turbate, o re, ché Guerrino, come egli confessato mi ha, di ciò n'è stato cagione –; e gli raccontò tanto quanto per Guerrino narrato le fu.

[20] Il che il re intendendo, molto si risentí. Poscia la reina soggiunse che per timore che egli il figliuolo non uccidesse, in lontane parti mandato l'aveva, e che era accompagnato da duo fidelissimi serventi carichi di gioie e di danari assai per le loro bisogna. Al re, intendendo questo, doglia sopra doglia crebbe e nulla quasi mancò che non cadesse in terra e non venisse pazzo,[2] e se non fussero stati i corteggiani che lo ritenero, agevolmente alla dolorata moglie in quel punto la morte data arrebbe. [21] Ritornato il povero re alquanto in sé e posto giú ogni sfrenato furore, disse alla reina:

– O donna, che pensiero è stato il vostro in mandare in luochi non conosciuti il commune figliuolo? credevate voi forse che io facessi piú cunto d'uno uomo salvatico che delle propie carni? –

[22] E senza altra risposta aspettare, comandò che molti soldati subito montassero a cavallo e in quattro parti si dividessero e con ogni diligenza cercassero si trovare lo potevano. Ma in vano si affaticorono, percioché Guerrino con gli serventi andavasi nascoso, né d'alcuno si lasciava conoscere

1. *dar causa*: dare occasione.
2. *venisse pazzo*: diventasse pazzo. Per questo venetismo adattato cfr. G. Folena, *Vocabolario del veneziano di Carlo Goldoni*, redazione a cura di D. Sacco e P. Borghesan, Roma, Ist. della Enciclopedia Italiana, 1993, s.v. *vegnir*.

[23] Cavalcando adunque il buon Guerrino con gli serventi suoi e passando valli, monti e fiumi, e dimorando ora in un luogo e ora in uno altro, pervenne alla età di sedeci anni, e tanto era bello che pareva una mattutina rosa. Non stette guari che venne un diabolico pensiero a gli serventi di uccidere Guerrino e prendere le gioie e i danari, e tra loro dividerli. Ma il pensiero gli andò buso,[1] perciò che per divino giudizio non si potero mai convenire insieme.[2]

[24] Avenne che per sua buona sorte allora passò un vago e leggiadro giovanetto, che era sopra d'un superbo cavallo[3] e pomposamente ornato, e inchinato il capo diede un bel saluto a Guerrino dicendo:

– O gentil cavaliere, quando non vi fosse a noia io con voi volentieri mi accompagnerei –.

[25] A cui Guerrino rispose:

– La gentilezza vostra non permette che io ricusi sí fatta compagnia, anzi io vi ringrazio e vi chieggio[4] di grazia speziale che voi vi dignate di venire con esso noi. Noi siamo forastieri né sapiamo le strade, e voi per cortesia vostra ne le insegnarete, e cosí cavalcando ragionaremo insieme alcuno nostro accidente occorso, e il viaggio ci sarà men noioso –.

[26] Questo giovanetto era il salvatico uomo che fu da Guerrino della prigione di re Filippomaria sciolto. Costui per vari paesi e luochi strani errando, fu per aventura veduto da una bellissima fata, ma inferma alquanto, la quale avendolo sí diforme e brutto considerato, rise della sua bruttura sí fieramente, che una postema vicina al cuore se le

1. *andò buso*: fallí. In veneziano *buso* è 'buco' (cfr. Boerio, s.v.).

2. *convenire insieme*: accordarsi.

3. *superbo cavallo*: cfr. Sabadino degli Arienti, *Le Porretane*, liv 27: « superbo cavallo ».

4. *chieggio*: verbo analogico in *-go* diffuso nell'italiano antico (cfr. Rohlfs, 535).

ruppe, che agevolmente affocata l'arrebbe.[1] E in quel punto da tal infirmità, non altrimenti che se per l'adietro male avuto non avesse, libera e salva rimase. [27] Laonde la bella fata in ricompensamento di tanto beneficio ricevuto, non volendo parer ingrata, disse:

– O uomo, ora sí diforme e sozzo e della mia desiderata sanità cagione, va' e per me sii fatto il piú bello, il piú gentile, il piú savio e grazioso giovane che trovar si possa, e di tutta quella auttorità e potere che mi è dalla natura concesso io ti fo partecipe, potendo tu fare e disfare ogni cosa ad ogni tuo piacere –; e appresentatogli un superbo e fatato cavallo, lo licenziò che dovesse andare ovunque a grado li paresse.

[28] Cavalcando adunque Guerrino col giovanetto e non conoscendolo, ancor che egli conoscese lui, finalmente pervenne ad una fortissima città, Irlanda[2] chiamata, la quale a quei tempi Zifroi[3] re signoreggiava. Questo re Zifroi aveva due figliuole vaghe di aspetto e gentili di costumi, e di bellezza Venere avanzavano, l'una de' quai Potenziana, l'altra Eleuteria[4] si chiamava, ed erano sí amate dal re che per l'altrui occhi non vedeva se non per loro. Pervenuto adunque Guerrino alla città de Irlanda col giovane isconosciuto e con gli serventi, prese l'alloggiamento di un oste, il piú faceto uomo che in Irlanda si trovasse, e da lui tutti furono onorevolmente trattati.

[29] Venuto il giorno sequente, il giovanetto isconosciuto finse di volersi partire e andarsene in altre parti e prese commiato da Guerrino, ringraziandolo molto della buona compagnia avuta da lui. Ma Guerrino, che oramai gli aveva pre-

1. *postema ... arrebbe*: per questa espressione decameroniana cfr. *Piacevoli notti*, III 3 26.
2. *Irlanda*: nella geografia fantastica dello Straparola diventa città.
3. *Zifroi*: il nome ricorda il Gilfroy dei *Reali di Francia* e dell'*Aspramonte*.
4. *Eleuteria*: in latino *Eleutherius* è soprannome di Bacco (Arnobio).

so amore, in maniera alcuna non voleva che si partisse, e tanto l'accarezzò che di rimanere seco acconsentí.

[30] Trovavansi nel territorio irlandese duo feroci e paventosi animali, de' quai l'uno era un cavallo salvatico e l'altro una cavalla similmente salvatica, ed erano di tanta ferocità e coraggio, che non pur le coltivate campagne affatto[1] guastavano e discipavano,[2] ma parimenti tutti gli animali e le umane creature miseramente uccidevano. Ed era quel paese per la loro ferocità a tal condizione divenuto, che non si trovava uomo che ivi abitar volesse, anzi e' propi paesani abbandonavano li loro poderi e le loro care abitazioni e se ne andavano in alieni paesi. [31] E non vi era uomo alcuno sí potente e robusto, che raffrontarlo non che ucciderlo ardisse.[3] Laonde il re vedendo il paese tutto nudo sí di vittovaria[4] come di bestie e di creature umane, né sapendo a tal cosa trovare rimedio alcuno, si ramaricava molto, biastemiando tuttavia[5] la sua dura e malvaggia fortuna.

[32] I duo serventi di Guerrino, che per strada non avevano potuto adempire il loro fiero proponimento per non potersi convenire insieme e per la venuta dell'incognito giovanetto, s'imaginorono di far morire Guerrino e rimaner signori delle gioie e danari e dissero tra loro:

– Vogliamo noi vedere si potiamo in guisa alcuna dare la morte al nostro patrone? –

[33] E non trovando modo né via che gli sodisfacesse, perciò che stavano in pericolo della vita loro se l'uccidevano, s'imaginorono di ragionare secretamente con l'oste e raccontargli come Guerrino suo patrone è uomo prode e va-

1. *affatto*: completamente.
2. *discipavano*: distruggevano.
3. *raffrontarlo ... ardisse*: passaggio dal plurale al singolare. Prima aveva parlato di due animali.
4. *vittovaria*: vettovaglie.
5. *tuttavia*: sempre.

lente,[1] e piú volte con esso loro si aveva vantato[2] di poter uccidere quel cavallo salvatico senza danno di alcuno. – [34] E questa cosa agevolmente potrà venire alle orecchie del re, quale,[3] bramoso della morte de gli duo animali e della salute de tutto il suo territorio, farà venire a sé Guerrino e vorrà intendere il modo che si ha tenere,[4] ed egli non sapendo che fare né che dire, facilmente lo farà morire, e noi delle gioie e danari saremo possessori –.

E sí come deliberato avevano, cosí fecero.

[35] L'oste, inteso questo, fu il piú allegro e il piú contento uomo che mai la natura creasse, e senza mettere intervallo di tempo corse al pallazzo, e fatta la debita riverenza con le ginocchia in terra, secretamente gli disse:

– Sacra corona, sapiate che nel mio ostello ora si trova un vago ed errante cavaliere, il quale per nome Guerrino si chiama, e confavolando[5] io con gli serventi suoi di molte cose, mi dissero tra le altre come il loro patrone era uomo famoso in prodezza[6] e valente con le arme in mano e che a' giorni nostri non si trovava un altro che fusse pare a lui, e piú e piú volte si aveva vantato di esser sí potente e forte, che atterrebbe[7] il cavallo salvatico che nel territorio vostro è di tanto danno cagione –.

Il che intendendo Zifroi re, immantenenti comandò che a sé lo facesse venire. [36] L'oste ubidientissimo al suo signore ritornò al suo ostello e disse a Guerrino che solo al re

1. *Guerrino ... valente*: passaggio dal discorso indiretto al discorso diretto (non raro nello Straparola), che poi continua al paragrafo successivo.

2. *aveva vantato*: consueta estensione dell'ausiliare avere. Cfr. poco oltre, 35.

3. *quale*: l'assenza dell'articolo davanti al relativo *quale* è un fenomeno non sconosciuto al fiorentino e al toscano, ma soprattutto diffuso nel resto d'Italia (cfr. MENGALDO, *La lingua*, cit., p. 152).

4. *si ha tenere*: si deve tenere.

5. *confavolando*: confabulando, chiacchierando.

6. *famoso in prodezza*: cfr. *Dec.*, IV 4 4: « Gerbino [...] famoso in prodezza e in cortesia ».

7. *atterrebbe*: atterrerebbe (forma sincopata).

dovesse andare, perciò che egli seco[1] desiderava parlare. Guerrino questo intendendo, alla presenza del re si appresentò, e fatagli la convenevole riverenza, gli addimandò qual era la causa che egli dimandato l'aveva. [37] A cui Zifroi re disse:

– Guerrino, la cagione che mi ha costretto farti qui venire è che io ho inteso che tu sei valoroso cavaliere, né hai un altro pare al mondo, e piú volte hai detto la tua fortezza esser tale, che senza offensione tua e d'altrui domaresti il cavallo, che sí miserabilmente distrugge e discipa il regno mio. Se ti dà il cuore de prendere tal gloriosa impresa, qual è questa, e vincerlo, io ti prometto sopra questa testa di farti un dono che per tutto il tempo della vita tua rimarrai contento –.

[38] Guerrino intesa l'alta proposta del re, molto si maravigliò, negando tuttavia aver mai dette cotai parole che gli erano imposte.[2] Il re della risposta di Guerrino molto si turbò e adirato alquanto disse:

– Voglio, Guerrino, che al tutto prendi questa impresa, e se tu sarai contrario al voler mio, pensa di rimanere privo di vita –.

[39] Partitosi Guerrino dal re e ritornato all'ostello, molto addolorato ci stava, né ardiva la passione[3] del cuor suo scoprire. Onde il giovane isconosciuto vedendolo contra il consueto suo sí malinconoso stare, dolcemente gli addimandò qual era la cagione che cosí mesto e addolorato il vedeva. Ed egli per lo fratellevole[4] amore che gli portava,

1. *seco*: con lui (Guerrino). Il pronome *seco* non viene impiegato solo come pronome riflessivo, ma anche in riferimento ad altra persona nel senso di *lui* o *lei* (cfr. per es. *Dec.*, VII 6 16: « non dite altro che quello che detto v'ho, e montato a cavallo per niuna cagione seco [con il marito della donna] ristate »).

2. *imposte*: attribuite, imputate.

3. *passione*: tormento, angoscia.

4. *fratellevole*: fraterno.

non potendogli negare l'onesta e giusta dimanda, li raccontò ordinatamente ciò che gli era avenuto. [40] Il che intendendo l'incognito giovane, disse:

– Sta di buon animo né dubitar punto, perciò che io te insegnerò[1] tal strada che tu non perirai, anzi tu sarai vincitore e il re conseguirà il desiderio suo. Ritorna adunque al re e dilli che tu vuoi che 'l ti dia un valente maestro che ferra cavalli, e ordenagli quattro ferri da cavallo, i quali siano grossi e d'ognintorno maggiori de gli ferri communi duo gran dita e ben crestati,[2] e che abbino duo ramponi lunghi un gran dito da dietro, acuti e pungenti. E avuti li farai mettere a i piedi del mio cavallo che è fatato, e non dubitare di cosa alcuna –.

[41] Ritornato Guerrino al re, gli disse ciò che il giovane gli aveva imposto. Il re fatto venire un ottimo maestro da cavalli, gli ordinò che tanto facesse quanto da Guerrino gli fia comandato. Andatosi il maestro alla sua stanza, Guerrino seco se n'andò, e gli ordinò nel modo antedetto i quattro ferri da cavallo. Il che intendendo il maestro, non gli volse fare, ma sprezzatolo, trattòlo da pazzo, perciò che gli pareva una cosa nuova e non piú udita. [42] Guerrino vedendo che 'l maestro lo deleggiava e non gli voleva ubidire, se n'andò al re e lamentòsi del maestro che servire non l'aveva voluto. Laonde il re fattolo chiamare, strettamente[3] gli ordinò, e con pena della disgrazia sua, o che facesse ciò che gli era stà imposto o che egli andasse a far la impresa che Guerrino far doveva. [43] Il maestro udendo che 'l comandamento del re stringeva, fece i ferri e messegli[4] al cavallo secondo che gli

1. *te insegnerò*: forma pronominale tonica (dialettale) in posizione proclitica (nello Straparola si registra una forte oscillazione tra forme toniche e forme atone). Per il fenomeno nella prosa del Cinquecento cfr. Piotti, p. 100.

2. *crestati*: dentati.

3. *strettamente*: rigorosamente.

4. *messegli*: li mise.

era stà divisato.[1] [44] Ferrato adunque il cavallo e ben guarnito di ciò che fa mistieri, disse il giovane a Guerrino:

– Monta sopra questo mio cavallo e vattene in pace, e quando udirai il nitrire del salvatico cavallo, scendi giú del tuo e traeli[2] la sella, la briglia e lascialo in libertà, e tu sopra d'un eminente albero ascenderai, aspettando di quella impresa il fine –.

Guerrino ben ammaestrato dal suo diletto compagno di ciò che far doveva, tolta licenza, lietamente si partí. [45] Era già sparsa per tutta la città d'Irlanda la gloriosa fama che un leggiadro e vago giovanetto aveva tolta l'impresa di prendere il salvatico cavallo e appresentarlo al re. Il perché uomini e donne correvano alle finestre per vederlo passare, e vedendolo sí bello, sí giovanetto e sí riguardevole, si movevano a pietà e dicevano:

– O poverello, come volontariamente alla morte corre, certo gli è un grave peccato che costui sí miseramente muoia –; e per compassione dalle lagrime non si potevano contenere.

[46] Ma Guerrino intrepido e virile allegramente se n'andava, e giunto al luogo dove il salvatico cavallo dimorava e sentitolo nitrire, scese giú del suo e spogliatolo di sella, di briglia e lasciatolo in libertà, salí sopra d'una forte querce e aspettò l'aspra e sanguinolente[3] battaglia. [47] Appena che Guerrino era asceso sopra l'albero che giunse il salvatico cavallo, e affrontò lo fatato destriere e ambe duo cominciorono il piú crudo duello che mai fusse veduto al mondo. Imperciò che parevano duo scatenati leoni e per la bocca gittavano la schiuma a guisa di setosi[4] cinghiali da rabiosi cani cacciati, e dopo ch'ebbero valorosamente combattuto,

1. *divisato*: ordinato.
2. *traeli*: togligli.
3. *sanguinolente*: cruenta. Cfr. Proem. 2.
4. *setosi*: setolosi. Cfr. SANNAZARO, *Arcadia*, VIII 10: «setoso cinghiale».

finalmente il fatato destriere tirò un paio de calci al salvatico cavallo e giunselo in una massella,[1] e quella dal luogo gli mosse. Il perché perdé la scrima di[2] poter piú guereggiare, né piú difendersi. [48] Il che vedendo Guerrino, tutto allegro rimase, e sceso giú della querce, prese un capestro, che seco reccato aveva, e legollo, e alla città cosí smassellato il condusse, e con grandissima allegrezza di tutto il popolo, sí come promesso aveva, al re lo presentò. Il re con tutta la città fece gran festa e trionfo.

[49] Ma a' duo serventi crebbe doglia maggiore, perciò che non era empito[3] il malvagio proponimento suo. Laonde d'ira e di sdegno accesi, da capo fecero intendere a Zifroi re come Guerrino con agevelezza[4] ucciderebbe anche la cavalla quando gli fusse a grado. Il che inteso dal re, egli fece quello istesso che del cavallo fatto aveva. [50] E perciò che Guerrino ricusava di far tal impresa, che veramente pesava, il re il minacciò di farlo suspendere con un piede in su, come rubello[5] della sua corona. E ritornato Guerrino all'ostello raccontò il tutto al suo compagno, il quale sorridendo disse:

– Fratello, non ti paventare, ma va' e trova il maestro da cavalli e ordinali quattro altri ferri altretanto maggiori de i primi, che siano ben ramponati e pungenti e farai quel medesimo che del cavallo fatto hai, e con maggior onore del primo a dietro tornerai –.

Ordinati adunque i pungenti ferri e ferrato il forte fatato destriere, alla onorata impresa se ne gí. [51] Giunto che fu

1. *massella*: mascella.
2. *perdé la scrima di*: perse il controllo della situazione e quindi la capacità di.
3. *empito*: appagato.
4. *agevelezza*: agevolezza. Caso di assimilazione vocalica.
5. *rubello*: ribelle. Passaggio ad *u* della protonica, frequente vicino a suono labiale, cfr. Rohlfs, 135. Trovato, p. 96, la considera forma già antiquata nei primi anni del Cinquecento (ma cfr. anche M. Vitale, *Studi di storia della lingua italiana*, Milano, Led, 1992, pp. 23-27).

Guerrino al luogo dove era la cavalla e sentitala nitrire, fece tanto quanto per l'adietro fatto aveva, e lasciato il fatato cavallo in libertà, la cavalla se gli fé all'incontro, e lo salí[1] d'un terribile e paventoso morso, e fu di tal maniera che il fatato cavallo appena si poté difendere. Ma pur sí vigorosamente si portò,[2] che la cavalla finalmente da un calcio percosa, della gamba destra zoppa rimase. [52] E Guerrino disceso di l'alta arbore, presela e strettamente legolla, e asceso sopra il suo cavallo, al palazzo con trionfo e con allegrezza di tutto il popolo se ne tornò e al re l'appresentò. E tutti per maraviglia correvano a vedere la cavalla attrata,[3] la quale per la doglia grave la vita sua finí. E cosí tutto il paese da tal seccaggine[4] libero e ispedito rimase.

[53] Era già Guerrino ritornato all'ostello e per stanchezza erassi[5] posto a riposare, e non potendo dormire per lo strepito inordinato che sentiva, levò su da posare e sentí un non so che di strano che in un vaso di melle[6] batteva, e uscire di quello non poteva. Laonde aperto da Guerrino il vaso, vide un gallavrone[7] che l'ali batteva e levarsi non poteva, onde egli mosso a pietà, prese quel animaletto e in libertà lo lasciò.

[54] Zifroi re non avendo ancora guidardonato Guerrino del doppio avuto trionfo, e parendogli gran villania se no 'l guidardonava, il mandò a chiamare, e appresentatosi, gli disse:

1. *salí*: assalí (forma aferetica: cfr. II 3 7).
2. *si portò*: si comportò.
3. *attrata*: storpiata.
4. *seccaggine*: fastidio.
5. *erassi*: si era.
6. *melle*: miele. Con il monottongo e la geminazione consonantica come in latino. Poco piú avanti Straparola utilizza la forma scempia *mele* (56).
7. *gallavrone*: calabrone. Forma con la sonorizzazione iniziale, il passaggio intervocalico della labiale (*b* > *v*) e la geminazione della laterale. Cfr. la voce lombarda *galavron*. Per questo settentrionalismo cfr. TROVATO, p. 344.

– Guerrino, tu vedi come per opera tua il regno mio è liberato, e però per tanto beneficio ricevuto rimunerarti intendo. E non trovando dono né beneficio che a tanto merito convenevole sia, ho determinato di darti una delle figliuole mie in moglie. Ma sapi che io ne ho due, delle quali l'una Potenziana si chiama e ha i cappelli[1] con artefìcio leggiadro involti e come l'oro risplendino. L'altra Eleuteria s'addimanda e ha le chiome che a guisa de finissimo argento rilucono. Laonde se tu indovinerai qual di loro sia quella dalle drezze[2] d'oro, in moglie l'averai con grandissima dote, altrimenti il capo dal busto ti farò spiccare –.

[55] Guerrino intesa la scevera[3] proposta di Zifroi re, molto si maravigliò, e voltatosi a lui, disse:

– Sacra corona, è questo il guidardone delle mie sostenute fatiche? è questo il premio de' miei sudori? è questo il beneficio che mi rendete, avendo io liberato il vostro regno, ch'oramai era del tutto disolato e guasto? ahimè, ch'io non meritava questo. Né a un tanto re come siete voi tal cosa si conveniva. Ma poscia che cosí vi piace, e io sono nelle mani vostre, fate di me quello piú vi aggrada.

– Or va' – disse il re – e non piú tardare e dotti termine per tutto dimane a risolverti di tal cosa –.

[56] Partitosi Guerrino tutto rimaricato, al suo caro compagno se ne gí, e raccontòli ciò che detto gli avea Zifroi re. Il compagno, di ciò facendo poca stima, disse:

– Guerrino, sta di buon animo né dubitare, perciò che io ti libererò del tutto. Ricordati che ne' giorni passati il gallavrone nel mele inviluppato liberasti e in libertà lo lasciasti. Ed egli sarà cagione della tua salute. Imperciò che dimane dopo il desinare al palazzo se n'andrà, e tre volte a torno il

1. *cappelli*: capelli. Geminazione della *-p-* per probabile ipercorrettismo.
2. *drezze*: trecce. Cfr. il veneziano *drezza* (Boerio, s.v.).
3. *scevera*: severa (forma ipercorretta).

volto di quella da i capelli d'oro sussurrando volerà, ed ella con la bianca mano lo scaccerà. E tu avendo veduto tre fiate un simil atto, conoscerai certo quella esser colei che tua moglie fia.

– [57] Deh – disse Guerrino al suo compagno – quando verrà quel tempo che io possi appagarti di tanti benefici per me da te ricevuti? certo se io vivessi mille anni, non potrei d'una minima parte guidardonarti. Ma colui che è rimuneratore del tutto supplisca per me in quello che io sono manchevole –.

[58] Allora rispose il compagno a Guerrino:

– Guerrino, fratel mio, non fa bisogno che tu mi rendi guidardone delle sostenute fatiche, ma ben è ormai tempo ch'io me ti scopra[1] e che tu conosca ch'io sono. E sí come me dalla morte campasti, cosí ancor io ho voluto di tanta ubligazione il merito renderti. Sapi che io sono l'uomo salvatico che sí amorevolmente dalla prigione del tuo padre liberasti, e per nome chiamomi Rubinetto –.[2]

[59] E raccontògli come la fata ne l'esser sí leggiadro e bello ridotto l'aveva. Guerrino ciò intendendo, tutto stupefatto rimase, e per tenerezza di cuore quasi piangendo, l'abbraciò e basciò e per fratello il ricevette. E perciò che omai s'avicinava il tempo di risolversi con Zifroi re, amenduo al pallazzo se n'andorono. [60] E il re ordinò che Potenziana ed Eleuteria, sue dilette figliuole, tutte velate di bianchissimi veli venessero[3] alla presenza di Guerrino, e cosí fu fatto. Venute adunque le figliuole e non potendosi conoscere l'una da l'altra, disse il re:

– Qual di queste due vuoi tu Guerrino che io ti dia per moglie? –

Ma egli stando sopra di sé tutto suspeso, nulla risponde-

1. *me ti scopra*: mi riveli a te.
2. *Rubinetto*: nome preso a prestito dai *Reali di Francia*.
3. *venessero*: venissero.

va. [61] Il re curioso di vedere il fine, molto l'infestava,[1] dicendogli che 'l tempo fuggiva e che si risolvese omai. Ma Guerrino rispose:

– Sacratissimo re, se il tempo fugge, il termine di tutt'oggi che mi avete dato, non è ancor passato –.

Il che esser il vero tutti parimente confirmarono. [62] Stando in questa lunga aspettazione il re, Guerrino e tutti gli altri, ecco che sopragiunse il gallavrone, il quale sussurrando intorniò il chiaro viso di Potenziana dalle chiome d'oro. Ed ella come paventata con la mano il ribbatteva in dietro e avendolo piú di tre fiate ribbattuto, finalmente si partí. Stando cerca ciò Guerrino alquanto dubbioso, fidandosi pur tuttavia delle parole di Rubinetto suo diletto compagno, disse il re:

– Or su, Guerrino, che fai? omai gli è tempo che s'impona fine e che tu ti risolva –.

[63] Guerrino ben guardata e ben considerata l'una e l'altra poncella, puose la mano sopra il capo di Potenziana, che il gallavrone gli aveva mostrata, e disse:

– Sacra corona, questa è la figliuola vostra dalle chiome d'oro –.

[64] E scopertasi la figliuola, fu chiaramente veduto che ella era quella; e in quel punto presente tutti e' circostanti e con molta sodisfazione di tutto il popolo, Zifroi re gliela diede in moglie, e indi non si partí che anche Rubinetto, suo fidato compagno, sposò l'altra sorella. Dopo Guerrino si manifestò che egli era figliuolo di Filippomaria re di Cicilia. Laonde Zifroi ne sentí maggior allegrezza, e furono fatte le nozze vie piú pompose e grandi. [65] E fatto intendere tal matrimonio al padre e alla madre di Guerrino, ne ebbero grandissima allegrezza e contento, perciò che il loro figliuolo esser perduto credevano. E ritornatosene in Cicilia

1. *molto l'infestava*: lo sollecitava con richieste insistenti e petulanti.

con la cara moglie e con il diletto fratello e cognata, fu dal padre e dalla madre graziosamente veduto e accarecciato, e lungo tempo visse in buona pace, lasciando dopo sé figliuoli bellissimi e del regno eredi.

[66] Molto commendata fu da tutti la pietosa favola da Eritrea raccontata, la quale poi che vide che tutti tacevano, il suo enimma in tal maniera propose:

[67] Nasce un fier animal d'un picciol seme
c'ha in odio per natura ogni persona;
di mirarlo ciascun paventa e teme,
ch'uccide altrui n' a se stesso perdona;
a tutto ov'egli d'ognintorno preme
il valor toglie, e a morte in preda dona;
arbori secca e da per tutto infetta:
mai fiera fu piú cruda e maladetta.

[68] Finito e da tutti molto commendato l'enimma dalla ingeniosa Eritrea recitato, alcuni l'interpretorono ad un modo e altri ad un altro, ma niuno li dava il vero senso. Laonde Eritrea vedendo il suo enimma non esser inteso, disse:

– Io questo fier animale non penso esser altro se no il basalisco,[1] il quale odia altrui e con l'acuta vista l'uccide; e vedendosi se stesso, muore –.

[69] Finita che ebbe la isposizione Eritrea del suo enimma, il signor Evangelista, che a lato le era, sorridendo disse:

– Voi siete quel basilisco, che con vostri begli occhi chiunque vi mira, dolcemente uccidete –.

Ma Eritrea di natural colore nel viso depinta, nulla rispo-

1. *basalisco*: variante di 'basilisco'. Rettile favoloso, originario della regione cirenaica, non grande, e fornito di una cresta bianca a forma di diadema; esso sarebbe in grado di mettere in fuga ogni altro rettile e di distruggere qualsiasi cosa al suo passaggio con il solo fiato pestilenziale (cfr. PLINIO, *Nat. Hist.*, VIII 21 3) o anche con il solo sguardo (cfr. PSEUDO APULEIO, *Herbarius*, CXXVIII). Per la sopravvivenza di questa leggenda cfr. *Gesta Romanorum*, cap. CXXXIX, e MORLINI, *Favole*, XVI.

se. [70] Alteria, la quale appresso lei sedeva, vedendo il suo enimma esser fornito e da tutti commendato assai, e sapendo che a lei per ordine toccava la volta di favoleggiare, sí come alla Signora piacque,[1] una favola non meno da ridere che da commendare[2] in tal guisa incominciò.

1. *sí come ... piacque*: cfr. *Dec.*, I 6 2: « come alla sua reina piacque ».
2. *una favola ... commendare*: cfr. *Dec.*, I 6 3: « con un motto non meno da ridere che da commendare ».

NOTTE QUINTA, FAVOLA II[1]

[1] *Adamantina, figliuola di Bagolana Savonese, per virtú d'una poavola*[2] *di Drusiano re di Boemia moglie divenne.*

[2] Sí potente, sí alto e sí acuto è l'intelletto de l'uomo, che senza dubbio supera e avanza tutte l'umane forze del mondo. E però meritamente dicessi[3] l'uomo savio signoreggiare le stelle.[4] Laonde mi soviene una favola, per la quale agevolmente intenderete come una povera fanciulletta, dalla fortuna sovenuta, d'uno ricco e potente re moglie divenne. E quantunque la favola breve sia, sarà però, se non m'enganno, tanto piú piacevole e ridicolosa. Prestatemi adunque l'orecchie vostre attente[5] ad ascoltarmi, sí come per lo adietro fatto avete a[6] queste nostre onestissime compagne, le quali si hanno piú tosto da sommamente lodare, che in niuna parte biasmare di voi.[7]

1. La favola verrà ripresa da Basile (v 1: *La papara*). Una novellina siciliana raccolta da Pitrè, *Fiabe, Novelle e Racconti*, n. 288, dimostra la vitalità del testo nella tradizione popolare (e cfr. anche n. 25). Per i motivi cfr. Rotunda, D821 (*Magic object received from old woman*); D838 (*Magic object acquired by stealing*); D1295 (*Magic doll*); D1469.2 (*Magic doll furnishes treasure*); H1196 (*Task: freeing king from clutches of magic doll*); K314 (*Trickster feigns being pursued by drunken husband to obtain entrance*); K331.5 (*Trickster steals magic doll while owner is asleep*); L162 (*Lowly heroine marries king*).

2. *poavola*: bambola. Voce di origine veneziana, dimin. di *pua*, 'pupa, bambola', con doppio suffisso. Per questo genuino venetismo, ancora vivo nel padovano, cfr. Trovato, p. 345.

3. *dicessi*: si dice.

4. *l'uomo ... stelle*: traduce la massima, attribuita a Tolomeo e divenuta il motto e l'epigrafe dell'astrologia divinatrice: *vir sapiens dominabitur astris* (cfr. E. Garin, *Dal Rinascimento all'Illuminismo*, Pisa, Nistri-Lischi, 1970, p. 57).

5. *Prestatemi ... attente*: cfr. Sannazaro, *Arcadia*, II 7: « se le benivole ninfe prestino intente orecchie al tuo cantare ». Ma cfr. anche ivi, Prologo, 5: « i montani idii da dolcezza vinti prestarono intente orecchie ».

6. *fatto avete a*: il verbo vicario (*fare*) eredita il segnacaso del verbo che sostituisce (qui: *prestare*). È un tratto arcaico (cfr. Trovato, p. 348).

7. *da sommamente ... voi*: cfr. *Dec.*, VIII 9 3: « non da biasimare ma da com-

[3] In Boemia, piacevoli donne, non è gran tempo,[1] che si trovò una vecchiarella, Bagolana Savonese per nome chiamata. Costei essendo poverella e avendo due figliuole, l'una de' quai Cassandra,[2] l'altra Adamantina s'addimandava, volse di quella poca povertà che ella si trovava avere, ordinare[3] i fatti suoi e contenta morire. E non avendo in casa né fuori cosa alcuna di cui testare potesse, eccetto che una cassettina piena di stoppa,[4] fece testamento e la cassettina con la stoppa lasciò alle figliuole, pregandole che dopo la morte sua pacificamente insieme vivessero. Le due sorelle, quantunque fussino povere de' beni della fortuna, nondimeno erano ricche de' beni dell'animo e in vertú e in costumi non erano inferiori all'altre donne. [4] Morta adunque la vecchiarella e parimente sepolta, Cassandra, la qual era la sorella maggiore prese una libra[5] di quella stoppa e con molta solecitudine si puose a filare, e filata che fu, diede il filo ad Adamantina sua sorella minore,[6] imponendole che lo portasse in piaza e lo vendesse, e del trato[7] di quello comperasse tanto pane, acciò che ambe doe potessero delle sue fatiche la loro vita sustentare.[8] [5] Adamantina tolto il filo e po-

mendar sieno». Ma i costrutti *lodarsi/biasimarsi di qualcuno* non sono attestati nel *Decameron*. Cfr. Trovato, p. 348.

1. *In Boemia ... tempo*: l'ordine delle parole ripropone meccanicamente un consueto modulo boccacciano: attacco con vocativo interposto. Cfr. Trovato, p. 346.

2. *Cassandra*: nome non raro nella Venezia dei tempi dello Straparola, come attestano i necrologi conservati presso l'Archivio di Stato.

3. *ordinare*: disporre per testamento. Cfr. anche il successivo *testare*, 'fare testamento'.

4. *stoppa*: cascame della pettinatura del lino e della canapa, meno costosa del cotone.

5. *libra*: libbra (poco piú di 300 grammi).

6. *sua sorella minore*: informazione superflua, visto che poco prima Straparola aveva detto che Cassandra era la maggiore.

7. *trato*: ricavato.

8. *sustentare*: latinismo. L'espressione è frequente nel Boccaccio; cfr. *Dec.*, VIII 10 42: «e domandogli aiuto e consiglio in fare che esso quivi potesse sostentar la sua vita».

stolo sotto le braccia, se n'andò in piazza per venderlo secondo il comandamento di Cassandra, ma venuta la cagione e la opportunità, fece il contrario di quello era il voler suo e della sorella, perciò che s'abbatté[1] in piazza ‹in›[2] una vecchiarella che aveva in grembo una poavola,[3] la piú bella e la piú ben formata che mai per l'adietro veduta si avesse. Laonde Adamantina avendola veduta e considerata, di lei tanto se invaghí, che piú di averla che di vendere il filo pensava. [6] Considerando adunque Adamantina sopra di ciò, e non sapendo che fare né che dire per averla, pur deliberò di tentare sua fortuna, si abbaratto la potesse avere. E accostatasi alla vecchia, disse:

– Madre mia, quando vi fusse in piacere, io baratterei volontieri con la poavola vostra il filo mio –.

[7] La vecchiarella vedendo la fanciulla bella, piacevole e tanto desiderosa della poavola, non volse contradirle, ma preso il filo, la poavola le appressentò. Adamantina avuta la poavola, non si vide mai la piú contenta, e tutta lieta e gioconda a casa se ne tornò.[4]

[8] A cui la sorella Cassandra disse:

– Hai tu venduto il filo?

– Sí – rispose Adamantina.

– E dove è il pane che hai comperato? – disse Cassandra.

[9] A cui Adamantina, aperto il grembiale di boccato[5] che denanzi teneva sempre, dimostrò la poavola che barattata

1. *s'abbatté*: s'imbatté.

2. *in*: è omesso in tutte le stampe considerate, ma sembra proprio un errore, considerando la costruzione del verbo sempre con preposizione anche nelle *Piacevoli notti*; del resto l'omissione può essere facilmente giustificata dalla presenza a breve distanza di un'altra preposizione *in* che può aver influito sulla caduta.

3. *poavola*: secondo la testimonianza del cinquecentista Garzoni, i principali centri di produzione di *poavole* erano vicinissimi a Venezia: Mestre e Marghera (cfr. Trovato, p. 349).

4. *a casa se ne tornò*: frequente clausola decameroniana.

5. *grembiale di boccato*: cfr. III 3 32.

aveva. Cassandra, che di fame si sentiva morire, veduta la poavola, di sí fatta ira e sdegno s'accese, che presa Adamantina per le trecce le diede tante busse, che appena la meschina si poteva movere. L'Adamantina[1] pacientemente ricevute le busse,[2] senza far difesa alcuna, meglio che seppe e puoté con la sua poavola in una camera se n'andò.

[10] Venuta la sera, Adamantina, come le fanciullette fanno, tolse la poavola in braccio e andossene al fuoco, e preso de l'oglio della lucerna, le unse lo stomaco e le rene, indi rivoltata in certi stracci che ella aveva, in letto la mise,[3] e indi a poco andatasene a letto, appresso la poavola si coricò.

[11] Né appena Adamantina aveva fatto il primo sonno che la poavola cominciò chiamare:

– Mamma, mamma, caca –.

E Adamantina destata, disse:

– Che hai, figliuola mia? –

A cui rispose la poavola:

– Io vorrei far caca, mamma mia –.

E Adamantina:

– Aspetta, figliuola mia – disse.

[12] E levatasi di letto, prese il grembiole,[4] che il giorno dinanzi portava, e glielo pose sotto dicendo:

– Fa caca, figliuola mia –; e la poavola, tuttavia forte premendo,[5] empí il grembiole di gran quantità di danari.[6] Il che vedendo Adamantina destò la sorella Cassandra, e le

1. *L'Adamantina*: l'articolo davanti al nome proprio è un settentrionalismo.

2. *pacientemente ... busse*: cfr. *Dec.*, VII 8 16: « quelle busse pazientemente ricevesse ».

3. *in letto la mise*: a letto la mise. Forte settentrionalismo (TROVATO, p. 345); nel *Decameron* alternano *a/al/nel letto*.

4. *grembiole*: grembiule (denominale da *grembo*).

5. *premendo*: spingendo.

6. *empí ... danari*: il rapporto stabilito tra l'evacuazione delle feci e l'emissione del denaro non è gratuito, se si tiene conto che il diavolo, signore delle ricchezze, soleva comparire, nei testi della letteratura religiosa, accompagnato da rumori sconci e da puzza fetida (Guglielminetti).

mostrò i danari che aveva cacati la poavola. [13] Cassandra vedendo il gran numero de danari, stupefatta rimase, Iddio ringraziando che per sua bontà nelle lor miserie abbandonate non aveva, e voltatasi alla sorella, le chiese perdono delle busse che da lei a gran torto ricevute aveva, e fece molte carecce alla poavola, dolcemente basciandola e nelle braccia strettamente tenendola.

[14] Venuto il chiaro giorno, le sorelle fornirono la casa di pane, di vino, di oglio,[1] di legna e di tutte quelle cose che appartengono ad una ben accomodata famiglia. E ogni sera ungevano lo stomaco e le rene alla poavola e in sottilissimi pannicelli la rivoglievano,[2] e sovente se la voleva far caca le dimandavano. Ed ella rispondeva che sí, e molti danari cacava.

[15] Avenne che una sua[3] vicina, essendo andata in casa delle due sorelle e avendo veduta la loro casa in ordine di ciò che le[4] faceva mestieri, molto si maravigliò, né si poteva persuadere che sí tosto fussero venute[5] sí ricche, essendo già state sí poverissime,[6] e tanto piú conoscendole di buona vita e sí oneste del corpo loro che opposizione alcuna non pativano. Laonde la vicina dimorando in tal pensiero, determinò di operare sí che la potesse intendere dove procedesse la causa di cotanta grandezza. [16] E andatassene alla casa delle due sorelle, disse:

– Figliuole mie, come avete fatto voi a fornire sí pienamente la casa vostra, conciosiacosa che per lo adietro voi eravate sí poverelle? –

1. *oglio*: cfr. I 5 14.
2. *rivoglievano*: avvolgevano.
3. *sua*: loro.
4. *le*: loro (forma pronominale calcata sul locale *g(h)e* come negli *Asolani* manoscritti: cfr. TROVATO, p. 345). Cfr. anche oltre *le dava* (17) e *dicendole* (23).
5. *fussero venute*: fossero diventate. Per questo venetismo adattato cfr. FOLENA, op. cit., s.v. *vegnir.*
6. *sí poverissime*: per il superlativo preceduto da *sí* cfr. TROVATO, p. 346.

A cui Cassandra, che era la maggior sorella, rispose:

– Una libra di filo di stoppa con una poavola barattata abbiamo, la quale senza misura alcuna danari ci rende –.

[17] Il che la vicina intendendo, nell'animo fieramente si turbò,[1] e tanta invidia le crebbe, che di furargliela al tutto determinò. E ritornata a casa, raccontò al marito come le due sorelle avevano una poavola che dí e notte le dava molto oro e argento, e che al tutto de involarla determinato aveva. E quantunque il marito si facesse beffe delle parole della moglie, pur ella seppe tanto dire che egli le credette. Ma disselle:[2]

– E come farai tu a involargliela? –

[18] A cui la moglie rispose:

– Tu fingerai una sera di essere ebbriaco e prenderai la tua spada e correrammi dietro per uccidermi, percotendo la spada nelle mura;[3] e io fingendo di aver di ciò paura fuggirò su la strada, ed elle, che sono compassionevoli molto, mi apriranno, e io chiuderommi dentro la loro casa, e resterò appresso loro quella notte, e io opererò quanto che io potrò –.[4]

[19] Venuta adunque la sequente sera, il marito della buona femina prese la sua arruginita spada e percotendo quando in questo muro quando in quel altro, corse dietro alla moglie, la quale piangendo e gridando ad alta voce fuggí fuori di casa. Il che udendo le due sorelle, corsero alle finestre per intendere quello che era avenuto e cognobbero la voce della loro vicina, la quale molto forte gridava, e le due sorelle, abbandonate le finestre, scesero giú a l'uscio e, aper-

1. *fieramente si turbò*: cfr. *Dec.* v 6 22: « di che egli di subito si turbò fieramente ».

2. *disselle*: dissele.

3. *nelle mura*: nei muri (pareti) di casa.

4. *Tu fingerai ... potrò*: in questo periodo è ben rappresentato l'andamento elementare (paratattico polisindetico) che caratterizza la sintassi delle *Piacevoli notti.*

tolo, la tirorono in casa. [20] E la buona femina dimandata da loro per che cagione il marito cosí irato la seguiva, le rispose:

– Egli è venuto a casa sí inbalordito[1] dal vino che non sa ciò che si faccia, e perché io lo riprendeva di queste sue ebbrezze, egli prese la spada e corsemi dietro per uccidermi. Ma io piú gagliarda di lui ho voluto fuggire per minor scandalo, e sonommi qui venuta –.

[21] Disse e l'una e l'altra sorella:

– Voi, madre mia, avete fatto bene e starete questa notte con esso noi, acciò non incorriate in alcuno pericolo della vita, e in questo mezzo il marito vostro padirà[2] l'ebbrezza sua –.

E apparecchiata la cena, cenarono insieme, e poscia unsero la poavola e se n'andorono a riposare. [22] Venuta l'ora che la poavola di cacare bisogno aveva, disse:

– Mamma, caca –.

E Adamantina segondo[3] l'usanza le poneva sotto il panicello mondo e la poavola cacava danari con grandissima maraviglia di tutte. La buona femina che era fuggita, il tutto vedeva e molto suspesa restava, e parevale un'ora mille anni[4] di furarla e di poter operare tal effetto.

[23] Venuta l'aurora, la buona femina, dormendo ancora le sorelle, chetamente si levò di letto, e senza che Adamantina se n'avedesse, le furò la poavola che vi era appresso, e destatele, tolse licenza di andare a casa, dicendole che la pensava ch'oramai il marito poteva aver digesto[5] il vino

1. *inbalordito*: inebetito, intontito.

2. *padirà*: smaltirà, con sonorizzazione di tipo settentrionale della dentale (cfr. IV I 25).

3. *segondo*: secondo. Sonorizzazione settentrionale della velare. Cfr. poco oltre *fuogo* (25).

4. *e parevale ... anni*: iperbole decameroniana: cfr. *Dec.*, VII 9 57: « parendole ancora ogni ora mille che con lui fosse ».

5. *digesto*: smaltito.

sconciamente[1] bevuto. [24] Andatasene adunque a casa la buona donna disse lietamente al marito:

– Marito mio, ora noi abbiamo trovata la ventura nostra: vedi la poavola –; e un'ora mille anni le pareva che venisse notte per farsi ricca.

[25] Sopragiunta la buia notte, la donna prese la poavola, e fatto un buon fuogo, le unse lo stomaco e le rene,[2] e infasciata[3] in bianchi pannicelli nel letto la pose, e spogliatasi ancora ella appresso la poavola si coricò. Fatto il primo sonno, la poavola si destò e disse:

– Madonna, caca –; e non disse « mamma, caca », perciò che non la conoscea, e la buona donna, che vigilante stava aspettando il frutto che seguir ne doveva,[4] levatasi di letto e preso un panno di lino bianchissimo, glielo puose sotto, dicendo:

– Caca, figliuola mia, caca –.

[26] La poavola fortemente premendo, in vece di danari empí il panno di tanta puzzolente feccia ch'appena se le poteva avicinare. Allora disse il marito:

– Vedi, o pazza che tu se', come ella ti ha ben trattata, e sciocco sono stato io a crederti tale pazzia –.

[27] Ma la moglie, contrastando col marito, con giuramento affermava sé aver veduta con gli occhi propi gran somma di danari per lei cacata. E volendo la moglie riservarsi alla notte sequente a far nova isperienza, il marito, che non poteva col naso sofferire il tanto puzzore[5] che egli sen-

1. *sconciamente*: esageratamente, oltre la giusta misura. Cfr. *Dec.*, I 1 14: « gulosissimo e bevitor grande, tanto che alcuna volta sconciamente gli facea noia ».

2. *le unse ... rene*: è l'elemento rituale secondo un modulo ripetuto piú volte nel corso della novella.

3. *infasciata*: fasciata (venetismo adattato; cfr. Folena, op. cit., s.v. *infassar*).

4. *frutto ... doveva*: metaforicamente; cfr. *Dec.*, X 7 47: « vogliam noi prender quel frutto che noi del vostro amore aver dobbiamo ».

5. *puzzore*: fetore intenso e disgustoso.

tiva, disse la maggior villania alla moglie che mai si dicesse a rea femina del mondo,[1] e presa la poavola la gittò fuori della finestra sopra alcune scoppazze[2] che erano a rimpetto della casa loro.

[28] Avenne che le scoppazze furono caricate d'alcuni contadini lavoratori di terre sopra di un carro, e senza che alcuno se n'avedesse, fu altresí messa la poavola sul carro, e di quelle scopazze fatto fu alla campagna un lettamaro[3] da ingrassare[4] a suo luoco e tempo il terreno.

[29] Occorse che a Drusiano[5] re, andando un giorno per suo diporto alla caccia, venne una grandissima volontà di scaricare il soperchio peso del ventre,[6] e smontato giú del cavallo, fece ciò che naturalmente gli bisognava. E non avendo con che nettarsi,[7] chiamò un servente che gli desse alcuna cosa, con la quale si potesse mondare. [30] Il servente andatosene al lettamaro e ricercando per dentro se poteva trovar cosa ch'al proposito fusse, trovò per aventura la poavola, e presala in mano, la portò al re. Il quale senza alcun sospetto tolse la poavola, e postasela dietro alle natiche per

1. *disse ... mondo*: il sintagma decameroniano « rea femina » è incrociato con il giro, pure ripetutamente attestato nel *Dec.*, VII 7 43: « dettami la maggior villania che mai si dicesse a niuna cattiva femmina ». E cfr. anche ivi, VII 8 19 e IX 2 13 (cfr. TROVATO, p. 352).

2. *scoppazze*: rifiuti, spazzatura. Venetismo con retroscrizione, toscanizzato, da *scoazze* (BOERIO, s.v.).

3. *lettamaro*: letamaio, fossa sulla quale si ammucchia e si fa fermentare il letame. Esito non fiorentino di *-arius*, con geminazione ipercorretta della dentale sorda.

4. *ingrassare*: concimare. Per questo venetismo adattato cfr. FOLENA, op. cit., s.v. *ingrassar*.

5. *Drusiano*: questo nome può essere ispirato dalla Drusiana dei *Reali di Francia*.

6. *scaricare ... ventre*: eufemismo boccacciano: cfr. *Dec.*, II 5 37: « e richiedendo il naturale uso di dovere diporre il superfluo peso del ventre ».

7. *non ... nettarsi*: per l'utilizzo di espressioni del campo semantico dell'evacuazione, non propriamente eufemistiche, frequenti in tutta la novella, cfr. quanto dice TROVATO, pp. 346-47.

nettare messer lo perdoneme,[1] trasse il maggior grido che mai si sentisse. Imperciò che la poavola con e' denti gli aveva presa una natica, e sí strettamente la teneva, che gridare ad alta voce lo faceva. [31] Sentito da' suoi il smisurato grido, subito tutti corsero al re, e vedutolo che in terra come morto giaceva, tutti stupefatti restarono, e vedendolo tormentare dalla poavola, si posero unitamente insieme per levargliela dalle natiche, ma si affaticavano in vano, e quanto piú si sforzavano de rimovergliela, tanto ella gli dava maggior passione e tormento, né fu mai veruno che pur crollare la potesse non che indi ritrarla. E alle volte con le mani gli apprendeva e' sonagli[2] e sí fatta stretta gli dava che gli faceva vedere quante stelle erano in cielo a mezzo il giorno. [32] Ritornato l'affannato re al suo palazzo con la poavola alle natiche taccata[3] e non trovando modo né via di poterla rimovere, fece fare un bando che s'alcuno, di qual condizione e grado essere si voglia, si trovasse a cui bastasse l'animo la poavola da le natiche spiccargli, che[4] gli darebbe il terzo del suo regno, e se poncella fusse, qual si volesse, per sua cara e diletta moglie l'apprenderebbe, promettendo sopra la sua testa di osservare tanto quanto nel bando si conteneva.

[33] Intesossi adunque il bando, molti concorsero al palazzo con viva speranza di ottenere lo constituto premio. Ma la grazia non fu concessa ad alcuno che traere gli la potesse, anzi come alcuno se gli avicinava, ella gli dava piú noia e passione. Ed essendo il travagliato re sí fieramente tormentato, né trovando rimedio alcuno al suo incomprensibile dolore, quasi come morto giaceva.

1. *messer lo perdoneme*: è espressione eufemistica probabilmente dialettale per indicare il deretano (propriamente 'il signor perdonatemi'). Per Trovato, p. 352, è un « goffo eufemismo ».

2. *sonagli*: facile metafora sessuale, frequente in Aretino, *Sei giornate*, 14 9, 53 27, 125 32. Ma cfr. anche Folengo, *Baldus*, xx 645: « genitivos [...] sonaios ».

3. *taccata*: attaccata (cfr. in Boerio il veneziano *tacar*, 'attaccare').

4. *che ... che*: ripresa della congiunzione *che*.

[34] Cassandra e Adamantina, che grandissime lagrime sparse avevano per la loro perduta poavola, avendo inteso il publicato bando, vennero al palazzo e al re s'appresentorono. Cassandra, che era la sorella maggiore, comenciò[1] far festa alla poavola e li maggior vezzi che mai far si potesse. Ma la poavola, stringendo i denti e chiudendo le mani, maggiormente tormentava il sconsolato re. [35] Adamantina, che alquanto stava discosta, si fece avanti e disse:

– Sacra maestà, lasciate che ancora io tenti la ventura mia –; e appresentatasi alla poavola disse:

– Deh, figliuola mia, lascia omai cheto il mio signore, né gli dar piú tormento –; e presala per i pannicelli, accarecciolla molto.

[36] La poavola, che conosciuta aveva la sua mamma, la quale era solita a governarla e maneggiarla, subito dalle natiche si staccò, e abbandonato il re, saltolle nelle braccia. Il che vedendo il re tutto attonito e sbigottito rimase, e si puose a riposare, perciò che molte e molte notti e giorni dalla passione grande che egli sentita e provata aveva, mai non aveva potuto trovare riposo. [37] Ristaurato[2] Drusiano re dallo intenso dolore e delle gran morse[3] risanato, per non mancare della promessa fede, fece venire a sé Adamantina, e vedendola vaga e bella giovanetta, in presenza de tutto il popolo la sposò, e parimenti Cassandra sua sorella maggiore orrevolmente maritò, e fatte solenni e pompose feste e trionfi, tutti in allegrezza e tranquilla pace lungo tempo vissero.

[38] La poavola, vedute le superbe nozze di l'una e l'altra sorella, e il tutto aver sortito salutifero fine, subito disparve. E che di lei n'avenisse, mai non si seppe novella alcuna. Ma

1. *comenciò*: cominciò (mancanza di anafonesi).
2. *Ristaurato*: ristabilito.
3. *morse*: plurale femminile di *morso*, attestato nell'italiano antico.

giudico io che si disfantasse[1] come nelle fantasme[2] sempre avenir suole.

[39] La favola di Alteria essendo già venuta a fine, molto piacque a tutti, né si potevano dalle risa astenere, e massimamente quando pensavano che la poavola dolcemente cacava, e con i denti le natiche e con le mani gli sonagli del re strettamente teneva. Ma poscia che cessorono le risa, la Signora ad Alteria impose che con l'enimma l'ordine seguisse. Ed ella lietamente cosí incominciò:

[40] Per lunghezza una spana e un sommesso,[3]
e parimente alla grandezza grosso
sta un sempre ardito, e si vagheggia spesso
e volontiera[4] all'uom si getta addosso.
Molt'è da veder vago per se stesso,
e porta bracche e scapuzzetto[5] rosso
con duo sonagli che gli pende a basso;
a cui li piace, dà diletto e spasso.

[41] Finito il leggiadro e forte[6] enimma, la Signora, che aveva già cangiate le risa in sdegno e mostravasi adirata, fece una riprensione ad Alteria dicendo che qua non era luogo da raccontare tra onestissime donne parole sozze, e che un'altra fiata la si risguardasse. Ma Alteria arrossita alquanto si levò da sedere, e voltato il caro viso verso la Signora disse: – Signora mia, l'enimma per me proposto non è disonesto, sí come voi lo riputate, e di ciò renderà vera testimonianza questa nostra piacevole compagnia, quando ella arrà

1. *si disfantasse*: si sciogliesse, scomparisse (voce dialettale veneziana: cfr. Boerio, s.v. *desfantarse*).
2. *fantasme*: anticamente anche femminile. È femminile anche in veneziano (Boerio, s.v.).
3. *sommesso*: la lunghezza del pugno col pollice alzato.
4. *volontiera*: forma settentrionale dell'avverbio (cfr. Rohlfs, 950).
5. *scapuzzetto*: cappuccetto (forma assibilata di tipo settentrionale).
6. *forte*: oscuro, complicato.

inteso l'oggetto. Imperciò che il nostro enimma altro non dinota se no il falcone, che è uccello gentile e ardito e viene volontieri al falconiere. Egli porta le sue bracchette e gli sonagli a' piedi, e a chiunque si diletta di uccellare, dona gran piacere e solaccio –.

[42] Udita la vera dichiarazione de l'arguto enimma per lo adietro disonesto riputato, tutti ad una voce lo commendorono. E la Signora, posta giú ogni sinistra oppenione che di Alteria aveva, voltò il viso verso Lauretta e fecelle[1] motto che a sé venisse, la quale ubidiente a lei se ne gí. E perché a lei toccava la volta del favoleggiare, disselle:[2]

– Non già che io faccia poca stima di te, né che io ti reputi inferiore alle altre compagne nel dire, ma acciò che noi pigliamo maggior diletto e trastullo in questa sera, voglio che per ora tu ponghi silenzio alla bocca tua, porgendo le orecchie all'altrui novellare –.

Rispose Lauretta:

– Ogni vostra parola, Signora mia, mi è espresso comandamento –; e fatta una riverenza al luogo suo se n'andò a sedere.

[43] Indi la Signora guattò nel viso del Molino e con mano li fece segno che a sé venisse, ed egli subito si levò da sedere e a lei riverentemente se n'andò. A cui disse la Signora:

– Signor Antonio, questa ultima sera della settimana[3] è molto privilegiata ed è lecito a ciascuno dire ciò che li piace. Laonde per contentamento nostro e di questa orrevole compagnia, vorressimo[4] che voi ne raccontaste una favola alla bergamasca con quel buon modo e con quella buona

1. *fecelle*: le fece.

2. *disselle*: le disse.

3. *questa ... settimana*: se, come pare, tutte le XIII notti sono consecutive, questa determinazione temporale risulta contraddittoria (dovrebbe essere lunedí), visto che l'ultima sera (ossia la tredicesima) coincide con il martedí grasso.

4. *vorressimo*: vorremmo.

grazia, che voi siete solito di fare.[1] Il che, se voi, come io spero, farete, noi tutti vi saremo perpetualmente tenuti –.

[44] Il Molino, intesa la proposta, prima stette alquanto sopra di sé, dopo vedendo non poter schifare[2] tal scoglio, disse:

– Signora, a voi sta il commandare e a noi l'ubidire, ma non aspettate da noi cosa che sia di molto piacere, perciò che queste onorate damigelle sono sí valorosamente riuscite nel raccontare le loro favole, che nulla o poco a quelle si potrebbe aggiungere. Io tal qual io sono mi sforzerò, non come voi desiderate ed è il voler mio, ma secondo le deboli mie forze, di sodisfarvi a pieno –; e ritornatosi al suo luogo a sedere, in tal maniera alla sua favola diede principio.

1. *Antonio ... fare*: il Molino non viene scelto a caso dalla Signora. Infatti, occorre ricordare che dei due personaggi introdotti in un suo *Dialogo piacevole di un greco e di un facchino*, il primo personaggio parla alla greghesca e il secondo in bergamasco.

2. *schifare*: schivare, evitare.

NOTTE QUINTA, FAVOLA III[1]

[1] *Bertoldo de Valsabbia*[2] *ha tre figliuoli tutta tre gobbi e d'una stessa sembianza, uno de' quai è chiamato Zambon,*[3] *e va per lo mondo cercando sua ventura e capita a Roma, e indi vien morto e gittato nel Tebro con duo suoi fratelli.*

[2] Durum est, piasevoi madonni e graziosa Signora, a' torni a di', durum est contra stimulum calcitrare,[4] che vè a di' che

Durum est, piacevoli donne e graziosa Signora, torno a dire, durum est contra stimulum calcitrare, che viene a dire che è una cosa troppo dura un

1. Della novella dei *Tre gobbi* esistono molte versioni, che J. Bédier, *Les Fabliaux. Études de littérature populaire et d'histoire littéraire du Moyen Âge*, Paris, Champion, 1925⁴, pp. 236-50, distinse in varie famiglie (cfr. però anche Thompson, p. 296, tipo 1536B). La parte finale di questa favola riprende infatti un tema molto diffuso nella novellistica, presente in un racconto dell'*Historia septem sapientium* (*Septimi sapientis secunda historia: Gibbosi*), nei fabliaux (cfr. tra gli altri: *D'Estormi*; *Des trois boçus*; *Du Prestre qu'on porte ou de la Longue Nuit*; *Constant du Hamel*, ecc.), e in una novella del Sercambi (x: *De visio lusurie in prelatis*). Poco prima della pubblicazione delle *Piacevoli notti*, il racconto compare anche in una lettera del Doni (Venezia 1544: è la iii novella dell'ed. Petraglione). La fortuna di questa vicenda nella tradizione orale è confermata poi da due novelle popolari raccolte nell'Ardèche da E. Rolland e pubblicate in « Romania », a. xiii 1884, pp. 428-29: *Les trois moines et les trois bossus*; da una versione toscana in Pitrè, *Novelle popolari toscane*, cit., n. 58; e da una versione siciliana in Pitrè, *Fiabe, Novelle e Racconti*, n. 164. Per l'episodio dei fichi, Rua, *Tra antiche fiabe e novelle*, cit., p. 110, rimanda a una farsa francese: *Farce nouvelle tres bonne et fort joyeuse de Guillerme qui mangea les figues du curè*. Cfr. ancora Rua, *Intorno alle 'Piacevoli notti'*, cit., p. 245, per il viaggio del protagonista a Venezia, che ha elementi in comune con due sonetti in bergamasco stampati a Venezia nel 1580.

2. *Valsabbia*: si estende con andamento tortuoso per circa 40 km a nord-est di Brescia, tra la Val Trompia e il Lago di Garda. È bagnata dal fiume Chiese.

3. *Zambon*: unico caso con la consonante nasale finale (nella novella sempre *Zambò*). Il nome di questo personaggio potrebbe derivare dal « Zambonus » del *Baldus* di Folengo.

4. *Durum ... calcitrare*: cfr. Terenzio, *Phormio*, 77-78: « namque inscitiast / adversu' stimulum calces ».

l'è trop dura cosa un calz d'un asenel, ma assé piú dur un calz d'un caval, e per quest, se la fortuna ha volut ch'a' branchi tal imprisa da rasonà, pacenza, a' · ll'è lu meig ubidí che santificà[1] ché l'ostinaziò vè da mala part e se no, i ostinadi va' a ca' dol diavol. [3] E s'a' no 'f disis cosa che fus de vos content, no 'm dé la colpa a mi, m'alla Signora colà c'ha volut ixí; e spessi fiadi l'om cercand quel che 'l no dè, ol ghe intravè e ol trova quel ch'al no crè e ixí romà co li mà pieni de moschi, con fè, zà fu temp, Zambò, fiol de Bertold de Valsabbia, che cercand d'osellà do so fradei, i so do fradei l'osellà lu. Ben che alla fí tuc tri malament moris, com a' intenderí, s'a' me impresterí ol bus di orecchi e colla ment e col cervel starí ascoltà quel c'ho da di' nel present mio rasonà.

[4] A' v' dighi dunca che Bertold de Valsabbia, territori bergomens, avè tri fioi tuc tri gobbi, e si a' i se somegiava

calcio di un asinello, ma assai piú duro un calcio di un cavallo, e per questo, se la fortuna ha voluto che io pigli questa impresa di parlare, pazienza, è meglio ubbidire che santificare, perché l'ostinazione viene da mala parte, e se no, gli ostinati vanno a casa del diavolo. E se non vi dicessi cosa che fosse di vostro contento, non date la colpa a me, ma alla Signora là, che ha voluto cosí; e spesse volte l'uomo cercando quello che non deve, gl'interviene e trova quello che non crede e cosí rimane con le mani piene di mosche, come fece, già fu tempo, Zambò, figlio di Bertoldo di Valsabbia, che cercando di uccellare due suoi fratelli, i suoi due fratelli uccellarono lui. Benché alla fine tutti e tre morissero malamente, come intenderete, se mi presterete il buco delle orecchie e con la mente e col cervello starete ad ascoltare quello che ho da dire nel mio presente discorso.

Vi dico dunque che Bertoldo di Valsabbia, territorio bergamasco, aveva tre figli tutti e tre gobbi, e si assomigliavano cosí l'un l'altro che non era

1. *meig... santificà*: meglio ubbidire che santificare. Frase proverbiale che significa che a Dio sono piú graditi gli atti concreti di obbedienza che non le manifestazioni di ossequio formale (cfr. A.F. Grazzini, *La sibilla*, a. I sc. III: « Non sapere voi che gli è meglio ubbidire che santificare »). – *meig*: grafia delle cinquecentine a metà strada tra la forma bergamasca *mei* (Tiraboschi) e la forma veneziana *megio* (Boerio). Cfr. i successivi *conseig* (18) e *fameig* (33).

sí l'u l'alter, ch'a' no l'iera possibol conoscer l'u fò da l'alter, con sarevef a di' tre penduletti[1] sgonfi de drè. L'u de questi avea nom Zambò, l'alter Bertaz,[2] ol terz Santí, e Zambò ch'era ol mazzor, no avea ancor vezú[3] sedes agn. [5] Avend persentit Zambò che Bertold so pader per la gra carestia ch'era in quel pais e zeneralment da per tuc volia vender un cert poch de poder, ch'al se trovava aví de patrimoni, ché pochi o negú se trova in quel pais che n'abbi qualcosetta de propi, per sustentà la so famegia, al se volta come mazzor fradel vers Bertaz e Santí, fradei menor, a' si ghe dis:

– Al saref lu bona spisa, fradei miè car, azzò che nos pader no vendis quel poch de terrezzulli ch' a' se trovem aví e che dapò la so mort no n'avessem de che sovegnis, che vu andase cercand del mond, e guadagnà qualcosetta per podí sustentà la nostra ca', e mi resteref a ca' col vecchig, a' si 'l

possibile riconoscerne uno fuori dall'altro, come sarebbe a dire tre forchette gonfie di dietro. Uno di questi aveva nome Zambò, l'altro Bertaz, il terzo Santí, e Zambò, che era il maggiore, non aveva ancora compiuto sedici anni. Zambò avendo presentito che Bertoldo suo padre per la gran carestia che c'era in quel paese e generalmente dappertutto voleva vendere un certo poco di podere che si trovava avere come patrimonio, perché pochi o nessuno si trova in quel paese che abbia qualcosetta di proprio per mantenere la sua famiglia, si volta come fratello maggiore verso Bertaz e Santí, fratelli minori, e gli disse:

– Sarebbe opportuno, fratelli miei cari, affinché nostro padre non vendesse quel poco di poderetto che ci troviamo avere e che dopo la sua morte non avessimo di che mantenerci, che voi andaste cercando del mondo e guadagnare qualcosetta per poter mantenere la nostra casa e io restassi a casa

1. *penduletti*: cfr. Boerio, s.v. *penduleto*: « s.m. Forchetta, Pezzo dell'orologio che ricevendo la verga del pendolo in una fenditura situata nella parte inferiore curvata all'angolo destro, gli trasmette l'azione della ruota d'incontro, e lo fa muovere costantemente in uno stesso piano verticale ».

2. *Bertaz*: il nome « Bertazzus » è nel *Baldus* di Folengo (ix).

3. *vezú*: letteralmente 'veduto' (venetismo).

governeref e si scansesom la spisa, e in quest mez fors passeref la carestia –.

[6] Bertaz e Santí, fradei menor ch'a' no iera manco scaltridi e tristi de Zambò, a' i dis a Zambò so fradel:

– Zambò, fradel nos car, te n'he saltò ixí all'improvista tal mentre che no saven che responderte, ma danne temp per tutta sta noc ch' a' ghe pensarem su e domattina a' te responderem –.

[7] I do fradei Bertaz e Santí a' iera nasut in u portat,[1] e si a' i se confeva piú dol cervel in sema lor do ca no i feva con Zambò. E se Zambò iera scelerat de vinti do carat, Bertaz e Santí a' i era de vintises,[2] ché semper ma' dove manca la natura suplis l'inzegn e la malizia in sema.

[8] Vegnuda che fo la mattina dol dí seguent, Bertaz, de orden e commissiò de Santí so fradel, andà a trovà Zambò, a' si ghe comenzà a di':

col vecchietto, lo accudissi ed evitassimo la spesa, e frattanto forse passerà la carestia –.

Bertaz e Santí, fratelli minori che non erano meno scaltri e scafati di Zambò, dissero a Zambò loro fratello:

– Zambò, nostro fratello caro, te ne sei saltato cosí all'improvviso talmente che non sappiamo che risponderti, ma dacci tempo per tutta questa notte che ci penseremo su e domattina ti risponderemo –.

I due fratelli Bertaz e Santí erano gemelli e si confacevano piú del cervello insieme loro due che non facevano con Zambò. E se Zambò era scellerato di ventidue carati, Bertaz e Santí lo erano di ventisei, perché sempre dove manca la natura supplisce l'ingegno e insieme la malizia.

Venuta la mattina del giorno seguente, Bertaz, su ordine e commissione di Santí suo fratello, andò a trovare Zambò e gli cominciò a dire:

1. *a' ... portat*: cfr. Boerio, s.v. *nato a un portàr*: « Binato, Nato a un portato, a un parto, a un corpo, si chiama ciascuno dei due o tre gemelli ».

2. *de vinti do carat ... de vintises*: espressione scherzosa per indicare che i due fratelli minori erano scellerati oltre la perfezione assoluta. Il carato è la ventiquattresima parte di un'oncia e dunque 22 carati significa essere scellerati quasi al massimo grado; esserlo di 26 sorpassa la stessa perfezione.

– Zambò, fradel me car, nu avem bé pensat e meg considerat i casi noster, e cognoscend che te si', com'è 'l vira, ol mazzor fradel, che te debbi andà prima cercand del mond, e che nu che sem pizegn attendem a ca' e a governà nos pader, e se in sto mez te trovaré qualche bona ventura per ti e per nu, te ne scriveré de qua, e po nu te vegnerem drè a trovà –.

[9] Zambò, che credeva osellà Bertaz e Santí, intisa la resposta, a·lla no 'g saví lu trop bona e zambottand fra si medem, ol dis:

– Ma a' costor a' i è lor piú tristi e malizios ca no so' mi –; e quest disiva perché l'avia pensat de mandà i fradei a spas, azzò che per la carestia a' i moris da fam, e lu restas parò dol tuc, perché ol pader l'iera plú de·llà che de qua, né podiva andà trop de long. Ma la gh'andé a Zambò altramet da quel che l'avia pensat.

[10] Intisa adonca Zambò la oppiniò de Bertaz e de Santí, ol fè u farset de certi pochi strazzi che l'avia, e tolt un carner con dol pà e dol formai e u bottazol de ví, e in pè un per de scarpi de cuor de porch ros, ol se partí de ca' e se n'andà vers

– Zambò, fratello mio caro, noi abbiamo ben pensato e meglio considerato la nostra situazione, e conoscendo che tu sei, come è vero, il fratello maggiore, abbiamo pensato che tu debba andare cercando del mondo e che noi che siamo piccoli attendiamo a casa e ad accudire nostro padre, e se nel frattempo tu troverai qualche buona fortuna per te e per noi, ci scriverai qua e poi noi ti verremo dietro a trovare –.

Zambò che credeva di uccellare Bertaz e Santí, intesa la risposta, non la seppe lui cosí buona e borbottando tra sé disse:

– Ma costoro sono piú scaltri e maliziosi di me –; e questo diceva perché aveva pensato di mandare i fratelli a spasso, affinché per la carestia morissero di fame e lui restasse padrone di tutto, perché il padre era piú di là che di qua e non poteva vivere troppo a lungo. Ma a Zambò andò diversamente da quello che aveva pensato.

Intesa dunque Zambò l'opinione di Bertaz e Santí, fece un farsetto di certi pochi stracci che aveva, e preso un carniere con del pane e del formaggio e una botticella di vino, e ai piedi un paio di scarpe di cuoio di porco rosso,

Bressa; e no trovand partit per lu, l'andà a Verona, dove ol trovà un mister da baretti, ol qual ghe domandà se 'l saviva lavorà de baretti, e lu ghe respos che no; e vedend che no 'g iera cosa per lu, lassà Verona e Vicenza e si ol se lassà vegní a Padoa; e vedut ch'al fo da certi medegh, ghe fo domandat se 'l saviva governà mulletti, e lu ghe respos de no, ma che 'l saviva arà la terra e podà le vigni; e no se possend cordà con lor, se partí de·llà per andà a Venesia.

[11] Avend Zambò caminat assé e no avend trovat partit negú per lu e no avend né dener gnià da mangià, ol stava de mala vogia. Ma dapò long camí, quando fo in piasí de Domnedè, ol arrivà alle Zaffosina,[1] e perché l'iera senza dener, negú ol voliva levà, talment ch'ol pover om no savia che fà; e vedend che i bezzaruoi[2] che voltava i stroment da tirà su i

partí da casa e se n'andò verso Brescia; e non trovando partito per lui, andò a Verona, dove trovò un maestro di berrette, il quale gli domandò se sapeva lavorare berrette, e lui gli rispose di no; e vedendo che non c'era cosa per lui, lasciò Verona e Vicenza e si lasciò venire a Padova; e veduto che fu da certi medici, gli fu domandato se sapeva governare muli, e lui gli rispose di no, ma che sapeva arare la terra e potare le vigne; e non potendosi accordare con loro, partí di là per andare a Venezia.

Avendo Zambò camminato assai e non avendo trovato nessun partito per lui e non avendo denaro e neanche da mangiare, stava di mala voglia. Ma dopo lungo cammino, quando fu in piacere di domeneddio, arrivò a Fusina, e perché era senza soldi, nessuno lo voleva assumere, tanto che il pover'uomo non sapeva che fare; e vedendo che i barcaioli che voltavano gli

1. *alle Zaffosina*: oggi Fusina, località al margine della laguna sopra un estremo lembo di terraferma, accanto a cui sfocia il Brenta per uno dei suoi canali. Prima dell'allacciamento di Venezia al retroterra mediante i ponti translagunari, era la stazione obbligata d'imbarco per chi, provenienti da Padova lungo la via del Brenta, voleva recarsi in città (Zorzi). Per quanto riguarda la forma di Straparola cfr. la precisazione di Rua, *Intorno alle 'Piacevoli notti'*, cit., p. 244, che ritiene piú corrette le edizioni successive che leggevano « Lizzafosina », ma che annota che probabilmente la località era chiamata volgarmente « *Zaffosina* o qualcosa di simile ».

2. *bezzaruoi*: cfr. Boerio, s.v.: « Bezzariol, ed anche sbezzariol, dicesi da noi

barchi guadagnava di quattrí, ol se mis an lu a fà un tal mester.

[12] Ma la fortuna, che semper perseguita i poveret, i poltrò e i desgraziat, vols che volzend u tal stroment, a 'l se rompis la soga[1] e int' ol desvoltà ch'ol fè, una stanga ghe dé ind' ol pet e ol fè cascà in terra tramortit e per un pez al stè destis per mort, e se no fos stag certi omegn da bé che 'l portà in barca per mà e per pè, e s'ol menà a Venesia, ol saref mort là.

[13] Guarit che fo Zambò, ol se partí da quei omegn da bé e andagand per la terra cercand s'al podiva trovà partit ch' a' fos per lu, ol passà per le speciri e fo vedú da u special che pestava mandoi in u morter per fà di marzapà, a' si ghe domandà s'al voliva andà a sta' con lu, e lu gh' a' respos che sí. Intrat in bottiga, ol mister ghe dé certi cosi de confezziò[2] da nettizzà e si ghe insegnà partí i nigher da i blanchi,

strumenti da tirare su le barche guadagnavano dei quattrini, si mise anche lui a fare un tale mestiere.

Ma la fortuna, che sempre perseguita i poveretti, i poltroni e i disgraziati volle che voltando un tale strumento gli si rompesse la correggia e in tale giramento che fece, una stanga gli diede nel petto e lo fece cascare in terra tramortito e per un pezzo rimase disteso come morto, e se non fossero stati certi uomini da bene che lo portarono in barca per le mani e per i piedi e lo condussero a Venezia, sarebbe morto là.

Guarito che fu Zambò, partí da quegli uomini da bene e vagando per la città cercando se poteva trovare partito che fosse per lui, passò per le spezierie e fu visto da uno speziale che pestava mandorle in un mortaio per fare del marzapane, e gli domandò se voleva andare a stare con lui, e lui gli rispose di sí. Entrato in bottega, il padrone gli diede certi dolciumi da nettare

non meno a quel barcaiuolo miserabile che vive alla giornata servendo alla ventura nelle barche altrui, senz'averne una propria ».

1. *soga*: « s.f. (coll'o stretto) voce del Contado verso Padova. Lo stesso che CORDA. La voce SOGA è barbarica e fu usata italianamente da Dante nell'inf. canto 31: Cercati al collo e troverai la soga » (BOERIO, s.v.). Per il verso dantesco cfr. *Inf.*, XXXI 73.

2. *special... confezziò*: cfr. BOERIO, s.v. *specier da confeti*: « confettiere, confettatore, Quegli che fa o vende confetti o confetture o confezioni ».

e s'ol mettí in compagnia d'un alter garzò de bottiga a lavorà in sembra. [14] Nettezand Zambò col garzò de bottiga sti tai confezziò, i compagnò, made cancher!, a' i nettezzà de tal manera che per esser dolceghi a' i toliva ol scorz de sora via e ghe lassà la meola[1] de deter. Ol parò, che s'avedí dol tuc, tols u bastò in mà e si ghe 'n dé de fissi, digand:

– S'a' volí fà brigantari, forfanti marioli, fel del voster e no dol me –; e tutta fià ol menava ol bastò e in quel stant a' i mandà tutti do via in malora.

[15] Partit che fo Zambò dal specidal ixí mal trattat, ol se n'andà a Sa March e per bona ventura, pasand per là dove se vende i erbetti e salatuci, ol fo chiamat da un erbarol de quei da Chiozza c'avia nom Vivia Vianel, e si ghe domanda s'al voliva andà a sta' con lu, ch'al ghe faref bona compagnia e boni spisi.[2] Zambò, c'aviva l'arma senisa ados[3] e si era pié

e gli insegnò a dividere i neri dai bianchi, e lo mise in compagnia di un altro garzone di bottega a lavorare insieme. Nettando Zambò col garzone di bottega questi tali dolciumi, i compagnoni, che gli venga un cancro!, li pulivano in tal modo che per essere dolci gli toglievano la scorza di sopra e gli lasciavano la mandorla di dentro. Il padrone, che s'accorse del tutto, prese un bastone in mano e gliene diede delle buone dicendo:

– Se volete fare briganterie, furfanti marioli, fatelo del vostro e non del mio –; e tuttavia menava il bastone e in quell'istante li mandò tutti e due via in malora.

Partito che fu Zambò dallo speziale cosí mal trattato, se ne andò a San Marco e per buona fortuna, passando là dove si vendono erbette e insalate, fu chiamato da un ortolano di quelli di Chioggia che aveva nome Vivia Vianel, e gli domandò se voleva andare a stare con lui che gli farebbe buona compagnia e lo tratterebbe bene. Zambò, che aveva una gran fame ed

1. *meola*: midolla, la mandorla interna.

2. *boni spisi*: 'far buone spese', cioè 'trattare lautamente', si dice soprattutto in ordine all'ospitalità (cfr. *La Veniexiana*, II 137).

3. *c'aviva ... ados*: avere molta fame (essendo la lupa l'arma di Siena). Cfr. il *GDLI*, che riporta una citazione dalle *Note al Malmantile* (8 21) del 1688: « L'ar-

de vogia de mangià, ol dis de sí; e vendudi certi pochi erbetti ch' a' ghe mancava, a' i montà in barca e se n'andà a Chiozza, e Vivia ol misse a lavorà nol ort e a governà le vigni. [16] Aviva tuc Zambò la patrica dell'andà su in zò per Chiozza e cognosciva assé di amis dol parò, e perché l'iera ormà ol temp di primi fis,[1] Vivia tolse lu tri bei fis e si i mettí int' un piatel per mandai a donà a un so compar in Chiozza c'aviva nom ser Peder. E avend chiamat Zambò, ghe dé i tri fis e si ghe dis:

– Zambò, tuò sti tri fis e portai a me compar ser Peder e dig che i gualdi per amore me –.

Zambò ubidient al parò dis:

– Volontera, parò –; e tolt i fis, allegrament ol se partí.

[17] Andand Zambò per strada costret dalla gola, ol poltrò guardava e reguardava i fis e dis alla gola:

era pieno di voglia di mangiare, disse di sí; e vendute certe poche erbette che gli mancavano, montarono in barca e se n'andarono a Chioggia, e Vivia lo mise a lavorare nell'orto e a governare le vigne. Aveva spesso Zambò la pratica di andare su e giú per Chioggia e conosceva assai degli amici del padrone, e perché era ormai il tempo dei primi fichi, Vivia raccolse lui personalmente tre bei fichi e li mise in un piattello per mandarli in regalo a un suo compare a Chioggia che aveva nome ser Peder. E avendo chiamato Zambò, gli diede i tre fichi e gli disse:

– Zambò, prendi questi tre fichi e portali al mio compare ser Peder e digli che li goda per mio amore –.

Zambò ubbidiente al padrone disse:

– Volentieri, padrone –; e presi i fichi, allegramente partí.

Andando Zambò per strada costretto dalla gola, il poltrone guardava e riguardava i fichi e disse alla gola:

ma di Siena è una lupa: ed il mal della lupa è inteso comunemente per una infermità, che fa stare il paziente in continua fame».

1. *primi fis*: fichi primaticci, sono quelli che si sviluppano da gemme dell'anno precedente e maturano da giugno a luglio.

– Che debb'io fà, ghe 'n debbi mangià o no mangià? –
La gola ghe respos:
– Un affamat no guarda lez –.

[18] E perché l'iera lu golos per so natura oltra che affamat, tols ol conseig della gola e brancà i' mà l'u d' quei fis e comenzà struccal[1] dal cul, e tant schizzà e reschizzà, l'è bo, no l'è bo, ch'al ghe fè insí l'anima fò del tuc, talment ch'al ghe romas se no la pel. Avend magiat Zambò ol fis, al ghe pars d'aví fac mal, ma perché la gola ancor la strenziva, no 'g fè lu cont negú, ch'ol tols ol segondo fis in mà, e quel ch'al fè dol prim ixí fè dol segond. Vedend Zambò d'aví fac tal desorden, no 'l savia quel che doviva fà, s'al doviva andà inanz o tornà in drè, e stand in tal contrast, ol fè un bon anim e se dilibrà d'andà innanz. [19] Zont che fo Zambò dal compar ser Peder, ol battí a l'us, e perché l'iera cognosciut da quei de ca', al fo tostament avert, e andat de su, ol trovà ser Peder che spasezzava in su e in zò per ca' e si ghe dis:

– Che debbo io fare, glieli devo mangiare o non mangiare? –
La gola gli rispose:
– Un affamato non guarda legge –.

E perché era goloso per sua natura oltre che affamato, prese il consiglio della gola e pigliò in mano uno di quei fichi e cominciò a spremerlo dal culo e tanto schiacciò e rischiacciò è buono non è buono che gli fece uscire fuori del tutto l'anima, talmente che non gli rimase se non la pelle. Avendo mangiato Zambò il fico, gli parve d'aver fatto male, ma perché la gola ancora stringeva, non ne fece nessun conto, che prese il secondo fico in mano e quello che fece del primo cosí fece del secondo. Vedendo Zambò d'aver fatto un tale disordine, non sapeva quello che doveva fare, e se doveva andare avanti o tornare indietro, e stando in tale contrasto, si fece buon animo e deliberò d'andare avanti. Giunto che fu Zambò dal compare ser Peder, picchiò all'uscio e perché era conosciuto da quelli di casa, gli fu subito aperto, e andato di sopra, trovò ser Peder che passeggiava su e giú per casa e gli disse:

1. *struccal*: cfr. Boerio, s.v. *strucar*: « stringere una cosa tanto che n'esca il sugo o altra materia contenuta in essa ».

– Che vet facend Zambò, fiol me? che boni nuovi?

– Boni, boni – respos Zambò – ol me parò si v'ha mandà tri fis, ma de tri n'ho mangià mi do.

– Mo com'het fac, fiol me? – disse ser Peder.

– Ma, ho mi fac ixí – respos Zambò; e tols l'alter fis e si s'al mis in bocca e se 'l mangià de longo via; e ixí Zambò a' i compí da mangià tuc tri.

[20] Vedend ser Peder un sí fac lavor, dis a Zambò:

– O fiol me, di' al to parò che gramarcè[1] e che 'l no s'affadighi a fà 'm de sti present –.

Respos Zambò:

– No, no messer, non 'f dubité, a' i farò mi bé volontera –; e voltà i spalli e ol tornà a ca'.

[21] Avend sentit Vivia i zentilezzi e i bei portament poltroneschi dol Zambò e che l'iera golos e che per esser affamat ol mangiava oltra misura, e po perché a 'l no ghe piasiva ol so lavorà, ol cazzà fò de ca'. Ol pover dol Zam-

– Che vai facendo Zambò, figlio mio? che buone nuove?

– Buone, buone – rispose Zambò – il mio padrone vi ha mandato tre fichi, ma di tre ne ho mangiati io due.

– Ma come hai fatto, figlio mio? – disse ser Peder.

– Ma, ho fatto cosí – rispose Zambò; e prese l'altro fico e se lo mise in bocca e se lo mangiò senza indugi; e cosí Zambò finí di mangiarli tutti e tre.

Vedendo ser Peder una cosí fatta cosa, disse a Zambò:

– O figlio mio, dí al tuo padrone grazie tante e che non si affatichi a farmi di questi regali –.

Rispose Zambò:

– No, no, messere, non dubitate, li farò ben volentieri –; e voltò le spalle e tornò a casa.

Avendo sentito Vivia le gentilezze e i bei portamenti poltroneschi del Zambò e che era goloso e che per essere affamato mangiava oltre misura, e poi perché non gli piaceva il suo lavoro, lo cacciò fuori di casa. Il povero

1. *gramarcè*: grazie tante. Cfr. anche *Dec.*, III 3 54: « Gran mercé a messer lo frate ».

bò, vedendos fò de ca' e no savend ove andà, se delibrà d'andà a Roma e provà se 'l podiva trovà meior ventura che 'l n'aveva trovat de qua. E 'xí com l'aveva pensat, ixi ol fè.

[22] Essend zont Zambò a Roma e cercand e recercand parò, al s'imbattí a trovà u mercadant c'aviva nom messer Ambros dal Mul, c'aveva una grossa bottiga de pagn e si s'accordà con lu e comenzà attender alla bottiga. E perché l'aviva provat dol malan assé, ol sé delibrà do imparà ol mester e attender a far bé. E per esser astut e scaltrí, a bé ch'al fus gob e brut, nientedemanc in poch temp al se fè sí patrich della bottiga e valent dol mester che 'l parò plu non s'impazzava gne in vender gne in cromprà, e fortement ol se fidava de lu e a i so besogn se ne serviva.

[23] Al se imbattí ch'a messer Ambros ghe convegní andà alla fera de Reccanat[1] con de i pagn, e vedend Zambò che 'l s'era fac sofficiet nol mester e che l'iera fidat, ol mandà con

Zambò, vedendosi fuori di casa e non sapendo dove andare, si decise ad andare a Roma e provare se poteva trovare miglior fortuna che non aveva trovato qua. E cosí come aveva pensato, cosí fece.

Essendo giunto Zambò a Roma e cercando e ricercando padrone, gli avvenne di trovare un mercante che aveva nome messere Ambros dal Mul, che aveva una grossa bottega di panni, e s'accordò con lui e cominciò ad attendere alla bottega. E perché aveva provato del malanno abbastanza, si decise ad imparare il mestiere e attendere a far bene. E per essere astuto e scaltro, sebbene fosse gobbo e brutto, nientedimeno in poco tempo si fece cosí pratico della bottega e valente del mestiere che il padrone piú non s'impacciava né a vendere né a comprare, e fortemente si fidava di lui e ai suoi bisogni se ne serviva.

Avvenne che a messere Ambros convenne andare alla fiera di Recanati con dei panni, e vedendo Zambò che si era fatto abile nel mestiere e che era fidato, lo mandò con delle robe alla fiera, e messere Ambros rimase al go

1. *fera de Reccanat*: Recanati era sede di un'importante fiera come ricorda anche Folengo, *Baldus*, xiii 462; e cfr. Fortini, *Giornate*, xlix 13.

dei robbi alla fera, e messer Ambros romas al goveren della bottiga. [24] Partit che fu Zambò, vols la fortuna che messer Ambros s'amalas d'una infermità sí torribola e granda d'una insida [1] de corp che in pochi dí ol cagà la vita.[2] Vedend la moier, ch'aviva nom madonna Felicetta, che l'era mort ol marit, da gra dolor e passiò che l'avè quasi ch'anche alla no tirà le calzi [3] pensandos dol marit e dol desviament della bottiga.[4]

[25] Intis Zambò la trista novella dol parò che l'iera mort, ol tornà alla volta de ca' e si portà della grazia de Dè e si attendiva a fà delli facendi. Vedend madonna Felicetta che Zambò se portava bé e a' si attendiva a grandí la bottiga e che l'era compid ol an della mort de messer Ambros so marit,[5] e temend de no perder Zambò un dí co i aventor della bottiga, se consegià con certi so comari se la 's doviva mari-

verno della bottega. Partito che fu Zambò, volle la fortuna che messere Ambros s'ammalasse di una infermità cosí terribile e grande di una dissenteria che in pochi giorni cagò la vita. Vedendo la moglie, che aveva nome madonna Felicetta, che era morto il marito, dal gran dolore e passione che aveva quasi anche lei non morí, pensando al marito e alla perdita dei clienti della bottega.

Intesa Zambò la triste notizia del padrone che era morto, tornò alla volta di casa e si comportò nella grazia di Dio e si dedicava a fare delle faccende. Vedendo madonna Felicetta che Zambò si comportava bene e si dedicava anche a ingrandire la bottega e che era compiuto l'anno della morte di messer Ambros suo marito, e temendo di perdere un giorno Zambò con i clienti della bottega, si consigliò con certe sue comari se si dovesse sposare o

1. *insida*: letteralmente 'uscita di corpo'.

2. *cagà la vita*: letteralmente 'cagò la vita', espressione consona al tono della novella.

3. *tirà le calzi*: tirar calci, morire (cfr. *GDLI*, s.v. *calcio*, 4).

4. *desviament della bottiga*: cfr. Boerio, s.v. *desviàr la botega*: « sviare la bottega, si dice del Perdere gli avventori ».

5. *l'era ... marit*: l'anno di lutto vedovile in cui la donna non poteva contrarre un nuovo matrimonio.

dà o no, e si la 's maridava, la doves tuor per marit Zambò fattor della bottiga, per esser stà longament col primo marit e aví fatta la patrica dol goveren della bottiga. [26] I boni delle comari parendog ch'ol fos ben fac, la consegià de sí, e dal dic al fac se fè le nozzi e madonna Felicetta fo mogier de ser Zambò e ser Zambò marit de madonna Felicetta.[1]

[27] Vedendos ser Zambò levat in tanta altezza e de aví moier e sí bella bottiga de pagn col grand inviament, scrisse al so pader com l'iera a Roma e della gran ventura che l'aviva catada. Ol pader, che dal dí che 'l s'era partí fina quel ora no avia mai sentí novella né imbassà de lu, ol morí d'allegrezza, ma Bertaz e Santí n'af gran consolaziò.

[28] Venne ol temp ch'a madonna Felicetta ghe besognava un par de calzi, ché le so i era squarzadi e rotti, e dis a ser Zambò so marit ch'al ghe 'n doves fà lu un par. Ser Zambò ghe respos che l'aviva alter che fà e che se l'era rotti, ch' a' la se l'andas a conzà, a repezzà e a tacconà. [29] Ma-

no, e se si sposasse, se avesse dovuto prendere per marito Zambò fattore della bottega per essere stato lungamente col primo marito e aver fatta pratica del governo della bottega. Le buone delle comari, parendo loro che fosse ben fatto, le consigliarono di sí, e detto fatto si fecero le nozze e madonna Felicetta fu moglie di ser Zambò e ser Zambò marito di madonna Felicetta.

Vedendosi ser Zambò levato a tanta altezza e avere moglie e cosí bella bottega e ben avviata, scrisse a suo padre come lui era a Roma e della gran fortuna che aveva trovato. Il padre, che dal giorno che era partito fino a quell'ora non aveva mai sentito sue notizie né ambasciate, morí d'allegrezza, ma Bertaz e Santí ne ebbero gran consolazione.

Venne il tempo che a madonna Felicetta bisognava un paio di calze perché le sue erano squarciate e rotte, e disse a ser Zambò suo marito che gliene dovesse fare lui un paio. Ser Zambò le rispose che aveva altro da fare e che se l'aveva rotte che andasse lei ad aggiustarle, a rappezzarle e a rat

1. *madonna Felicetta ... Felicetta*: informazione ridondante in posizione chiastica.

donna Felicetta, ch'era usada morbeda sotto l'alter marit, dis che la no n'era usada de portà calzi arpezzadi e tacconadi e che la 'g ne voliva de boni. E ser Zambò gh' a' respondí che da ca' sova s'usava ixí e che no 'l ghe le voleva fà. [30] E ixí contrastand e andand d'una in l'altra parola, ser Zambò alzà la mà e s' ghe dé una mostazzada sí fatta in sol mostaz che la fè andà d'inturem. Madonna Felicetta sentendos dar delli botti a ser Zambò, no voliva gne patti gne pacenza e con burti paroi ol comenzà villanizzà. Ser Zambò che se sentí toccà in su l'onor, la comenzà travasà co i pugn de bé i' meig talmentre che in fí la povretta convegní aví pacenza.

[31] Essend zà trappassat ol cald e sovrazont ol fred, madonna Felicetta domandà a ser Zambò una fodra de seda da covrí la so pellizza, perché l'era mal condizionada; e perché ol fos cert che la fos strazzada, ol ghe la portà a mostrà. Ma ser Zambò no 's curà de vedila ma 'l ghe respos che la la conzas e che la la portas ixí, ché da ca' sova no s'usava tanti pompi. [32] Madonna Felicetta sentendo tai paroi se dosde-

topparle. Madonna Felicetta che era avvezzata morbida sotto l'altro marito, disse che non era abituata a portare calze rappezzate e rattoppate e che lei ne voleva di buone. E ser Zambò le rispose che da casa sua si usava cosí e che non gliele voleva fare. E cosí contrastando e andando da una all'altra parola, ser Zambò alzò la mano e le diede uno schiaffo cosí fatto in faccia che la fece barcollare. Madonna Felicetta sentendosi dare delle botte da ser Zambò, non voleva né patti né pazienza e con brutte parole cominciò a insultarlo. Ser Zambò che si sentí toccare nell'onore, cominciò a colpirla ripetutamente con i pugni di bene in meglio talmente che infine alla poveretta convenne aver pazienza.

Essendo già passato il caldo e sopraggiunto il freddo, madonna Felicetta domandò a ser Zambò una fodera di seta per coprire la sua pelliccia, perché era in cattivo stato; e perché lui fosse certo che fosse stracciata, gliela portò da mostrare. Ma ser Zambò non si curò di vederla, ma le rispose che lei l'aggiustasse e che lei la portasse cosí, perché da casa sua non si usavano tante pompe. Madonna Felicetta sentendo tali parole si sdegnò fortemente e

gnà fortement e dis ch' a' la voleva in ogni muod. Ma ser Zambò ghe respondeva ch' a' la dovis tasí e che no 'l fes andà in colera ché saref mal per lié, e che no 'g la voleva fà. E madonna Felicetta instigandol che la voliva che 'l ghe la fes, l'u e l'alter intrà in tanta furia de colera ch' a' i no 'g vedeva de i occhi. Ma ser Zambò segond la so usanza con u bastò la comenzà tamussà e fà 'g una pellizza de tanti bastonadi quanti la ne pos mai portà, e la lassà quasi per morta.

[33] Vedend madonna Felicetta l'animo de ser Zambò inversiat contra de lé, con alta vos la comenzà maledí e biastemià ol dí e l'ora che mai se ne parlà e chi la consegià che la 'l toles mai per marit, digand:

– A sto muod poltrò, ingrat, ribald, manegold, giot e scelerat. Quest'è ol premi e ol guidardò che te 'n rendi dol benefici che t'ho fac, che de me vil fameig che t'eri, t'ho mi fac parò no solamen della robba, ma ancora della propia mia persona; e ti a sto muod me tratti? tas, traditor, ch' a ogni muod a' te n'empagherò –.

[34] Ser Zambò sentend che madonna Felicetta cresceva e

disse che la voleva in ogni modo. Ma ser Zambò le rispondeva che dovesse tacere e che non lo facesse andare in collera perché sarebbe male per lei, e che non gliela voleva fare. E madonna Felicetta istigandolo che voleva che gliela facesse, l'uno e l'altra entrarono in tanta furia di collera che non ci vedevano dagli occhi. Ma ser Zambò secondo la sua usanza con un bastone cominciò a picchiarla e a farle una pelliccia di tante bastonate quante non ne potesse mai portare, e la lasciò quasi morta.

Vedendo madonna Felicetta l'animo di ser Zambò rivoltato contro di lei, cominciò ad alta voce a maledire e a bestemmiare il giorno e l'ora che se ne parlò e chi la consigliò che lo prendesse per marito, dicendo:

– In questo modo, poltrone, ingrato, ribaldo, manigoldo, ghiottone e scellerato. Questo è il premio e la ricompensa che mi rendi del beneficio che t'ho fatto, che da mio vile servo che eri t'ho io fatto padrone non solamente della roba ma anche delle mia propria persona; e tu in questo modo mi tratti? taci, traditore, che in ogni modo te ne ripagherò –.

Ser Zambò sentendo che madonna Felicetta cresceva e moltiplicava in

moltiplicava in paroi, te la gioccava sus al bel polit. L'era vegnuda a tant madonna Felicetta che, con la sentiva che ser Zambò parlava o se moviva, la tremava con fa la fogia al vent, e se 's pisava e cagava sot d'angosa.

[35] Passada che fo l'invernada e vegnud l'instad, l'accadé a ser Zambò de andà per certi so facendi e per scodí certa quantità de dener da debitori della bottiga a Bologna, e ghe convegniva sta' assé zornadi, e dis a madonna Felicetta:

– Felicetta, te fo a' saví c'ho mi do fradei tuc do gobbi com'a so gn'a mi, e si a' i me somegia sí fattament, ch'a' no sem cognossudi l'u da l'alter, e chi ne vedes tuc tri insembra, a' i no saref di' qual fos mi e qual fos lor; guarda se per ventura a' i se imbattis a vegní in sta terra, e che a' i voles allozà in ca' nostra, fa' che per niet tu no i recevi in ca', perché a' i è tristi, sceleradi e scaltridi, ca i no te fes un a te levavi[1] e se n'andas con Dè, e che ti romagnis co le mà pieni de moschi; e si so che ti i alberghi in ca', a' t' farò la plu grama fomna che s'attrovi al mond –.

parole, gliene diede in quantità. Era giunta a tanto madonna Felicetta che come sentiva che ser Zambò parlava o si muoveva, tremava come fa la foglia al vento e si pisciava e cagava sotto d'angoscia.

Passato che fu l'inverno e venuta l'estate, avvenne a Zambò di andare per certe sue faccende e per riscuotere una certa quantità di denaro da debitori della bottega a Bologna, e gli conveniva stare assai giornate, e disse a madonna Felicetta:

– Felicetta, ti faccio sapere che ho due fratelli tutti e due gobbi come sono anch'io, e mi assomigliano cosí tanto che non siamo conosciuti l'uno dall'altro, e chi ci vedesse tutti e tre insieme, non saprebbe dire quale sia io e quale loro; bada che se per caso si imbattessero a venire in questa città e che volessero alloggiare in casa nostra, fa' che per nessuna ragione tu li riceva in casa, perché sono malvagi, scellerati e scaltri, che non ti facciano un furto e se ne vadano con Dio, e che tu rimanga con le mani piene di mosche; e se so che li alberghi in casa, ti farò la piú grama donna che si trovi al mondo –.

1. *un a te levavi*: espressione latina 'da te ho levato', forse scherzosamente riconducibile a un modulo frequente nei *Salmi*: *ad te levavi*.

E detti sti paroi, se partí. [36] Partit che fo ser Zambò, no passà des dí che Bertaz e Santí, fradei de ser Zambò, arzons a Roma e tuc andà cercand e domandand de ser Zambò, ca 'g fo mostrà la bottiga. Vedend Bertaz e Santí la bella bottiga de ser Zambò e che l'era fornida sí bé de pagn, a' i stet fort sovra de si, maravegiandos grandement com'era possibol che l'aves in sí poch temp fac tanta bella robba. [37] Stand ixí tuc do in sí fatta maravegia, a' i se fé dinanz alla bottiga e domandà ch' a' i voleva parlà con ser Zambò, ma ghe fo respos che no l'era in ca', gna nella terra, ma s' a' i ghe besognava qualcosa ch' a' i comandas. Respos Bertaz che volontera l'aref parlà con lu, ma no s' ghe trovand, che 'l parleref con la mogier. [38] E fata chiamà madonna Felicetta, la vegní in bottiga e tantost ch'ella vit e Bertaz e Santí, subit ghe dé una fitta al cuor ch' a' i fos so cognadi. Bertaz veduda la fomna, dis:

– Madonna, sef vu la mogier de Zambò? –

Ed ella ghe rispondí:

– Made sí –.

E dette queste parole, partí. Partito che fu ser Zambò, non passarono dieci giorni che Bertaz e Santí, fratelli di ser Zambò, giunsero a Roma e tutto andarono cercando e domandando di ser Zambò, che gli fu mostrata la bottega. Vedendo Bertaz e Santí la bella bottega di ser Zambò e che era fornita cosí bene di panni, stettero fortemente sopra di sé, meravigliandosi grandemente come fosse possibile che avesse in cosí poco tempo fatto tanta bella roba. Stando cosí tutti e due in sí fatta meraviglia, si fecero davanti alla bottega e domandarono che volevano parlare con ser Zambò, ma gli fu risposto che non era in casa né in città, ma se occorreva loro qualcosa che comandassero. Rispose Bertaz che volentieri avrebbe parlato con lui, ma non trovandolo, che avrebbe parlato con la moglie. E fatta chiamare madonna Felicetta, venne in bottega e tosto che vide Bertaz e Santí, subito le venne una fitta al cuore che fossero i suoi cognati. Bertaz vista la donna disse:

– Madonna, siete voi la moglie di Zambò? –

Ed ella gli rispose:

– Certamente sí –.

Disse in quella fiada Bertaz:

– Madonna, tocchem la mà ch' a' som fradei de Zambò vos marit e vos cognadi –.

[39] Madonna Felicetta, che se recordava de i paroi de ser Zambò so marit e in sema ancora de i bastonadi ch'al ghe dava, no 'g voliva toccà la mà, pur a' i 'g dé tanti zancetti[1] e paroletti, che la ghe toccà la mà. Subit che l'aví toccat la mà a l'u e l'alter, dis Bertaz:

– O cara la me cognada, dé 'n un po' da fà collaziò ch' a' se morom da la mala fam –.

[40] Ma ella per niente no ghe 'n voliva da'; pur in fí a' i saví tant ben di' e tant ben zarlà e tant ben pregà, che co i so polidi paroi e molesini pregheri madonna Felicetta se moví a compassiò e si a' i menà in ca', e si ghe dé ben da mangià e meig da bif, e per zonta alla 'g dé ancora allozzament da dormí.

[41] No l'era passadi appena tri dí che, stand Bertaz e Santí in rasonament colla cognada, ser Zambò azzons a ca', e

Disse a sua volta Bertaz:

– Madonna, tocchiamoci la mano che siamo fratelli di Zambò vostro marito e vostri cognati –.

Madonna Felicetta, che si ricordava delle parole di Zambò suo marito e insieme delle bastonate che le dava, non gli voleva toccare la mano, tuttavia le diedero tante parolette e paroline, che lei gli toccò la mano. Subito che ebbe toccato la mano a l'uno e all'altro, disse Bertaz:

– O cara la mia cognata, dacci un po' da far colazione perché moriamo dalla cattiva fame –.

Ma ella per niente gliene voleva dare; tuttavia alla fine seppero tanto ben dire e tanto ben ciarlare e tanto ben pregare, che con le loro gentili parole e dolci preghiere madonna Felicetta si mosse a compassione e li menò in casa, e gli diede ben da mangiare e meglio da bere, e per giunta gli diede anche alloggio da dormire.

Erano appena passati tre giorni che, stando Bertaz e Santí in ragionamenti con la cognata, Ser Zambò giunse a casa, e avendo sentito madonna

1. *zancetti*: cfr. Boerio, s.v. *zanzà*: « cianciare, chiacchierare ».

avend sentut madonna Felicetta che l'era vegnut ol marit, alla romas tutta contaminada, e per la paura che l'aviva, alla no saviva che la doves fà, perché i fradei no fos vedudi da ser Zambò. E no saved alter che fà, a' i fes andà bellament in la cosina, dov'era un avel che denter se pellava i porch, e tal qual l'era, il levò su e si i fes cazzars la sot. [42] Vegnud che fo ser Zambò de su e veduda la moier tutta scalmanada nel volt, al stet sovra de si, dapò dis:

– Che cosa het, ch'a't' vedi ixí affannada? qualcosa ghe def esser, arest mai qualch berto in ca'? –

Ma ella bassament ghe respondiva che la no aviva nient. Ser Zambò pur la guardava a' si 'g disiva:

– Cert ti m' dè aví fac qualcosa; avrest mai per ventura i me fradei in ca'? –

Ella a' la ghe respos alla gaiarda che no. E lu ol comenzà zugà dol bastò alla so usanza. [43] Bertaz e Santí, che stava sotto ol avel da i porch, sentiva el tuc e si aviva tanta paura ch' a' i s' cagava sot, gne i aviva ardiment de movers gne crollà. Ser Zambò, avend mis zò 'l bastò, se mis andà da per

Felicetta che era arrivato il marito, rimase tutta turbata, e per la paura che aveva, ella non sapeva cosa dovesse fare perché i fratelli non fossero visti da ser Zambò. E non sapendo altro che fare, li fece andare senza farsi accorgere in cucina dove c'era un avello dentro il quale si pelavano i porci, e tale quale era, lo levò su e li fece cacciare la sotto. Venuto che fu ser Zambò di sopra e vista la moglie tutta scalmanata nel volto, stette sopra di sé, poi disse:

– Che cos'hai che ti vedo cosí affannata? qualcosa ci deve essere, avresti mai qualche amante in casa? –

Ma ella gli rispondeva a bassa voce che non aveva niente. Ser Zambò tuttavia la guardava e le diceva:

– Certo tu mi devi aver fatto qualcosa; avresti mai per caso i miei fratelli in casa? –

Ella gli rispose alla gagliarda di no. E lui cominciò a giocare del bastone al suo modo. Bertaz e Santí, che stavano sotto l'avello dei porci, sentivano il tutto e avevano tanta paura che si cagavano sotto né ardivano muoversi né scrollarsi. Ser Zambò, avendo messo giú il bastone, si mise ad andare in

tuc cercand la ca' s' al trovava vergot, e vedend ch'al no trova negú, al se quetà alquant, e se mis a fà certi so facendi per ca'; e ghe stet longament in tal laor talmente che dalla paura, dal gran cald e dalla puzza smesurada dol avel da i porch, ol pover Bertaz e Santí cagà l'anima d'angosa.

[44] L'era zonta l'ora ormà che ser Zambò soliva andà alla piazza a fà, con fa i bo marcadant, di facendi, e se partí de ca'. Partit che fo ser Zambò de ca', madonna Felicetta andà a l'avel per vedí de mandà via i cognadi, azzò che Zambò no i trovas in ca'; e descovert ol avel a' i trova tuc do sbasidi ca i pariva propiament do porzei. La poverella vedend u tal lavor, l'entrà d'affan in affan. E perché ser Zambò no sais tal novella, tostament cercà de mandai fò de ca', ch' a' no se savis, gna gnesú se n'avedis.

[45] E per quant ho intis, in Roma al gh'è un consuet che, trovandos algú foresté o pellegrí mort per strada o nelli casi de qualcú, a' i è levadi da certi picegamort[1] deputadi a tai

tutta la casa cercando se trovava qualcosa, e vedendo che non trova nessuno, si quietò alquanto, e si mise a fare certe sue faccende per casa; e stette lungamente in tale cosa talmente che dalla paura, dal gran caldo e dalla puzza smisurata dell'avello dei porci, il povero Bertaz e Santí cagarono l'anima d'angoscia.

Era giunta ormai l'ora che ser Zambò soleva andare alla piazza a fare, come fanno i buoni mercanti, delle faccende, e si partí di casa. Partito che fu ser Zambò di casa, madonna Felicetta andò all'avello per vedere di mandar via i cognati, affinché Zambò non li trovasse in casa; e scoperto l'avello li trovò tutti e due basiti che parevano propriamente due porcelli. La poverella vedendo una tale cosa, entrò d'affanno in affanno. E perché ser Zambò non sapesse tale novella, subito cercò di mandarli fuori di casa che non si sapesse né nessuno si accorgesse.

E per quanto ho inteso, a Roma c'è una consuetudine che, trovandosi alcun forestiero o pellegrino morto per strada o nelle case di qualcuno, sono le-

1. *picegamort*: cfr. Boerio, s.v. *picegamorti*: « s. m. Beccamorti, Becchini, Sotterratori »; il termine è anche in Ruzante, *Vaccaria*, v 68: « pizegamuorti ».

uffici, e si a' i porta alle muri della terra e si a' i tra nol Tever e manda a segonda, talment che mai a' no s' pol saví gne novella gne imbassada de lor.

[46] Essend andà per sort madonna Felicetta alla finestra per vedí de qualcú so amigh da fà mandà via i corp mort, per bona ventura passava u de sti picegamort, e si la ghe fè d'at che 'l vignes a lié e si alla ghe fè intender che l'aviva u mort in ca' e che 'l vignes a leval e portal nol Tever segond ol consuet.

[47] Aviva per innanz madonna Felicetta tolt u de i corp mort de sot dol avel e l'aviva lassat appres ol avel in terra, e vegnut che fo de su ol pizigamort, la gh'aidà a metter ol corp in spalla, e se ghe dis ch'al tornas ch' a' la 'l pagheref.

[48] Ol picigamort andat alle muri, ol gittò nol Tever, e fac ol servis, ol tornà dalla donna che ghe des u fiorí: ché tac ghe vegniva dell'ordenari dol so pagament. Fí ch'ol picegamort portà via ol corpo mort, madonna Felicetta, ch'era scaltrida, aviva trat fuora dol avel l'alter corp mort, e si l'avia

vati da certi beccamorti deputati a tali uffici, e li portano alle mura della città e li traggono nel Tevere e li affidano alla corrente, talmente che mai non si può sapere né novella né ambasciata di loro.

Essendo andata per caso madonna Felicetta alla finestra per vedere di qualche suo amico da far mandare via i corpi morti, per buona fortuna passava uno di questi beccamorti e gli fece un cenno che venisse da lei e gli fece intendere che aveva un morto in casa e che lui venisse a levarlo e portarlo nel Tevere secondo il consueto.

Madonna Felicetta aveva prima tolto uno dei corpi morti da sotto l'avello e l'aveva lasciato presso l'avello in terra, e venuto che fu di sopra il beccamorto, lo aiutò a mettere il corpo in spalla e gli disse che tornasse che l'avrebbe pagato.

Il beccamorto andato alle mura, lo gettò nel Tevere e, fatto il servizio, tornò dalla donna che gli desse un fiorino: ché tanto gli veniva dell'ordinario del suo pagamento. Mentre il beccamorto portò via il corpo morto, madonna Felicetta, che era scaltra, aveva tratto fuori dall'avello l'altro corpo

conzat a pè dol avel com'stava l'alter; e tornat ol picegamort da madonna Felicetta per aví ol so pagament, dis madonna Felicetta:

– Het portat ol corp mort nol Tever? –

Respos ol picegamort:

– Madonna, sí.

– L' het gittà deter? – dis la donna.

E lu ghe respos:

– Com'se l'ho mi trat deter? e de che sort! –

Disse in quella fiada madonna Felicetta:

– E com l' het git deter nol Tever? guarda mo un po' se l'è ancora qua? –

[49] E guardand ol picegamort ol corpo mort e credent verament ch'al fosse quel, romas tuc sbigottit e svergognat, e rognand e biastimand ol tuttavia, se 'l tols in su li spalli e se 'l portà su l'arzer[1] e si 'l ghittà anche lu nol Tever e s'ol sté a vedí per un pez andà a segonda.

morto, e l'aveva conciato ai piedi dell'avello come stava l'altro; e tornato il beccamorto da madonna Felicetta per avere il suo pagamento, disse madonna Felicetta:

– Hai portato il corpo morto nel Tevere? –

Rispose il beccamorto:

– Madonna, sí.

– L'hai gettato dentro? –

E lui le rispose:

– Eccome se l'ho tratto dentro? e di che sorte! –

Disse a sua volta madonna Felicetta:

– E come l'hai gettato dentro nel Tevere? guarda mo un po' se è ancora qua? –

E guardando il beccamorto il corpo morto e credendo veramente che fosse quello, rimase tutto sbigottito e svergognato, e rognando e bestemmiandolo continuamente, se lo pose sulle spalle e se lo portò sull'argine e lo gettò anche lui nel Tevere e se lo stette a vedere per un pezzo andare alla corrente.

1. *arzer*: argine. Forma di compromesso tra *argen* (Tiraboschi) e *arzare* (Boerio).

[50] Tornand in drè ol picegamort da madonna Felicetta per aví ol pagament, ol se incontrò in ser Zambò, terz fradel, che andava a ca', e vedend ol picegamort ol det ser Zambò che tant somegiava a quei alter che l'aveva portà nel Tever, al ghe ven tanta colera ch'al ghittava fuog e fiamma da tutti li bandi, e no podend sopportà tal scorem e credend verament ch'al fos quei che l'aviva zà portà nol Tever e ch'al fos qualche mal spirit ch'a 'l tornas in dret, ol se mis dret con la manovella ch'ol aviva in mà, a' s' ghe tirà inturem la testa a ser Zambò, digand:

– Ah, poltrò, manegold, che credit che tuc ancuò te vogia sta' a portà nol Tever? –; e tutta fià t'ol manestrava de sí fatta manera, che 'l pover de ser Zambò a colpi de boni bastonadi anche lu se n'andà a parlà a Pilat.[1]

[51] E tolt in su li spalli ol corp, che no era quasi bé mort, ol gittà nol Tever e ixí Zambò, Bertaz e Santí malamente finí la vita sova. E madonna Felicetta, intenduda la novella, alla fo

Tornando indietro il beccamorto da madonna Felicetta per avere il pagamento, si incontrò con Zambò terzo fratello che andava a casa, e vedendo il beccamorto il detto ser Zambò che tanto somigliava a quegli altri che aveva portato nel Tevere, gli venne tanta collera che gettava fuoco e fiamme da tutti i lati, e non potendo sopportare tale scorno e credendo veramente che fosse quelli che aveva già portato nel Tevere e che fosse qualche mal spirito che tornasse indietro, si mise dietro con la leva che aveva in mano e gliela tirò intorno alla testa a ser Zambò, dicendo:

– Ah, poltrone, manigoldo, credi che ancora tutto ti voglia stare a portare nel Tevere? –; e continuamente lo menava di cosí fatta maniera, che il povero ser Zambò a colpi di buone bastonate morí anche lui.

E preso sulle spalle il corpo, che non era ancora ben morto, lo gettò nel Tevere e cosí Zambò, Bertaz e Santí malamente finirono la vita loro. E madonna Felicetta, intesa la notizia, fu grandemente allegra e contenta che

1. *anche ... Pilat*: cfr. *GDLI*, *Pilato* (2): « *Ire a parlare a Pilato*: morire ». Cfr. G.M. Cecchi, *L'esaltazione della Croce*, Firenze, B. Sermartelli, 1592, a. II sc. I vv. 160-62: « Dov'io mi credetti / che dovessi ire a parlar a Pilato, / e' guarí e fé pace colla morte ».

grandemente allegra e contenta ch' a' l'era uscida de tanti travai e retornada nella so libertà com'all'era per innanz.

[52] La favola del Molino era già venuta al suo fine e tanto era piacciuta alle donne che né di ridere né di ragionare di quella non si potevano astenere. E quantunque la Signora piú volte silenzio l'imponesse, non però cessavano di fortemente ridere. Ma poi che tacqueno, la Signora comandò al Molino che con quello istesso linguaggio l'enimma seguisse. Ed egli desideroso di ubidire, in tal modo l'enimma propose:

[53] Al vè lu fò di li so tombi scuri,
ossi de mort dapò la terza e sesta,
e mostra con i segni le venturi
denter di casi con fuog e tempesta;
a's' muove con biastemi crudi e duri
la zent avara che de fà ben resta;
barba de carem ven po e becco d'os,
e dis col cant ch'a's' faci d'occa u fos.

[54] Se la favola dal Molino raccontata piacque generalmente a tutti, vie piú a grado gli fu l'ingenioso, anzi paventoso suo enimma. E perciò che non era d'alcuno inteso, le donne ad una voce sommamente lo pregorono che ei lo risolvesse in quella istessa lingua nella quale recitato l'aveva. Il Moli-

era uscita da tanti travagli e ritornata alla sua libertà come era prima.

[...]

Viene egli fuori dalle sue tombe scure,
ossa di morto dopo la terza e sesta,
e mostra con i segni le venture
dentro le case con fuoco e tempesta;
si muove con bestemmie crude e dure
la gente avara che di far ben resta.
Barba di carne viene poi e becco d'osso,
e dice col canto che si faccia un fosso d'oca.

[...]

no vedendo cosí esser il desiderio di tutti, acciò che non paresse avaro nelle cose sue, in tal guisa il suo enimma espose:

– Donni me cari, ol me 'nimma alter no 'l vol significà ch'ol zuog dal tavoler. E i os de mort che vè fò di sepolturi a' i è i dad, che vè fò dol taschet, e quand i trazzi tri e do e d'as, quei punc no mostrai i venturi? quei tai punc no mettei fuog ne i casi dol tavoler e anch int' ol borset? che spessi fiadi v'ha guadagnat ol zuog e no 'l compi de andà c'ol perde? e quest per la variaziò e mutament de' casi? no s' muove po ol zugador avar che cerca semper de guadagnà con biastemi e maladizziò grandi, che tal fiada a' no so con la terra no s'averzi e che i sotterri denter? e quand chi ha bé zugat no s' leva ol gal, c'ha barba de carem e ol becco d'os, e canta cucurucú, e s' ve fa saví che l'è mezza not e che doví andà in let, ch'è pié de piumi d'occa? e com ve gittè denter, no ve par d'andà in u fos? che ve par, adonca? basta –.

[55] Non senza grandissime risa la isposizione del sottil enimma fu ascoltato[1] da tutti né vi fu veruno che per lo ri-

Donne mie care, il mio enigma altro non vuole significare che il gioco del tavoliere. E gli ossi di morto che vengono fuori dalle sepolture sono i dadi che vengono fuori dal taschino, e quando tirano tre, due e asso, quei punti non mostrano le fortune? quei tali punti non mettono fuoco nelle case del tavoliere e anche nella borsa? che spesse volte v'ha guadagnato il gioco e non finisce di andare che perde? e questo per la variazione e il mutamento dei casi. Non si muove poi il giocatore avaro che cerca sempre di guadagnare con bestemmie e maledizioni grandi, che talvolta non so come la terra non si apra e lo sotterri dentro? e quando ha ben giocato non si leva il gallo, che ha barba di carne e il becco d'osso, e canta cucurucú, e vi fa sapere che è mezzanotte e che dovete andare a letto che è pieno di piume d'oca? e come vi gettate dentro, non vi pare d'andare in un fosso? che vi pare, dunque? basta.

[...]

1. *ascoltato*: il participio viene concordato con « enimma » e non con « isposizione ». Cfr. anche I 5 43.

dere sopra le panche non si distendesse. Ma poi che dalla Signora fu comandato che ognuno tacesse, ella si volse verso il Molino e disse:

– Signor Antonio, sí come la Diana stella colla sua luce avanza tutte l'altre,[1] cosí la favola da voi raccontata col suo enimma porta il vanto di tutte l'altre che sin ora abbiamo udite –.

Rispose il Molino:

– Il vanto, Signora, che voi mi date, non procede da mio sapere, ma da l'alta cortesia e gentilezza che in voi sempre regna. Ma quando vi fusse a grado che 'l Trivigiano ne raccontasse una nella contadinesca lingua, rendomi certo che voi ne prendereste maggior piacere di quello che avete preso ne l'ascoltare la mia –.

[56] La Signora, che desiderava molto di udirlo, disse:

– Signor Benedetto, udite quello che dice il vostro Molino. Certo voi li fareste gran torto se lo faceste rimaner bugiardo. Mettete adunque mano alla scarsella,[2] e tratte[3] fuori una contadinesca favola e con quella rallegratene tutti –.

Il Trivigiano, a cui pareva sconvenevole molto tore[4] la volta alla signora Arianna, a cui toccava il dire, prima si escusò; dopo vedendo non poter schiffare tal scoglio, alla sua favola diede principio, cosí dicendo.

1. *sí come ... l'altre*: immagine della tradizione canterina, solitamente riferita a figure femminili. Cfr. *Bruto di Brettagna*, 8: « che luci piú che la Diana stella ».
2. *scarsella*: tasca.
3. *tratte*: tirate.
4. *tore*: togliere.

NOTTE QUINTA, FAVOLA IV[1]

[1] *Marsilio Verzelese ama Tia, moglie de Cecato Rabboso, e in casa lo condusse, e mentre che ella fa un scongiuro al marito, egli chetamente si fugge.*

[2] Made cancagno,[2] madonna parona, e vu bella brigà che vi 'n pare? no s'halo portò ben mesier Antuogno? no v'halo contò una bella stuoria? ma, a sangue de can, ch' a' me vuò sforzar an mi di farme 'nore. Nu altri dalle ville aom sempre sentú dire che i gi uomini[3] del mondo, chi se governa a un muò e chi all'altro. Ma mi mo ch' a' son mi[4] e ch' a' no so ninte de lettra, a' diré com ha zà ditto i nuostri viecchii:

Accidenti, signora padrona, e voi bella brigata, che ve ne pare? non si è comportato bene messer Antonio? non vi ha raccontato una bella storia? ma, sangue di un cane, che voglio sforzarmi anch'io di farmi onore. Noi altri delle campagne abbiamo sempre sentito dire che gli uomini al mondo chi si governa in un modo e chi in un altro. Ma io che sono io e che non so niente di lettere, dirò come hanno già detto i nostri vecchi: chi mal balla,

1. Straparola ripropone in questa novella il fortunato tema dell'astuzia di una moglie adultera che, nonostante l'arrivo inaspettato del marito, riesce a salvare se stessa e l'amante. L'inganno presenta qualche affinità con una novella di Fortini, *Notti*, xxv, dove tra l'altro la protagonista è una gentildonna padovana. Qualche vago spunto comune si può poi cogliere con un'altra novella di Fortini, *Giornate*, xliii. Un tema solo parzialmente simile è pure nell'*exemplum* ix (*De vindemiatore*) della *Disciplina clericalis*. Rua, *Intorno alle 'Piacevoli notti'*, pp. 246-47, segnala inoltre affinità con una novelletta tedesca del sec. XV, ma si tratta di un testo brevissimo e, per di piú, l'affinità tematica è solo generica. Per i motivi cfr. Rotunda, 1516.4 (*Adulteress covers husband's eyes during incantation*).

2. *cancagno*: « 'calcagno'? Probabilmente è un eufemismo e maschera un *cancaro* » (Rua).

3. *i gi uomini*: per il doppio articolo cfr. anche Ruzante, *L'Anconitana*, iv 56: « fra i gi uomeni ». Cfr. anche piú avanti (21).

4. *Ma ... mi*: cfr. Ruzante, *L'Anconitana*, Prologo a. ii 2: « E perzòntena mo mi, che a' son mi mo ».

chi mal balla, ben solazza. Pazienzia! A' faré an mi cosí. [3] Ma no cri miga ch' a' ve dighe ste parole per ch' a' vuoggie muzzar la faiga de contarve una noella, ch' a' n'è miga paura de no la saer dire, anzo la noella ch' a' v'ha contò mesier Antuogno con tanta bella grazia che no se pò arzuonzere, m'ha sí innanimò, ch'a no ge veggo lume, e sí me par mill'agni a doer comenzare. E forsi che la no sarà gnan manco piaseole e da riso della soa e massimamentre ch' a' ve diré della struzia d'una femena dalla villa che fè una beffa al poltron de so marí; e se me starí ascoltare e me darí bona udinzia, a' sentirí de bello a' ve so dir mi.

[4] Al gh'è sotto el tegnire[1] de Piove de Sacco,[2] territuorio de Pava, come cerzo ch'a tutti vu supia chiaro, una villa ch' a' ·lla domandon Salmazza, e invelò, zà gran tempo fa, ghe solev'abitare un arsente c'avea nome Cecato[3] Rab-

ben sollazza. Pazienza! Farò anch'io cosí. Ma non credete mica che io vi dica queste parole perché io voglia fuggire la fatica di raccontarvi una novella, ché non è mica paura di non saperla dire, anzi la novella, che vi ha raccontato messer Antonio con tanta bella grazia che non si può aggiungere, mi ha cosí incoraggiato che non ci vedo piú e mi pare mille anni di dover cominciare. E forse non sarà neppure meno piacevole e da ridere della sua, e massimamente che vi dirò dell'astuzia di una donna della campagna che fece una beffa a quel poltrone di suo marito; e se mi starete ad ascoltare e mi darete buona udienza, sentirete ciò che di bello vi so dire io.

C'è sotto il possedimento di Piove di Sacco, territorio di Padova, come credo che a tutti voi sia noto, una campagna che chiamano Salmazza, e laggiú, già gran tempo fa, soleva abitare un bracciante che aveva nome Ce-

1. *tegnire*: cfr. Boerio, s.v. *tegnèr*: « possessione, territorio, distretto, dominio ».

2. *Piove de Sacco*: Piove di Sacco, a ca. 18 km a sud-est di Padova.

3. *Cecato*: nome parlante, come dimostrerà lo svolgimento della novella. A proposito di questo nome il Rua annota: « trovo questo nome (Cecat) presso il Cavassico, *Rime*, Bologna, 1894, pp. 94-95; il Cian nota (p. 288) che era il soprannome della nobile famiglia bellunese dei Carpedoni ».

boso, e ben ch' a' el foesse omazzo gruosso del cervello e della persona, l'iera perzòndena poveretto e fido. [5] Sto Cecato Rabboso avea per mogiere una figliuola d'una massaria che se chiama i Gagiardi d'una villa che se domanda Campelongo,[1] e si giera zovane, struta, scaltria e maledetta e avea nome Tia, e de zonta oltra che l'iera accorta, l'iera anche gaiarda della persona e bella de volto, e no ghe iera un'altra contadina a parrecchii meggia d'intorno che poesse stare al parengon co ella. E perché l'iera gaiarda e valente del ballare, ognun che la vedea s'innamorava del fatto so.

[6] E parse pure che un zovene bello e gaiardo an lu della persona, ma cittain gramego[2] de Pava, che se chiamava Marsilio Verzolese, s'innamorasse de sta Tia, e sí fieramen s'innamorò, che doe l'andava in su la festa al ballo, sto zovene sempre gh'andava anch'ello, e la maor parte di suò balli, e si diese tutti a' no fallerave gnianche, i fasea co ella. E benché sto zovene foesse innamorò de ella, el tegnia el so amor

cato Rabboso, e siccome era un omaccio grosso del cervello e della persona, era perciò poveretto e fidato. Questo Cecato Rabboso aveva per moglie una figliola di una masseria che si chiama i Gagiardi di una campagna che si chiama Campolongo, ed era giovane, astuta, scaltra e maledetta e aveva nome Tia, e in aggiunta al fatto che era accorta, era anche gagliarda della persona e bella di volto e non c'era un'altra contadina a parecchie miglia intorno che potesse stare al paragone con lei. E perché era gagliarda e valente nel ballare, ognuno che la vedeva s'innamorava del fatto suo.

Parve anche che un giovane bello e gagliardo anche lui della persona, ma cittadino colto di Padova, che si chiamava Marsilio Verzolese, s'innamorasse di questa Tia, e cosí fieramente s'innamorò, che alle feste dove lei andava al ballo, questo giovane sempre vi andava anche lui, e la maggior parte dei suoi balli, e se dicessi tutti neanche sbaglierei, li faceva con lei. E sebbene questo giovane fosse innamorato di lei, teneva il suo amore piú na-

1. *Campelongo*: oggi Campolongo Maggiore, comune della provincia di Venezia, ma a pochi km da Piove di Sacco.

2. *gramego*: che parla in lingua grammaticalmente corretta. Cfr. RUZANTE, *Moscheta*, II I 9 (e passim).

scoso pí ch'al poea, per no dar d'intendere alla brigà de fuora via né che dire a negun.

[7] Marsilio, sapiando che Cecato so marí iera poveretto e vivea delle so brazze e che dalla mattina per tempo china alla scura sera lavorava ora co questo ora co quell'altro a overa, el comenzà arvisitare la ca' della Tia, e cosí bellamen el se smestegò co ella ch'al ghe comenzò favellare. E a ben che Marsilio avesse delibrà into 'l so anemo de palesarghe l'amore ch'al ghe portava, tamen niente de manco el dubitava che la no se scorezzasse e che la no 'l voesse pí vedere, per zò che a' no ghe parea che ella ghe faesse quella bona ciera che ghe parea che 'l meritasse all'amore che 'l ghe portava. E po anche el temea de no esser descoerto da qualche mala persona e che 'l faesse intendere a Cecato so marí, e che Cecato po ghe faesse qualche despiasere, perché, se l'iera ben grosso, l'iera anche zeloso.

[8] Andagando drio Marsilio con gran solecito arvisitare la ca' dove stasea la Tia e guardandola fiso nel volto, al fè sí fattamen che ella se gh'accorzè che ello iera innamorò in ella.

scosto che poteva, per non darlo a intendere alla brigata di fuori, né da dire a nessuno.

Marsilio, sapendo che Cecato suo marito era poveretto e viveva delle sue braccia e dalla mattina per tempo fino a notte fonda lavorava ora con questo ora con quell'altro a ore, cominciò a visitare la casa della Tia, e cosí con belle maniere entrò in dimestichezza con lei che le cominciò a parlare. E sebbene Marsilio avesse deliberato nel suo animo di rivelarle l'amore che le portava, tuttavia dubitava che lei si crucciasse e che non lo volesse piú vedere, perciò che non gli pareva che ella facesse quella buona cera che gli pareva che meritasse l'amore che le portava. E poi anche temeva di non essere scoperto da qualche cattiva persona e che lo facesse intendere a Cecato suo marito, e che Cecato poi gli facesse qualche dispiacere, perché se era ben grosso, era anche geloso.

Andando dietro Marsilio con grande sollecitazione a visitare la casa dove stava la Tia e guardandola fisso nel volto, fece cosí fattamente che ella si

E perzòndena che anche ella per purassè respietti no ghe poea far bona ciera né mostrare che anche ella ghe iera innamorà de ello, e 'l ben che la ghe volea, la se dolea e se torzea da so posta.

[9] Stando un zorno la Tia sola asentà sora un zocco che iera a pè de l'usso de fuora della ca', e avendo la rocca sotto al brazzo co della stoppa invoggià intorno, che la filava per la parona, venne Marsilio che pur l'avea fatto un puo' de bon cuore e si disse alla Tia:

– Dio ve salve, Tia, ben mio –.

E la Tia ghe respose:

– Ben vegnè quel zovene.

– [10] No saío – disse Marsilio – ch' a' me consumo tutto e muoro per vostro amore, e vu no vi 'n fè conto né v'incurè del fatto me? –

La Tia ghe respose:

– Mo no so ninte mi ch' a' me voggiè ben –.

Disse Marsilio:

accorse che lui era innamorato di lei. E perciò che anche lei per parecchi scrupoli non gli poteva fare buona cera né mostrare che anche lei era innamorata di lui, e il bene che gli voleva, si addolorava e si tormentava a sua volta.

Stando un giorno la Tia sola seduta sopra un ceppo che era ai piedi dell'uscio fuori di casa, e avendo la rocca sotto il braccio con della stoppa avvolta attorno che lei filava per la padrona, venne Marsilio, che pure aveva fatto un po' di buon cuore, e disse alla Tia:

– Dio vi salvi, Tia, bene mio –.

E la Tia gli rispose:

Benvenuto quel giovane.

– Non sapete – disse Marsilio – che mi consumo tutto e muoio per il vostro amore, e voi non ve ne fate conto né v'importa del fatto mio?

La Tia gli rispose:

– Non so niente io che mi volete bene –.

Disse Marsilio:

– Mo se u no 'l saí, con gran dolore e passion de cuore adesso mo ve 'l digo –.

E la Tia ghe respondé:

– Mo 'l sè bé mo adesso –.

[11] Disse in quella volta Marsilio:

– E u, deh disime el vero per la vuostra cara fe', me vuolíu ben? –

Respose la Tia:

– Po', oh! –

Disse Marsilio:

– E quanto, se Dio v'aía?

– Assé – respondé la Tia.

Disse Marsilio:

– Oimè Tia, se u me vossè bene al muò che u me di', u me 'l mostreressi con qualche segnale, ma no me ne volí gozzo –.

[12] Respose la Tia:

– Mo a che muò?

– Mo se non lo sapete, con gran dolore e passione di cuore adesso ve lo dico –.

E la Tia gli rispose:

– Mo lo so bene adesso –.

Disse a sua volta Marsilio:

– E voi, deh, ditemi il vero per la vostra cara fede, mi volete bene? –

Rispose la Tia:

– Un po', oh! –

Disse Marsilio:

– E quanto, se Dio vi aiuti?

– Abbastanza – rispose la Tia.

Disse Marsilio:

– Oimè Tia, se voi mi voleste bene al modo che voi dite, voi me lo mostrereste con qualche segno, ma non me ne volete un goccio –.

Rispose la Tia:

– Mo in che modo?

– O Tia – disse Marsilio – u 'l saí molto ben senza ch' a' ve 'l diga.

– Sè, Dè mi, ch' a' no 'l sè – respondé la Tia – s' a' no me 'l disí –.

Disse Marsilio:

– Mo a ve 'l dirè se me starí ascoltare e che no l'abbiè a male –.

[13] La Tia ghe respondè:

– Disí pure, messiere, ch' a' ve prometto sul cargo dell'anema mia che se 'l sarà cosa che supia da ben e da 'nore, ch' a' n'arrò per male –.

Disse Marsilio:

– Quando volíu ch' a' galde la tanto vuostra disià persona?

[14] – Mo a' vezzo ben mo adesso – respondé la Tia – ch' a' me trognè e che vi 'n trazzí del fatto me. A' no se convegnon ben a uno: u a' si' cittain de Pava e mi son contadina dalla villa. U a' si' ricco e mi son poveretta. U a' si' gramego e mi son arsentella. U a' vorissi delle grameghe e mi a' son delle reffuè. U a' si' galloso co zupponi lavorè e le calze in-

– O Tia – disse Marsilio – voi lo sapete molto bene senza che ve lo dica.

– So, Dio mio, che non lo so – rispose la Tia – se non me lo dite –.

Disse Marsilio:

– Mo ve lo dirò se mi starete ad ascoltare e non l'abbiate a male –.

La Tia gli rispose:

– Dite pure, messere, ché vi prometto sul carico dell'anima mia che se sarà cosa che sia da bene e d'onore non ne avrò a male –.

Disse Marsilio:

– Quando volete che goda la vostra tanto desiderata persona?

– Mo vedo bene adesso – rispose la Tia – che m'ingannate e che vi burlate del fatto mio. Non ci accordiamo bene: voi siete cittadino di Padova e io sono contadina della campagna. Voi siete ricco e io poveretta. Voi siete letterato e io sono bracciantella. Voi vorreste delle colte e io sono delle rifiutate. Voi siete pomposo coi giubboni lavorati e le calze con l'insegna e tutte

segnolè[1] e tutte zoppelè[2] co del drappo de sea sotto, e mi no víu c'ho tutto el guarnello[3] strazzò, sbrendolò e arpezzò? né g'ho altro al mondo co questa cottolleta e quella bandinella[4] ch' a' me ví indosso quando a' vago de festa al ballo. [15] U magné pan de fromento e mi del pan de meggio, de mellega e della polenta, e pur n'aesse quanto a' vuoggio! E si son senza pelizza sto inverno, poveretta mi! e si a' no sè mai com'a' farè nianche perché no gh' è né dinari né robba da vendere per poer comprare delle cose ch'aom besogno. Né gh'aom tanta biava da magnare che ne face in china a Pasqua. Né a' sè com'a' faronte mé co tante carestí sí grande e angarí ch' a' convengon pagare ogni dí a Pava. O poveretti nu dalle ville che n'aom mé ben! Nu a' se stenton a goernar le terre e semenar el fromento e u 'l magné, e nu

cascanti con del drappo di seta sotto, e io non vedete che ho tutto il guarnello stracciato, sbrandellato e rappezzato? non ho altro al mondo con questa sottanina e quello scialle che mi vedete addosso quando vado al ballo alla festa. Voi mangiate pane di frumento e io pane di miglio, di sorgo e della polenta, e pur ne avessi quanto ne voglio! E se sono senza pelliccia questo inverno, poveretta me! e non so mai neanche come farò perché non ci sono né denari né roba da vendere per poter comprare le cose di cui abbiamo bisogno. Non abbiamo tanto frumento da mangiare da arrivare a Pasqua. Non so come mai faremo con tanta carestia cosí grande e le tasse che dobbiamo pagare ogni giorno a Padova. O poveretti noi delle campagne che non abbiamo mai bene! Noi stentiamo a governare le terre e a seminare il frumento e voi lo mangiate, e noi poveretti mangiamo il sorgo. Noi potiamo

1. *insegnolè*: calze con l'insegna come usavano i nobili del tempo.
2. *zoppelè*: cfr. Boerio, s.v. *scarpe a zopelòn*: « scarpe a pianta o a ciottola o a cianta o a zoppelletto che nel Contado Fiorentino dicono a cacaiuola, cioè non calzate per la fretta o per altro ».
3. *guarnello*: veste rustica femminile con corpetto scollato e senza maniche.
4. *bandinella*: tutto il discorso di Tia è ripreso dal prologo della *Fiorina* di Ruzante. Cfr., per es., per questo punto la ripresa lessicale: « mo a' ve fé fare e tagiare ogni dí pignolè, guarniegi, e cotole, bandinele e mile cancari » (Prologo 10).

poveretti a' magnon la mellega. Nu a' bruscon le vi' e fazzon el vin, e u el beví, e nu a' beon delle graspi e dell'acqua –.

[16] Disse Marsilio:

– No dubitè de questo, ch' a' se u me vuorí contentare, a' no ve mancherè de tutto quello ch' a' sarí domandare.

– A' disí ben cosí u altri uomini – rispose la Tia – inchina ch' a' fasí el fatto vuostro, ma po ve n'andè in là ch' a' no si' mé pí vezzú e le poverette femene restano ingannè, sbertezzè e svergognè del mondo, e po v'andè laldando e lavando la bocca di fatti nuostri, co' s' a' fossan ben qualche carogna trovà into i loamari. A' so ben mi co' saí fare u altri cittaini da Pava –.

[17] Disse Marsilio:

– Oh, su, basta mo, metton da un lò le parole e vegnon a i fatti. Volíu far zò ch' a' v'ho ditto? –

Respose la Tia:

– Andè via per la bellamor de Dio inanzo che vegna el me omo, ché l'è sera e si vegnirà a ca' debotto. Tornè doman de dí ch' a' parleron po quanto vorrí; a' ve vuò ben ben, sí –.

le viti e facciamo il vino, e voi lo bevete, e noi beviamo graspi e acqua –.

Disse Marsilio:

– Non dubitate di questo, ché se voi mi vorrete contentare, non vi mancherò di tutto quello che domanderete.

– Dite bene cosí voi altri uomini – rispose la Tia – finché fate il fatto vostro, ma poi ve ne andate che non vi si vede piú, e le donne poverette restano ingannate, beffate e svergognate del mondo, e poi ve ne andate lodando e lavando la bocca dei fatti nostri, come se fossimo qualche carogna trovata nei letamai. So ben io cosa sapete fare voi altri cittadini di Padova –.

Disse Marsilio:

– Oh, su, basta mo, mettiamo da parte le parole e veniamo ai fatti. Volete far ciò che v'ho detto? –

Rispose la Tia:

– Andate via per l'amor di Dio prima che arrivi mio marito, perché è sera e verrà a casa subito. Tornate domani di giorno che parleremo quanto vorrete; vi voglio bene bene, sí –.

[18] E perché l'iera inzargò fieramen de rasonar co ella, al no se voleva partire, ed ella ghe tornò a dire:

– Andè mo via se ve piase, no stè pí –.

Vedendo Marsilio che quasio la Tia se scorezzava, disse:

– Stè con Dio, Tia, dolce anima mia, a' ve racomando el me cuore ch'aví in le vuostre man.

– Andè con Dio – respose la Tia – cara speranza mia, ch' a' l'ho ben per recomandò, sí.

– Arverdesse doman, piasando a Dio – disse Marsilio.

– Mo ben, mo bene – respose la Tia.

[19] Quando fo vegnú doman, Marsilio ghe parea[1] mill'agni de retornare dalla Tia, e quando ghe parse che fo vegnú l'ora d'andare, l'andè a ca' soa e si trové la Tia nell'orto che la zappava e arfossava certe viatele che l'aea; e cosí tosto che i s'avè vezzú, tutti du i se saluà e dapò i se messe a rasonare, e dapò che i avè favellò un gran pezzo de compagnia, disse la Tia a Marsilio:

E perché era fieramente acceso di parlare con lei, non si voleva partire, e lei gli tornò a dire:

– Andate via per piacere, non state piú –.

Vedendo Marsilio che la Tia quasi si crucciava, disse:

– State con Dio, Tia, dolce anima mia, vi raccomando il mio cuore che avete nelle vostre mani.

– Andate con Dio – rispose la Tia – cara speranza mia che l'ho bene per raccomandato, sí.

– Arrivederci a domani, a Dio piacendo – disse Marsilio.

– Va bene, va bene – rispose la Tia.

Quando fu venuto l'indomani, a Marsilio pareva mille anni di ritornare dalla Tia, e quando gli parve che fu venuta l'ora di andare, andò a casa sua e trovò la Tia nell'orto che zappava e propagginava certe piccole viti che aveva; e cosí non appena si videro, tutti e due si salutarono e poi si misero a parlare, e poi che ebbero parlato un gran pezzo insieme, disse la Tia a Marsilio:

1. *Marsilio ghe parea*: anacoluto frequente nel linguaggio parlato.

– Doman da maitina, speranza mia, Cecato dè andare al molin e no tornerà a ca' china all'altra maitina, e u piasando a vu, vegnerí da sera da bass'ora qua ch' a' ve spietterò. Mo vegní senza fallo e no me trognè –.

[20] Quando Marsilio avè intendú sí bona noella, no fu mé omo ch'aesse tanta legrisia[1] co' l'avè lu quella fià e trasse un salto, e tutto alliegro e de bona vuogia se partí dalla Tia.

[21] Subito che Cecato fo vegnú a ca', l'astruta femena se ghe messe incontra e si ghe disse:

– Cecato, frello me bon, besogna andar al molin, ché no gh'è che magnare –.

Respose Cecato:

– Mo ben, mo bene.

– A' dighe che 'l besogna andarghe damaittina – disse la Tia.

Respose Cecato:

– Mo ben, damaittina innanzo dí anderè a farme impre-

– Domani mattina, speranza mia, Cecato deve andare al mulino e non tornerà a casa fino all'altra mattina, e piacendovi, verrete di sera a ora tarda che vi aspetterò. Ma venite senza fallo e non mi ingannate –.

Quando Marsilio ebbe inteso cosí buona novella, non fu mai uomo che avesse tanta allegria come l'ebbe lui quella volta e trasse un salto, e tutto allegro e di buona voglia si partí dalla Tia.

Subito che Cecato fu venuto a casa, l'astuta donna gli si fece incontro e gli disse:

– Cecato, fratello mio buono, bisogna andare al mulino perché non c'è da mangiare –.

Rispose Cecato:

– Va bene, va bene –.

– Dico che bisogna andarci domattina – disse la Tia.

Rispose Cecato:

– Va bene, domattina presto andrò a farmi prestare un carro con i buoi

1. *legrisia*: cfr. Boerio, s.v. *legria*: « voce bassa, lo stesso che alegria ». La parola è anche in Ruzante, *Seconda orazione*, 4.

star un caro co i buò da i gi uomini dov'a' laoro e si vegnirè a cargare e si me n'anderè. [22] In sto mezzo Tia andòn a parecchiare la biava e insacconla, ché damaittina n'aron altra briga che metterla sul carro e andarsene cantando.

– Mo ben – respose la Tia; e i fè a sto muò.

[23] Vegnú che fo doman, Cecato messe la biava che l'aeva insaccò la sera innanzo in sul carro e si andè al molin. E perché l'iera da i dí curti e le notte gerono lunghe, e le strè da piozze, fanghi e ghiacci tutte rovinè, e 'l ferdo grande, el puovero Cecato convegnia star tutta quella notte al molin, e altro no disirava Marsilio né gnanche la Tia.

[24] Siando vegnú la scura notte, Marsilio, segondo l'ordene che l'aea mettú colla Tia, tolse un bon paro de galline ben governè [1] e belle cotte e del pan bianco e del bon vin senza gozzo d'acqua che l'avea apparecchiò innanzo, e se partí de ca', e scosamente per traverso di campi andò alla ca' della Tia. E sando andà in ca', la trovò sul fogolaro a

dagli uomini dove lavoro e verrò a caricare e me ne andrò. Frattanto Tia andiamo ad apparecchiare il frumento e insacchiamolo, perché domattina non avremo altra briga che metterlo sul carro e andarcene cantando.

– Va bene – rispose la Tia; e fecero in questo modo.

Venuto che fu domani, Cecato mise il frumento che aveva insaccato la sera prima sul carro e andò al mulino. E perché erano i giorni corti e le notti erano lunghe, e le strade da piogge, fanghi e ghiacci tutte rovinate, e il freddo grande, il povero Cecato doveva stare tutta quella notte al mulino, e altro non desideravano Marsilio e la Tia.

Essendo venuta la scura notte, Marsilio, secondo l'ordine che aveva messo con la Tia, prese un buon paio di galline ben preparate e belle cotte e del pane bianco e del buon vino senza goccio d'acqua che aveva apparecchiato prima, e si partí da casa, e nascostamente attraverso i campi andò alla casa della Tia. Ed essendo andato in casa, la trovò presso il focolare ai piedi del

1. *governè*: preparate. Cfr. *Dec.*, VI 4 6: « e sí gli mandò dicendo che a cena l'arostisse e governassela bene ». Cfr. anche BOERIO, s.v. *Governar i polastri*: « ammannire i polli, cioè prepararli per cuocerli ».

pè del fuogo che la naspava filo, e si se conzò tutti du a magnare, e dapò che i avè molto ben magnò, i s'andò a colgare in letto tutti du, e 'l puovero babion de Cecato masenava la biava al molin e Marsilio in letto burattava la farina.[1]

[25] L'iera zà damò apparecchiò de levarse el sole e si al se comenzava a schiarir el dí, quando i du innamorè se levò de letto, dubitando che Cecato no i trovesse colghè a un, e stagando de brigà a favellare un incontra l'altro, no stè né che né che, ch'azonse Cecato a ca' e trasse un gran subio de nanzo della ca' e comenzò chiamare:

– Tia, o Tia, impizza el fuogo, ch' a' muor da ferdo –.

[26] La Tia, che iera scaltria e cattivella col malanno, come l'avè sentú vegnir el so omo, per paura che no intravegnisse qualche male a Marsilio e a ella danno e vergogna, prestamen averse l'usso e fè che Marsilio se scondè de drio de l'usso, e con volto alliegro la gh'andè incontra, e si 'l comenzò carezzare. E dapò che Cecato fo entrà in cortivo, disse alla Tia:

fuoco che annaspava filo, e si prepararono tutti e due a mangiare, e dopo che ebbero molto ben mangiato, andarono a coricarsi nel letto tutti e due, e il povero babbione di Cecato macinava il frumento al mulino e Marsilio nel letto abburattava la farina.

Era già ormai pronto il sole di sorgere e cominciava a schiarirsi il giorno quando i due innamorati si levarono dal letto, dubitando che Cecato li cogliesse coricati entrambi, e stando insieme a parlare uno incontro all'altro, non passò molto tempo che giunse Cecato a casa e lanciò un gran fischio davanti a casa e cominciò a chiamare:

– Tia, o Tia, accendi il fuoco che muoio di freddo –.

La Tia, che era scaltra e maliziosetta, come ebbe sentito venire suo marito, per paura che non accadesse qualche male a Marsilio e a lei danno e vergogna, subito aprí l'uscio e fece che Marsilio si nascondesse dietro l'uscio, e con volto allegro gli andò incontro e lo cominciò a carezzare. E dopo che Cecato fu entrato in cortile, disse alla Tia:

1. *Marsilio ... farina*: facile metafora erotica che riprende per contrasto comico l'attività del marito della Tia.

– Tia, mo fa un puo' de fuogo, s' te vuò, ché son bell'azelò da ferdo. Al sangue de san Chinton, che sta notte m'è cerzú zelare là su da quel molin, tanto gran ferdo hoggie abbú, e si no n'è mai possú dromire gozzo né passar occhio –.

[27] La Tia prestamen se n'andà al legnaro e piggià sotto al brazzo una bona fassinazza, e si ghe impizzà el fuogo, e stava maliziosamentre al fuogo da quel lò che ghe parea che Marsilio no poesse esser vezzú da Cecato. E rasonando la Tia da bon a bon con Cecato so marí, disse la Tia:

– Doh, Cecato, frello me bon, mo no v'eggio da contar una bona noella? –

Respose Cecato:

– Mo che, cara sorore? –

[28] Disse la Tia:

– Mo no n'è sto chiallò un puovero vecchiarello, dapò ch'andiessi al molin, a domandarme limuosina per la bellamor de Dio; e perché a' ghe diè del pan e anche da bevere una scuella de vin, no m'hallo insegnò una razion bella, ch'

– Tia, su fai un po' di fuoco, ti prego, perché sono bello gelato dal freddo. Al sangue di san Chinton, che questa notte ho creduto di gelare lassú a quel mulino, tanto gran freddo ho avuto, e non ho mai potuto dormire niente né chiudere occhio –.

La Tia subito andò alla legnaia e pigliò sotto il braccio una buona fascina, e gli accese il fuoco, e stava maliziosamente al fuoco da quel lato che le pareva Marsilio non potesse essere visto da Cecato. E parlando la Tia amichevolmente con Cecato suo marito, disse la Tia:

– Oh, Cecato, fratello mio buono, mo non ho da raccontarvi una buona notizia? –

Rispose Cecato:

– E cosa, cara sorella? –

Disse la Tia:

– Non è stato qui un povero vecchietto dopo che andaste al mulino a chiedermi l'elemosina per l'amor di Dio; e perché gli diedi del pane e anche da bere una scodella di vino, non m'ha insegnato una bella formula, che

a' no sè mai quando a' sentisse la pí bella in vita mia da sconzurare el buzzò?[1] e l'hogge anche ben imparà.

– [29] Mo che me dirètto – disse Cecato – dítto da vera? –

Disse la Tia:

– Mo sí, alla fe' da compare. E si l'è anche ben a cara.

– Mo dilla mo – disse Cecato.

Rispose la Tia:

– Mo besogna, frello, ch' a' ghe supie an vu.

– Mo a che muò? – disse Cecato.

– Mo a' ve 'l dirè ben – disse la Tia – se me starí ascoltare.

– Mo che muò; dimelo – respose Cecato – no me stentar pí –.

[30] Disse la Tia:

– Mo besogna ch' a' ve stendí longo destesso quanto ch' a' poí mai e quanto ch' a' si' longo, co' s' a' foesse ben

non so quando sentissi la piú bella in vita mia da scongiurare il falco? e l'ho anche ben imparata.

– Mo che mi dici tu – disse Cecato – dici sul serio? –

Disse la Tia:

– Certamente sí, in fede di compare. E mi è anche ben cara.

– Su, dilla allora – disse Cecato.

Rispose la Tia:

– Bisogna, fratello, che ci siate anche voi.

– In che modo? – disse Cecato.

– Ora ve lo dirò bene – disse la Tia – se mi starete ad ascoltare.

– In che modo; dimmelo – rispose Cecato – non mi far soffrire piú –.

Disse la Tia:

– Bisogna che vi stendiate disteso quanto potete e quanto siete lungo,

1. *buzzò*: falco, uccello da preda. Cfr. *REW* e *Postille al REW*, 1423. A proposito di questo uccello e dei « ponzini », cfr. il dialogo tra madre e Betía nella omonima commedia del Ruzante: « DONA MENEGA: Mo che statu a fare? / Da' a magniar a qui polzin. / Miti quigi che è pezenin / soto la criola, per el buzò. / Aeh! Aeh! Aeh! zò! / Te par che el ghe n'ha tolto un? / BETÍA: El no ghe n'ha tolto negun, / ché 'l'ha abú paura » (III 395-402).

morto, che no vorae zà perzòndena! e che voltè la testa e le spalle incontra l'usso e i zenuocchii e i piè incontra al secchiaro,[1] e si besogna ch' a' ve metta un drappo bianco de lisia in sul volto e po ch' a' ve metta el nostro quartiero[2] in cavo.[3]

– [31] Mo 'l no ghe porrà andare – disse Cecato.

– Sí ben, sí bene – respose la Tia – e guardè mo? –; e tolse el quartiero ch'iera ivelò puoco lunzi e si ghe 'l messe in cavo e disse:

– Al no porae nian star mieggio al mondo de Dio –.

[32] E po disse la Tia:

– Besogna ch' a' vu staghe fremo e ch' a' no ve moví né torzè gozzo per ch' a' no fassan ninte. E mi po torrè el nostro tamiso[4] in man e si ve comenzarè sadazzare, e cosí sa-

proprio come se foste morto, che non vorrei mai perciò! e che voltate la testa e le spalle contro l'uscio e le ginocchia contro lo scolatoio, e bisogna che vi metta un drappo bianco di bucato sul volto e poi che vi metta il nostro quartino in testa.

– Non ci potrà entrare – disse Cecato.

– Sí bene, sí bene – rispose la Tia – e guardate mo? –; e tolse il quartino che era là poco lontano e glielo mise in testa e disse:

– Non potrebbe stare meglio al mondo di Dio –.

E poi disse la Tia:

– Bisogna che voi stiate fermo e che non vi muovete né vi girate per niente, perché altrimenti non facciamo nulla. E io poi prenderò il nostro staccio in mano e comincerò a stacciarvi, e cosí stacciandovi dirò lo formula,

1. *secchiaro*: cfr. Boerio, s.v. *sechier* o *scolaor*: « Scolatoio o Colatoio, Palchetto pendente su cui si pongono i piatti ed altro ad asciugare ».

2. *quartiero*: vaso a doghe per la misura di grano, ecc., che corrisponde alla quarta parte d'uno staio. Cfr. Boerio, s.v. *quartier.*

3. *si besogna ... cavo*: cfr. Calmo, *Rodiana*, II 68, dove mistro Simon fa lo scongiuro sopra messer Cornelio. Dice infatti mistro Simon: « Orsú, tolí sto drap in cò, aconzeve in quater, che vòi dà prinçipi ».

4. *tamiso*: staccio. Cfr. Ruzante, *Pastoral*, XIII 29, « A' te vuò fà u tamús ». Cfr. *REW* e *Postille al REW*, 8551 *tamisium.*

dazzandove a' dirè la razion, e a sto muò a' faron el sconzuro. Mo guardè ch' a' no ve moví inchina che no l'abbia ditta tre fiè, perché besogna dirla tre volte sora de vu, e verrè bene se 'l buzzò darrà pí impazzo a i nuostri ponzini –.

[33] Respose Cecato:

– Magari a Dio, oh fosse 'l vero quel ch' a' te di', ch' a' sospiressam pur un puo'. No víto ch' a' no posson arlevar ponzini, che sto diambera del buzzò gh' i magna tutti e a' no ghe posson arlevar tanti che possan tegnir paghe i paron né vendergene per pagar le angarí e comprar de l'uolio, della sale[1] né nient'altro per ca'.

– Mo vívo – disse la Tia – ch'a sto muò a' se poron aiare si co del nuostro –.

[34] Dapò disse a Cecato:

– Mo su, stendíve –; e Cecato se stendè.

– Mo stendíve ben – disse la Tia.

E Cecato s'aiava a longarse quanto che 'l poea.

e in questo modo faremo lo scongiuro. Ora guardate di non muovervi fino a che non l'abbia detta tre volte, perché bisogna dirla tre volte sopra di voi, e vedrete bene se il falco darà piú fastidio ai nostri pulcini –.

Rispose Cecato:

– Magari, Dio, fosse vero quello che dici perché respireremmo un po'. Non vedi che non possiamo allevare pulcini che questo diavolo del falco ce li mangia tutti e non possiamo allevarne tanti che possano pagare i padroni né venderli per pagare le tasse e compare dell'olio, del sale e altro per la casa.

– Mo vedete voi – disse la Tia – che in questo modo ci potremo aiutare con del nostro –.

Poi disse a Cecato:

– Ora su, stendetevi –; e Cecato si distese.

– Su, distendetevi bene – disse la Tia.

E Cecato si sforzava di allungarsi quanto poteva.

1. *sale*: per questa forma al femminile cfr. ROHLFS, 385.

– Oh, cosí – disse la Tia.

[35] E po la piggià un so drapesello de lin bianco e netto de lisia e si ghe covrí el volto. E po la piggià el quartiero e si ghe 'l messe in cavo, e po piggià el tamiso e si 'l comenzà sadazzare e a dire la razion che l'avea imparà, che comenzà a sto muò:[1]

[36] Besucco[2] te si' e besucco te fazzo
con questo me tamiso a' te sadazzo.
Ne i miè ponzin, che son ben vinti quattro,
Fa che 'l poese[3] né frazza[4] né lattro,
no gh'entre dentro né volpe né rato
né 'l mal osel dal becco rampinato.
Ti che sè drio quel usso intiendi il fatto:
s' te no l'intenderè, te parrè matto.

– Oh, cosí – disse la Tia.

E poi pigliò un suo piccolo drappo di lino bianco e netto di bucato e gli coprí il volto. E poi pigliò il quartino e glielo mise in capo, e poi pigliò lo staccio e cominciò a stacciare e a dire la formula che aveva imparato, che comincia in questo modo:

Sciocco sei, e sciocco ti faccio
con questo mio staccio ti staccio.
Nei miei pulcini che son ben ventiquattro,
fa' che la poiana, la grandine, il ladro
non vi entri dentro, né la volpe né il topo
né l'uccello cattivo dal becco a rampino.
Tu che sei dietro quell'uscio intendi il fatto:
se non l'intenderai, parrai matto.

1. *sto muò*: ottava di endecasillabi con il seguente schema rimico: AABBCCDD.

2. *Besucco*: sciocco (cfr. *GDLI*, s.v. *besso o bescio*). Cfr. *Dec.*, VII 3 29: « bescio sanctio ».

3. *poese*: cfr. PATRIARCHI, s.v. *pogia, poise*: « poiana, uccello di rapina ».

4. *frazza*: cfr. PATRIARCHI, s.v. *fraza*: « gragnuola minuta e rada » (cfr. anche BOERIO, s.v. *frasa*: « grandine »).

[37] Quando che[1] la Tia fasea el sconzuro e che la sadazzava el tamiso, la tegnia sempre gi occhi incontra l'usso e fasea d'atto a Marsilio, che iera da drio l'usso, che 'l muzzasse. Ma el zovene, che no iera né patrico né sperto, no l'intendea né s'accorzea a che fien la Tia faesse cosí fatta facenda, e si no se moea ninte. [38] E perché Cecato se volea levar in pè, ché l'iera zà mo stuffo, disse alla Tia:

– Bene, hetto compío? –

Ma la Tia, che vedea che Marsilio no se movea gozzo de drio da quel usso, respose a Cecato:

– Stè zò, in malora! no v'heggio ditto che 'l me besogna sconzurar tre fiè. Pur che no abbian desconzò ogni cosa ch' a' ve aví voggiú muovere –.[2]

Disse Cecato:

Mentre la Tia faceva lo scongiuro e stacciava con lo staccio, teneva sempre gli occhi verso l'uscio e faceva segno a Marsilio, che era dietro l'uscio, che fuggisse. Ma il giovane, che non era né pratico né esperto, non capiva né s'accorgeva a che fine la Tia facesse cosí fatta faccenda, e non si muoveva per niente. E perché Cecato si voleva alzare, perché era già stanco, disse alla Tia:

– Bene, hai finito? –

Ma la Tia, che vedeva che Marsilio non si muoveva per niente da dietro quell'uscio, rispose a Cecato:

– State giú, in malora! non vi ho detto che devo scongiurare tre volte. Purché non abbiamo guastato ogni cosa perché vi siete voluto muovere –.

Disse Cecato:

1. *Quando che*: la congiunzione *che* viene usata a rafforzare il valore congiunzionale dell'avverbio, secondo una modalità corrente nel Cinquecento e con una documetazione nella tradizione letteraria precedente, anche per il sostegno del dialetto (cfr. Piotti, p. 136, e relativa bibliografia).

2. *Stè … muovere*: sempre nella scena prima ricordata della *Rodiana* (II 76) mistro Simon rimprovera Cornelio: «Va', diavol! mo che bestia anemalazza se' vu? no v'oi dit ch'a' no parlé? aví desconzat tuc ol lavor, tolí mo suso: che aí guadagnàt per volí baià e cridà?».

– No miga, no miga, no –.

E un'altra fià la 'l fè colgare ed ella un'altra volta comenzà el sconzuro a quel propio muò che l'avea fatto innanzo.

[39] Marsilio, che pur avea comprendú come stasea el fatto, senza che Cecato el veesse né che 'l s'accorzesse, insí fuora de drio de l'usso e muzzò via de bello. La Tia, dapò che l'avé vezzú Marsilio che iera muzzò fuora del cortivo, la compí de sconzurare el buzzò e fè che 'l becco de so marí se levà su de terra, e in compagnia della Tia descargò la farina che iera vegnua dal molin. [40] Stagando la Tia de fuora nel cortivo e vezzando Marsilio dalla longa ch'andasea de bon andare, la se messe a cridare quanto mai de gola che la poea:

– Ahe, ahe, osel pepe![1] ahe, ahe s'te ghe ven, s'te ghe ven, alla fe', alla fe', ch' a' te farè andare colla coa bassa![2] ahe te

– No mica, no mica, no –.

E un'altra volta lo fece coricare e un'altra volta cominciò lo scongiuro in quello stesso modo che aveva fatto prima.

Marsilio, che pur aveva compreso come andava la faccenda, senza che Cecato lo vedesse né che s'accorgesse, uscí fuori da dietro l'uscio e fuggí via piano piano. La Tia, dopoché ebbe visto Marsilio che era fuggito fuori del cortile, finí di scongiurare il falco e fece che il becco di suo marito si levasse da terra, e in compagnia della Tia scaricò la farina che era venuta dal mulino.

Stando la Tia fuori nel cortile e vedendo Marsilio da lontano che andava di buon passo, si mise a gridare a piú non posso:

– Ahe, ahe, stupido uccello! ahe, ahe se tu ci vieni, se tu ci vieni, in fede, in fede, ti farò andare con la coda bassa! ahe, ti dico. Ti pare che sia acceso?

1. *osel pepe*: cfr. Boerio, s.v. *pepe*: « (dal lat. *Pepo* e dal greco *Pepon*, Popone o Mellone) dicesi per agg. a persona nel sign. appunto di *Mellone* che vale fig. per Insulso, Stupido, Tentennone ».

2. *coa bassa*: facile doppio senso.

dighe. Te par che 'l ghe supia inzargò? che 'l gh'è tornò [1] ancora sta mala bestia? ah te dé el malan –.[2]

[41] E a sto muò, ogni volta che 'l vegnia el buzzò e che 'l se calava in cortivo per portar via i ponzini, in prima el se spellattava [3] con la chiozza e po la chiozza fasea el sconzuro, el buzzò se desfantava e se n'andasea via co la coa bassa e no dasea pí impazzo a i ponzini de Cecato e della Tia.

[42] Sí piacevole e ridicolosa fu la favola dal Trivigiano raccontata che le donne e gli uomini si misero in sí gran risa che quasi si sentivano scoppiare,[4] né fu veruno nella compagnia che contadino giudicato non l'avesse. Ma poi che ciascuno cessò di ridere, la Signora rivolse il suo chiaro viso verso il Trivigiano e dissegli:

– Veramente, signor Benedetto, voi in questa sera ne avete sí fattamente consolate che meritamente e in verità potiamo tutte ad una voce dire la vostra favola non esser stata

che vi possa tornare ancora questa cattiva bestia? ah che ti dia il malanno –.

E in questo modo, ogni volta che veniva il falco e che calava in cortile per portar via i pulcini, prima si spelacchiava con la chioccia e poi la chioccia faceva lo scongiuro, il falco svaniva e se n'andava con la coda bassa e non dava piú fastidio ai pulcini di Cecato e della Tia.

[...]

1. *tornò*: cfr. Rua: « supponendo fosse un congiuntivo presente, 3ª pers. sing., si potrebbe leggere *torna, torne*: [...] e il senso sarebbe: "Ti pare ... che vi possa tornare ancora?" ».

2. *Ahe ... malan*: per queste parole di Tia cfr. *Dec.*, vii i 27: « Fantasima, fantasima che di notte vai, a coda ritta ci venisti, a coda ritta te n'andrai: va nel l'orto, a piè del pesco grosso troverai unto bisunto e cento cacherelli della gallina mia: pon bocca al fiasco e vatti via, e non far mal né a me né a Gianni mio ».

3. *se spellattava*: si spelacchiava, perdeva le penne, con evidente allusione erotica. Cfr. Boerio, s.v. *spelarse*.

4. *risa ... scoppiare*: cfr. Sacchetti, *Il Trecentonovelle*, lxiv 4: « Tutti quelli da torno scoppiavono delle risa ».

inferiore a quella del Molino. Ma per contentamento nostro e di questa onorevole compagnia, voi proponerete, non essendovi però in dispiacere, uno enimma che non men dilettevole sia che bello –.

Il Trivigiano vedendo cosí essere il desiderio suo, non volse contradirle, ma in piè levatosi, con voce chiara e senza indugio allo enimma in tal maniera diede incominciamento:[1]

[43] Va sier Zovo indrio e inanti
ch'è vezzú da tutti quanti.
Chi da un lò sta, chi da l'altro,
ben sarà quel fante scaltro,
che dà quattro in su la schina,
s'a la prima lo indovina.
Tutta fià da bon amigo,
che l'è zovo pur ve 'l digo.

[44] Poi che 'l Trivigiano con atti assai contadineschi ebbe al suo enimma, da pochi anzi da niuno inteso, fatto fine, acciò che tutti intendere lo potessero, nel suo linguaggio in tal guisa lo ispose:

– Per no v'artegnire, bella brigà, imbistante,[2] savío che

Va ser Giogo indietro e avanti
che è veduto da tutti quanti.
Chi sta da un lato, chi dall'altro.
Ben sarà quel fante scaltro,
che dà a quattro su la schiena,
se alla prima lo indovina.
Tuttavia da buon amico
chi è giogo pure ve lo dico.

[...]

Per non tenervi, bella brigata, in affanno, sapete che vuol dire questo

1. *enimma ... incominciamento*: ottava di ottonari cosí rimati: AABBCCDD.
2. *imbistante*: forse da *imbàstio* ('affanno').

vo dire questo me favellare? m'a' ve 'l dirè, s'a' no 'l saí. Va sier Zovo indrio e innanti, vo dire el zovo con che s'artien arzunti i buò al versuro, e che va in su e in zò per le terre e per le strè, e si è vezzú da tutti quanti. E quegi che sta da 'n lò e da l'altro i gi é i buò che sta a pareggio, e quelú che dà a quattro in su la schina si è el boaro che ghe va drio con la gughia che dà al bò, c'ha quattro piè. E tutta fià ve 'l digo da bon amigo che l'è el zovo. E sí a' no me intendí? –

[45] Ad ognuno generalmente piacque la isposizione del villanesco enimma, e ciascuno tuttavia[1] ridendo, fu da tutti sommamente lodato. Ma il Trivigiano, che sapeva a niun'altra in quella sera toccar la volta del favoleggiare, se no alla graziosa Cateruzza, voltatosi con leggiadro sembiante verso la Signora, disse:

– Non già ch'io voglia perturbare il dato ordine, né dar legge a vostra altezza che mi è patrona, anzi signora, ma per sodisfare all'onesto desiderio di tutta questa amorosa compagnia mi sarebbe di grandissimo contentamento che vostra eccellenza partecipasse con esso noi le cose sue, raccontandone,[2] con quella buona grazia che ella suole, alcuna favola che ci presti piacere e diletto. E se io per aventura fus-

mio parlare? ora ve lo dirò, se non lo sapete. Va ser Giogo indietro e avanti vuol dire il giogo con il quale si tengono uniti i buoi all'aratro, e che va su e giú per le città e per le strade, ed è veduto da tutti quanti. E quelli che stanno da un lato e dall'altro sono i buoi che stanno a pari, e quello che dà a quattro sulla schiena è il bovaro che gli va dietro con lo stimolo che dà al bue, che ha quattro zampe. E tuttavia ve lo dico da buon amico chi è il giogo. E cosí non mi intendete?

[...]

1. *tuttavia*: continuamente.
2. *raccontandone*: raccontandoci.

si stato in ciò, che Iddio nol voglia, piú prosontuoso[1] di quello che si conviene alla bassezza mia, pregola mi abbia per iscusato, perciò che l'amore che io porto a tutta questa graziosa compagnia di cotal dimanda ne è stata primiera cagione –.

[46] La Signora udita la cortese dimanda del Trivigiano abbassò prima gli occhi a terra, non già per timore né per vergogna che ella avesse, ma perché pensava che a lei piú tosto per diverse cagioni apparteneva l'ascoltare che 'l ragionare, dopo con atti leggiadri e onesti modi a letizia inclinati, ravolse[2] il suo chiaro viso verso il Trivigiano e disse:

– Signor Benedetto, ancor che la dimanda vostra sia piacevole e onesta, non però dovevate essere cosí sollecito dimandatore, perciò che l'ufficio del favoleggiare aspetta piú tosto a queste nostre donzelle che a noi. E però voi ne arrete per iscusata se a gli onesti desideri vostri non saremo inchinevole e Cateruzza, a cui per sorte è tocco il quinto luogo della presente notte, supplirà in vece di noi –.

[47] La festevole brigata, che era desiderosa di udirla, levòsi in piedi e cominciò favoreggiare il Trivigiano, pregandola sommamente che ella in ciò gli fusse benigna e cortese, né avesse riguardo alla qualità della dignità sua, perciò che il tempo e il luogo concedeno ciascuno, di qualunque dignità esser si voglia,[3] poter liberamente narrare ciò che piú gli aggrada. La Signora veggendosi sí dolcemente pregare, acciò che non paresse discortese e di sua voglia, sorridendo rispose:

– Poscia che cosí a voi piace ed è di contentamento di

1. *prosontuoso*: presuntuoso (scambio di prefisso).
2. *ravolse*: rivolse (per il prefisso *ra-*, cfr. Piotti, p. 66).
3. *di qualunque ... si voglia*: per il riflessivo in questa costruzione cfr. Ageno, p. 152.

tutti voi che io termini la presente sera con una mia favoluzza, farollo volontieri –; e senza far piú resistenza alcuna, alla sua favola lietamente diede cominciamento.

NOTTE QUINTA, FAVOLA V[1]

[1] *Madonna Modesta, moglie di messer Tristano Zanchetto, acquista nella sua gioventú con diversi amanti gran copia di scarpe, dopo alla vecchiezza pervenuta, quelle con famigli, bastasi*[2] *e altre vilissime persone dispensa.*

[2] Le malnate ricchezze, i beni per torte vie mal acquistati il piú delle volte in picciol spazio di tempo periscono, perciò che per voler divino ritorneno per quello istesso sentiero che[3] sono venuti. Il che intravenne ad una pistolese,[4] la quale se cosí onesta e savia come disoluta e sciocca fusse stata, forse non si ragionarebbe di lei come ora si ragiona. E quantunque la favola ch'ora raccontarvi intendo a noi[5] non molto convenga, perciò che di lei ne riuscisse disonore e vergogna che oscura e dinigra la fama e la gloria di quelle che onestamente viveno, pur ve la dirò, perciò che a tempo e luogo sarà, dico a cui tocca, non picciolo ammaestramento di seguire le buone e fuggire le ree, lasciandole ne' loro tristi e malvagi portamenti.

1. L'argomento di questa favola ricorda una breve novella anonima, nota come *La femmina dei coltellini*, che si trova in un codice del *Novellino* (Laurenziano Pl. 90 sup. n. 89, cc. 72-73). Il racconto rimase fuori dal *Novellino*, e fu pubblicato da G. Biagi nella sua edizione. P. Meyer, *Le Conte des petits conteaux*, in « Romania », a. XIII 1884, pp. 595-97, afferma che tale novelletta è una traduzione di un testo di Filippo di Navarra sulle quattro età dell'uomo. Cfr. anche Jacques de Vitry (*Sermones vulgares*), e Francesco Delicado, *La Lozana Andalusa* (quaderno LI, dove in un breve dialogo si accenna al tema dei coltelli ottenuti gratis in cambio di prestazioni erotiche). Per i motivi cfr. Rotunda, J761.3 (*Preparing surplus for old age*); T455.3.1 (*Woman sells favors for new shoes*).

2. *bastasi*: facchini. Esito con la fricativa alveolare attestato anche nell'*Orlando inn.*, II 28 12. Nelle *Piacevoli notti* si registrano anche le forme *bastaio* e *bastaggio*. In veneziano *bastazo* (cfr. Boerio, s.v.).

3. *che*: per il quale.

4. *pistolese*: pistoiese (cfr. 6: *pistolesi*). Per la forma cfr. *Dec.*, III 5 3: « un cavalier pistolese ».

5. *a noi*: sottinteso « donne ».

[3] In Pistoia adunque, onestissime donne, antica città della Toscana, fu ne' tempi nostri una giovane chiamata madonna Modesta: il cui nome per gli suoi biasmevoli costumi e disonesti portamenti non conveneva[1] alla sua persona. Costei era molto vaga e leggiadra, ma di picciola condizione e aveva marito addimandato[2] messer Tristano Zanchetto, nome veramente corrispondente a lui, il quale era uomo conversevole[3] e da bene, ma tutto dato al mercatantare, e le cose sue assai convenevolmente gli riuscivano.

[4] Madonna Modesta, che per natura era tutta amore né in altro continovamente vigilava, veggendo il marito mercatante ed esser molto sollecito alle sue mercatantie,[4] volse ancora ella principiare[5] un'altra nuova mercatantia, della qual messer Tristano non fusse consapevole. E postasi ogni giorno per suo diporto ora sopra l'un balcone ora sopra l'altro, guattava tutti quelli che indi passavano per strada, e quanti giovanetti ella passar vedeva, tutti con cenni e atti incitava ad amarla. E sí fatta fu la diligenza sua in levare[6] la mercatantia, e a quella vigilantissimamente attendere, che non vi era alcuno nella città, o ricco o povero, o nobile o plebeo, che non volesse delle sue merci prendere e gustare.

[5] Venuta adunque madonna Modesta in grandissima riputazione e grandezza, dispose al tutto di volere per picciolo precio a chiunque a lei venisse compiacere, e per sua mercé altro premio da loro non voleva eccetto un paio di scarpe, le quali fussino convenevoli alla qualità e condizio-

1. *conveneva*: conveniva (scambio di vocale tematica, frequente nelle *Piacevoli notti* col verbo *venire* e composti).

2. *addimandato*: chiamato.

3. *conversevole*: affabile, garbato, di buona compagnia (cfr. I 5 11).

4. *veggendo ... ed esser molto ... mercatantie*: per la coordinazione di un infinito con un gerundio cfr. AGENO, pp. 397-98.

5. *principiare*: iniziare (per questo verbo transitivo cfr. AGENO, p. 34).

6. *levare*: procacciare.

ne di coloro che si davano seco[1] amoroso piacere. Imperciò che se l'amante che si sollazzava seco era nobile, ella voleva le scarpe di veluto, si plebeo di panno fino, si mecanico di cuoio puro. Laonde la buona femina aveva un concorso tale e tanto che la sua bottega mai vuota non rimaneva. [6] E perciò che ella era giovane, bella e apparisente, e picciola era la dimanda che ella per guidardone richiedeva, tutti i pistolesi volontieri la visitavano e seco parimenti si solazzavano, prendendo gli ultimi desiderati frutti d'amore.[2]

[7] Aveva madonna Modesta per premio delle sue tante dolci fatiche e sudori omai empiuto[3] un amplissimo magazzino di scarpe, ed eravi tanto grande il numero delle scarpe e di ogni qualità che chi fusse stato a Vinegia e cercato avesse ogni bottega, non arrebbe trovata la terza parte a comparazione di quelle che vi erano nel magazzino suo.

[8] Avenne che a messer Tristano suo marito faceva bisogno del magazzino per metter dentro certe sue robbe mercatantesche che per aventura allora gli erano sopragiunte da diverse parti, e chiamata madonna Modesta sua diletta moglie, le chiese le chiavi del magazzino. Ed ella astutamente senza far iscusazione alcuna gliele appresentò. [9] Il marito aperse il magazzino, e credendosi trovarlo vuoto, lo trovò pieno di scarpe, sí come abbiamo già detto, di diverse qualità. Di che egli rimase tutto sopra di sé, né imaginare si poteva dove procedesse una copia[4] di tante scarpe; e chiamata la moglie a sé, interrogolla dove procedevano quelle tante scarpe che nel magazzino si trovavano. [10] La savia madonna Modesta gli rispose:

1. *seco*: con lei.

2. *gli ultimi ... frutti d'amore*: metafora piuttosto comune; cfr., per es., MASUCCIO SALERNITANO, *Il Novellino*, XLI 7: « E certo d'amore l'ultimi frutti gli aria con comone piacere fatti gostare ».

3. *empiuto*: riempito (per il participio passato debole in *-uto* cfr. ROHLFS, 622).

4. *copia*: abbondanza.

– Che vi pare, messer Tristano marito mio? pensavate forse voi di esser solo mercatante in questa città? certo ve ingannate di grosso; imperciò che ancor le donne se intendono dell'arte del mercatantare. E se voi siete mercatante grosso[1] e fate assai facende e grandi, io mi contento di queste picciole, e ho poste le mie mercatantie nel magazzino e rinchiuse, acciò che fussero sicure. Voi adunque con ogni studio e diligenza attenderete alle vostre merci e io con ogni debita sollecitudine e dilettazione valorosamente attenderò a le mie –.

[11] A messer Tristano, che piú oltre non sapeva né considerava molto il sollevato[2] ingegno e alto sapere della sua savia e aveduta donna,[3] piacque e confortòla a seguire animosamente la incominciata impresa. [12] Continovando adunque madonna Modesta secretamente l'amorosa danza[4] e rendendole bene l'essercizio della sua dolce mercatantia, divenne tanto ricca di scarpe che non pur Pistoia, ma ogni grandissima città arrebbe a bastanza fornita. [13] Mentre che madonna Modesta fu giovine, vaga e bella, mai la mercatantia le venne meno. Ma perciò che il vorace tempo sopra tutte le cose segnoreggia[5] e a quelle dà il principio, il mezzo e il fine,[6] madonna Modesta, che prima era fresca, ritondetta e bella,[7] cangiò la vista,[8] ma non la voglia e 'l pelo,[9] e mutò

1. *grosso*: che tratta grandi affari.

2. *sollevato*: non comune, eccelso.

3. *savia e aveduta donna*: cfr. *Dec.*, VII 1 6: « monna Tessa [...] savia e avveduta molto ».

4. *amorosa danza*: per la metafora cfr. *Dec.*, VIII 8 28: « danza trivigiana ».

5. *segnoreggia*: in protonia iniziale *-e-* in luogo di *-i-* (il fenomeno è anche in Sacchetti).

6. *il principio ... fine*: per il tricolon cfr. BOCCACCIO, *Filocolo*, IV 160 1: « che grazioso principio, mezzo e fine dovessero concedere ».

7. *fresca ... bella*: per il tricolon cfr. *Dec.*, III 4 6: « giovane ancora di ventotto in trenta anni, fresca e bella e ritondetta ».

8. *vista*: aspetto.

9. *la voglia ... pelo*: cfr. *Canz.*, CXXII 5-6: « Vero è 'l proverbio, ch'altri cangia

le usate penne[1] e fece la fronte rugosa, il viso contrafatto, gli occhi lagrimosi[2] e le mammelle non altrimenti erano vuote che sia una sgonfiata vesica,[3] e quando ella rideva, faceva sí fatte crespe[4] che ognuno che fiso la guattava, se ne rideva e ne prendeva grandissimo solazzo.

[14] Venuta adunque madonna Modesta contra il suo volere vecchia e canuta, né avendo piú veruno che l'amasse e corteggiasse come prima, e vedendo la marcatantia[5] delle sue scarpe cessare, molto tra se stessa si ramaricava e doleva. E perciò che ella dall'incominciamento della sua giovanezza fin all'ora presente s'aveva data alla spuzzolente[6] lussuria del corpo e della borsa nemica, ed erassi in quella tanto assueffatta e nodrita quanto mai donna nel mondo si trovasse, non era via né modo che ella da tal vizio astenere si potesse. E quantunque di dí in dí mancasse l'umido radicale per lo quale tutte le piante s'appigliano,[7] crescono e augumentano, non però cessava il desiderio di adempire il suo malvagio e disordinato appetito.[8] [15] Vedendosi adunque

il pelo / anzi che 'l vezzo »; e ancora CCCLX 41-42: « ché vo cangiando 'l pelo, / né cangiar posso l'ostinata voglia ».

1. *usate penne*: comune metafora ornitologica. Cfr. PETRARCA, *Triumphus Cupidinis*, IV 158-59: « rinchiusi fumo, ove le penne usate / mutai per tempo e la mia prima labbia ».

2. *fronte ... lagrimosi*: per questi particolari cfr. il ritratto, di boccacciana memoria, della vecchia nella novella IV 5.

3. *le mammelle ... vesica*: cfr. BOCCACCIO, *Corbaccio*, 289: « Esse [mammelle] [...] non altrimenti vote e vize che sia una viscica sgonfiata ». *Vesica* è esito assibilato settentrionale.

4. *crespe*: rughe. Cfr. *Dec.*, VIII 7 89: « togliendo via cotesto tuo pochetto di viso, il quale pochi anni guasteranno riempiendolo di crespe ».

5. *marcatantia*: forma con assimilazione vocalica di frequenza nettamente inferiore alla forma *mercatantia*.

6. *spuzzolente*: moralmente laida.

7. *l'umido ... s'appigliano*: cfr. *Dec.*, IX 10 20: « Era già l'umido radicale per lo quale tutte le piante s'appiccano venuto ».

8. *disordinato appetito*: sintagma frequente in BOCCACCIO: cfr., ad es., *Dec.*, II 10 36: « Dei tu per questo appetito disordinato e disonesto lasciar l'onor tuo e me ».

madonna Modesta del giovenil favore totalmente priva, né piú esser accarecciata,[1] né losingata da leggiadri e vaghi giovanetti come prima, fece nuovo proponimento. E messasi al balcone cominciò vagheggiare quanti famigli, bastasi, villani, scoppacamini[2] e poltroni[3] ch'indi passavano; e quanti ne poteva avere, tanti ne traeva in casa alla sua divozione, e di loro prendeva il suo consueto piacere. [16] E sí come ella per l'adietro voleva da gli amanti suoi un paio di scarpe secondo la qualità e condizione loro per premio della sua insacciabile lussuria,[4] cosí pel contrario ella ne donava un paio per guidardone di sua fatica a colui che era magior gagliofo[5] e che molto meglio le scuoteva il pilizzone.[6]

[17] Era venuta madonna Modesta a tal condizione che tutta la vil canaglia di Pistoia concorreva a lei, chi per prendersene piacere, chi per beffarla e traggersene di lei, e chi per conseguire il vituperevole premio che ella gli donava. Né passorono molti giorni che 'l magazzino, che era pieno di scarpe, quasi vuoto rimase.

[18] Avenne che un giorno messer Tristano volse secretamente vedere come passava la mercatantia della moglie sua, e prese le chiavi del magazzino, lei nulla sapendo, l'aprí, ed entratovi dentro, trovò che quasi tutte le scarpe erano smarrite. Laonde messer Tristano tutto ammirativo[7] stette alquanto sopra di sé, pensando come la moglie avesse dispensate tante paia di scarpe quante erano nel magazzino. E cre-

1. *accarecciata*: tenuta in considerazione.
2. *scoppacamini*: spazzacamini.
3. *poltroni*: furfanti.
4. *insacciabile lussuria*: cfr. Boccaccio, *Corbaccio*, 149: « La loro lussuria è focosa e insaziabile ».
5. *gagliofo*: amante, avido.
6. *molto ... pilizzone*: metafora sessuale decameroniana. Cfr. *Dec.*, IV 10 46: « dove tu credesti questa notte un giovane avere che molto bene il pilliccion ti scotesse ». Ma cfr. anche ivi, VIII 7 103 e X 10 69.
7. *ammirativo*: pieno di meraviglia.

dendo per certo che la moglie per lo tratto[1] di quelle fusse tutta oro, fra se stesso ne prendeva consolazione, imaginandosi a qualche suo bisogno potersene d'alcuna parte prevalere.[2] [19] E chiamatala a sé, dissele:

– Modesta, moglie mia prudente e savia, oggi apersi il tuo magazzino e veder volsi[3] come procedeva la tua leal mercatantia, e pensando che da quell'ora che prima la vidi sin a questa fussero moltiplicate le scarpe, trovai che erano diminuite; di che io ne presi ammirazione non picciola. Dopo pensai che tu le avesti vendute e del tratto di quelle avesti il danaio nelle mani e mi confortai. Il che, se cosí fusse, non riputerei poco capitale –.

[20] A cui madonna Modesta non senza alcun grave sospiro che dalla intima parte del cuore procedeva, rispose:

– Messer Tristano, marito mio, non vi maravigliate punto di ciò, perciò che quelle scarpe che in tanta abondanza nel magazzino già vedeste, se ne sono andate per quella istessa via che erano venute. E tenete per certo che le cose mal acquistate in breve spacio di tempo s'annullano, sí che di ciò non vi maravigliate punto –.

[21] Messer Tristano, che la cosa non intendeva, rimase sopra di sé, e temendo molto che alla sua mercatantia un simil caso non avenisse, non volse in ragionare piú oltre procedere, ma quanto ch'egli seppe e puoté solecitò che la sua mercatantia non venisse al meno come quella della moglie.

[22] Veggendosi madonna Modesta omai da ogni sorte d'uomini abbandonata e delle scarpe con tanta dolcezza guadagnate al tutto priva, per lo dolore e passione che ella

1. *tratto*: ricavato.
2. *prevalere*: servire, giovare.
3. *volsi*: perfetto sigmatico ben attestato nella lingua settentrionale, ma anche con consonanze poetiche. Il Ruscelli, *Commentarii*, p. 245, lo giudicava « del verso, et ancora quivi di rado ».

ne sentí gravemente s'infermò e in breve spazio di tempo etica[1] divenuta miseramente se ne morí. E in tal maniera madonna Modesta poco aveduta vergognosamente la sua mercatantia con la vita finí, lasciando dopo sé per altrui essempio vituperosa memoria.

[23] Essendo la breve favola della Signora finita, tutti ugualmente cominciorono fortemente a ridere, biasmando madonna Modesta, la quale in ogni altra cosa eccetto che nelle opere della corta[2] e fastidiosa lussuria modestamente[3] viveva. Appresso questo non si potevano astenere dalle risa quando consideravano i calzari da lei non meno con dolcezza acquistati che con dolcezza perduti. Ma perciò che Cateruzza era stata cagione di movere il Trivigiano a far che la Signora raccontasse la favola, prima con alquante dolci parolette la morse, dopo per punizione di tal suo comesso fallo espresamente[4] le comandò che ella recitasse uno enimma che non disaguagliasse dalla favola da lei raccontata. [24] Cateruzza inteso il comandamento della Signora, levòsi da sedere e voltatasi verso lei, cosí disse:

– Signora mia, i mordimenti[5] che voi fatti mi avete, non mi sono discari, anzi gli abbraccio con tutto 'l cuore. Ma ben l'avermi dato il carico di raccontare cosa che non si parti dalla somiglianza della favola raccontata da voi, mi è grave assai, perciò che all'improviso non si potrà dir cosa che grata vi sia. Ma poscia che cosí vi aggrada per tal maniera castigare il fallo mio, se pur fallo dir si può, io come ubidientissima figliuola, anzi deditissima ancella, cosí dirò:

1. *etica*: tisica.

2. *corta*: effimera, di breve durata. Cfr. Boccaccio, *Filocolo* v 92 16: « Similemente ti sia la lussuria nemica, la quale, [...] con la sua corta e fastidiosa dolcezza ».

3. *modestamente*: gioco etimologico con il nome della protagonista.

4. *espresamente*: autorevolmente.

5. *mordimenti*: rimproveri. Cfr. *Dec.*, III 3 47: « i mordimenti di questo frate ». Cfr. anche poco prima « morse ».

[25] Vasi a seder la donna con gran fretta
e io levole e' panni a mano a mano,
e perché certo son ch'ella m'aspetta
indi m'acconcio con la cosa in mano.
La gamba i' levo, ed ella: – Troppo stretta –
dicemi – va tal cosa, fa piú piano –.
E per ch'ella ne senta piú diletto
sovente la ritraggio o la rimetto.[1]

[26] Non meno ridiculoso[2] fu l'enimma da Cateruzza raccontato che fosse l'ingeniosa favola dalla Signora recitata. E perciò che da molti fu disonestamente interpretato, volse ella con bel modo la sua onestà scoprire.

– La vera adunque, generose donne, isposizione del nostro recitato enimma altro non dimostra che la stretta scarpa. Imperciò che la donna si va a sedere e il calciolaio con la scarpa in mano le leva la gamba e la donna gli dice: « Fa piano ché la scarpa è troppo stretta e mi fa male », ed egli piú fiate la ritragge e la rimette fino attanto che la donna se ne rimanga paga e contenta –.

[27] Essendo l'enimma di Cateruzza finito e sommamente da tutta la compagnia commendato, la Signora comandò, conoscendo l'ora esser tarda, che sotto pena della disgrazia sua, niuno si partisse, e fattosi chiamare il discreto siniscalco, li divisò[3] che nella camera grande mettesse le tavole; ché in questo mezzo che si apparecchiasino le mense e si cocinasse la cena, farebbono alquanti balletti. Finiti adunque i balli e cantate due canzonette, la Signora si levò in piedi, e presi per mano il signor ambasciatore e messer Pietro Bembo, e tutti gli altri seguendo lor ordine, li menò nella preparata

1. *Vasi ... rimetto*: RUA, *Intorno alle 'Piacevoli notti'*, p. 145, studiando la fortuna di questo enigma, lo mette in relazione con un indovinello siciliano e con uno dell'alta Bretagna.
2. *ridiculoso*: da ridere.
3. *divisò*: ordinò.

camera, dove data l'acqua alle mani, ciascuno secondo il grado e ordine suo si pose sedere a mensa; e con buoni e delicati cibi e preciosi e recenti vini furono tutti onoratissimamente serviti.[1] Fornita con lieta festa e con amorosi ragionamenti la pomposa e lauta cena, tutti divenuti piú allegri che non erano prima, si levorono dalle mense e al carolare da capo si dierono.[2] [28] E perciò che oramai la rosseggiante aurora[3] cominciava apparere, la Signora fece accendere i torchi[4] e sino alla scala accompagnò il signore ambasciatore, pregandolo che secondo l'usato modo venisse al ridotto; e altresí fece con gli altri.[5]

IL FINE DELLA V.[6] NOTTE

1. *data ... serviti*: cfr. *Dec.*, x 9 25: « e data l'acqua alle mani e a tavola messi con grandissimo ordine e bello, di molte vivande magnificamente furon serviti ».
2. *Finiti ... si dierono*: le occupazioni del gruppo ricordano quelle della brigata decameroniana. Cfr. *Dec.*, IX Intr. 6.
3. *rosseggiante aurora*: per il sintagma cfr. II 5 27
4. *fece ... torchi*: il particolare è anche in *Dec.*, II Concl. 16: « co' torchi avanti ciascuno nella sua camera se n'andò ».
5. *fece ... altri*: questo finale presuppone necessariamente una continuazione. Il secondo libro delle *Piacevoli notti* verrà pubblicato tre anni dopo. Nel frattempo era già uscita un'altra edizione del primo libro (1551).
6. *V.*: rispetto la grafia della cinquecentina, anche se nelle altre notti l'aggettivo numerale compare scritto per esteso.

INDICE

LE PIACEVOLI NOTTI

NOTTE SECONDA

STAMPATO PER LA
SALERNO EDITRICE · ROMA
DA BERTONCELLO ARTIGRAFICHE · CITTADELLA (PADOVA)
SETTEMBRE 2000